AVE FÉNIX

Salman Rushdie ha publicado las novelas *Hijos de la medianoche*, que obtuvo en Gran Bretaña los premios Booker y James Tait Black y en 1993 fue designada Booker of Bookers (la mejor novela ganadora de ese premio en el último cuarto de siglo); *Vergüenza*, galardonada en Francia con Prix du Meilleur Livre Étranger; *Versos satánicos*, distinguida con el Whitbread Prize for Best Novel y que le valió el galardón Germany's Author of the Year Award de 1989; y *El último suspiro del Moro*, aclamada por la crítica mundial. Así como libros de relatos: *Harún y el mar de las historias* (premio Writer's Guild) y *Oriente, Occidente*. En 1993 Rushdie obtuvo el Austrian State Prize for European Literature. Es profesor honorario de humanidades en el Massachusetts Institute of Technology y miembro de la Royal Society of Literature. Sus libros han sido traducidos a veinticinco lenguas.

Los versos satánicos

SALMAN RUSHDIE

Traducción de
Documentación y Traducciones, S. L.

PLAZA & JANÉS EDITORES, S.A.

Título original: *The Satanic Verses*
Diseño de la portada: Dpto. Artístico de Plaza & Janés
Ilustración de la portada: *Descenso por el Ganges*, h. 1605-1610 (detalle), escuela Mughan, India; © Terence McInerney, Nueva York

Segunda edición: marzo, 1998

Printed in Spain – Impreso en España

ISBN: 84-01-41875-5 (col. Ave Fénix)
ISBN: 84-01-41382-6 (vol. 240/2)
Depósito legal: B. 15.508 - 1998

Impreso en Romanyà Valls, S. A.
Verdaguer, 1. Capellades (Barcelona)

L 413826

Dedicado a las personas y organizaciones
que han apoyado la publicación de este libro

Satanás, relegado a una condición errante, vagabunda, transitoria, carece de morada fija; porque si bien a consecuencia de su naturaleza angélica, tiene un cierto imperio en la líquida inmensidad o aire, ello no obstante, forma parte integrante de su castigo el carecer... de lugar o espacio propio en el que posar la planta del pie.

DANIEL DEFOE,
Historia del diablo

I

EL ÁNGEL GIBREEL

I

Para nadar de nuevo, cuántas fatigas [illegible]

[illegible]

te? ¿Cómo conquistar [illegible]

[illegible] Baba, si quieres volver a [illegible]

[illegible] buena Año [illegible]

[illegible] y completa [illegible]

[illegible]

[illegible] mariposa, braza, amoscándose, exten-
[illegible] sus extremidades en el casi infinito del casi
[illegible] adoptando actitudes heráldicas, rampante,

1

«Para nacer de nuevo –cantaba Gibreel Farishta mientras caía de los cielos haciendo volatinas– primero tienes que morir. ¡Ay, sí! ¡Ay, sí! Para posarte en el seno de la tierra, primero tienes que volar. ¡Ta-taa! ¡Tackachum! ¿Cómo volver a sonreír si antes no lloraste? ¿Cómo conquistar el amor de la adorada, caballero, sin un suspiro? *Baba*, si quieres volver a nacer...» Amanecía apenas un día de invierno, hacia Año Nuevo o por ahí, cuando dos hombres vivos, reales y completamente desarrollados, caían desde gran altura, veintinueve mil dos pies, hacia el canal de la Mancha, desprovistos de paracaídas y de alas, bajo un cielo claro.

«Yo te digo que debes morir, te digo, te digo...», y así una vez y otra, bajo una luna de alabastro, hasta que una voz estentórea rasgó la noche: «¡Al diablo con tus canciones! –Las palabras pendían, cristalinas, en la helada noche blanca–. En tus películas tan sólo movías los labios para hacer que cantabas, así que ahórrame ahora ese ruido infernal.»

Gibreel, el solista desafinado, hacía piruetas al claro de luna mientras cantaba su espontáneo *gazal*, nadando en el aire, mariposa, braza, enroscándose, extendiendo sus extremidades en el casi infinito del casi amanecer, adoptando actitudes heráldicas, rampante, yacente, oponiendo la ligereza a la gravedad. Rodó alegremente hacia la sardónica voz. «Hola, colega, ¿eres tú? ¡Estupendo! ¿Qué hay, mi buen Chamchito?» A lo que el otro, una sombra delicada que caía cabeza abajo en perfecta vertical, con su traje gris bien abrochado y los brazos pegados a los costados, tocado, como lo más natural del mundo, con extemporáneo bombín, puso la cara de quien detesta los diminutivos. «¡Eh, bobito –gritó Gibreel, provocando otra mueca invertida–. ¡Es el mismo Londres, chico! ¡Allá vamos! Esos cabritos de ahí abajo no sabrán lo que se les vino encima, si un meteoro, un rayo o la venganza de Dios. Llovidos del cielo, muñeca. *¡Drram!* Uam, ¿eh? ¡Menuda entrada, yyyaaa! Te lo juro: Reventados.»

Llovidos del cielo: un *big bang* seguido de estrellas fugaces. Un principio de universo, un eco en miniatura del nacimiento del tiempo... el jumbo *Bostan*, vuelo AI-420 de Air India, estalló sin previo aviso a gran altura sobre la grande, pútrida, hermosa, nívea y resplandeciente ciudad de Mahagonny, Babilonia, Alphaville. Aunque Gibreel ya ha pronunciado su nombre, y yo no puedo interferir: el mismo Londres, capital de Vilayet, parpadeaba, centelleaba y se mecía en la noche. Mientras, a una altura del Himalaya, un sol prematuro y efímero estallaba en el aire cristalino de enero, un punto desaparecía de las pantallas de radar y el aire limpio se llenaba de cuerpos que descendían del Everest de la catástrofe a la lechosa palidez del mar.

¿Quién soy yo?

¿Hay alguien más por ahí?

El avión se partió por la mitad, como vaina que suelta las semillas, huevo que descubre su misterio. Dos actores, Gibreel, el de las volatinas, y el abotonado y circunspecto Mr. Saladin Chamcha, caían cual briznas de tabaco de un viejo cigarro roto. Encima, detrás, bajo ellos, planeaban en el vacío butacas reclinables, auriculares estéreo, carritos de bebidas, recipientes de los efectos del malestar provocado por la locomoción, tarjetas de desembarco, juegos de vídeo exentos de tasas, gorras con galones, vasos de papel, mantas, máscaras de oxígeno... Y también –porque a bordo del aparato viajaban no pocos emigrantes, sí, un número considerable de esposas que habían sido interrogadas, por razonables y concienzudos funcionarios, acerca de la longitud y marcas distintivas de los genitales del marido, y un regular contingente de niños sobre cuya legitimidad el gobierno británico había manifestado sus siempre razonables dudas–, mezclados con los restos del avión, igualmente fragmentados, igualmente absurdos, flotaban los desechos del alma, recuerdos rotos, yos arrinconados, lenguas maternas cercenadas, intimidades violadas, chistes intraducibles, futuros extinguidos, amores perdidos, el significado olvidado de palabras huecas y altisonantes, tierra, pertenencia, casa. Un poco aturdidos por el estallido, Gibreel y Saladin bajaban como fardos soltados por una cigüeña distraída de pico, y Chamcha, que caía cabeza abajo, en la posición recomendada para el feto que va a entrar en el cuello del útero, empezó a sentir una sorda irritación ante la resistencia del otro a caer con normalidad. Saladin descendía de narices mientras que Farishta abrazaba el aire, asiéndolo con brazos y piernas, con los ademanes del actor amanerado que desconoce las técnicas del contenimiento. Abajo, cubiertas de nubes, esperaban su entrada las corrientes lentas y glaciales de la Manga inglesa, la zona señalada para su reencarnación marina.

«Oh, mis zapatos son japoneses –cantaba Gibreel, traduciendo al inglés la letra de la vieja canción, en semiinconsciente deferencia hacia la nación anfitriona que se le venía en cara–, el pantalón, inglés, pues no faltaba más. En la cabeza, un gorro ruso rojo; mas el corazón sigue siendo indio, a pesar de todo.» Las nubes hervían espumeando cada vez más cerca, y quizá fuera por aquella enorme confusión de cúmulos y comulonimbos, con sus tormentosas cúspides enhiestas como martillos a la luz del amanecer, quizá fuera el dúo (cantando el uno y abucheando el otro) o quizá el delirio de la explosión que les evitaba percatarse de lo inminente..., el caso es que los dos hombres, Gibreelsaladin Farischtachamcha, condenados a esta angelicodemoníaca caída sin fin pero efímera, no se dieron cuenta del momento en que empezaba el proceso de su transmutación.

¿Mutación?

Sí, señor; pero no casual. Allá arriba, en el aire-espacio, en ese campo blando e intangible que el siglo ha hecho viable y que se ha convertido en uno de sus lugares definitorios, la zona de la movilidad y de la guerra, la que empequeñece el planeta, la del vacío de poder, la más insegura y transitoria de las zonas, ilusoria, discontinua y metamórfica –porque cuando lo tiras todo al aire puede ocurrir cualquier cosa–, allá arriba, en cualquier caso, se operaron en unos actores delirantes cambios que habrían alegrado el corazón del viejo Mr. Lamarck: bajo extrema presión ambiental, se adquirieron ciertos rasgos.

¿Qué rasgos respectivamente? Calma, ¿se han creído que la Creación se produce a marchas forzadas? Bien, pues la revelación tampoco... Echen una mirada a la pareja. ¿Observan algo extraño? Sólo dos hombres morenos en caída libre; la cosa no tiene nada de nuevo, pensarán, treparon demasiado, se pasaron de listos, volaron muy cerca del sol, ¿no es eso?

No es eso. Escuchen.

Mr. Saladin Chamcha, aterrado por los ruidos que salían de la boca de Gibreel Farishta, contraatacó con sus propios versos. Lo que Farishta oyó tremolar en el improbable aire nocturno era también una vieja canción, letra de Mr. James Thomson, mil setecientos a mil setecientos cuarenta y ocho. «... por orden del cielo –entonaba Chamcha con unos labios que el frío ponía patrióticamente rojos, blancos y azules– surgió del aaaazul... –Farishta, horrorizado, cantaba cada vez más alto a los zapatos japoneses, los gorros rusos y los corazones inviolablemente subcontinentales, pero no conseguía superar el salvaje recital de Saladin– ... y los ángeles de la guaaaarda entonaban el estribillo.»

Afrontémoslo: era imposible que se oyeran mutuamente, y no digamos que conversaran y compitieran en el canto de semejante modo. Acelerando hacia el planeta, con la atmósfera silbando alrededor, ¿cómo habían de oírse? Pero, afrontémoslo también, se oían.

Se precipitaban hacia abajo y el frío invernal que les escarchaba las pestañas y amenazaba con helarles el corazón estaba a punto de despertarles de su delirante ensueño, estaban a punto de ser conscientes del milagro del canto, de la lluvia de extremidades y de niños de la que ellos formaban parte y del terrorífico destino que subía a su encuentro cuando, empapándose y congelándose instantáneamente, se sumergieron en la ebullición a cero grados de las nubes.

Se hallaban en lo que parecía ser un largo túnel vertical. Chamcha, atildado, rígido y todavía cabeza abajo, vio cómo Gibreel Farishta, con su camiseta de deporte color púrpura, nadaba hacia él por aquel embudo con paredes de nube, y hubiera querido gritar: «No te acerques, aléjate de mí», pero algo se lo impidió, un agudo cosquilleo que se iniciaba en sus intestinos, de manera que, en lugar de proferir palabras hostiles, abrió los brazos y Farishta nadó hacia ellos y quedaron abrazados con las cabezas diametralmente opuestas, y la fuerza de la colisión les hizo emparejarse y caer girando como aspas por el agujero que conducía al País de las Maravillas. Mientras se abrían paso surgieron de la blancura una sucesión de formas nebulosas, en metamorfosis incesante de dioses en toros, mujeres en arañas y hombres en lobos. Nubes-criaturas híbridas se precipitaban hacia ellos, flores gigantes con pechos humanos colgadas de tallos carnosos, gatos alados y centauros, y Chamcha, en su semiinconsciencia, tenía la impresión de que también él había adquirido calidad nebulosa y metamórfica, híbrida, como si estuviera convirtiéndose en la persona cuya cabeza se le había acoplado entre sus piernas y cuyas piernas se enlazaban alrededor de su largo cuello patricio.

Aquella persona, sin embargo, no tenía tiempo para tan retóricas quimeras; es más, era incapaz de entregarse a la más nimia fantasía. Y es que acababa de ver emerger del remolino de las nubes la figura de una seductora mujer de cierta edad, con sari de brocado verde y oro, brillante en la nariz y moño alto perfectamente defendido por la laca contra la presión del viento de las alturas, que viajaba cómodamente sentada en alfombra volante. «Rekha Merchant –saludó Gibreel–, ¿es que no has podido encontrar el camino del cielo?» ¡Impertinentes palabras para ser dichas a una muerta! Pero, en descargo del osado, puede aducirse su condición traumatizada y vertiginosa... Chamcha, agarrado a sus piernas, profirió una interrogación inconcebible: «¿Qué diablos?»

«¿Tú no la ves? –gritó Gibreel–. ¿No ves su maldita alfombra de Bokhara?»

«No, no, Gibbo –susurró en sus oídos la voz de la mujer–; no esperes su corroboración. Yo soy única y estrictamente para tus ojos, namaquo, mierda de cerdo, bien mío. Con la muerte llega la sinceridad, querido mío, y ahora puedo llamarte por tus verdaderos nombres.»

La nebulosa Rekha murmuraba agrias trivialidades, pero Gibreel gritó otra vez a Chamcha: «Bobito, ¿la ves o no la ves?»

Saladin Chamcha no veía, ni oía, ni decía nada. Gibreel se encontró con ella solo. «No debiste hacerlo –la reprendió–. No, señor. Es un pecado. Una enormidad.»

Oh, y ahora me riñes, rió ella. Ahora eres tú el que se da aires de moralidad, tiene gracia. Tú me dejaste, le recordó su voz al oído, como si le mordisqueara el lóbulo de la oreja. Fuiste tú, luna de mis delicias, el que se escondió en una nube. Y yo me quedé a oscuras, ciega, perdida por amor.

Él empezaba a tener miedo. «¿Qué quieres? No; no lo digas, sólo márchate.»

Cuando estuviste enfermo, yo no podía ir a verte, por el escándalo; tú sabías que no podía, que me mantenía apartada por tu bien, pero después me castigaste, lo utilizaste de pretexto para marcharte, de nube para esconderte. Eso, y también a ella, la mujer de los hielos. Bastardo. Ahora que estoy muerta he olvidado cómo se perdona. Yo te maldigo, mi Gibreel, que tu vida sea un infierno. Un infierno, porque ahí me mandaste, maldito seas, y de ahí viniste, demonio, y ahí vas, imbécil, que te aproveche la jodida zambullida. La maldición de Rekha y, después, unos versos en una lengua que él no entendía, secos y sibilantes, en los que creyó distinguir, o tal vez no, el repetido nombre de *Al-Lat*.

Gibreel se apretó contra Chamcha y salieron de las nubes.

La velocidad, la sensación de velocidad volvió, silbando su nota escalofriante. El techo de nubes voló hacia lo alto, el suelo de agua se acercó y ellos abrieron los ojos. Un grito, el mismo grito que aleteaba en su estómago cuando Gibreel nadaba por el cielo, escapó de labios de Chamcha; un rayo de sol taladró su boca abierta liberándolo. Pero Chamcha y Farishta, que habían caído a través de las transformaciones de las nubes, también tenían contorno vago y difuso, y cuando la luz del sol dio en Chamcha, liberó algo más que un ruido.

«Vuela –gritó Chamcha a Gibreel–. Echa a volar, ya.» Y, sin saber la razón, agregó la segunda orden: «Y canta.»

¿Cómo llega al mundo lo nuevo? ¿Cómo nace?

¿De qué fusiones, transustanciaciones y conjunciones se forma?

¿Cómo sobrevive, siendo como es tan extremo y peligroso? ¿Qué compromisos, qué pactos, qué traiciones a su secreta naturaleza tiene que hacer para contener a la banda demoledora, al ángel exterminador, a la guillotina?

¿Es siempre caída el nacimiento?

¿Tienen alas los ángeles? ¿Vuelan los hombres?

Cuando Mr. Saladin Chamcha caía de las nubes sobre el canal de la Mancha, sentía el corazón oprimido por una fuerza tan implacable que comprendió que no podía morir. Después, cuando tuviera los pies firmemente asentados de nuevo en tierra, empezaría a dudarlo y atribuiría lo implausible de su tránsito al desbarajuste de sus sentidos provocado por la explosión, achacando su supervivencia y la de Gibreel a un capricho de la fortuna. Pero por el momento no tenía la menor duda: lo que le había ayudado a salir del trance era el deseo de vivir, sincero, irresistible y puro, y lo primero que hizo aquel deseo fue informarle de que no quería tener nada que ver con su patética personalidad, con aquel apaño chapucero de mímica y voces, que se proponía desentenderse de todo ello, y descubrió que se rendía, sí, adelante, como si fuera un mirón de sí mismo en su propio cuerpo, porque aquello partía del centro de su cuerpo y se extendía hacia fuera, convirtiendo su sangre en hierro y su carne en acero, aunque también lo sentía como un puño que lo envolviera sosteniéndolo de una manera que era a la vez insoportablemente dura e intolerablemente suave; hasta que se apoderó de él por completo y pudo hacerle mover los labios, los dedos, todo lo que deseara y, una vez estuvo seguro de su conquista, salió de su cuerpo y agarró a Gibreel Farishta por las pelotas.

«Vuela –ordenaba a Gibreel aquella fuerza–. Canta.»

Chamcha permaneció abrazado a Gibreel mientras éste, al principio lentamente, y después con rapidez y fuerza crecientes, batía los brazos. Más y más vigorosamente braceaba y, al bracear, surgió de él un canto que, como el canto del espectro de Rekha Merchant, se cantaba en una lengua desconocida para él, con una música que jamás había oído. Gibreel en ningún momento rechazó el milagro; a diferencia de Chamcha, que trataba de descartarlo por medio de la lógica, él nunca dejó de decir que el *gazal* era celestial y que, sin el canto, de nada le hubiera servido mover los brazos a modo de alas y, sin el aleteo, era seguro que habrían golpeado las olas como rocas o algo así, estallando en mil pedazos al tomar contacto con el tenso tambor del mar. Mientras que ellos, por el contrario, empezaron a frenar. Cuanto más briosamente aleteaba y cantaba, cantaba y aleteaba Gibreel, más se acentuaba la desaceleración, hasta que, al fin, planeaban sobre el canal como papelillos mecidos por la brisa.

Fueron los únicos supervivientes de la catástrofe, los únicos pasajeros caídos del *Bostan* que conservaron la vida. Fueron depositados por la marea en una playa. Cuando los encontraron, el más expansivo de los dos, el de la camisa púrpura, deliraba frenéticamente, jurando que habían caminado sobre el agua, que las olas los habían acompañado suavemente hasta la orilla; mientras que el otro, que llevaba un empapado bombín pegado a la cabeza como por arte de magia, lo negaba. «Por

Dios que tuvimos suerte –decía–. Toda la suerte del mundo.»

Yo conozco la verdad, obviamente. Lo vi todo. Por lo que respecta a omnipresencia y omnipotencia no tengo pretensiones, por el momento, pero una cosa sí puedo afirmar, espero: Chamcha lo deseó y Farishta cumplió el deseo.

¿Quién hizo el milagro?

¿De qué naturaleza –angélica o satánica– era la canción de Farishta?

¿Quién soy yo?

Planteémoslo así: ¿quién sabe los mejores cantos?

Éstas fueron las primeras palabras que Gibreel Farishta pronunció al despertar en la nevada playa inglesa, con una inaudita estrella de mar junto a la oreja: «Hemos vuelto a nacer, bobito, tú y yo. Feliz cumpleaños, señor, feliz cumpleaños.»

Y Saladin Chamcha tosió, escupió, abrió los ojos y, como es propio de un recién nacido, se echó a llorar como un tonto.

2

La reencarnación fue siempre un tema de gran importancia para Gibreel, durante quince años la mayor estrella del cine indio, incluso antes de que venciera «milagrosamente» al Virus Fantasma que, según empezaba a creer todo el mundo, parecía que iba a acabar con todos sus contratos. Por lo tanto, quizá alguien hubiera podido prever, solo que nadie lo hizo, que, cuando se restableciera, podría, por así decir, triunfar en lo que habían fracasado los gérmenes, y abandonar para siempre su vieja vida, a menos de una semana de cumplir los cuarenta, esfumándose *en el aire*, ¡puf!, como por arte de magia.

Los primeros en notar su ausencia fueron los cuatro componentes del equipo de la silla de ruedas de los estudios. Mucho antes de su enfermedad, Gibreel había adquirido la costumbre de hacerse llevar de plató en plató de los grandes estudios D. W. Rama por este grupo de atletas rápidos y dignos de confianza, porque un hombre que rueda hasta once películas a la vez necesita conservar sus energías. Guiándose por un complicado código de rayas, círculos y puntos que Gibreel recordaba de su niñez entre los legendarios repartidores de almuerzos de Bombay (de los que luego hablaremos más extensamente), los mozos de silla lo llevaban velozmente de personaje en personaje, depositándolo con la misma precisión y puntualidad con las que otrora su padre entregara los almuerzos. Y después de cada sesión Gibreel volvía a la silla en la que, a gran velocidad, era gobernado hasta el plató siguiente, donde lo vestían y maquillaban y le entregaban los diálogos. «La carrera de un actor de cine en Bombay –decía a su leal tripulación– se parece a una gymkhana en silla de ruedas con un par de socavones en la ruta.»

Después de la enfermedad del Germen Fantasma, del Mal Misterioso, del Virus, Gibreel volvió al trabajo, pero con menos agobio, haciendo sólo siete películas a la vez... hasta que, de repente, desapareció. La silla de ruedas quedó vacía en los mudos platós; la ausencia del actor dejó al descubierto el magro artificio de los decorados. Los mozos de silla, los cuatro a la vez, no sabían qué excusas dar cuando los airados directivos cayeron sobre ellos: Oh, sí, debe de estar enfermo, siempre tuvo fama de puntual, ¿no?, ¿qué se le puede reprochar, *maharaj*? A los grandes artistas hay que consentirles algo de temperamento de vez en cuando, y gracias a sus excusas fueron las primeras víctimas del mutis inexplicado de Farishta, lanzados, cuatro, tres, dos, uno, *ekdumjaldi*, por las puertas de los estudios, con lo que la silla de ruedas quedó abandonada y polvorienta bajo los cocoteros pintados en torno a una playa de serrín.

¿Dónde estaba Gibreel? Los productores, dejados en siete estacadas, fueron presa de un pánico oneroso. Ahí los tienen, en el golf del club Willingdon –sólo quedan nueve hoyos porque de los otros nueve han brotado rascacielos como hierbajos gigantes o, digamos, como lápidas funerarias que señalan los lugares en los que yace el cadáver despedazado de la antigua ciudad–, ahí, ahí mismamente los altos directivos fallan los *putts* más fáciles; y si levantan la mirada verán mechones de cabello arrancado de responsables cabezas angustiadas y arrojado desde las ventanas de los últimos pisos. La agitación de los productores era comprensible, pues en aquellos tiempos de merma de espectadores cinematográficos, nacimiento de los folletones históricos y reivindicación del televisor por las amas de casa, no quedaban más que un nombre que, amparando el título de una película, ofreciera garantía total de Superéxito y Sensación, y ahora el dueño de tal nombre había desaparecido, no se sabía si hacia arriba, hacia abajo o hacia un lado, pero lo cierto era que se había esfumado...

Por toda la ciudad, una vez que los teléfonos, los motoristas, los guardias, los hombres-rana y las dragas del puerto hubieron trabajado infructuosamente, empezaron a pronunciarse responsos por la estrella apagada. En uno de los siete impotentes platós de los estudios Rama, miss Pimple Billimoria, el último descubrimiento explosivo de la industria *–no una tierna y pálida azucena, sino un despampanante barril de dinamita–*, ataviada con gasas de danzarina sagrada y colocada bajo sinuosas reproducciones en cartón de las figuras tántricas del período Chandela sorprendidas en el acto de la cópula –al percatarse de que su escena cumbre no se rodaría y su gran oportunidad estaba hecha añicos–, ofreció un malévolo adiós frente a un público de técnicos de sonido y electricistas que fumaban cínicos *beedis*. Pimple, acompañada por un *ayah* muda de dolor, toda codos, organizó su desprecio. «¡Caray, qué suerte! –exclamó–. Hoy rodábamos la escena de amor, *chhi, chhi*, y yo estaba desesperada pensando en cómo acercarme a ese bocazas que huele a guano de cucaracha putrefacta.» Los pesados cascabeles de sus tobillos se agitaron con su pataleo. «Suerte ha tenido de que las películas no huelan, o no hubiera encontrado papel ni de leproso.» Aquí el soliloquio de Pimple subió de tono hasta alcanzar el de un torrente de obscenidades de un calibre tal que los fumadores de *beedis* se irguieron en sus asientos por primera vez y empezaron a comparar animadamente el vocabulario de Pimple con el de Phoolan Davi, la famosa reina de bandidos, cuyos juramentos fundían los cañones de los fusiles y convertían en goma los lápices de los periodistas.

Mutis de Pimple, llorosa, censurada, una tira de celuloide en el suelo de una sala de montaje. Mientras se alejaba, de su ombligo iban cayendo ágatas que reflejaban sus lágrimas..., aunque en lo de la halitosis de Farishta algo de razón tenía; incluso quizá se quedara corta. Las exhalaciones de Gibreel, nubes ocre de sulfuro y azufre, siempre le dieron –junto con el pronunciado pico de viuda de su pelo en la frente y su melena negra como ala de cuervo– un aire más saturnino que celeste, a pesar de las arcangélicas resonancias de su nombre. A raíz de su desaparición se dijo que no sería difícil encontrarlo, que lo único que se necesitaba era una nariz medianamente sensible... y, una semana después de su desaparición, un mutis más trágico que el de Pimple Billimoria acrecentó el tufo diabólico que empezaba a adherirse al nombre que tan dulces fragancias evocara. Digamos que había abandonado la pantalla y entrado en el mundo, y en la vida real, a diferencia del cine, la gente nota si hueles.

Somos criaturas del aire, / con raíces en los sueños / y las nubes renacidas / en el vuelo. Adiós. La enigmática nota descubierta por la policía en el ático de Gibreel Farishta, situado en la cúspide del rascacielos Everest Vilas de Malabar Hill, el hogar más alto del edificio más alto de la parte más alta de la ciudad, uno de esos apartamentos con vistas dobles, desde los que, por este lado, dominas el collar nocturno de Marina Drive y, por el otro, el cabo de Scandal Point y el mar, dio mucho juego en los titulares. FARISHTA SE ZAMBULLE BAJO TIERRA, pregonaba *Blitz*, tétrico, mientras que Abeja laboriosa, de

The Daily, optaba por GIBREEL LEVANTA EL VUELO DESDE SU PALOMAR. Se publicaron muchas fotografías de la fabulosa residencia, en la que decoradores franceses provistos de cartas de recomendación de Reza Pahlevi por el trabajo realizado en Persépolis, gastaron un millón de dólares en reproducir, a tan exaltada altura, el interior de una tienda de beduino. Otra ilusión destrozada por su ausencia: GIBREEL LEVANTA EL CAMPAMENTO, vociferaban los titulares; pero ¿había ido hacia arriba, hacia abajo o hacia un lado? Nadie lo sabía. En aquella metrópoli de lenguas y susurros, ni los oídos más finos oían algo fidedigno. Pero Mrs. Rekha Merchant, que leía todos los periódicos, escuchaba todas las noticias de la radio y no se despegaba del televisor, entresacó algo del mensaje de Farishta, percibió una nota que había escapado a todos y subió con sus dos hijas y su hijo a pasear por la azotea del edificio en que vivían. Se llamaba Everest Vilas.

Una vecina; en realidad, la vecina del piso de abajo. Vecina y amiga. ¿Qué más tengo que decir? Por supuesto que las maliciosas revistas de escándalo de la ciudad llenaron columnas con insinuaciones y frases de doble sentido, pero ello no nos autoriza a ponernos a su nivel. ¿Por qué manchar ahora su reputación?

¿Quién era ella? Era una mujer rica, desde luego, porque Everest Vilas no es precisamente un vecindario de pobres, ¿verdad? Casada, sí señor, trece años, con un hombre importante en el sector de los rodamientos a bolas. Independiente; sus tiendas de alfombras y antigüedades prosperaban en el mejor punto de la zona de Colaba. Ella llamaba a sus alfombras *klims* o *kliins*, y a los objetos antiguos, *antijuedades*. Sí, y era bella, con la belleza dura y ebúrnea de los extraordinarios habitantes de las casas altas de la ciudad, con unos huesos, un cutis y una manera de moverse que acreditaban su largo divorcio de la tierra empobrecida, pesada y pululante. Estaba todo el mundo de acuerdo en que poseía una gran personalidad, bebía *como una esponja* en copas de cristal de Lalique, colgaba el sombrero *desvergonzadamente* en una Chola Natraj y sabía lo que quería y cómo conseguirlo pronto. El marido era una rata con dinero y buena muñeca para el *squash*. Rekha Merchant leyó el adiós de Gibreel Farishta en los periódicos, escribió una carta a su vez, llamó a sus hijos, tomó el ascensor y subió (un piso) al encuentro del destino que había elegido.

«Hace muchos años –decía en su carta–, me casé por cobardía. Ahora, por fin, hago algo por coraje.» Dejó encima de la cama un periódico en el que había enmarcado y subrayado enérgicamente en rojo –con tres fuertes líneas, una de las cuales había roto el papel– el mensaje de Gibreel. La prensa del puteo, naturalmente, echó el resto con EL SALTO DE LA HERMOSA DESCONSOLADA y BELDAD AFLIGIDA SE LANZA AL VACÍO. Ahora bien:

Quizá también ella tuviera la inquietud de la reencarnación y Gibreel, sin comprender el terrible poder de la metáfora, recomendaba el vuelo. *Para volver a nacer, antes tienes que...* y ella era una criatura del cielo, bebía champán en Lalique, vivía en Everest, y uno de sus compañeros del Olimpo había echado a volar. Si él podía volar, también ella podría tener alas y echar raíces en los sueños.

Ella no lo consiguió. El *lala* empleado de portero en el complejo de Everest Vilas ofreció al mundo su rupestre testimonio. «Yo andaba por aquí, por aquí, sin salir del complejo, cuando oigo un golpe, *cras*. Me vuelvo. Era el cuerpo de la hija mayor. Tenía el cráneo aplastado. Miró arriba y veo caer al chico y, después, a la niña. Cómo diría yo..., casi me caen encima. Me tapé la boca con la mano y me acerqué. La niña gemía un poco. Luego miré hacia arriba por cuarta vez y entonces veo venir a la Begum. El sari flotaba como un globo. Tenía el pelo suelto. Aparté la mirada, porque ella caía y no es correcto mirar debajo de la ropa.»

Rekha y sus hijos cayeron del Everest; no hubo supervivientes. Las habladurías culparon a Gibreel. Dejémoslo así por ahora.

Ah, que no se olvide, él la vio después de muerta. La vio varias veces. Fue mucho antes de que la gente comprendiera lo muy enfermo que estaba el gran hombre. Gibreel, la estrella. Gibreel, el que venció a la Enfermedad sin Nombre. Gibreel, el que temía al sueño.

Después de su partida, sus ubicuas efigies empezaron a deteriorarse. En los gigantescos y vistosos carteles desde los que contemplaba al populacho, sus lánguidos párpados se desmenuzaban y desprendían, entornándose más y más hasta hacer que sus iris parecieran unas lunas gemelas segadas por las nubes o por el fino cuchillo de sus largas pestañas. Al cabo, los párpados desaparecieron del todo y sus ojos pintados adquirieron una mirada atónita y protuberante. En las fachadas de los cines de Bombay, las colosales figuras de Gibreel en cartón piedra se desintegraban y desmoronaban, colgaban fláccidas del armazón, perdían brazos, se desteñían y doblaban el cuello. Su rostro adquirió en las portadas de las revistas una palidez de muerte, una mirada mate, una vacuidad. Al final su imagen se borró, sencillamente, y las relucientes portadas de *Celebrity*, *Society* e *Illustrated Weekly* quedaron en blanco en los quioscos, y los editores echaron a la calle a los impresores y culparon a la mala calidad de la tinta. Incluso en la mismísima pantalla, en las salas oscuras llenas de fieles, su fisonomía, supuestamente inmortal, empezó a pudrirse, a llagarse y difuminarse; los proyectores se atoraban inexplicablemente cuando pasaba él; las películas se paralizaron y el calor de las lámparas quemó su memoria de celuloide: una estrella convertida en supernova por el fuego de sus labios, como ha de ser.

Fue la muerte de Dios. O algo muy parecido; porque ¿acaso aquel rostro gigante, suspendido sobre sus devotos en la noche artificial del cinematógrafo, no brillaba como el de un Ente sobrenatural que residiera, a medio camino, por lo menos, entre lo mortal y lo divino? A más de medio camino, dirían muchos, porque Gibreel había dedicado la mayor parte de su excepcional carrera a encarnar, con absoluta propiedad y convicción, las incontables divinidades del subcontinente en el popular género de las llamadas películas «teológicas». Y es que una parte de la magia de su persona era el don de atravesar las fronteras de la religión sin causar ofensa alguna. Con la tez azul de Krishna, bailaba, flauta en mano, entre las bellas *gopis* y sus vacas de pesadas ubres; con las palmas de las manos vueltas hacia arriba, meditaba, sereno (en el papel de Gautama Buda), sobre los sufrimientos de la Humanidad, al pie de un raquítico árbol *bodhi* fabricado en los estudios. En las raras ocasiones en que descendía de los cielos, nunca bajaba demasiado, limitándose a interpretar, por ejemplo, los papeles del Gran Mogol y de su astuto ministro en el clásico *Akbar y Birbal*. Durante más de década y media, para cientos de millones de fieles, en un país en el que, aún hoy, la población humana supera la divina en menos de tres a uno, Gibreel representó la más aceptable e inmediatamente reconocible faz del Ser Supremo. Para muchos de sus incondicionales, hacía tiempo que se había borrado la línea divisoria entre el actor y sus personajes.

Los incondicionales, sí, ¿y...? ¿Y Gibreel?

Aquella cara. En la vida real, reducida a tamaño natural, colocada entre simples mortales, no tenía nada de estelar. Aquellos pesados párpados le daban, incluso, un aire de agotamiento. La nariz tenía cierta aspereza; los labios eran excesivamente carnosos para resultar enérgicos, y las orejas, de lóbulos alargados, recordaban el fruto del arlocarpo. Una cara de lo más profano y sensual. Y una cara en la que, últimamente, se advertían las líneas marcadas por su reciente y casi fatal enfermedad. Pero, a pesar de su aire profano y su debilidad, seguía siendo una cara íntimamente asociada a la santidad, a la perfección, a la gracia: materia de Dios. Hay gustos para todo, desde luego. De todos modos, convendrán en que no es tan sorprendente, a fin de cuentas, que semejante actor (cualquier actor, tal vez incluso Chamcha, pero, sobre todo él) sienta cierta preocupación por los avatares, como el multimetamorfoseado Vishnu. La reencarnación, materia de Dios también.

Aunque no siempre. También hay reencarnaciones seculares. Gibreel Farishta recibió al nacer el nombre de Ismail Najmuddin. Era natural de Poona, la Poona británica, y vino al mundo cuando del Imperio sólo quedaba la colilla, mucho antes de que aquella población se llamara Pune de Rajneesh, etcétera. (Pune, Vadodara, Mumbai: hoy hasta las ciudades pueden tomar nombres artísticos.) Se llamaba Ismail por el niño involucrado en el sacrificio de Ibrahim, y Najmuddin significa *estrella de la fe*, o sea que también era todo un nombre el que dejó para tomar el del ángel.

Después, cuando el avión *Bostan* estaba en poder de los secuestradores, y los pasajeros, temerosos por su futuro, regresaban al pasado, Gibreel confió a Saladin Chamcha que al elegir seudónimo quiso rendir homenaje a la memoria de su madre, «mi *mummyji*, Bobito, mi querida *mamo*, porque quién, sino ella, empezó con lo del ángel, su ángel particular, y me llamaba *farishta* porque, al parecer, yo era un encanto de criatura, más bueno que el maldito oro».

Poona no tuvo el privilegio de albergarlo durante mucho tiempo; siendo aún muy niño, lo llevaron a la puta ciudad en su primera emigración. Su padre consiguió un empleo en la flota de a pie, en la que se inspirarían los futuros cuartetos de mozos de silla de ruedas, los repartidores de almuerzos o *dabbawallas* de Bombay. Y a los trece años Ismail, el *farishta*, siguió los pasos de su padre.

Gibreel, rehén a bordo del AI-420, se sumía en comprensibles éxtasis al explicar a Chamcha, con ojos brillantes, los misterios del código de los repartidores: svástica negra, círculo rojo, raya amarilla, punto..., repasando con los ojos de la mente todo el itinerario, de la casa hasta la mesa de la oficina, un improbable sistema gracias al cual dos mil *dabbawallas* entregaban más de cien mil almuerzos al día y, en el peor de los casos, Bobito, se extraviaban quince. La mayoría no sabíamos leer, y los signos eran nuestro lenguaje secreto.

El *Bostan* volaba en círculo sobre Londres, los pistoleros patrullaban los pasillos y las luces de la cabina del pasaje estaban apagadas, pero la energía de Gibreel iluminaba la oscuridad. Sobre la mugrienta pantalla de a bordo, en la que Walter Matthau, inevitable compañero de todos los vuelos, había exhibido su andar lúgubre y desgarbado antes de ceder el paso a la ubicuidad aérea de Goldie Hawn, se movían ahora las sombras proyectadas por la nostalgia de los rehenes, y la más nítida de todas era la del espigado adolescente Ismail Najmuddin, el ángel de su mamá con una gorra Gandhi, llevando almuerzos por la ciudad. El joven *dabbawalla* se deslizaba ágilmente entre la multitud de sombras porque estaba acostumbrado a estas situaciones, figúrate, Bobito, treinta o cuarenta almuerzos en la cabeza, en una larga bandeja, y cuando para el tren de cercanías apenas tienes un minuto para subir o bajar, y luego, a correr por la calle, por el arroyo, ¡hala!, con los camiones, los autobuses, las motos, las bicicletas y demás, uno-dos, uno-dos, el almuerzo, el almuerzo, los *dabbas* no paran y, en el monzón, corriendo a lo largo de la vía cuando el tren se averiaba, o con el agua por la cintura en una calle inundada, y luego las pandillas, chico, de verdad, bandas organizadas de ladrones de *dabbas*, porque aquélla es una ciudad hambrienta, tú, para qué te voy a contar, pero nosotros nos defendíamos, estábamos en todas partes, sabíamos mucho, hasta qué ladrones tenían que escapar de nuestros ojos y oídos; nosotros no íbamos a la policía, nos bastábamos para defendernos.

Por la noche, padre e hijo volvían exhaustos a la chabola que tenían en Santacruz, al lado del aeropuerto, y cuando la madre de Ismail lo veía llegar, iluminado por el verde, rojo y amarillo de los reactores que despegaban, solía decir que sólo verle hacía que todos sus sueños se convirtieran en realidad, lo que venía a ser la primera indicación de que Gibreel era algo especial, ya que, al parecer, desde muy joven podía satisfacer los más íntimos deseos de las personas sin saber cómo. A su padre, Najmuddin senior, no parecía importarle que su esposa sólo tuviera ojos para el hijo, ni que los pies del chico recibieran masaje todas las noches mientras los del padre se quedaban sin él. Un hijo es una bendición, y una bendición exige la gratitud de los benditos.

Naima Najmuddin murió. La atropelló un autobús y se acabó. Gibreel no estaba allí para escuchar su plegaria por la vida. Ni padre ni hijo hablaron de la pena. En silencio, como si fuera lo normal y obligado, sepultaron su dolor en el trabajo extra, empeñándose en muda competición a ver quién conseguía portar más *dabbas* en la cabeza, quién adquiría más contratos al cabo del mes, quién corría más, como si más esfuerzo demostrara más amor. Cuando, por la noche, Ismail Najmuddin veía las hinchadas venas del cuello y de las sienes de su padre, comprendía que el viejo había tenido celos de él y que ahora quería derrotarlo en la competición para recobrar la usurpada primacía en el amor de la esposa muerta. Al comprenderlo, el joven aminoró el esfuerzo, pero el padre no cejó y, al poco tiempo, ascendía de simple repartidor a *muqaddam* supervisor. Cuando Gibreel cumplió diecinueve años, Najmuddin padre ingresó en el gremio de repartidores de almuerzos, la Bombay Tiffin Carriers Association, y, cuando Gibreel cumplió los veinte, su padre había muerto, detenido por un colapso que casi lo reventó. «Se mató a correr –dijo *babasaheb* Mhatre en persona, secretario general del gremio–. Al infeliz se le acabó el aliento.» Pero el huérfano sabía que no era así. Él comprendía que, por fin, su padre había corrido con el ímpetu suficiente para cruzar la frontera entre los mundos, dejando atrás la propia piel, y llegado a los brazos de su esposa, a la que había demostrado, de una vez para siempre, la superioridad de su amor. Hay emigrantes que se alegran de partir.

Babasaheb Mhatre se sentaba en un despacho azul detrás de una puerta verde, sobre un laberíntico bazar. Era una figura imponente, orondo como un buda, una de las grandes fuerzas motrices de la metrópoli que poseía el don oculto de poder permanecer absolutamente estático, sin salir de su despacho, y, al mismo tiempo, estar en todos los lugares importantes y relacionarse con todos los personajes preeminentes de Bombay. Un día después de que el padre del joven Ismail cruzara la frontera para reunirse con Naima, el *babasaheb* llamó al joven a su presencia. «¿Cómo estás? ¿Mal?» La respuesta, con la mirada baja: *Ji*, gracias, *babaji*, estoy bien. «Cierra la boca –dijo *babasaheb* Mhatre–. A partir de hoy, vivirás conmigo.» Peropero, *babaji*... «Nada de peros. Ya he informado a mi buena esposa. Está decidido.» «Perdón, *babaji*, pero ¿por qué?» «Está decidido.»

A Gibreel Farishta nunca se le explicó por qué el

babasaheb había decidido apiadarse de él y sacarlo del mundo sin futuro de las calles, pero al cabo de algún tiempo empezó a sospecharlo. Mrs. Mhatre era una mujer muy delgada –si el *babasaheb* era macizo como una goma de borrar, ella parecía un lápiz–, pero hubiera tenido que estar gorda como una patata para contener todo el amor maternal que llevaba dentro. En cuanto el *baba* llegaba a casa, ella le ponía dulces en la boca y, por las noches, el recién llegado oía protestar al imponente secretario de la BTCA: Quita, mujer, que ya sé desnudarme solo. A la hora del desayuno ella servía grandes platos de papilla a Mhatre y se la daba en la boca, a cucharadas, y antes de que se fuera al trabajo le cepillaba el pelo. Era una pareja sin hijos, y el joven Najmuddin comprendió que el *babasaheb* pretendía que él le ayudara a llevar la carga. Pero, por extraño que pueda parecer, la *begum* no trataba al joven como si fuera un niño. «Es que él está muy crecido», dijo a su marido cuando la pobre Mhatre le suplicó: «¿Por qué no das al chico esa maldita papilla malteada?» Sí; está muy crecido, «hemos de hacer de él un hombre, esposo, no debemos mimarlo». «¡Por qué me mimas a mí?» Mrs. Mhatre se echó a llorar. «Tú lo eres todo para mí –sollozó–: mi padre, mi amante y mi niño. Tú eres mi señor y mi bebé. Si te desagrado, no tengo vida.»

Babasaheb Mhatre aceptó la derrota y tragó la cucharada de papilla malteada.

Él era un hombre bondadoso, pero disimulaba su condición con imprecaciones y voces. En el despacho azul trataba de consolar al huérfano hablándole de la filosofía de la reencarnación, y le decía que sus padres ya estaban a punto de volver a entrar en el mundo por algún sitio, salvo, naturalmente, que sus vidas hubieran sido tan santas que ya hubieran alcanzado la gracia final. Es decir, Mhatre fue quien inició a Farishta en lo de la reencarnación, y no sólo en eso. El *babasaheb* era un espiritista aficionado, golpeador de patas de mesa e introductor de espíritus en vasos. «Pero ya lo dejé –dijo a su ahijado, con el gesto y ademanes melodramáticos que el caso requería–; lo dejé el día en que me llevé el susto de mi vida.»

Una vez (relató Mhatre), el vaso fue visitado por un espíritu auténticamente servicial, un tipo superamistoso, sabes, y yo pensé que era la ocasión de hacer preguntas importantes. *¿Hay Dios?* Y aquel vaso que hasta entonces corría como un ratón, se paró en medio de la mesa, quieto, lo que se dice kaput. Y entonces yo digo está bien, si no contestas a ésta, veamos con esta otra, y le pregunto: *¿Hay diablo?* A esto, el vaso, ¡chinchinchin!, empezó a temblar –¡tápate los oídos!–, al principio, despacio y, después, aprisa aprisa, como un flan, hasta que saltó –¡ale hop!– por el aire, cayó de lado y –¡cras!– se hizo mil añicos, pulverizado. Lo creas o no, dijo *babasaheb* Mhatre a su pupilo, en aquel momento yo aprendí la lección: Mhatre, no te metas en lo que no entiendes.

Este relato causó honda impresión en el joven oyente, porque ya antes de la muerte de su madre, estaba convencido de la existencia del mundo sobrenatural. A veces, al mirar alrededor, especialmente en las tardes calurosas en las que el aire se aglutinaba, el mundo visible, sus formas y habitantes y todas las cosas parecían asomar a la atmósfera como una profusión de icebergs calientes, y le parecía que, bajo la superficie del aire denso, todo se prolongaba: que las personas, los coches, los perros, los carteles de los cines, los árboles, hurtaban a sus ojos las nueve décimas partes de su realidad. Él parpadeaba y la ilusión se desvanecía, pero la sensación no le abandonaba. El pequeño Najmuddin creció creyendo en Dios, ángeles, demonios, *afreets* y *djinns* con la misma naturalidad con que creía en los carros de bueyes o en los faroles, y el no haber visto nunca un espíritu lo atribuía a un defecto de su visión. A veces soñaba que descubría a un óptico mago al que compraba unos lentes verdes que corregían su lamentable miopía, permitiéndole ver el mundo fabuloso que había detrás del aire denso y cegador.

Su madre, Naime Najmuddin, le contaba muchas historias del Profeta, y si sus versiones contenían alguna que otra inexactitud, él prefería no averiguarlo. ¡Qué hombre!, pensaba. ¿Qué ángel no querría hablar con él? A veces, no obstante, se sorprendía ante algún que otro pensamiento blasfemo como, por ejemplo, cuando, sin querer, al cerrar los ojos en su catre de la casa de Mhatre, su cerebro adormilado empezaba a comparar su propia condición con la del Profeta en la época en que aquél, huérfano y pobre, pasó a administrar con éxito los bienes de la rica viuda Khadija y al fin se casó con ella. Y se quedaba dormido viéndose sentado en un estrado cubierto de rosas y haciendo mohínes de timidez bajo el *saripallu* con el que se cubría recatadamente la cara, mientras su nuevo esposo, *babasaheb* Mhatre, acercaba la mano amorosamente para apartar la tela y mirarse en el espejo que él tenía en el regazo. Este sueño de su boda con el *babasaheb* le hacía despertar avergonzado e inquietarse por la impureza de su espíritu, que tan terribles visiones le sugería.

De todos modos, en general, su religiosidad se mantenía en un tono bajo, era una parte de su ser que no requería mayor atención que cualquier otra. El que *babasaheb* Mhatre lo llevara a su casa reafirmó al joven en la creencia de que no estaba solo en el mundo, de que algo velaba por él, y, así, no le sorprendió que en la mañana de su vigesimoprimer cumpleaños, el *babasaheb* lo llamara a su despacho azul y lo echara a la calle sin apelación.

«Estás despedido –silabeó Mhatre sonriendo ampliamente–. Cesado, des-pa-cha-do.»

«Pero, tío...»
«Cierra la boca.»
Y entonces el *babasaheb* hizo al huérfano el mejor regalo que éste recibiera en su vida al informarle de que le había conseguido una entrevista en los estudios del legendario magnate cinematográfico Mr. D. W. Rama: una prueba. «Es sólo para cubrir las apariencias –dijo el *babasaheb*–. Rama es un buen amigo y ya estamos de acuerdo. Para empezar, un papel pequeño; después, dependerá de ti. Ahora desaparece de mi vista y deja de hacerte el humilde. No te va.»
«Pero, tío...»
«Eres muy guapo para pasarte la vida transportando almuerzos en la cabeza. Ahora márchate, fuera, hazte actor de cine homosexual. Te despedí hace cinco minutos.»
«Pero, tío...»
«He dicho lo que tenía que decir. Da las gracias a tu buena estrella.»

Najmuddin se convirtió en Gibreel Farishta, pero tardó cuatro años en llegar a estrella, cuatro años de aprendizaje en una serie de papelitos cómicos. Él se mantenía tranquilo y sereno, como si pudiera ver el futuro, y su aparente falta de ambición hizo de él un extraño en la industria de los egoístas. Le tomaban por estúpido, o por orgulloso, o por las dos cosas. Y durante aquellos cuatro años de desierto, no besó en la boca ni a una sola mujer.

En la pantalla hacía de idiota, el que se enamora de la bella y no ve que la susodicha no le haría caso ni en mil años, o de tío chiflado, de pariente pobre, de tonto del pueblo, de criado, de granuja torpe, es decir, papeles en los que no cabe una escena de amor. Las mujeres le daban puntapiés, le abofeteaban, le tomaban el pelo, se reían de él, pero nunca, en el celuloide, le miraban, le cantaban o danzaban alrededor de él con amor cinematográfico en los ojos. En la vida real, Gibreel vivía solo en dos habitaciones vacías, cerca de los estudios, y trataba de imaginar cómo eran las mujeres sin ropa. Para distraer el pensamiento del tema del amor y el deseo, se dedicaba al estudio y se convirtió en omnívoro autodidacta, devorador de los metamórficos mitos de Grecia y de Roma, los avatares de Júpiter, el muchacho que se convirtió en flor, la mujer-araña, Circe y demás; y la teosofía de Annie Besant, y la teoría del campo unificado, y el incidente de los versos satánicos en los comienzos de la carrera del Profeta, y la política del harén de Mahoma, después de su triunfal regreso a La Meca; y el surrealismo de los periódicos, en los que las mariposas volaban a la boca de las niñas, ansiosas de ser consumidas, y los niños nacían sin cara, y los muchachos soñaban en anteriores encarnaciones con imposible detalle, por ejemplo, en una fortaleza de oro y piedras preciosas. Él se llenaba la cabeza de sabe Dios qué cosas, pero no podía negar, en la madrugada de sus noches insomnes, que estaba lleno de algo que nunca había sido usado, algo que él no sabía cómo usar, es decir, de amor. En sus sueños era atormentado por mujeres de una dulzura y una belleza insoportables, y por ello prefería mantenerse despierto obligándose a repasar una parte de sus conocimientos generales, a fin de ahogar la trágica sensación de estar dotado de una capacidad amatoria superior a lo normal y no tener a quién ofrecerla.

Su gran oportunidad surgió con la llegada de las películas teológicas. Una vez agotada la fórmula de las películas a base de *puranas*, con el habitual aderezo de canciones, danzas, tíos chistosos, etcétera, cada uno de los dioses del panteón tuvo su oportunidad cinematográfica. Cuando D. W. Rama preparaba la producción basada en la vida de Ganesh, ninguno de los actores cotizados del momento se avino a pasarse toda la película escondido dentro de una cabeza de elefante. Gibreel accedió encantado. Aquél fue su primer éxito, *Ganpati Baba*. De la noche a la mañana se había convertido en una gran estrella, pero sólo con la trompa y las orejas puestas. Después de seis películas representando al dios con cabeza de paquidermo, Gibreel pudo quitarse la gruesa máscara gris de pendular proboscis y colocarse una larga y peluda cola para encarnar a Hanuman, el rey-mono, en una serie de películas de aventuras más cercana a una producción barata hecha en Hong Kong para la televisión, que al Ramayana. Aquella serie se hizo tan popular, que las colas de mono se pusieron de moda entre los jóvenes elegantes de la ciudad en las fiestas frecuentadas por las niñas de los colegios de monjas, llamadas «petardos» por su predisposición a dispararse con una detonación.

Después de Hanuman ya no hubo descanso para Gibreel, cuyo fenomenal éxito robusteció su fe en la existencia de un ángel de la guarda. Pero tuvo también consecuencias funestas.

(Ya veo que, al fin y al cabo, voy a tener que revelar el secreto de Rekha.)

Antes ya de que sustituyera la falsa cabeza por la cola postiza, Gibreel resultaba irresistiblemente atractivo para las mujeres. La seducción de su fama se hizo tan grande, que más de una jovencita le pidió que se pusiera la máscara de Ganesh para acostarse con ella, a lo que él se negaba por respeto a la dignidad del dios. Dado lo ingenuo de su educación, en aquella etapa de su vida Gibreel no podía distinguir entre cantidad y calidad y, por consiguiente, sentía la necesidad de recuperar el tiempo perdido. Tenía tantas amantes que muchas veces, antes de que la mujer saliera de la habitación, ya no se acordaba de cómo se llamaba. No sólo se convirtió en un mujeriego de la peor especie, sino que, además, aprendió el arte del disimulo, porque el hombre que encarna a los dioses tiene que estar por encima de todo reproche. Tan bien supo ocultar su vida de disipación que *babasaheb* Mhatre, cuando se hallaba en su lecho de muerte, una década después de haber lanzado al joven *dabbawalla* al mundo de la ilusión, el dinero negro y la lujuria, le pidió que se casara para demostrar que era hombre. «Mira, muchacho –suplicaba el *babasaheb*–; cuando te dije que te hicieras homosexual no creí que lo tomaras al pie de la letra, pues la obediencia a los mayores tiene un límite.» Gibreel alzó las manos al cielo y juró que él no era algo tan deshonroso y que, cuando encontrara a la mujer idónea tendría mucho gusto en casarse con ella. «¿Y a quién esperas? ¿A una diosa del cielo? ¿A Greta Garbo, a Gracekali, a quién?», exclamó el anciano, tosiendo y escupiendo sangre; pero Gibreel se despidió con una sonrisa enigmática que le impidió morir tranquilo.

La avalancha de sexualidad que Gibreel Farishta atrajo sobre sí sepultó tan profundamente su mayor don, que a punto estuvo de dejarlo inédito. Me refiero al don para querer de verdad, profundamente y sin reservas, un talento delicado y singular que le había sido imposible desarrollar. En la época de su enfermedad casi había olvidado la angustia que le producían sus ansias de amor, que le atravesaba como la daga de un hechicero. Ahora, después de una noche de gimnasia, dormía plácida y largamente, como si nunca le hubieran atormentado las mujeres de ensueño, como si nunca hubiese deseado rendir el corazón.

«Tu desgracia es que siempre se te ha perdonado todo –le dijo Rekha Merchant cuando salió de las nubes–. Sabe Dios por qué, siempre te libraste con bien, no se te acusó del delito. Nadie te hizo responder de tus actos.» Él no pudo negarlo. «Es un don de Dios –le gritó ella–. Dios sabe de dónde viniste, miserable advenedizo del arroyo, Dios sabe las enfermedades que traías.»

Pero en aquel entonces él pensaba que para eso estaban las mujeres, que eran los vasos en los que él podía derramarse y que, cuando él se iba, tenían la obligación de perdonarle. Y es cierto que nadie le reprochaba su abandono, sus mil y un atolondramientos, y cuántos abortos, preguntaba Rekha en el seno de la nube, cuántos corazones rotos. Durante todos aquellos años fue beneficiario de la infinita generosidad de las mujeres, pero también su víctima, porque tanto perdón hizo posible la más profunda y más dulce de todas las corrupciones, es decir, la idea de que no hacía nada malo.

Rekha entró en su vida cuando Gibreel compró el ático de Everest Vilas y, en su calidad de vecina y comerciante, se ofreció a enseñarle sus alfombras y antigüedades. Su marido estaba en un congreso mundial de fabricantes de rodamientos a bolas que se celebraba en Göteborg, Suecia, y, en su ausencia, invitó a Gibreel a su apartamento con celosías de piedra del palacio de Jaisalmer y barandillas de madera tallada del palacio de Keralan, y con la *chhatri* o cúpula mogólica convertida en baño de hidromasaje; apoyada en pared de mármol, le servía champán francés, sintiendo en la espalda las frías vetas de la piedra. Cuando él empezó a beber champán, ella comentó burlona que los dioses no bebían, a lo que él replicó con una frase leída en una revista, de una entrevista hecha al Aga Khan: Oh, el champán es sólo aparente, porque, tan pronto como llega a mis labios, se convierte en agua. Después de esto, ella no tardó en llegar a sus labios y licuarse en sus brazos. Cuando sus hijos volvieron del colegio con el *ayah*, la encontraron hablando con él en el salón, impecablemente vestida y peinada, revelándole los secretos del comercio de la alfombra, por ejemplo que seda art quiere decir seda artificial, no artística, y que no se dejara engañar por el catálogo, en el que se explicaba ladinamente que determinada alfombra se fabrica con la lana del cuello de corderos lechales, porque en realidad significaba que era lana de baja calidad, y es que la propaganda es la propaganda, ya se sabe y qué se le va a hacer.

Él no la amaba, no le era fiel, olvidaba su cumpleaños, hacía caso omiso de sus llamadas telefónicas, se presentaba en su casa en el momento menos oportuno, cuando ella tenía a cenar a gente del mundo de los rodamientos a bolas, y ella, como todas, le perdonaba. Pero su perdón no era callado y resignado como el que le concedían las demás. Rekha protestaba furiosamente, le mortificaba, le insultaba, le maldecía, le llamaba *lafanga* inútil y *haramzada*, y *saleh*, y llegó a atribuirle la imposible hazaña de follar con la hermana que él no tenía. No le ahorraba nada, acusándole de ser una criatura superficial, sin más profundidad que una pantalla de cine, y luego acababa perdonándole y permitiendo que le desabrochara la blusa. Gibreel no podía resistirse a los espectaculares perdones de Rekha Merchant, tanto más conmovedores cuanto más endeble resultaba su propia posición, ya que se descansaba en su infidelidad al rey de rodamientos a bolas, circunstancia que Gibreel se abstenía de mencionar, aguantando el griterío como un hombre. Así que mientras los perdones que recibía de sus otras mujeres le dejaban frío y los olvidaba tan pronto como le eran otorgados, volvía siempre a Rekha para que le insultara y luego le consolara como sólo ella sabía.

Entonces estuvo a punto de morir.

Estaba en Kanya Kumari, el vértice de Asia, rodando una escena de pelea en el mismo cabo Comorin, donde da la impresión de que chocan tres océanos. Tres grandes olas, Oeste, Este y Sur, chocaron en colosal palmada de acuáticas manos perfectamente sincronizadas, en el instante en que Gibreel recibía un directo en la mandíbula y caía de espaldas a la trioceánica espuma. No se levantó.

Al principio todos echaron la culpa a Eustace Brown, el gigantesco especialista inglés que le había propinado el puñetazo. Él protestó con vehemencia. ¿No había actuado en las muchas películas teológicas del Gran Jefe N. T. Rama Rao? ¿No había perfeccionado el arte de hacer que el viejo quedara bien en las peleas sin causarle el menor daño? ¿No se había quejado de que NTR nunca pegaba al aire, con el resultado de que él, Eustace, siempre acababa morado, machacado por un endeble viejecito al que hubiera podido desayunarse sobre una tostada? ¿Había perdido los estribos siquiera una vez? ¿Y entonces? ¿Cómo podía haber quien pensara que él era capaz de hacer daño al inmortal Gibreel? De todos modos, lo despidieron y la policía lo encerró, por si acaso.

Pero no fue el golpe lo que derribó a Gibreel. Después de que la estrella fuera trasladada al hospital Breach Candy de Bombay en un reactor brindado por la Fuerza Aérea para tal fin; después de que los minuciosos análisis y pruebas no detectaran casi nada; mientras se hallaba inconsciente, moribundo, con una tensión sanguínea que había descendido de su normal valor de quince a un mortífero cuatro coma dos, un portavoz del hospital habló a la prensa nacional en la amplia escalinata blanca del Breach Candy. «Es un misterio –dijo–. Pueden llamarlo, si quieren, un acto divino.»

Gibreel Farishta, sin causa aparente, había empezado a padecer hemorragias internas, es decir que, sencillamente, se desangraba dentro de su piel. En el peor momento, la sangre empezó a salir por el recto y el pene, y parecía que, de un momento a otro, iba a manar, torrencial, por nariz, ojos y orejas. Siete días estuvo sangrando y recibiendo transfusiones y todos los coagulantes conocidos por la ciencia médica, incluido un raticida concentrado, y, aunque el tratamiento determinó una mejoría marginal, los médicos abandonaron toda esperanza.

Toda la India estaba junto al lecho de Gibreel. Su estado era la noticia más importante en todos los boletines de la radio, tema de avances informativos emitidos cada hora por la red nacional de televisión, y la muchedumbre congregada en Warden Road era tan grande que la policía tuvo que dispersarla con cargas al *lathi* y gases lacrimógenos que fueron lanzados a pesar de que todos y cada uno del medio millón de afligidos plañideros ya lloraban y gemían. La primera ministra aplazó todos sus compromisos y voló a hacerle una visita. Su hijo, el piloto de aviación, estaba en la habitación de Farishta, sosteniéndole la mano. Un sentimiento de aprensión cundió por todo el país, porque, si Dios castigaba de este modo a su más célebre encarnación, ¿qué reservaría al resto de la nación? Si Gibreel moría, ¿cuánto tardaría en seguirle el resto de la India? Las mezquitas y los templos de la nación se atestaron de creyentes que rezaban no sólo por el actor moribundo, sino por el futuro, por sí mismos.

¿Quién no fue a visitar a Gibreel al hospital? ¿Quién no escribió ni llamó por teléfono, ni mandó flores o exquisitos *tiffins* caseros? En tanto que muchas amantes, sin el menor pudor, le enviaban tarjetas y *pasandas* de cordero, ¿quién, queriéndole más que ninguna, se mantenía impasible, sin infundir sospechas en su marido, el de los rodamientos a bolas? Rekha Merchant vistió de hierro su corazón y siguió con su vida diaria, jugando con sus hijos, charlando con su marido y recibiendo a sus invitados cuando era necesario, sin revelar en ningún momento la negra desolación de su alma.

Él sanó.

La curación fue tan misteriosa como la enfermedad, y tan repentina. También fue considerada (por el hospital, los periodistas y las amistades) acto divino. Se declaró fiesta nacional en todo el país y se lanzaron fuegos artificiales. Pero, cuando Gibreel recobró las fuerzas, se puso de manifiesto que había cambiado, y cambiado de un modo sorprendente, porque había perdido la fe.

El día en que le dieron de alta en el hospital, escoltado por la policía, atravesó la inmensa muchedumbre congregada para celebrar su propia salvación al mismo tiempo que la de él, subió a su Mercedes y dijo al conductor que despistara a todos los vehículos que le seguían, maniobra que llevó siete horas y cincuenta minutos, al final de la cual él ya se había trazado un plan de acción. Gibreel se apeó del coche en el hotel Taj y, sin mirar a derecha ni izquierda, fue directamente al gran comedor, en el que había un bufete que crujía bajo el peso de alimentos prohibidos, de los que se llenó el plato: salchichas de cerdo de Wiltshire, jamón de York, lonchas de bacon de Sabediosdónde; jamones del descreimiento y manos de cerdo de secularismo; y entonces, de pie en el centro del vestíbulo, delante de unos fotógrafos aparecidos como por arte de magia, Gibreel empezó a comer lo más aprisa posible, metiéndose en la boca con tanto afán los cerdos muertos, que las lonchas de tocino le colgaban de las comisuras de los labios.

Durante la enfermedad había pasado todos sus minutos de lucidez invocando a Dios, todos los segundos de cada minuto. Oh Alá, tu siervo sangra, no me abandones ahora después de haber velado por mí durante tanto tiempo. Oh Alá, hazme una señal, dame un pequeño indicio de tu favor para que pueda encontrar en mí la fuerza necesaria para curar mis males. Oh Dios bondadoso y misericordioso, acompáñame en ésta mi hora de necesidad, de extrema necesidad. Entonces se le ocurrió que aquello debía de ser un castigo y, durante algún tiempo, este pensamiento le permitió sobrellevar el sufrimiento; pero al fin se sublevó. Basta, Dios, y su muda indignación exigió respuesta. ¿Por qué he de morir, si yo no he matado? ¿Tú eres venganza o eres amor?

El furor le ayudó a pasar otro día, pero luego desapareció y en su lugar quedó un terrible vacío, una infinita soledad al darse cuenta de que hablaba *al aire*, que allí no había absolutamente nadie, y entonces se sintió más ridículo que nunca en la vida, y empezó a suplicar al vacío, oh Alá, sólo te pido que existas, maldición, sólo que existas. Pero no sentía nada, nada, nada, y un día descubrió que ya no necesitaba sentir algo. Aquel día de metamorfosis la enfermedad hizo crisis y la curación empezó. Y, para demostrarse a sí mismo la no existencia de Dios, ahora estaba en el comedor del más famoso hotel de la ciudad, dejando que los cerdos le resbalaran por la cara.

Al levantar la mirada del plato, vio a una mujer que le miraba. Su cabello era tan rubio que resultaba casi blanco, y su cutis tenía el resplandor y la transparencia del hielo de la montaña. Ella se rió de él y le volvió la espalda.

«¿No te das cuenta? –gritó él, lanzando fragmentos de salchicha por la boca–. El cielo no me lanza rayo alguno. Ésta es la cuestión.»

Ella se dio la vuelta y se detuvo frente a él. «Vives –le dijo–. Vuelves a tener toda la vida por delante. Ésa es la cuestión.»

Se lo dijo a Rekha: en el mismo instante en que ella dio media vuelta y retrocedió, yo me enamoré. Alleluia Cone, escaladora de montañas, conquistadora del Everest, *yahudan* rubia, reina del hielo. No pude resistirme: *cambia tu vida, ¿o crees que te ha sido devuelta para nada?*

«Ya estás otra vez con tus tonterías de la reencarnación –bromeó Rekha–. Cabeza de chorlito. Vuelves del hospital desde el mismo umbral de la muerte, y la alegría se te sube a la cabeza, loco, enseguida tienes que hacer una escapada, y allí está ella, a punto, la dama rubia. No creas que no te conozco, Gibbo; ¿qué quieres ahora, que te perdone o qué?»

No es necesario, dijo él. Salió del apartamento de Rekha (su dueña lloraba, de bruces en el suelo) para no volver jamás.

Tres días después de que él, con la boca llena de comida impura, la conociera, Allie subió a un avión y se fue. Tres días fuera del tiempo, detrás de un letrero de «no molesten», pero al fin ambos acordaron que el mundo era real, que lo que es posible es posible y lo que no, imposible; encuentro fugaz, barcos que se cruzan, amor en una sala de tránsito. Cuando ella se fue, Gibreel descansó, trató de cerrar los oídos a su desafío y decidió regresar a su vida normal. La sola circunstancia de haber perdido la fe no significaba que no pudiera hacer su trabajo y, a pesar del escándalo de las fotos de la comida del jamón, el primer escándalo vinculado a su nombre, firmó contratos de películas y volvió al trabajo.

Hasta que, una mañana, una silla de ruedas se quedó vacía sin él. Un pasajero con barba, un tal Ismail Najmuddin, embarcó en el vuelo AI-420 con destino a Londres. El 747 había recibido el nombre de uno de los jardines del Paraíso, no Gulistan, sino *Bostan*. «Para volver a nacer –diría mucho después Gibreel Farishta a Saladin Chamcha– antes hay que morir. Yo expiré sólo a medias, pero en dos ocasiones, en el hospital y en el avión; por lo tanto, suma y sigue. Y ahora, Bobito, amigo mío, aquí me tienes, en el mismo Londres, Vilayet, regenerado, un hombre nuevo con una vida nueva. Bobito, ¿no es de puta fábula?

¿Por qué se marchó Gibreel?

Por ella, por su desafío, por la novedad, por la fiereza de los dos juntos, por lo inexorable de un imposible que reivindica su derecho a ser.

Y quizá también porque, después de haber comido los cerdos, empezó el castigo, una pena nocturna, una condena de sueños.

3

Una vez hubo despegado el vuelo con destino a Londres, el individuo flaco, de unos cuarenta años, que por su ventanilla de no fumadores contemplaba cómo su ciudad natal caía a su espalda como una piel de serpiente, sintió, gracias a su truco mágico de cruzar dos pares de dedos de cada mano y hacer girar los pulgares, un alivio que se reflejó fugazmente en su rostro. Era un rostro bien parecido, de gesto adusto y patricio, labios largos, gruesos y doblados hacia abajo como los de un rodaballo malhumorado, y cejas finas y muy arqueadas sobre unos ojos que observaban el mundo con una especie de alertado desdén. Mr. Saladin Chamcha había construido aquel rostro con esmero –le costó varios años dejarlo a su gusto– y durante muchos años más lo había considerado, sencillamente, *suyo*, y realmente había olvidado cuál era su aspecto anterior. Además, había logrado una voz a juego con el rostro, una voz cuyas lánguidas, casi indolentes vocales, contrastaban de un modo desconcertante con la abrupta concisión de las consonantes. La combinación de rostro y voz era vigorosa; pero durante su reciente visita a su ciudad natal, la primera en quince años (el mismo período, debo hacer observar, del estrellato cinematográfico de Gibreel Farishta), se habían producido extraños y preocupantes fenómenos. Lamentablemente, su voz (la primera que le falló) y, con posterioridad, su propio rostro, empezaron a defraudarle.

Aquello comenzó –Chamcha descruzó los dedos, esperando, un poco embarazado, que ésta su última superstición hubiera pasado inadvertida para los otros pasajeros, cerró los ojos y lo recordó con un delicado estremecimiento de horror–, semanas atrás, en el vuelo de ida. Cuando sobrevolaban los desiertos de la zona del golfo Pérsico, se había quedado amodorrado y en sueños había recibido la visita de un desconocido de aspecto fantástico, un hombre con piel de cristal que arañaba lúgubremente con los nudillos la fina y quebradiza membrana que le cubría todo el cuerpo y suplicaba a Saladin que le ayudara a salir de la cárcel de su piel. Chamcha cogía una piedra y empezaba a golpear el cristal. Al momento, una retícula de sangre exudaba por la agrietada superficie del cuerpo del hombre, y cuando Chamcha trataba de retirar las astillas, el otro empezaba a chillar, porque con el cristal le arrancaba trozos de carne. En aquel momento, una azafata se inclinó sobre el dormido Chamcha para preguntar, con la inmisericorde hospitalidad de su tribu: *¿Desea beber algo, señor? ¿Una bebida?* Y Saladin, al emerger del sueño, advirtió que, inexplicablemente, su voz había recuperado el acento de Bombay que con tanta aplicación (¡y hacía ya tanto tiempo!) había conseguido eliminar. «¿Qué dice, joven? –murmuró–. ¿Bebidas alcohólicas o qué?» Y cuando la azafata le aseguró que lo que él deseara, que las bebidas eran gratis, él, una vez más, oyó su voz traidora: «Okey, *bibi*, un whiskysoda nada más.»

¡Qué desagradable sorpresa! Se acabó de despertar con un sobresalto y se quedó rígido en la butaca, olvidando el alcohol y los cacahuetes. ¿Cómo brotaba el pasado con la metamorfosis de vocales y vocablos? ¿Y ahora, qué? ¿Le daría por ponerse aceite de coco en el pelo? ¿O por apretarse la nariz entre el índice y el pulgar y sonarse ruidosamente produciendo un arco plateado de mocos? ¿Se convertiría en un fanático de la lucha profesional? ¿Qué nuevas humillaciones diabólicas se le reservaban? Debió haber supuesto que era un error ir a *casa* al cabo de tanto tiempo. ¿Cómo podía ser aquel viaje algo más que una regresión? Era un viaje antinatural; una negación del tiempo; una rebelión contra la historia; todo aquello tenía que acabar en desastre.

Yo no soy yo, pensó, mientras en las inmediaciones del corazón se iniciaba una sensación de leve aleteo. Pero, al fin y al cabo, ¿qué importancia tiene?, agregó amargamente. Después de todo, «les acteurs ne sont pas des gens», como decía el comicastro de Frederick en *Les Enfants du Paradis*. Una máscara debajo de otra máscara, hasta que, bruscamente, aparece el cráneo desnudo y exangüe.

Se encendió el letrero del cinturón, la voz del capitán anunció turbulencias, y empezaron a entrar y salir de baches. El desierto temblaba allá abajo, y el obrero emigrante que había embarcado en Qatar se abrazó a su radio de transistores gigante y empezó a vomitar. Chamcha observó que el hombre no se había abrochado el cinturón, así que se adelantó hacia él, imprimiendo en su voz el más distinguido acento: «Oiga usted, ¿por qué no...?», señaló, pero el mareado, entre espasmo y espasmo, de cara a la bolsa que Saladin le había entregado oportunamente, movió negativamente la cabeza, se encogió de hombros y respondió: «Sahib, ¿para qué? Si Alá quiere que muera, moriré. Si no quiere, no moriré. ¿Para qué la seguridad?»

Maldita seas, India, blasfemó Saladin Chamcha en silencio, hundiéndose de nuevo en su butaca. Vete al infierno; yo escapé de tus garras hace mucho tiempo, no volverás a clavarme los garfios, no puedes arrastrarme otra vez hacia ti.

Érase una vez *–tal vez sí, tal vez no*, como decían los cuentos antiguamente, *tal vez sí que ocurrió–*, érase, pues, o tal vez érase un niño de diez años que vivía en Scandal Point, Bombay, y que un día encontró una cartera en la calle donde vivía. Él volvía de la escuela y acababa de bajar del autobús en el que viajaba asfixiado entre el sudor pegajoso de otros niños con pantalón corto, sus gritos ensordecedores, y, dado que ya en aquel tiempo era enemigo del alboroto, las apreturas y el sudor ajeno, se sentía al borde de la náusea por el tambaleo del largo viaje. Sin embargo, al ver la cartera de piel negra a sus pies, la náusea se desvaneció y él se agachó excitado y cogió –abrió– y encontró, con gran alegría, que estaba llena de dinero –y no simples rupias, sino dinero de verdad, negociable en mercados negros y bancos internacionales–, ¡libras! Libras esterlinas, del mismísimo Londres, el fabuloso país de Vilayet, al otro lado de las negras aguas y muy lejos. El niño, deslumbrado por el grueso fajo de dinero extranjero, levantó la mirada para cerciorarse de que nadie le había visto y, durante un momento, le pareció que un arco iris se había tendido desde el cielo hasta él, un arco iris como el aliento de un ángel, como una oración atendida, que terminaba precisamente en el lugar en el que él se hallaba. Los dedos le temblaron al hurgar en el billetero el fabuloso tesoro.

«Dámelo.» Años después era como si su padre le hubiera espiado durante toda su niñez, y aunque Changez Chamchawala era un hombre corpulento, casi un gigante, por no hablar de su riqueza y de su posición social, tenía la agilidad y también la inclinación a deslizarse sigilosamente detrás de su hijo y estropear lo que estuviera haciendo, como arrancar la sábana del pequeño Salahuddin por la noche, para dejar al descubierto el vergonzoso pene agarrado por la mano colorada. Y el dinero lo olía a ciento una millas, a pesar de que siempre le envolvía el olor a productos químicos y fertilizantes, pues era el gran fabricante de polvos y fluidos para tratamientos agrícolas y abono artificial. Changez Chamchawala, filántropo, mujeriego, leyenda viva, faro del movimiento nacionalista, saltó de la puerta de su casa para arrancar una cartera repleta de la frustrada mano de su hijo. «Tch, tch –le aconsejó, guardándose las libras esterlinas en el bolsillo–, no recojas cosas de la calle. El suelo está sucio y, en cualquier caso, el dinero está más sucio todavía.»

En un estante del estudio de Changez Chamchawala, de paredes recubiertas de madera de teca, al lado de una edición de *Las mil y una noches* en diez tomos, traducida por Richard Burton y devorada lentamente por el moho y la polilla, a causa del profundo prejuicio contra los libros que impulsaba a Changez a poseer miles de tan perniciosos objetos, a fin de humillarlos por el procedimiento de dejar que se pudrieran sin que nadie los leyera, había una lámpara mágica, un reluciente avatar de cobre y latón contenedor de genios de Aladino: era una lámpara que estaba pidiendo a gritos que la frotaran. Pero Changez ni la frotaba ni permitía que la frotara nadie, por ejemplo, su hijo. «Un día –aseguraba al niño– será tuya. Entonces podrás frotar y frotar cuanto desees, y ya verás las cosas que conseguirás. Pero ahora la lámpara es mía.» La promesa de la lámpara mágica introducía en el joven Salahuddin la idea de que un día todas sus penas terminarían y sus más íntimos deseos serían satisfechos y que lo único que tenía que hacer era esperar con paciencia; pero entonces se produjo el incidente de la cartera, cuando la magia de un arco iris había obrado para él, no para su padre, sino para él, y Changez Chamchawala había robado la olla del oro. Después de aquello, el muchacho vivió convencido de que su padre destruiría todas sus ilusiones a menos que él se marchara, y desde aquel momento tuvo el afán de partir, de escapar, de poner océanos entre el gran hombre y él.

A los trece años, Salahuddin Chamchawala había comprendido ya que él estaba destinado a la fría Vilayet, repleta de crujientes promesas de libras esterlinas que la cartera mágica le presagiara, y cada vez estaba más harto de aquel Bombay de polvo, ordinariez, policías de pantalón corto, travestis, revistas de cine, mendigos que dormían en las aceras y prostitutas cantantes de Grant Road que empezaban como devotas del culto *yellamma* en Karnataka y acababan de danzarinas en los más prosaicos templos de la carne. Estaba harto de fábricas textiles y trenes de cercanías y de toda la confusión y abigarramiento del lugar, y suspiraba por el soñado Vilayet, todo ponderación y serenidad, que había llegado a obsesionarle noche y día. Sus canciones infantiles favoritas eran las que hablaban de ciudades lejanas: kitchy-con, kitchy-ki, kitchy-con, stanti-ay, kitchy-opla, kitchy-copla, kitchi Con-stanti-nopla. Y su juego favorito era una versión del «un, dos, tres, al escondite inglés» en la que al volverse hacia sus compañeros que se iban acercando, les lanzaba atropelladamente, como una mantra, como una fórmula mágica, las siete letras de su ciudad soñada, *eleoene deerreeese*. En el fondo de su corazón, él se deslizaba sigilosamente hacia Londres, letra a letra, como sus amigos se acercaban a él. *Eleoene deerreeese, Londres.*

La mutación de Salahuddin Chamchawala en Saladin Chamcha empezó, como se verá, en la vieja Bombay, mucho antes de que él se acercara lo suficiente como para oír el rugido de los leones de Trafalgar. Cuando el equipo de criquet de Inglaterra jugaba contra la India en el Brabourne Stadium, él rezaba para que ganara Inglaterra, porque quería que los inventores del juego ganaran a los advenedizos locales, a fin de que se mantuviera el buen orden de las cosas. (Pero el partido siempre terminaba en empate, porque el terreno del Brabourne Stadium era más blando que un colchón de plumas; por lo que la gran pregunta, inventor o imitador, colonizador o colonizado, siempre quedaba en el aire.)

A los trece años era lo bastante mayor para jugar en las rocas de Scandal Point sin necesidad de que Kasturba, su *ayah*, lo vigilara. Y un día (tal vez sí, tal vez no) salió de la casa, el vasto y desconchado edificio cubierto de salitre, de estilo parsi, todo columnas y postigos y pequeños miradores, atravesó el jardín que era el orgullo y la alegría de su padre y que a determinada luz de la tarde podía dar la impresión de ser infinito (y que también era enigmático, un acertijo irresoluble porque nadie, ni su padre ni el jardinero, era capaz de decirle los nombres de la mayoría de las plantas y árboles), cruzó la grandiosa puerta, una extravagante reproducción del arco del triunfo de Septimio Severo, atravesó el loco ajetreo de la calle y el rompeolas y por fin llegó a la gran extensión de relucientes rocas negras con sus pequeños charcos de camarones. Las niñas cristianas se reían con sus vestiditos europeos; los hombres con paraguas plegados contemplaban silenciosos el horizonte azul. En una hondonada de roca negra, Salahuddin vio a un hombre vestido con un *dhoti*, inclinado sobre un charco. Sus miradas se encontraron y el hombre le llamó moviendo un dedo que después se llevó a los labios. *Sssh*, y el misterio de los charcos en las rocas atrajo al niño hacia el desconocido. Era una criatura huesuda. Con unas gafas con montura de algo que podía ser marfil. Su dedo se doblaba, se doblaba como un anzuelo. Cuando Salahuddin se acercó, el hombre le agarró, le tapó la boca con una mano y condujo la mano joven entre sus viejas y descarnadas piernas, a tocar el hueso de carne. El *dhoti* se agitaba al viento. Salahuddin nunca había sabido pelear e hizo lo que se le obligaba a hacer, y luego el hombre, sencillamente, dio media vuelta y lo soltó.

Después de aquello jamás volvió Salahuddin a las rocas de Scandal Point; no contó a nadie lo ocurrido, previendo las crisis de neurastenia que provocaría en su madre y temiendo que su padre dijera que fue culpa suya. Le parecía que todo lo malo, todo lo que él abominaba de su ciudad natal, se había concentrado en el huesudo abrazo del desconocido, y ahora que había escapado de aquel malvado esqueleto, también tenía que escapar de Bombay o morir. Empezó a concentrarse afanosamente en la idea, fijando su voluntad en ella en todo momento, comiendo cagando durmiendo, para convencerse a sí mismo de que él podía hacer que ocurriera el milagro incluso sin la ayuda de la lámpara de su padre. Soñaba con salir volando por la ventana de su habitación para descubrir que allí, a sus pies, estaba no Bombay sino el Mismísimo Londres, Bigben Columnanelson Lordstavern Jodidatorre Reina. Pero mientras planeaba sobre la gran metrópoli, sentía que empezaba a perder altura, y por mucho que se esforzaba pateando y braceando en el aire, seguía bajando a tierra, más y más deprisa, hasta que se zambullía gritando en la ciudad, Sanpablo, Puddinglane, Threadneedlestreet, en picado sobre Londres como una bomba.

Cuando ocurrió lo imposible y su padre, inopinadamente, le ofreció una educación en Inglaterra, *para librarse de mí*, pensaba él, *por qué, si no, está bien claro, pero a caballo regalado, etcétera*, su madre, Nasreen Chamchawala, no quiso llorar y, en vez de lágrimas, le ofreció buenos consejos. «No seas tan sucio como los ingleses –le exhortó–. Ellos se limpian el pompis sólo con papel. Además, se bañan todos en la misma agua.» Estas viles calumnias demostraron a Salahuddin que su madre hacía cuanta maldita cosa podía para que no se fuera, y, a pesar del mutuo amor, respondió: «Es inconcebible lo que dices, Ammi. Inglaterra es una gran civilización; lo que dices son bobadas.»

Ella le miró con su sonrisita leve y nerviosa y no discutió. Y, después, le despidió con los ojos secos debajo del arco de triunfo de la puerta, rehusando ir a despedirle al aeropuerto de Santacruz. Su único hijo. Le colgó collares y más collares de flores hasta que él se mareó bajo los empalagosos perfumes del amor materno.

Nasreen Chamchawala era una mujer leve y frágil, con huesos como *tinkas*, como nimias astillas de madera. Para compensar su insignificancia física, se acostumbró desde muy joven a vestir con cierta llamativa exageración. Los dibujos de sus saris eran deslumbrantes, incluso chillones: seda limón con enormes diamantes de brocado, remolinos Op Art en blanco y negro que daban vértigo, gigantescos besos de lápiz labial sobre fondo blanco brillante. La gente le perdonaba su gusto horripilante por la inocencia con que vestía aquellas cegadoras prendas; porque la voz que brotaba de aquella cacofonía textil era fina, vacilante y modosa. Y por sus *soirées*.

Todos los viernes de su vida de casada Nasreen había llenado los salones de la mansión Chamchawala, unas cámaras habitualmente lúgubres como grandes criptas sepulcrales, de luces brillantes y amigos superficiales. Cuando Salahuddin era pequeño se empeñaba en hacer de portero y saludaba a los enjoyados y engominados invitados con toda seriedad, permitiéndoles darle palmaditas en la cabeza y llamarle *monín* y *ricura*. Los viernes la casa se llenaba de ruido; había músicos, cantantes, danzarinas, los últimos éxitos de Occidente emitidos por Radio Ceilán, y un chirriante teatro de marionetas en el que unos *rajahs* de barro pintado que cabalgaban en corceles de mentirijillas decapitaban a los títeres enemigos con estentóreas imprecaciones y espadas de madera. Durante el resto de la semana, sin embargo, Nasreen deambulaba tímidamente por la casa, una paloma de puntillas, temerosa de turbar el sombrío silencio; y su hijo, que la seguía por todas partes, aprendió de ella a pisar despacito para no despertar al duende o *afreet* que pudiera dormir en algún rincón, aguardando.

Pero todas las precauciones de Nasreen Chamchawala resultaron ineficaces para salvarle la vida. El horror cayó sobre ella y la mató cuando más segura se creía, envuelta en un sari estampado de fotos y titulares de periódico barato, bañado por la luz de los candelabros y rodeada de amigos.

Habían transcurrido cinco años y medio desde que el joven Salahuddin, cargado de collares y consejos, embarcara en un Douglas DC-8 rumbo al Oeste. Ante él, Inglaterra; a su lado, su padre, Changez Chamchawala; debajo, el hogar y la belleza. Al igual que a Nasreen, al futuro Saladin nunca le resultó fácil llorar.

Salahuddin leyó en aquel primer avión cuentos de ciencia-ficción, de emigraciones interplanetarias: *La fundación* de Asimov y *Crónicas marcianas* de Ray Bradbury. Imaginaba que el DC-8 era la nave nodriza que llevaba a los Elegidos, los Elegidos de Dios y del hombre, a través de distancias inconcebibles, viajando durante generaciones, reproduciéndose eugénicamente para que su semilla pudiera un día germinar en un mundo feliz bajo un sol amarillo. Rectificó: no era la nave nodriza sino la nave padre, porque, al fin y al cabo, allí viajaba él, el gran hombre, Abbu, Papá. Salahuddin, a sus trece años, olvidando recientes dudas y agravios, volvía a sentir una infantil adoración por su padre, porque, sí, le había adorado, era un gran padre hasta que empezabas a pensar por tu cuenta y hasta que discutir con él era considerado una traición a su amor, pero ahora eso no importa, *yo le acuso de convertirse en mi ser supremo, de manera que lo que ocurrió fue como una pérdida de la fe...* Sí, la nave padre, un avión, no una bomba voladora sino un falo metálico, y los pasajeros eran espermatozoides esperando ser descargados.

Cinco horas y media de husos horarios; gira el reloj al revés en Bombay y verás qué hora es en Londres. *A mi padre*, pensaría Chamcha años después en los momentos de mayor amargura, *a mi padre acuso yo de haber dado la vuelta al Tiempo.*

¿Cuánto volaron? Nueve mil kilómetros a vuelo de pájaro. O, de lo indio a lo inglés, una distancia inconmensurable. O no tan lejos, porque despegaron de una gran ciudad y aterrizaron en otra gran ciudad. La distancia entre ciudades siempre es pequeña; un aldeano que recorre cien kilómetros para ir a la ciudad cruza un espacio más vacío, más oscuro y más terrorífico.

He aquí lo que hizo Changez Chamchawala cuando despegó el avión: procurando que su hijo no le viera, cruzó dos pares de dedos de cada mano e hizo girar los pulgares.

Y cuando estuvieron instalados en un hotel a pocos metros del antiguo emplazamiento del árbol de Tyburn, Changez dijo a su hijo: «Toma. Esto te pertenece. –Y le tendió una cartera negra de identidad inconfundible–. Ahora eres un hombre. Aquí tienes.»

La devolución de la cartera confiscada, con su dinero intacto, resultó ser uno de los pequeños trucos de Changez Chamchawala. Trucos que habían engañado a Salahuddin durante toda su vida. Cuando su padre quería castigarle, le hacía un regalo, una tableta de chocolate de importación o una terrina de queso blando. Y cuando iba a cogerlo su padre lo retiraba. «Borrico –decía Changez al niño en tono burlón–. Siempre, siempre, la zanahoria te conduce a mi bastón.»

En Londres Salahuddin cogió la cartera que se le brindaba, aceptando el regalo de la mayoría de edad; pero entonces su padre dijo: «Ahora que eres un hombre debes mantener a tu anciano padre mientras estemos en la ciudad de Londres. Tú pagarás todas las cuentas.»

Enero, 1961. Un año al que puedes darle la vuelta y que, a diferencia del reloj, te señala lo mismo. Era invierno; pero cuando Salahuddin Chamchawala empezó a tiritar en su habitación del hotel, era porque estaba asustado; de pronto, su olla de oro se había convertido en la maldición de un brujo.

Aquellas dos semanas que pasó en Londres antes de ir al internado se convirtieron en una pesadilla de cajas registradoras y cálculos, porque Changez hablaba completamente en serio y no metió la mano en su propio bolsillo ni una sola vez. Salahuddin tuvo que comprarse la ropa, entre otras cosas, un impermeable de sarga azul cruzado y siete camisas a rayas azules y blancas con cuellos postizos semiduros que Changez le hacía llevar a diario, para que se acostumbrara a los pasadores, y a Salahuddin le parecía que un cuchillo de punta roma se le clavaba debajo de la incipiente nuez; y tenía que asegurarse de que le quedaba dinero suficiente para el hotel y todo lo demás, y no se atrevía a preguntar a su padre ni si podían ir al cine, ni siquiera una sola vez, ni siquiera para ver *The Pure Hell of St. Trinians*, ni a comer al restaurante, ni siquiera a un chino, y en años venideros no recordaría de sus primeras dos semanas en su adorado *Eleone Deerreeese* nada más que libras, chelines y peniques, como el discípulo del rey filósofo Chanakya que preguntó al gran hombre qué significaba estar y no estar en el mundo, y el rey le ordenó que llevara un cántaro lleno de agua hasta el borde por entre una muchedumbre en día de fiesta, sin derramar ni una gota, so pena de muerte, de manera que cuando regresó, el hombre no podía describir los festejos porque fue como un ciego que no veía nada más que el cántaro que llevaba en la cabeza.

Changez Chamchawala estuvo muy tranquilo aquellos días, dando la impresión de que no se acordaba de comer, ni de beber, ni de hacer nada; se sentía feliz sentado en la habitación del hotel, mirando la televisión, sobre todo los Picapiedra, porque, decía a su hijo, Wilma le recordaba a Nasreen. Salahuddin trataba de demostrar que era un hombre ayunando con su padre, esforzándose por resistir más que él, pero no lo conseguía, y cuando los calambres se hacían muy fuertes, se iba a una taberna barata cercana al hotel donde vendían pollos asados que giraban en el escaparate goteando grasa. Cuando entraba en el vestíbulo del hotel con el pollo lo escondía avergonzado dentro de su impermeable cruzado, para que el personal no lo viera, y se metía en el ascensor envuelto en olor a asado, con pecho abultado de pollo y rostro ruborizado. Con el pollo en la pechera, bajo la mirada de señoras y ascensoristas, Salahuddin sentía nacer aquella rabia implacable que ardería en su interior durante más de un cuarto de siglo; que consumiría su infantil amor por su padre y haría de él un ateo, un hombre que, en adelante, haría todo lo posible por vivir sin dios alguno; y que tal vez alimentara su decisión de ser lo que su padre no era ni podría ser, es decir, un inglés de verdad. Sí, un inglés, incluso aunque tuviera razón su madre, aunque no hubiera más que papel en los aseos y un agua tibia y usada, llena de tierra y jabón, en la que meterse después de hacer ejercicio, aunque ello supusiera pasar la vida entre invernales árboles desnudos cuyos dedos asían con desesperación las pocas horas de luz pálida, tamizada y acuosa. En las noches de invierno, él, que nunca había dormido más que con una sábana, se acostaba bajo montañas de lana y se sentía como el personaje de un mito antiguo, condenado por los dioses a soportar el peso de un pedrusco en el pecho; pero no importaba, él sería inglés aunque sus compañeros de clase se rieran de su acento y lo excluyeran de sus pequeños secretos, porque estas exclusiones no hacían sino robustecer su decisión, y entonces fue cuando Salahuddin empezó a hacer teatro, a ponerse máscaras que aquellos individuos pudieran reconocer, máscaras de rostropálido, máscaras de payaso, hasta que los engañó y convenció de que él era una persona *normal, gente como nosotros.* Los engañó del modo en que un ser humano sensible puede convencer a los gorilas para que lo acepten en su familia, para que lo acaricien y lo mimen y le metan plátanos en la boca.

(Después de pagar la última factura y cuando la cartera que había encontrado al final del arco iris estaba vacía, su padre le dijo: «¿Lo ves? Pagas lo que debes. He hecho de ti un hombre.» Pero ¿qué hombre? Eso es algo que los padres nunca saben. No lo saben de antemano; no lo saben hasta que ya es tarde.)

Un día, al poco tiempo de estar en el colegio, a la hora del desayuno, encontró un arenque ahumado en el plato. Lo miró sin saber por dónde empezar. Luego, lo cortó y se metió en la boca una porción de espinas. Cuando las hubo sacado todas, otro bocado, con más espinas. Sus condiscípulos le miraban en silencio; ninguno le dijo: Mira, esto se come así. Salahuddin tardó noventa minutos en comerse el pescado y no le permitieron levantarse de la mesa hasta que hubo terminado. Para entonces estaba temblando y, si hubiera sabido, habría llorado. Luego se le ocurrió que le habían enseñado una lección importante. Inglaterra era un pescado ahumado de sabor peculiar, lleno de púas y espinas, y nadie le diría nunca cómo se comía. Descubrió también que él era una persona rencorosa. «Ya les enseñaré yo –juró–. Ya verán.» El arenque ahumado fue su primera victoria, el primer paso de su conquista de Inglaterra.

Dicen que Guillermo el Conquistador empezó comiéndose un bocado de arena inglesa.

Cinco años después, terminados los estudios secundarios, mientras esperaba que empezara el curso en la universidad inglesa, Salahuddin hizo una visita a su casa cuando su transmutación en *vilayeti* ya estaba muy adelantada. «Mira qué bien sabe quejarse –se burlaba Nasreen delante de su padre–. Todo lo critica como un sabio: los ventiladores están flojos, se desprenderán del techo y nos cortarán la cabeza mientras dormimos, dice. Y la comida es demasiado grasa, por qué tenemos que freírlo todo, dice. Los miradores del último piso son inseguros y la pintura se ha cuarteado, por qué no somos más cuidadosos de nuestro entorno, y el jardín está hecho una selva, somos gente selvática, eso piensa, y fíjate lo burdas que son nuestras películas, ahora no le gusta nuestro cine, y cuánta enfermedad, no puedes ni beber el agua del grifo, Dios mío, sí que está instruido, esposo, nuestro pequeño Sallu que ha venido de Inglaterra, y qué dicción más distinguida.»

Paseaban por el jardín al atardecer, mirando cómo el sol se hundía en el mar, vagando a la sombra de los grandes árboles de copa ancha, unos retorcidos y otros barbudos, que Salahuddin (que ahora se llamaba Saladin como en la escuela inglesa, pero conservaría el Chamchawala hasta que un agente teatral le abreviara el apellido por razones artísticas) ya empezaba a conocer por sus nombres, jackfruit, baniano, jacarandá, llama del bosque, plátano. Al pie del árbol de su propia vida, el nogal que Changez plantó con sus propias manos el día en que nació su hijo, crecían pequeñas matas de *chhooi-mooi* o no-me-toques. Padre e hijo, junto al árbol del nacimiento, se sentían violentos, incapaces de responder con naturalidad a la leve burla de Nasreen. Saladin tenía una sensación de nostalgia porque le parecía que el jardín era mucho más hermoso antes de que él conociera los nombres de los árboles, que había perdido algo que nunca podría recuperar. Y Changez Chamchawala descubrió que ya no podía mirar a los ojos a su hijo porque el rencor que veía en ellos le helaba el corazón. Cuando habló, volviendo bruscamente la espalda al nogal de dieciocho años en el que durante aquella larga ausencia él imaginaba que residía el alma de su hijo, las palabras salieron torpemente y le hicieron parecer la figura rígida y fría en la que no deseaba convertirse y en la que temía que inevitablemente se convertiría.

«Di a tu hijo –dijo Changez a Nasreen con voz áspera– que si se ha ido al extranjero para aprender a despreciar a los suyos, los suyos no tendrán para él más que desdén. ¿Qué se ha creído? ¿Que es un joven lord, un gran *panjandrum*? ¿Es que mi destino ha de ser perder a un hijo y encontrar a un petimetre?»

«Todo lo que yo soy, querido padre –dijo Saladin al anciano–, a ti te lo debo.»

Fue su última charla familiar. Durante todo el verano, los ánimos estuvieron muy excitados, pese a los intentos de mediación de Nasreen, *tienes que pedir perdón a tu padre, vida mía, el pobre sufre como un condenado pero su orgullo no le permite darte un abrazo.* Incluso Kasturba, y Vallabh, su marido, el criado, trataron de mediar, pero ni padre ni hijo cedieron. «La misma madera –dijo Kasturba a Nasreen–. Ése es el problema. Padre e hijo son iguales.»

Aquel septiembre, al estallar la guerra contra Pakistán, Nasreen, con espíritu de desafío, decidió que ella no cancelaría sus fiestas de los viernes «para demostrar que hindúes y musulmanes pueden amar además de odiar», explicó. Changez vio cierta luz en sus ojos y no discutió, pero ordenó a los criados que pusieran cortinas que oscurecieran las ventanas. Aquella noche, por última vez, Saladin Chamchawala desempeñó su antigua función de portero, ataviado con esmoquin inglés, y cuando llegaron los invitados, los mismos invitados de siempre, con el polvo gris de los años, pero por lo demás los mismos, le obsequiaron con las mismas palmadas, los mismos besos y las nostálgicas bendiciones de su juventud. «Mira qué crecido está –decían–. Qué guapo, parece mentira.» Todos trataban de disimular el miedo a la guerra, *peligro de ataques aéreos*, decía la radio, y al acariciar el pelo de Saladin sus ademanes temblaban un poco o se hacían un algo bruscos.

A última hora de la tarde sonaron las sirenas y los invitados buscaron refugio escondiéndose debajo de las camas, en los armarios, en cualquier sitio. Nasreen Chamchawala se encontró sola al lado de la mesa llena de comida y trató de tranquilizar a los invitados quedándose allí con su sari estampado de periódico, comiendo pescado como si nada. De modo que cuando empezó a ahogarse con la espina de su muerte no tenía a su lado quien la ayudara: todos estaban escondidos por los rincones, con los ojos cerrados; incluso Saladin, conquistador de arenques ahumados, Saladin, que había vuelto de Inglaterra flemático, era presa de los nervios. Nasreen Chamchawala cayó, se retorció, abrió la boca en busca de aire, murió, y cuando sonó el fin de la alarma y reaparecieron tímidamente los invitados, encontraron a su anfitriona difunta en medio del comedor, arrebatada por el ángel del exterminio, *khali-pili khalaas*, como dicen en Bombay, muerta sin motivo, ida para siempre.

Menos de un año después de la muerte de Nasreen Chamchawala, incapaz de negociar las espinas como su hijo educado en el extranjero, Changez volvió a casarse sin avisar a nadie. Saladin recibió en su universidad inglesa una carta de su padre en la que éste, con la fraseología irritantemente ampulosa y trasnochada que Changez usaba en su correspondencia, le ordenaba que se alegrara. «Regocíjate –decía la carta– porque lo que se perdió ha renacido.» La explicación de esta frase un tanto enigmática venía un poco más abajo, y cuando Saladin se enteró de que su madrastra también se llamaba Nasreen algo crujió en su cabeza y escribió a su padre una carta llena de crueldad e ira, cuya violencia era del tipo que sólo se da entre padres e hijos y que difiere de la que existe entre hijas y madres en que encierra la posibilidad de una verdadera pelea a puñetazos rompiendo caras. Changez contestó a vuelta de correo; una carta breve, cuatro líneas de insulto arcaico, granuja sinvergüenza vagabundo canalla infame hijoputa bribón. «Ruego consideres vínculos familiares irreparablemente rotos –concluía–. Consecuencias, tu responsabilidad.»

Después de un año de silencio, Saladin recibió otra misiva, un perdón que era mucho más difícil de digerir que el anterior rayo anatematizador. «Cuando tú seas padre, oh hijo mío –confiaba Changez Chamchawala–, también conocerás esos momentos –¡oh!, ¡cuán dulces!– en los que amorosamente haces saltar al precioso bebé sobre tus rodillas; y entonces, sin aviso ni provocación, la criaturita –¿puedo serte franco?– se te *mea* encima. Tal vez durante un momento sientes que te ahoga la ira y una oleada de furia te hace hervir la sangre, pero remite con la misma rapidez con que te acometió. Porque ¿acaso como adultos no comprendemos que el pequeño no tiene culpa alguna? Él no sabe lo que hace.»

Profundamente ofendido al verse comparado con un crío meón, Saladin mantuvo lo que él consideraba un digno silencio. Cuando estaba a punto de graduarse ya tenía pasaporte británico, pues había llegado al país antes de que las leyes se endurecieran, por lo que pudo informar a Changez en una lacónica nota que tenía intención de quedarse en Londres y buscar trabajo como actor. La respuesta de Changez Chamchawala llegó por correo urgente. «Lo mismo podrías ser un condenado gigoló. Creo que un demonio ha penetrado en ti y te ha trastornado. Tú, a quien tanto se ha dado, ¿no crees que debes algo a los demás? ¿A tu país? ¿A la memoria de tu querida madre? ¿A tu propio espíritu? ¿Vas a pasarte la vida contoneándote y pavoneándote ante los focos, besando a mujeres rubias ante la mirada de desconocidos que han pagado para presenciar tu vergüenza? Tú no eres hijo mío, tú eres una *aberración*, un *hoosh*, un demonio del infierno. ¡Actor! Contesta a esto: ¿Qué les digo a mis amigos?»

Y, debajo de la firma, la posdata, patética y petulante. «Ahora que tienes tu propio *djinni* malo, no esperes heredar la lámpara mágica.»

Después de aquello, Changez Chamchawala escribía a su hijo a intervalos irregulares, y en cada una de sus cartas volvía sobre el tema de los demonios y la posesión: «El hombre que no es fiel a sí mismo se convierte en una mentira con dos patas, y estas bestias son la mejor obra de Shaitan», escribía, y también, en vena más sentimental: «Yo tengo tu alma bien guardada, hijo, aquí, en el nogal. El demonio sólo tiene tu cuerpo. Cuando te liberes de él, vuelve a reclamar tu espíritu inmortal. Ahora florece en el jardín.»

La letra de aquellas cartas cambió a lo largo de los años, perdiendo la florida confianza que la hiciera instantáneamente identificable y haciéndose más estrecha, más sobria, más pura. Al fin las cartas dejaron de llegar y Saladin supo por otros conductos que la preocupación de su padre por lo sobrenatural había ido profundizándose hasta hacer de él un recluso, quizá con el propósito de escapar de este mundo en el que los demonios podían robarle a uno el cuerpo de su propio hijo, mundo inseguro para un hombre auténticamente fiel.

La transformación de su padre desconcertó a Saladin, aun a tan gran distancia. Sus padres eran musulmanes, a la manera superficial y perezosa de los bombayitas; Changez Chamchawala, a los ojos de su pequeño hijo, era más divino que cualquier Alá. Que este padre, que esta divinidad profana (aunque ahora desacreditada), se pusiera a su vejez de rodillas e inclinado hacia La Meca era algo que el ateo de su hijo encontraba difícil de aceptar.

«La culpa la tiene esa bruja –se dijo, adoptando para sus fines retóricos el mismo lenguaje de conjuros y duendes que su padre iniciara–, esa Nasreen Número Dos. ¿Soy yo el que está endemoniado, yo el poseso? No es mi letra la que ha cambiado.» Las cartas dejaron de llegar. Pasaron los años; y un día Saladin Chamcha, actor, hombre que todo lo debía a su propio esfuerzo, volvió a Bombay con la compañía de los Prospero Players para interpretar el papel de médico indio en *La millonaria* de George Bernard Shaw. En escena adoptaba la voz y el acento que el papel requerían, pero aquellos giros tanto tiempo reprimidos, aquellas vocales y consonantes descartadas, comenzaron a escapársele de la boca fuera del teatro. Su voz empezaba a traicionarle; y luego descubrió que otras partes de su cuerpo también eran capaces de la traición.

El hombre que decide cambiarse a sí mismo asume el papel del Creador; según una cierta manera de ver las cosas, es antinatural, es blasfemo, abominación de abominaciones. Desde otro ángulo, también puedes ver algo patético en él, heroísmo en su lucha, en su voluntad de riesgo: no todos los mutantes sobreviven. O, considerándole desde el punto de vista sociopolítico: la mayoría de los emigrantes aprenden y pueden convertirse en máscaras. Nuestras propias falsas descripciones para contrarrestar las falsedades inventadas sobre nosotros ocultan, por razones de seguridad, nuestra personalidad secreta.

El hombre que se inventa a sí mismo necesita a alguien que crea en él para demostrar que ha conseguido lo que se proponía. Otra vez haciendo de Dios, dirán ustedes. O también pueden bajar unos cuantos escalones y pensar en el Hada Campanilla; las hadas no existen si los niños no dan palmadas. O podrían decir, simplemente: en eso consiste ser un hombre.

No es únicamente la necesidad de que otros crean en uno, sino la de creer en otro. Ahí lo tienen: el amor.

Saladin Chamcha conoció a Pamela Lovelace cinco días y medio antes del fin de los años sesenta, cuando las mujeres todavía llevaban pañuelos en la cabeza. Estaba en el centro de una sala llena de actrices trotskistas y le miraba con unos ojos tan brillantes, tan brillantes... Él la monopolizó toda la noche y ella nunca dejó de sonreír y se fue con otro. Él volvió a casa y se puso a soñar con los ojos, la sonrisa, la esbeltez y la piel de Pamela. La persiguió durante dos años. Inglaterra es reacia a entregar sus tesoros. Él estaba asombrado de su propia perseverancia y comprendió que ella se había convertido en artífice de su destino, que si ella no cedía, sus intentos de metamorfosis fracasarían. «Permíteme –suplicaba él luchando cortésmente en la moqueta blanca de la casa de ella, lo que le dejaba cubierto de delatora pelusa en la parada del autobús de medianoche–. Créeme. Yo soy el hombre de tu vida.»

Una noche, *sin más ni más*, ella consintió, dijo que

le creía. Él se casó con ella sin darle tiempo de arrepentirse, pero nunca consiguió aprender a leerle el pensamiento. Cuando se sentía desgraciada, se encerraba en el dormitorio hasta que se le pasaba. «No tiene nada que ver contigo –le decía–. No quiero que nadie me vea cuando estoy así.» Él la llamaba almeja. «Abre», y aporreaba todas las puertas cerradas de su vida en común, primero un sótano, después una casita y, por fin, una mansión. «Te quiero. Déjame entrar.» Él la necesitaba tan desesperadamente para cerciorarse de su propia existencia que no llegó a advertir la desesperación de su sonrisa deslumbrante y permanente, el terror que había en la vivacidad con que ella encaraba el mundo ni las razones por las que ella se escondía cuando no conseguía destellar. Hasta que ya era tarde no le contó que sus padres se habían suicidado juntos cuando ella empezaba a menstruar, que estaban agobiados por las deudas de juego y la habían dejado con un acento aristocrático que la señalaba como una chica de oro, una mujer digna de envidia, cuando en realidad era una criatura abandonada, perdida, que no tuvo ni unos padres que quisieran esperar a verla crecer, eso era lo que la querían, por lo que ella no tenía ni la menor confianza y todos los momentos que pasaba en el mundo eran momentos de pánico, así que sonreía y sonreía y quizá una vez a la semana se encerraba para temblar y sentirse como una concha vacía, como una cáscara de cacahuete hueca, como un mono sin cacahuete.

No llegaron a tener hijos; ella se echaba la culpa. Al cabo de diez años Saladin descubrió que sus propios cromosomas tenían algo extraño, dos palitos más o menos, no lo recordaba. Herencia genética; según aquello, si se descuida no nace o nace monstruo. ¿Era por su madre o por su padre? Los médicos no lo sabían; es fácil adivinar a quién lo atribuía él; al fin y al cabo, no hay que pensar mal de los muertos.

Últimamente tenían problemas.

Él lo reconoció después, pero no mientras tanto.

Después se dijo: estábamos en las últimas, quizá por falta de niños, quizá porque fuimos distanciándonos, quizá por esto, quizá por aquello.

Mientras tanto no se dio por enterado de toda la tensión, de los roces, de las peleas que no llegaban a ser; cerraba los ojos y esperaba hasta que ella volvía a sonreír. Se permitía a sí mismo creer en aquella sonrisa, aquella brillante falsificación de alegría.

Trataba de inventar un futuro feliz para los dos, de convertirlo en realidad inventándolo y luego creyendo en él. Cuando volaba hacia la India pensaba en lo afortunado que era de tenerla; sí, tengo suerte, mucha suerte, sin duda soy el bastardo más afortunado del mundo. Y qué maravilla tener ante sí aquella larga y sombreada avenida de los años, la perspectiva de envejecer en presencia de tanta ternura.

Se había empeñado con tanto ahínco, se había convencido casi tan completamente de que estas tristes ficciones eran verdad, que cuando se acostó con Zeeny Vakil, apenas cuarenta y ocho horas después de llegar a Bombay, lo primero que hizo, antes de que llegaran a copular, fue desmayarse, desfallecer, porque los mensajes que le llegaban al cerebro eran tan contradictorios como si su ojo derecho viera girar al mundo hacia la izquierda y su ojo izquierdo, hacia la derecha.

Zeeny era la primera mujer india con la que se acostaba. Ella se precipitó en su camerino la noche del estreno de *La millonaria* con sus ademanes teatrales y su voz fosca, como si no hiciera años. *Años.* «*Yaar*, qué desilusión, de verdad; aguanté toda la obra sólo para oírte cantar *Goodness Gracious Me* como Peter Sellers o qué sé yo, pensé, a ver si el chico ha aprendido a entonar.

¿Te acuerdas cuando imitabas a Elvis con la raqueta de *squash*? Mi vida, qué risa, qué desastre. Pero ¿qué es esto? En esta obra no hay canciones. ¡Demonios! Oye, ¿puedes escaparte de todos esos rostros pálidos y venir con nosotros, los *wogs*? Puede que se te haya olvidado lo que es nuestra compañía.»

Él la recordaba adolescente y flaca con peinado asimétrico a lo Quant y sonrisa también asimétrica, pero en sentido inverso. Una chica descarada, mala. Una vez, para divertirse, entró en un antro de mala fama de Falkland Road y se quedó allí sentada fumando y bebiendo coca-cola hasta que los chulos que controlaban el local la amenazaron con rajarle la cara, porque allí no se permitía ir por libre. Ella sostuvo sus miradas, terminó el cigarrillo y salió. Zeenat no conocía el miedo. Quizá estaba loca. Ahora, a los treinta y tantos años, era médico, pasaba visita en el hospital Breach Candy, trabajaba con los desamparados de la ciudad y había ido a Bhopal en cuanto saltó la noticia de la invisible nube americana que se comía los ojos y los pulmones de la gente. También era crítica de arte y había escrito un libro sobre el mito limitador de la autenticidad, esa camisa de fuerza folklorística que ella trataba de sustituir por la ética de un eclecticismo refrendado por la historia, porque ¿acaso no se basaba toda la cultura nacional en el principio de apropiarse los trajes que mejor parecían sentar, ario, mogol, británico, eligiendo lo mejor y abandonando lo demás? El libro había armado gran revuelo, como era de esperar, especialmente a causa del título. Lo había titulado *El único indio bueno*. «O sea, el muerto –dijo a Chamcha cuando le dio un ejemplar–. ¿Por qué tiene que existir una forma buena y correcta de ser *wog*? Eso es fundamentalismo hindú. En realidad, todos somos indios malos. Unos peores que otros.»

Ella estaba en la plenitud de su belleza, el pelo largo y suelto y nada flaca. Cinco horas después de que ella entrara en el camerino, estaban en la cama y él se desmayaba. Cuando despertó, Zeenat le explicó: «Te he contado un cuento.» Él nunca llegó a averiguar si le había dicho la verdad.

Zeenat Vakil hizo de Saladin su proyecto particular. «Vamos a conseguir tu recuperación –explicó–. *Míster*, vamos a conseguir que vuelvas.» A veces, él pensaba que ella quería conseguir su propósito por el procedimiento de comérselo vivo. Hacía el amor como un caníbal y Saladin era su explorador. Él le preguntó: «¿Conoces la relación, perfectamente establecida, entre el vegetarianismo y el impulso antropófago?» Zeeny, que estaba almorzándose su muslo, movió negativamente la cabeza. «En ciertos casos extremos –prosiguió él–, un exceso de consumo de verduras puede liberar en el sistema unos agentes bioquímicos que provocan fantasías caníbales.» Ella le miró con su sonrisa torcida. Zeeny, la hermosa vampiresa. «Vamos, vamos –dijo–. Nosotros somos una nación de vegetarianos y la nuestra es una cultura pacífica y mística, como todo el mundo sabe.»

Él, por el contrario, debía proceder con cuidado. La primera vez que le tocó los pechos, ella derramó unas asombrosas lágrimas calientes, que tenían el color y la consistencia de la leche de búfala. Ella había visto morir a su madre como un ave trinchada para la cena, primero el pecho izquierdo y luego el derecho, y, a pesar de todo, el cáncer se había extendido. Su miedo a repetir la muerte de su madre hacía de su busto zona prohibida. Era el terror secreto de la intrépida Zeeny. No había tenido hijos, pero sus ojos lloraban leche.

Después de su primera cópula, ella empezó a trabajarle, olvidando sus lágrimas. «¿Sabes lo que eres? Yo te lo diré. Un desertor, eso eres, más inglés que otra cosa, envuelto en tu distinguido acento como en una bandera, pero no creas que es perfecto; a veces se te escurre, *baba*, como un bigote postizo.»

«Me ocurre una cosa rara –quería decir él–, en la voz», pero no sabía cómo explicarlo y decidió callar.

«La gente como tú –resopló ella besándole un hombro– volvéis al cabo del tiempo creyéndoos sabediosqué. Pues mira, hijo, nosotros no tenemos tan buena opinión de vosotros.» Su sonrisa era más brillante que la de Pamela. «Ya veo que no has perdido tu sonrisa Binaca, Zeeny», dijo él.

Binaca. ¿De dónde salía ahora ese viejo y olvidado anuncio de dentífrico? Y las vocales no parecían muy seguras. Cuidado, Chamcha, cuidado con tu sombra. Ese individuo negro que repta detrás de ti.

A la segunda noche, ella se presentó en el teatro con dos amigos, un joven marxista director de cine llamado George Miranda, una ballena de hombre con las mangas de la *kurta* subidas, un chaleco amplio y abierto, con manchas antiguas, y un bigote de sorprendente aire militar, con las puntas engomadas; y Bhupen Gandhi, poeta y periodista, prematuramente encanecido, pero cuyo rostro tenía una inocencia infantil hasta que soltaba su risa pícara y atiplada. «Vamos, Salad *baba* –dijo Zeeny–. Te enseñaremos la ciudad. –Miró a sus acompañantes–. Estos asiáticos del extranjero no tienen vergüenza –declaró–. Saladin suena a jodida ensalada. No te digo...»

«Hace unos días vi a una periodista de televisión –dijo Miranda–. Tenía el pelo color de rosa. Dijo que se llamaba Kerleeda. Yo no la entendí.»

«Es que George es muy inocente –interrumpió Zeeny–. Él no sabe lo raros que os volvéis. Esa Miss Singh, qué escándalo. Le tuve que decir que el nombre es Khalida, guapa, rima con *Dalda*, que es un utensilio de cocina. Pero no hubo manera de que lo pronunciara. Y era su propio nombre. Lo que pasa, chicos, es que no tenéis cultura. No sois más que unos *wogs*. ¿No es así?», agregó abriendo mucho los ojos con gesto de regocijo, temerosa de haber ido demasiado lejos. «Déjale en paz, Zeenat», dijo Bhupen Gandhi con su voz dulce. Y George, violento, murmuró: «No te ofendas, es una broma.»

Chamcha decidió sonreír y contraatacar: «Zeeny –dijo–, la tierra está llena de indios, como sabes, llegamos a todas partes, somos hojalateros en Australia y nuestras cabezas van a parar al frigorífico de Idi Amin. Quizá Colón tenía razón; el mundo está formado por Indias: Orientales, Occidentales, Septentrionales. Qué demonios, deberíais estar orgullosos de nosotros, de nuestro espíritu emprendedor, de nuestro modo de atravesar fronteras. Lo malo es que no somos indios como vosotros. Y vale más que os acostumbréis a nosotros. ¿Cómo se llama ese libro que has escrito?»

«Escuchen –Zeeny se colgó de su brazo–. Escuchen a mi Salad. Ahora, de repente, quiere ser indio, después de pasarse la vida tratando de volverse blanco. No se ha perdido todo. Ahí dentro aún queda algo vivo.» Y Chamcha notó que se sonrojaba, que aumentaba su confusión. La India; todo lo enmarañaba.

«¡Por todos los diablos! –agregó ella, clavándole un beso como una cuchillada–. Chamcha. Venga, joder. Te pones a hacer el capullo y esperas que no nos riamos.»

En el maltrecho Hindustan de Zeeny, un coche fabricado para una cultura con criados, con el asiento trasero mejor tapizado que el delantero, Chamcha sentía que la noche se le echaba encima como una muchedumbre. La India le hacía sentir su olvidada inmensidad, su viva presencia, el viejo desorden que él despreciaba. Una *hijra* amazona, ataviada como una Supermujer India, con tridente de plata incluido, detuvo el tráfico con un brazo imperioso y se plantó ante ellos. Chamcha miró sin pestañear sus ojos llameantes. Gibreel Farishta, el actor de cine inexplicablemente desaparecido, se pudría en los carteles. Cascotes, desperdicios, ruido. Anuncios de cigarrillos que pasaban fumando: SCISSORS: PARA EL HOMBRE DE ACCIÓN, SATISFACCIÓN. Y, más dudosamente: PANAMÁ: PARTE DEL GRAN ESCENARIO INDIO.

«¿Adónde vamos?» La noche se había impregnado de una luz verde neón. Zeeny aparcó el coche. «Estás perdido –le acusó–. ¿Qué sabes de Bombay? Tu propia ciudad, aunque nunca lo fue. Para ti es un sueño infantil. Criarse en Scandal Point es como vivir en la luna. Allí nada de *bustees* ni *sirree*; sólo las casas de los criados. ¿Llegaban hasta allí los partidarios de Shiv Sena a provocar disturbios? ¿Vuestros vecinos pasaban hambre durante la huelga textil? ¿Organizaba Datta Samant un mitin delante de vuestros bungalows? ¿Cuántos años tenías cuando conociste a tu primer sindicalista? ¿Cuántos años tenías la primera vez que subiste a un tren de cercanías en lugar de a un coche con chófer? Eso no era Bombay, cariño, perdona. Eso era el Reino de las Hadas, Peristan, la Tierra de Nunca Jamás, Oz.»

«¿Y tú? –le recordó Saladin–. ¿Dónde estabas tú entonces?»

«En el mismo sitio –dijo ella ásperamente–. Con todos los podridos *munchkins*.»

Callejones. Estaban pintando un templo jainí y todos los santos habían sido cubiertos con bolsas de plástico para protegerlos de las gotas. Un vendedor callejero desplegaba periódicos llenos de horrores: catástrofe ferroviaria. Bhupen Gandhi empezó a hablar con su voz susurrante. Después del accidente, dijo, los pasajeros supervivientes nadaron hasta la orilla (el tren había caído de un puente), donde los esperaban los vecinos del pueblo que los agarraban y los mantenían bajo el agua hasta que se ahogaban, y luego les robaban.

«Calla la boca –le gritó Zeeny–. ¿Por qué le cuentas esas cosas? Ya opina que somos unos salvajes, una especie inferior.»

En una tienda vendían sándalo para quemar en un templo de Krishna cercano, y pares de ojos de Krishna que todo lo veían, esmaltados en rosa y blanco.

«Demasiado que ver –dijo Bhupen–.» Así son las cosas.»

En una *dhaba* muy concurrida que George había empezado a frecuentar cuando quería entablar contacto, con propósitos cinematográficos, con los *dadas* o patrones que controlaban el comercio de carne de la ciudad, se consumía ron negro en mesas de aluminio, y George y Bhupen, algo achispados, empezaron a pelear. Zeeny tomaba una bebida de cola local y criticaba a sus amigos. «Los dos tienen problemas con la bebida, están más acabados que una olla agujerada y los dos maltratan a sus mujeres, van a los garitos y malgastan sus cochinas vidas. No es de extrañar que yo me haya decidido por ti, cariño; el artículo local está tan degradado que a la fuerza te tiene que gustar el de importación.»

George había ido a Bhopal con Zeeny y la emprendió con el tema de la catástrofe interpretándola ideológicamente. «¿Qué es para nosotros Amrika? –inquiría–. No es un sitio real. Es el poder en su forma más pura, desarticulada, invisible. No podemos verlo, pero nos jode absolutamente, sin escapatoria.» Comparó la Union Carbide con el caballo de Troya. «Nosotros invitamos a venir a esos bastardos.» Era como el cuento de los cuarenta ladrones, dijo. Escondidos en sus tinajas, esperando la noche. «Nosotros no teníamos a un Alí Babá, desgraciadamente –dijo–. ¿Qué teníamos? Teníamos a Mr. Rajiv G.»

Al llegar a este punto, Bhupen Gandhi se levantó

bruscamente, tambaleándose, y como si estuviera poseído, como si un espíritu se hubiera apoderado de él, empezó a *atestiguar*. «Para mí –dijo–, la cuestión no puede centrarse en la intervención extranjera. Nosotros siempre nos absolvemos condenando a los de fuera, América, Pakistán, cualquier jodido lugar. Perdona, George, pero para mí todo se remonta a Assam, por ahí tenemos que empezar.» La matanza de los inocentes. Fotografías de cadáveres de niños colocados perfectamente en fila, como soldados en un desfile. Los habían matado a golpes, a pedradas, los habían degollado a cuchillo. Pulcra organización de la muerte, recordaba Chamcha. Como si el horror fuera el único acicate que pudiera conducir a la India al orden.

Bhupen habló durante veintinueve minutos sin vacilaciones ni pausas. «Todos somos culpables de Assam –dijo–. Cada uno de nosotros. A menos que o hasta que reconozcamos que las muertes de los niños fueron culpa nuestra, no podremos llamarnos un pueblo civilizado.» Bebía ron deprisa mientras hablaba y su voz se hacía más fuerte, y su cuerpo se inclinaba peligrosamente, pero aunque en el local se había hecho el silencio, nadie se adelantó hacia él, nadie trató de interrumpirle, nadie le llamó borracho. En medio de una frase, *todos los días cegamientos o fusilamientos o corrupciones, quién nos hemos creído que*, se sentó pesadamente y se quedó mirando el vaso sin pestañear.

Entonces, en un ángulo alejado de la taberna, un joven se levantó y replicó. Assam debía ser entendido políticamente, gritó, había razones económicas, y otro individuo se puso en pie para contestar: Las cuestiones de dinero no explican por qué un hombre hecho y derecho mata a golpes a una niña, y entonces otro individuo dijo: Si piensas así es que nunca has pasado hambre, *salah*, qué jodido romanticismo suponer que la economía no puede convertir a los hombres en fieras.

Chamcha agarraba el vaso con más fuerza a medida que el ruido aumentaba y el aire se enrarecía, dientes de oro le brillaban en la cara, hombros le rozaban los hombros, codos se le clavaban, el aire se convertía en una especie de sopa y en su pecho empezaban a agitarse palpitaciones irregulares. George lo agarró de la muñeca y lo sacó a la calle. «¿Ya estás mejor, hombre? Empezabas a ponerte verde.» Saladin asintió con gratitud, llenándose los pulmones del aire de la noche, más calmado. «El ron y el cansancio –dijo–. Yo me pongo nervioso después de cada función. A veces me da por temblar. Debí imaginarlo.» Zeeny le miraba y en sus ojos había algo más que conmiseración. Un brillo triunfal, duro. *Por fin te has enterado*, decía su expresión de malsana satisfacción. *Ya era hora.*

Cuando has pasado el tifus, pensaba Chamcha, la inmunidad te dura unos diez años. Pero nada es definitivo; al fin los anticuerpos desaparecen de tu sangre. Tenía que aceptar el hecho de que su sangre ya no guardaba los agentes inmunizadores que le hubieran permitido sufrir la realidad de la India. Ron, palpitaciones, mareo del espíritu. Hora de irse a la cama.

Zeeny no quiso llevarle a su casa. Siempre y únicamente el hotel, con los jóvenes árabes con medallón de oro paseando por los pasillos de la medianoche con botellas de whisky de contrabando en la mano. Él estaba echado en la cama, con zapatos, el cuello desabrochado, el nudo de la corbata flojo y el brazo derecho sobre los ojos; ella, con el albornoz blanco del hotel, se inclinó sobre él y le dio un beso en la barbilla. «Voy a decirte lo que te ha pasado esta noche –le dijo–. Podrías decir que nosotros te hemos roto el cascarón.»

Él se incorporó, furioso. «Bien, pues esto es lo que hay dentro –estalló–. Un indio traducido al inglés. Ahora, cuando trato de hablar en indostaní, la gente me mira con cara de circunstancias.» Atrapado en la gelatina de su lenguaje adoptado, empezaba a oír, en la Babel de la India, una amenazadora advertencia: no regreses. Cuando has atravesado el espejo, es peligroso retroceder. El espejo puede hacerte pedazos.

«Esta noche me he sentido muy orgullosa de Bhupen –dijo Zeeny, metiéndose en la cama–. ¿En cuántos países podrías entrar en un bar cualquiera y empezar semejante debate? Con esta pasión, esa seriedad, ese respeto. Te regalo tu civilización, inglés de quiero y no puedo. Yo me quedo con ésta muy contenta.»

«Déjalo –le suplicó él–. No me gusta que la gente entre a verme sin avisar. He olvidado las reglas de cortesía y *kabaddi*, no sé decir mis oraciones, no sé lo que se hace en una ceremonia *nikah*, y en esta ciudad en la que crecí me pierdo si voy solo. Ésta no es mi casa. Me da vértigo porque parece mi casa y no lo es. Me estremece el corazón y me da vueltas la cabeza.»

«Eres un estúpido –le gritó ella–. Un estúpido. ¡Vuelve a lo tuyo! ¡Maldito imbécil! Claro que puedes.» Ella era un vórtice, una sirena que le tentaba a regresar a su viejo yo. Pero era un yo muerto, una sombra, un fantasma, y él no quería convertirse en fantasma. Tenía en la cartera el pasaje de vuelta a Londres y pensaba usarlo.

«Nunca te casaste», dijo él de madrugada, cuando ninguno de los dos podía dormir. Zeeny resopló. «Desde luego, has estado fuera demasiado tiempo. ¿Es que no me ves? Yo soy morena.» Apartó la sábana, arqueando la espalda para exhibir sus opulencias. Cuando Phoolan Devi, la reina de los bandidos, abandonó las quebradas para rendirse y ser retratada, los periódicos destruyeron de inmediato el mito inventado por ellos mismos acerca de su *belleza legendaria*. Ella, en lugar de *apetitosa*, era ahora *fea, vulgar, repulsiva*. Lo que hace la piel oscura en el norte de la India. «No me convence –dijo Saladin–. No esperarás que yo me lo crea.»

«Bien, aún no eres del todo idiota –rió ella–. ¿Quién quiere casarse? Yo tenía cosas que hacer.»

Y, después de una pausa, ella le devolvió la pregunta: *Bueno, ¿y tú?*

No sólo casado sino, además, rico. «Anda, cuenta. ¿cómo vivís, tú y la señora?» En una mansión de cinco plantas en Notting Hill. Últimamente, él empezaba a sentirse inseguro allí, porque la última partida de ladrones se había llevado no sólo los consabidos vídeo y estéreo, sino también el perro guardián pastor alemán. No era posible, empezaba a creer, vivir en un sitio en el que los elementos criminales raptaban animales. Pamela le dijo que era una antigua costumbre local. En los Viejos Tiempos, dijo (para Pamela, la Historia se dividía en: Antigüedad, Edad Media, Viejos Tiempos, Imperio Británico, Edad Moderna y Presente), el secuestro de animales domésticos era un buen negocio. Los pobres robaban los canes de los ricos, les enseñaban a olvidar sus nombres y los vendían a sus afligidos e indefensos amos en las tiendas de Portobello Road. La historia local de Pamela era siempre muy detallada y, con frecuencia, inexacta. «¡Santo Dios! –dijo Zeeny Vakil–. Vende la casa y múdate cuanto antes. Yo conozco a esos ingleses, son todos iguales, gentuza y *nawabs*. No puedes luchar contra sus jodidas tradiciones.»

Mi esposa, Pamela Lovelace, frágil como la porcelana, grácil como una gacela, recordó él. *Yo echo raíces en las mujeres a las que amo*. Las trivialidades de la infidelidad. Las desechó y se puso a hablar de su trabajo.

Cuando Zeeny Vakil descubrió cómo ganaba dinero Saladin Chamcha, lanzó una serie de gritos que impulsó a uno de los árabes de medallón a llamar a la puerta para preguntar si ocurría algo malo. Vio sentada en la cama a una hermosa mujer a la que algo que parecía leche de búfalo le resbalaba por las mejillas y le goteaba por la barbilla y, después de pedir disculpas a Chamcha por la intrusión, se retiró apresuradamente, *perdón, amigo, eh, es usted un hombre afortunado.*

«Pobre infeliz –jadeó Zeeny entre carcajadas–. Esos cochinos *angrez*, bien te han jodido.»

Conque ahora resultaba que su trabajo era chistoso. «Tengo un don para los acentos –dijo él, ufano–. ¿Por qué no lo había de aprovechar?»

«*¿Por qué no lo habría de aprovechar?* –remedó ella agitando las piernas en el aire–. Mister actor, acaba de volver a resbalarle el bigote.»

Ay, Dios mío.

¿Qué me ocurre?

¿Qué diablos?

Socorro.

Porque él tenía realmente aquel don, de verdad que lo tenía, él era el Hombre de las Mil y una Voces. Si querías saber cómo debía hablar tu botella de ketchup en el anuncio de televisión, si dudabas en cuanto a la voz que correspondía a tu bolsa de fritos con sabor a ajo, él era tu hombre. Él hacía hablar a las alfombras en los anuncios de los grandes almacenes, imitaba a personajes célebres, judías fritas, guisantes congelados. Por la radio podía convencer al auditorio de que era ruso, chino, siciliano o presidente de Estados Unidos. Una vez, en una obra de radioteatro para treinta y siete voces, las interpretó todas con una serie de seudónimos, y nadie lo notó. En compañía de Mimi Mamoulian, su equivalente femenina, él dominaba las ondas hertzianas de Gran Bretaña. Conseguían un segmento tan amplio del círculo de la voz que, como decía Mimi: «Vale más que delante de nosotros nadie mencione la Comisión Antimonopolios ni en broma.» Ella tenía una gama asombrosa; podía representar cualquier edad de cualquier lugar del mundo en cualquier tono del registro vocal, desde la angelical Julieta hasta la fatal Mae West. «Tú y yo tendríamos que casarnos cuando estés libre –le sugirió Mimi–. Entre los dos podríamos ser las Naciones Unidas.»

«Tú eres judía –repuso él–. A mí me educaron con ciertas opiniones sobre los judíos.»

«Bueno, soy judía –dijo ella encogiéndose de hombros–. Pero el circunciso eres tú. No hay nadie perfecto.»

Mimi era muy bajita, con unos rizos negros muy prietos y aspecto de anuncio de Michelin. En Bombay, Zeeny Vakil se desperezó y bostezó, ahuyentando de su pensamiento a las otras mujeres. «Demasiado –rió–. Te pagan para que los imites, siempre y cuando no tengan que verte la cara. Tu voz se hace famosa, pero a ti te esconden. ¿Adivinas por qué? ¿Verrugas en la nariz, ojos bizcos, etcétera? ¿Alguna idea, monín? Menos seso que una maldita lechuga, te lo juro.»

Es verdad, pensó él. Saladin y Mimi eran una especie de leyendas, pero leyendas con lunar, estrellas oscuras. El campo de gravedad de sus dotes atraía el trabajo hacia ellos, pero ellos permanecían invisibles, abandonando el cuerpo para asumir voces. Por la radio, Mimi podía convertirse en la Venus de Botticelli, podía ser Olympia, la Monroe, cualquier maldita mujer que quisiera. A nadie le importaba un pito su aspecto; ella se había convertido en su voz, valía un potosí, y había tres muchachitas perdidamente enamoradas de ella. Además, compraba inmuebles. «Conducta neurótica –confesaba sin avergonzarse–. Excesiva necesidad de arraigo debida a hecatombes en historia armenio-judía. Cierta desesperación causada por la edad y pequeños pólipos detectados en la garganta. Las fincas son tan sedantes... Las recomiendo.» Poseía una rectoría en Norfolk, una granja en Normandía, un campanario toscano y un litoral en Bohemia. «Todas, encantadas –explicaba–. Cadenas, aullidos, sangre en las alfombras, señoras en camisón, lo que quieran. Y es que nadie renuncia a la tierra sin pelear.»

Nadie, excepto yo, pensó Chamcha, sintiendo cómo le atenazaba la melancolía, allí tendido, al lado de Zeenat Vakil. Quizá yo sea un fantasma. Pero, por lo menos, un fantasma con un pasaje de avión, éxito, dinero, esposa. Una sombra, pero una sombra que vive en el mundo tangible, material. Con *Activo*. Sí, señor.

Zeeny le acariciaba los rizos que le cubrían las orejas. «A veces, cuando estás callado –murmuró–, cuando no haces voces chistosas ni actúas con grandilocuencia, y cuando te olvidas de que la gente te mira, pareces un espacio en blanco. ¿Sabes? Una pizarra vacía, no hay nadie en casa. Me pone frenética, me entran ganas de abofetearte, de sacudirte para que despiertes. Pero también me da pena. Y es que eres tan tonto, tú, la gran estrella con la cara del color no apto para sus teles en color, que tiene que viajar al país de los *wogs* con una compañía de mala muerte, y, además, haciendo el papelito de *babu* para poder salir en una obra. Te dan de puntapiés y aun así te quedas, los amas, jodida mentalidad de esclavo, palabra. Chamcha –le agarró por los hombros y lo sacudió, a horcajadas sobre él, con sus pechos prohibidos a pocas pulgadas de su cara–. Salad *baba*, o como te llames, por el cielo, vuelve a casa.»

La gran oportunidad de Saladin, la que pronto podría hacer que el dinero perdiera su significado, empezó en pequeña escala: televisión infantil, una cosa que se llamaba *La hora de los aliens* por *Los Monsters* de *La guerra de las galaxias*, inspirada en *Barrio Sésamo*. Era una comedia sobre un grupo de extraterrestres entre mono y psicópata, animal y vegetal, e incluso mineral, porque intervenía una artística roca espacial que podía explotarse a sí misma para extraer sus materias primas y regenerarse antes del episodio de la semana siguiente y que se llamaba Pygmalien. También salía una criatura brutal y eructadora, como un cactos con vómito, producto del basto sentido del humor de los productores del programa, oriunda de un planeta desierto situado en el confín del tiempo: ésta era Matilde, la austra-alien; y tres sirenas espaciales, rollizas y cantarinas, conocidas por Alien-Hadas, acaso por su talante risueño y distante; y una cuadrilla de hippies venusinos y artistas del spray de los ferrocarriles metropolitanos y similares que se llamaban Alien-Nación; y, debajo de una cama de la nave, que era el principal decorado del programa, vivía Bugsy, el escarabajo pelotero gigante de la Nebulosa de Cáncer, que se había escapado de su padre; y, en un tanque de peces podías encontrar a Cerebro, el abalone gigante superinteligente al que chiflaba comer chinos; y Ridley, el más terrorífico del reparto habitual, que parecía un juego de dientes pintado por Francis Bacon al extremo de una bolsa ciega y que estaba obsesionado por la actriz Sigurney Weaver. Las estrellas del programa, los equivalentes de Kermit y miss Piggy, eran Maxim y Mamá Alien, pareja elegantísima, de seductor atuendo y peinado asombroso, que ansiaban ser –¿y qué si no?– celebridades de la televisión. Eran interpretados por Saladin Chamcha y Mimi Mamoulian que, de una secuencia a otra, cambiaban de voz al mismo tiempo que de traje, y no digamos de pelo, que pasaba del púrpura al bermellón, se erizaba en diagonal hasta un metro de distancia o desaparecía del todo; o de facciones y órganos, porque podían intercambiarlo todo: piernas, brazos, nariz, orejas, ojos, y cada cambio conjuraba una voz diferente de sus legendarias gargantas proteicas. El éxito del programa se debió a la utilización de novísimas imágenes creadas por ordenador. Los fondos eran simulados: nave, paisajes extraterrestres y escenarios intergalácticos; también los actores eran procesados por las máquinas, obligados a pasar cuatro horas al día soportando la aplicación de maquillaje protésico que –una vez los vídeo-ordenadores habían hecho su trabajo– les hacía parecer no menos simulados que los escenarios. Maxim Alien, playboy espacial, y Mamá, invicta campeona galáctica de lucha libre y reina universal de la pasta, tuvieron un éxito fulminante. Pasaron a los horarios preferentes y fueron solicitados por América, Eurovisión, el mundo.

A medida que *La hora de los aliens* adquiría prepronderancia, comenzaron las críticas políticas. Los conservadores lo encontraban espeluznante, obsceno (Ridley se ponía materialmente erecto al pensar intensamente en miss Weaver), *estrambótico*. Los comentaristas radicales empezaron a atacar su tendencia al estereotipo, su énfasis en la idea de que lo extraño es monstruoso, su falta de imágenes positivas. Se presionó a Chamcha para que abandonara el programa; él se negó y se convirtió en blanco de ataques. «Tendré problemas cuando regrese –dijo a Zeeny–. El maldito programa no es una alegoría. Es entretenimiento. Sólo pretende distraer.»

«¿Distraer a quién? –preguntó ella–. Además, incluso ahora sólo te dejan salir al aire después de cubrirte la cara de pasta y ponerte una peluca roja. Un trabajo suntuoso, palabra.»

«La verdad es –dijo ella cuando despertaron a la mañana siguiente–, Salad, cariño, que eres bien parecido, no un palurdo. Una piel como la leche, recién vuelto de Inglaterra. Ahora que Gibreel ha dado el esquinazo, tú podrías sucederle. Hablo en serio, de veras. Necesitan una cara nueva. Vuelve a casa y podrías ser una gran estrella, mejor que Bachchan, más grande que Farishta. Tu cara no es tan rara como la de ellos.»

Cuando era joven, dijo él, cada una de las fases de su vida, cada personalidad que asumía parecía temporal y eso le tranquilizaba. Sus imperfecciones no importaban, porque él podía sustituir fácilmente un momento por el siguiente, un Saladin por otro. Ahora, el cambio empezaba a resultar doloroso; las arterias de lo posible habían empezado a endurecerse. «No es fácil decirte esto, pero ahora estoy casado, y no sólo con mi esposa, sino con mi vida. –*Otra vez se le escapaba el acento*–. En realidad, vine a Bombay por un motivo que no era la función. Él tiene más de setenta años y yo ya no tendré muchas oportunidades. Él no ha ido al teatro; Mahoma tendrá que ir a la montaña.»

Mi padre, Changez Chamchawala, dueño de una lámpara maravillosa. «Changez Chamchawala, pero hablas en serio, no creas que vas a privarme de eso. –Ella palmoteó–. Estoy deseando verle en persona.» Su padre, el famoso recluso. Bombay era una cultura de imitaciones. Su arquitectura reproducía los rascacielos, su cine reinventaba incansablemente *Los siete magníficos* y *Love Story* obligando a todos sus héroes a salvar por lo menos un pueblo de los villanos asesinos y a todas sus heroínas a morir de leucemia por lo menos una vez en su carrera, a poder ser al principio. La invisibilidad de Changez era el sueño indio del infeliz *crorepati* que vivía enclaustrado en Las Vegas; pero un sueño no es ni siquiera una fotografía, al fin y al cabo, y Zeeny quería verlo con sus propios ojos. «Cuando está de mal humor, hace muecas a la gente –le advirtió Saladin–. Nadie lo cree hasta que lo ve, pero es la verdad. ¡Y qué muecas! Gárgolas. Además, es un puritano y te llamará descarada y, de todos modos, probablemente, yo me pelearé con él, está escrito.»

Lo que había traído a la India a Saladin: el perdón. Éste era el motivo de su viaje a su ciudad natal. Pero no habría podido decir si venía a darlo o a recibirlo.

Aspectos curiosos de las circunstancias actuales de Mr. Changez Chamchawala: en compañía de Nasreen

Segunda, su nueva esposa, habitaba durante cinco días a la semana en un complejo rodeado de un alto muro conocido por el nombre de Fuerte Rojo, en el distrito de Pali Hill, favorito de las estrellas del cine; pero el fin de semana volvía, sin su esposa, a la vieja casa de Scandal Point, para pasar sus días de descanso en el mundo perdido del pasado, en compañía de la primera, y difunta, Nasreen. Además, se decía que su segunda esposa se negaba a poner los pies en la casa vieja. «O no se lo permiten», conjeturó Zeeny en el asiento trasero del largo Mercedes de cristales opacos que Changez había enviado para recoger a su hijo. Cuando Salain acabó de ponerla en antecedentes, Zeenat Vakil silbó admirativamente: «Qué locura.»

La industria de fertilizantes Chamchawala, el imperio del estiércol de Changez, iba a ser inspeccionada por un comité gubernamental por evasión de impuestos y de aranceles de importación, pero Zeeny no estaba interesada en eso. «Ahora –dijo– podré averiguar cómo eres tú realmente.» Scandal Point se desplegaba ante ellos. Saladin sintió que el pasado se le venía encima como una marea, ahogándolo, llenándole los pulmones de un olvidado aire salobre. *Hoy no soy yo*, pensó. El corazón palpita. La vida hiere a los vivos. Ninguno somos nosotros. Ninguno somos así.

Ahora había puertas de acero, accionadas desde el interior por control remoto, que sellaban el deteriorado arco triunfal. Se abrieron con un sordo zumbido para dar acceso a Saladin a aquel lugar del tiempo perdido. Cuando vio el nogal en el que, según su padre, se guardaba su alma, empezaron a temblarle las manos. Se ocultó en la neutralidad de los hechos. «En Cachemira –dijo a Zeeny–, el árbol de tu vida es, en cierto modo, una inversión financiera. Cuando el hijo llega a la mayoría de edad, el nogal es un árbol adulto, como una póliza de seguros vencida; es un árbol valioso, puede venderse para pagar una boda o financiar una carrera. El adulto tala su niñez para ayudar a su edad madura. Es de un materialismo abrumador, ¿no crees?

El coche se había detenido bajo el porche de la entrada. Zeeny no dijo nada mientras los dos subían los seis escalones hasta la puerta principal, donde fueron recibidos por un hierático y anciano criado de librea blanca con botones de latón, en cuya melena blanca reconoció Chamcha, sólo con imaginarla negra, la cabellera de Vallabh, el mayordomo que regentaba la casa en los Viejos Tiempos. «Dios mío, Vallhahbhai», dijo abrazando al anciano. El criado sonrió con dificultad. «Soy ya tan viejo, *baba*, creí que no me reconocerías.» Los condujo por los corredores de la mansión, con sus pesadas lámparas de cristal, y Saladin advirtió que la ausencia de cambio era excesiva y evidentemente deliberada. Era verdad, le explicó Vallabh, que cuando murió la *Begum*, Changez Sahib juró que la casa sería su monumento. Por lo tanto, nada había cambiado desde el día de su muerte: los cuadros, los muebles, las jaboneras, los toros de cristal rojo y las bailarinas de porcelana de Dresde, todo en el lugar exacto, las mismas revistas en las mismas mesas, las mismas bolas de papel en las papeleras, como si también la casa hubiera muerto y sido embalsamada. «Momificada –dijo Zeeny expresando lo inefable, como siempre–, Dios, si parece una casa encantada, ¿no?» Fue en ese momento, mientras Vallabh, el criado, abría las puertas dobles que conducían al salón azul, cuando Chamcha vio el fantasma de su madre.

Dio un fuerte grito y Zeeny giró sobre sus talones. «Allí –señalaba el extremo del largo y oscuro corredor–, no cabe duda, ese maldito sari de la letra de imprenta, el de los grandes titulares, el mismo que llevaba el día en que, en que...», pero Vallabh había empezado a mover los brazos como un pájaro débil incapaz de volar, verás, *baba*, es Kasturba, nada más, no habrá olvidado a mi esposa, es sólo mi esposa. *Mi* ayah *Kasturba, con la que yo jugaba entre los charcos de las rocas. Hasta que pude ir sin ella y, en una hondonada, un hombre con unas gafas con montura de marfil...* «Por favor, *baba*, no hay razón para inquietarse, es sólo que cuando la *Begum* murió, Changez Sahib regaló algunos vestidos a mi esposa, ¿no te importa? Tu madre era una mujer tan generosa, cuando vivía siempre daba con largueza.» Chamcha recobró el equilibrio y se sintió ridículo. «Pues claro que no me enfado, por Dios.» Una antigua rigidez volvió a Vallabh; el derecho del viejo criado a la libertad de expresión le permitió reprender: «Perdón, *baba*, pero no debes pronunciar el nombre de Dios en vano.»

«Mira cómo suda –cuchicheó Zeeny–. Parece muy asustado.» Kasturba entró en la habitación y, aunque su reunión con Chamcha fue bastante cariñosa, había cierta tensión en el aire. Vallabh se fue en busca de cerveza y Thums Up, y cuando también Kasturba se excusó, Zeeny dijo inmediatamente: «Aquí hay algo raro. Esa mujer anda como si fuera el ama. No hay más que ver el aire que se da. Y el viejo estaba asustado. Apostaría a que esos dos se traen algo entre manos.» Chamcha trató de razonar. «Viven aquí solos casi siempre; probablemente duermen en el dormitorio principal y comen en la vajilla buena; deben de imaginar que esto les pertenece.» Pero pensaba qué asombroso parecido con su madre tenía el *ayah* Kasturba con aquel viejo sari.

«Estuviste ausente tanto tiempo –dijo a su espalda la voz de su padre–, que ahora no puedes distinguir a un *ayah* viva de tu difunta mamá.»

Saladin dio media vuelta para descubrir la triste imagen de un padre que se había arrugado como una manzana vieja pero que se empeñaba en usar los caros trajes italianos de sus años de opulenta corpulencia. Ahora que había perdido tanto los antebrazos de Popeye como el abdomen de Brutón, parecía vagar dentro de su ropa como el que busca algo que nunca sabrá identificar. Estaba en el umbral de la puerta mirando a su hijo con la nariz dilatada y los labios doblados en una mueca que la hechicería abrasadora de los años había convertido en débil simulacro de su antigua cara de ogro. Chamcha empezaba a advertir que su padre ya no podía asustar a nadie, que había perdido la magia, que no era más que un vejestorio que iba camino de la tumba, y Zeeny observaba con cierto desencanto que Changez Chamchawala llevaba un conservador corte de pelo y, puesto que calzaba relucientes zapatos modelo Oxford con cordones, tampoco podría comprobar la historia de las uñas de a palmo, cuando el *ayah* Kasturba regresó fumando un cigarrillo y, pasando por delante de los tres, padre, hijo, amiga, se fue hacia un sofá Chesterfield tapizado de terciopelo azul y se instaló en él con la sensualidad de una *starlet*, a pesar de ser una mujer entrada en años.

No bien hubo hecho Kasturba su escandalosa entrada, Changez se deslizó por el lado de su hijo y se colocó al lado de la antigua *ayah*. Zeeny Vakil, con destellos de escándalo en los ojos, siseó a Chamcha: «Cierra la boca, cariño. Es de mal efecto.» Y Vallabh, el criado, empujaba por la puerta un carrito de bebidas observando impasible cómo su amo de muchos años largos ponía un brazo alrededor de su esposa, que lo aceptaba de buen grado.

Cuando el progenitor, el creador, se revela satánico, con frecuencia el hijo se pone severo: Chamcha se oyó preguntar: «¿Y mi madrastra, querido padre? ¿Está bien?»

El anciano dijo a Zeeny: «Espero que contigo no sea tan santurrón. O debes de aburrirte mucho.» Y a su hijo, en tono más áspero: «¿Ahora te interesas por mi esposa? Pues ella no se interesa por ti. No tiene deseos de verte. ¿Por qué había de perdonarte? Tú no eres hijo suyo. Ni mío ahora quizá.»

No he venido a pelearme con él. Mira, el viejo chivo. No debo pelear. Pero esto, esto es intolerable. «En la casa de mi madre –gritó Chamcha melodramáticamente, perdiendo la batalla consigo mismo–. El gobierno piensa que hay corrupción en tus negocios, y ésta es la corrupción de tu alma. Mira lo que les has hecho a Vallabh y Kasturba. Con tu dinero. ¿Cuánto necesitaste para envenenarles la vida? Eres un enfermo.» Miraba a su padre con irreprimible furor justiciero.

Inesperadamente, intervino Vallabh, el criado: «*Baba*, con todo respeto, perdona, pero ¿qué sabes tú? Tú te marchaste y ahora vienes a juzgarnos.» Saladin sintió que el suelo se hundía bajo sus pies; ante sus ojos se abría el infierno. «Es verdad que él nos paga –prosiguió Vallabh–. Por nuestro trabajo y también por lo que ves. Por esto.» Changez Chamchawala oprimió más estrechamente los dóciles hombros del *ayah*.

«¿Cuánto? –gritó Chamcha–. ¿Cuánto convinisteis entre los dos hombres? ¿Cuánto por prostituir a tu esposa?»

«Qué tonto –dio Kasturba con desdén–. Educado en Inglaterra y todo lo que quieras, pero todavía con la cabeza llena de paja. Vienes aquí haciendo aspavientos, *en la casa de tu madre*, etcétera, pero quizá no la querías tanto. Nosotros sí la queríamos, todos nosotros. Los tres. Y de esta manera podemos mantener vivo su espíritu.»

«Podrías decir que esto es *pooja* –dijo la voz suave de Vallabh–. Un acto de culto.»

«Y tú –Changez Chamchawala hablaba con la misma suavidad que su criado–, tú vienes a este templo. Con tu falta de fe. Mister, tienes una desfachatez...»

Y, por último, la traición de Zeenat Vakil. «Anda ya, Salad –dijo sentándose en el brazo del sofá Chesterfield, al lado del anciano–. ¿Por qué tienes que ser un aguafiestas? Tú no eres un ángel, tesoro, y estas personas parecen haber dispuesto muy bien las cosas.»

La boca de Saladin se abrió y se cerró. Changez dio a Zeeny unas palmadas en la rodilla. «Ha venido a acusar, hijita. Ha venido a vengar su juventud, pero se han vuelto las tornas y ahora está confuso. Hay que darle una oportunidad y tú serás el árbitro. No consiento en ser sentenciado por él, pero de ti aceptaré cualquier veredicto.»

El muy bastardo. Viejo bastardo. Quería hacerme caer y aquí estoy, mordiendo el polvo. No pienso hablar, y por qué habría de hacerlo, por qué aceptar esta humillación. «Había una cartera llena de libras esterlinas –dijo Saladin Chamcha–, y había un pollo asado.»

¿De qué acusaba el hijo al padre? De todo: espionaje de un niño, robo de la olla del arco iris, exilio. De convertirle en lo que acaso no habría sido. De «hacer un hombre de». De «qué voy a decir a mis amigos». De irreparables rupturas y ofensivos perdones. De sucumbir a la adoración de Alá con la nueva esposa y también de culto blasfemo de la anterior. Sobre todo, de «adepto a la lámpara maravillosa» de «abresesamista». Él todo lo consiguió con facilidad, donaire, mujeres, riqueza, poder, posición. Frotar, puf, genio, deseo, enseguida, amo, ya está. Era un padre que había prometido, y luego escamoteado, una lámpara maravillosa.

Changez, Zeeny, Vallabh y Kasturba permanecieron inmóviles y mudos hasta que Saladin Chamcha dejó de hablar, enrojecido y embarazado. «Tanta violencia de espíritu al cabo de tanto tiempo –dijo Changez después de un silencio–. Es triste. Al cabo de un cuarto de siglo, todavía reprocha los pecadillos del pasado. Ay, hijo. Tienes que dejar de acarrearme como a un loro en el hombro. ¿Qué soy yo? Ya nada. Yo no soy tu maestro.

Afróntalo, míster: yo ya no soy la clave de tu vida.»

Por una ventana, Saladin Chamcha vio un nogal de cuarenta años. «Córtalo –dijo a su padre–. Córtalo, véndelo y mándame el dinero.»

Chamchawala se puso de pie y extendió la mano derecha. Zeeny se levantó a su vez y la tomó como una bailarina tomaría unas flores; en el acto, Vallabh y Kasturba se redujeron a criados como si un reloj hubiera dado en silencio la hora de las calabazas. «Ese libro suyo –dijo a Zeeny–. Tengo algo que le gustará.»

Los dos salieron del salón; el indefenso Saladin, después de un momento de titubeo, les siguió de mala gana. «Aguafiestas –le dijo Zeeny alegremente por encima del hombro–. Vamos, olvídalo, déjate de niñerías.»

La colección de arte Chamchawala, que se guardaba en Scandal Point, comprendía un grupo de las legendarias telas *Hamza-nama*, procedentes de la secuencia del siglo XVI que representa escenas de la vida de un héroe que tal vez fuera o tal vez no el famoso Hamza, tío de Mahoma, cuyo hígado fue comido por Hind, la mujer de La Meca, cuando yacía muerto en el campo de batalla de Uhud. «Me gustan estas pinturas porque se permite fracasar al héroe –dijo Changez a Zeeny–. Mire cuántas veces tienen que sacarlo de apuros.» Las telas eran también prueba elocuente de la tesis de Zeeny Vakil acerca de la naturaleza ecléctica e híbrida de la tradición artística india. Los mogoles habían llevado artistas de todas las partes de la India a trabajar en las pinturas; la identidad individual se sumergía en la creación de un Superartista de muchas cabezas y muchos pinceles que, literalmente, *era* la pintura india. Una mano habría dibujado los suelos de mosaico, otra las figuras, otra los cielos con nubes de aspecto chino. En el reverso de las telas estaban las historias que acompañaban las escenas. Las pinturas se mostraban como una película: sosteniéndolas en alto mientras alguien leía la historia del héroe. En Hamza-nama podías ver la miniatura persa fundiéndose con los estilos de pintura kannada y keralan, podías ver la filosofía hindú y musulmana formando su síntesis característica de las postrimerías de la dominación mogol.

Un gigante estaba atrapado en un foso y sus verdugos humanos le clavaban lanzas en la frente. Un hombre hendido verticalmente desde la cabeza hasta la ingle sostenía todavía en alto la espada mientras se venía abajo. En todas partes una espumosa efusión de sangre. Saladin Chamcha se dominó. «El salvajismo –dijo en voz alta con su voz inglesa–, el auténtico y salvaje amor al dolor.»

Changer Chamchawala hacía caso omiso de su hijo, sólo tenía ojos para Zeeny, quien sostenía su mirada. «El nuestro es un gobierno de filisteos, señorita, ¿no cree? Les he ofrecido toda la colección totalmente gratis, ¿lo sabía? A condición de que la alberguen debidamente, que construyan un local. El estado de las telas no es óptimo, como puede ver... Y no quieren. No les interesa. Mientras tanto, todos los meses recibo ofertas de Amrika. ¡Y qué ofertas! No lo creería. Yo no vendo. Nuestro patrimonio, hijita, se lo lleva día tras día Estados Unidos. Pinturas de Ravi Varma, bronces de Chandela, celosías de Jaisalmer. Nos vendemos, ¿no? Ellos dejan caer la cartera al suelo y nosotros nos arrodillamos a sus pies. Nuestros toros de Nandi acaban en un patio de Texas. Pero todo esto usted ya lo sabe. Usted sabe que hoy India es un país libre.» Guardó silencio, pero Zeeny aguardaba; tenía que haber algo más. Y lo había: «Un día, yo también aceptaré los dólares. No por el dinero. Por el placer de ser una puta. De convertirme en nada. Menos que nada.» Y ahora, por fin, el gran trueno, las palabras que siguieron a las palabras *menos que nada*. «Cuando yo muera –dijo Changez Chamchawala a Zeeny–, ¿qué seré? Un par de zapatos vacíos.

Es mi destino, el destino que él me ha deparado. Este actor. Este simulador. Se ha convertido a sí mismo en imitador de hombres inexistentes. No tengo a nadie que me suceda, nadie a quien entregar lo que he conseguido. Ésta es su venganza: él me roba mi posteridad.» Sonrió, le palmeó una mano y la dejó al cuidado de su hijo. «Se lo he contado –dijo a Saladin–. Todavía llevas el pollo escondido en el pecho. Yo le he expuesto mis quejas. Ahora ella debe juzgar. Era lo convenido.»

Zeenat Vakil se acercó al anciano del traje grande, le puso las manos en las mejillas y le dio un beso en los labios.

Después de que Zeenat le traicionara en la casa de las perversiones paternas, Saladin Chamcha se negó a verla y a contestar los mensajes que ella le dejaba en la recepción del hotel. *La millonaria* acabó su temporada y la gira tocó a su fin. Hora de regresar a casa. Después de la fiesta de la noche de despedida, Chamcha se retiró a su habitación. En el ascensor, una pareja joven, evidentemente en luna de miel, escuchaba música por auriculares. El joven dijo a su esposa: «Dime, ¿todavía te parezco un extraño a veces?» Ella movió negativamente la cabeza con una sonrisa cariñosa, *no te oigo*, se quitó los auriculares. Él repitió muy serio: «¿Te parezco todavía a veces un extraño?» Ella, con sonrisa impasible, apoyó la mejilla un instante en el hombro alto y flaco de él. «Sí, una o dos veces», dijo y volvió a ponerse los auriculares. Él, aparentemente satisfecho con la respuesta, la imitó. Sus cuerpos volvieron a seguir el ritmo de la música. Chamcha salió del ascensor. Zeenat estaba sentada en el suelo, con la espalda apoyada en la puerta de su habitación.

Dentro de la habitación, ella se sirvió un generoso whisky con soda. «Te portas como un niño –le dijo–. Vergüenza tendría que darte.»

Aquella tarde, él había recibido un paquete de su padre. Dentro había un trozo de madera y muchos billetes, no rupias, sino libras esterlinas: las cenizas, por así decir, de un nogal. Él estaba embargado de un confuso furor y, puesto que Zeenat estaba allí, la hizo blanco de él. «¿Te has creído que te quiero? –preguntó con deliberada crueldad–. ¿Te has creído que voy a quedarme por ti? Yo estoy casado.»

«Yo no quería que te quedaras por mí –dijo ella–. No sé por qué, yo lo deseaba por ti mismo.»

Hacía unos días, él había ido a ver la versión india de una obra teatral de Sartre que trataba del tema de la vergüenza. En el original, un marido sospecha que su mujer le es infiel y le tiende una trampa para sorprenderla. Él se arrodilla para mirar por el ojo de la cerradura de la puerta de la calle. Entonces siente que hay alguien detrás de él, se vuelve sin levantarse y la ve a ella, que le mira con rencor y repugnancia. El cuadro: él de rodillas y ella, mirándole desde arriba, es el arquetipo sartreano. Pero en la versión india el marido arrodillado no sentía ninguna presencia a su espalda, sino que era sorprendido por la esposa, se levantaba del suelo para enfrentarse a ella en un plano de igualdad, se defendía echando bravatas y vociferando hasta que ella se echaba a llorar, entonces la abrazaba y se reconciliaban.

«Dices que tendría que darme vergüenza –dijo Chamcha a Zeenat con amargura–. Tú, que desconoces la vergüenza. En realidad, ésa debe de ser una característica nacional. Empiezo a sospechar que los indios carecen del necesario refinamiento moral para poseer un verdadero sentido de la tragedia y, por consiguiente, son incapaces de comprender el concepto de la vergüenza.»

Zeenat Vakil terminó su whisky. «Está bien. No es preciso que digas más. –Levantó las manos–. Me rindo. Me marcho. Mr. Saladin Chamcha, yo pensé que todavía estabas vivo, por lo menos un poco, que aún respirabas, pero me equivocaba. Resulta que durante todo este tiempo has estado muerto.»

Y una última frase, antes de cruzar la puerta con los ojos lácteos. «No dejes que las personas se acerquen mucho a ti, Mr. Saladin. Les dejas cruzar tus defensas y los muy bastardos te clavan un puñal en el corazón.»

Después de aquello ya nada le retenía allí. El avión despegó y dio la vuelta sobre la ciudad. Allá abajo su padre disfrazaba de su difunta esposa a una criada. El nuevo plan circulatorio había convertido el centro de la ciudad en un gigantesco atasco. Los políticos trataban de medrar haciendo *padyatras*, peregrinaciones a pie por todo el país. Había pintadas que decían: *Aviso a los políticos. La única salida*: padyatra *al infierno.* O, también: *a Assam.*

Los actores empezaban a meterse en política: MGR, N. T. Rama Rao, Bachchan. Durga Khote denunciaba que una asociación de actores era un «frente rojo». Saladin Chamcha, en el vuelo 420, cerró los ojos; y entonces, con profundo alivio, sintió reveladores latidos y ajustes en la garganta que indicaban que su voz, espontáneamente, reasumía su carácter británico, serio y seguro.

El primer incidente inquietante que Mr. Chamcha experimentó en aquel vuelo fue reconocer entre el pasaje a la mujer de sus sueños.

4

La mujer de sus sueños era más baja y menos grácil que la de verdad, pero en el momento en que Chamcha la vio pasear tranquilamente por los pasillos del *Bostan*, recordó la pesadilla. Cuando Zeenat Vakil se marchó, él cayó en un sueño atormentado y tuvo un presentimiento: la visión de una mujer-bombardero con una voz de acento canadiense, casi inaudible de tan suave, profunda y melodiosa como un océano lejano. La mujer del sueño iba tan cargada de explosivos que más que el bombardero, era la bomba; la mujer que paseaba por el pasillo tenía en brazos a un niño de pecho que parecía dormir plácidamente, un niño tan bien envuelto y tan estrechamente abrazado que Chamcha no consiguió verle ni un solo rizo de pelo recién nacido. Influido por el sueño recordado, Chamcha pensó que, en realidad, el niño era un manojo de cartuchos de dinamita o alguna especie de artefacto que hacía tictac, y ya iba a gritar cuando reaccionó y se reprendió severamente. Éstas eran precisamente las tontas supersticiones que ahora dejaba atrás. Él era un hombre correcto, con el traje bien abrochado, que iba camino de Londres y de una vida ordenada y feliz. Él formaba parte del mundo real.

Saladin viajaba solo, rehuyendo a los restantes

miembros de la compañía Prospero Players, esparcidos por la clase turista, con camisetas del Pato Donald, que doblaban el cuello imitando a los danzarines de *natyam*, llevaban saris *benarsi*, bebían demasiado champán barato de avión e importunaban a las desdeñosas azafatas que, por ser indias, sabían que los actores eran gente de baja estofa; en suma, comportándose con la falta de discreción propia de los cómicos. La mujer que llevaba el niño en brazos tenía para los faranduleros blancos una mirada que los convertía en volutas de humo, en espejismos, en fantasmas. Para un hombre como Saladin Chamcha no había nada tan penoso como la degradación de lo inglés por los propios ingleses. Volvió a su periódico, en el que una manifestación del «rail roko» de Bombay era dispersada por cargas de policías armados de *lathis*. El reportero del periódico sufrió la fractura de un brazo y su cámara fue destrozada. La policía publicó una nota. «Ni el periodista ni ninguna otra persona fue atacada intencionadamente.» Chamcha cayó en un sopor aerolineal. La ciudad de las historias perdidas, los árboles talados y los ataques no intencionados se borró de su pensamiento. Cuando volvió a abrir los ojos, tuvo la segunda sorpresa de aquel macabro viaje. Un hombre pasó por su lado camino del aseo. Llevaba barba y unas gafas baratas con cristales de color, pero Chamcha lo reconoció: allí, viajando de incógnito en la clase turista del vuelo AI-420, estaba el superstar desaparecido, la leyenda viva, Gibreel Farishta en persona.

«¿Ha dormido bien?» Saladin comprendió que la pregunta iba dirigida a él, y apartó la mirada del gran actor de cine para contemplar al personaje no menos extraordinario que iba sentado a su lado, un inefable americano con gorra de béisbol, gafas de montura metálica y una camisa verde neón sobre la que se retorcían las figuras entrelazadas de dos resplandecientes dragones chinos dorados. Chamcha había eliminado al ente de su campo visual, en un intento de envolverse en un capullo de intimidad, pero la intimidad no era posible.

«Eugene Dumsday, a sus órdenes. –El hombre dragón le tendió una enorme mano colorada–. A las suyas y a las de la Guardia Cristiana.»

Chamcha, atontado por el sueño, movió la cabeza: «¿Es militar?»

«¡Ja! ¡Ja! Sí, señor, podría decirse que sí. Un humilde soldado de a pie del ejército de la Guardia Todopoderosa.» Oh, todopoderosa guardia, pues claro, haberlo dicho. «Yo, señor, soy un hombre de ciencia y mi misión, mi misión y, permítame decirlo, mi privilegio, ha sido visitar su gran nación para combatir la aberración más perniciosa que jamás haya cogido por los huevos a la imaginación popular.»

«No sé a qué se refiere.»

Dumsday bajó la voz. «Me refiero a la caca del mono, señor. El darwinismo. La herejía evolucionista de Mr. Charles Darwin.» Su tono hacía evidente que el nombre del atormentado Darwin, obsesionado por Dios, le resultaba tan repulsivo como el de cualquier demonio de cola hendida, Belcebú, Asmodeo o el propio Lucifer. «He prevenido a sus compatriotas contra Mr. Darwin y sus obras –le confió Dumsday–. Con mi exposición apoyada en cincuenta y siete diapositivas personales. Últimamente, señor mío, hablé en el banquete del Día del Entendimiento Mundial del Rotary Club de Cochin, Kerala. Hablé de mi país, de su juventud. Yo la veo perdida, señor. La juventud de América; veo que, en su desesperación, recurre a los narcóticos e, incluso, porque yo soy un hombre que habla claro, a las relaciones sexuales prematrimonales. Lo dije entonces y se lo digo ahora. Si yo pensara que mi tatarabuelo fue un chimpancé yo también estaría bastante deprimido.»

Gibreel Farishta estaba sentado al otro lado del pasillo mirando por la ventanilla. Empezaba la película y se atenuaban las luces. La mujer del niño seguía de pie, arriba y abajo, quizá para que el chiquitín no llorase. «¿Y cómo le fue?», preguntó Chamcha, comprendiendo que tenía que decir algo.

Su vecino titubeó. «Me parece que el sistema de sonido se averió –dijo al fin–. Es lo que yo pienso, o ¿por qué habían de ponerse esas buenas gentes a hablar entre sí, de no creer que yo había terminado?»

Chamcha se sintió un poco avergonzado. Él pensaba que, en un país de fervorosos creyentes, la idea de que la ciencia era la enemiga de Dios tenía que ejercer una fácil atracción; pero el aburrimiento de los rotarios de Cochin le demostraba que estaba equivocado. A la luz parpadeante de la película, Dumsday, con su voz de buey inocente, siguió poniéndose en evidencia, completamente ajeno a lo que hacía. Al término de un paseo por el magnífico puerto natural de Cochin, al que Vasco da Gama llegó en busca de especias, con lo que puso en marcha toda esa ambigua historia del Este y el Oeste, Mr. Dumsday fue abordado por un mocoso con pssts y *hey-mister-okays*. «¡Eh, usted, *yes*! ¿quiere hachís, *sahib*? Eh, misteramérica, *Yes*, tiosam, ¿quiere opio, calidad insuperable, del más caro? Okay, ¿quiere *cocaína*?»

Saladin empezó a reír por lo bajo, sin poder contenerse. Aquello debía de ser la venganza de Darwin: si Dumsday consideraba al pobre Charles, tan pacato y victoriano él, responsable de la cultura americana de la droga, qué ironía que él fuera visto en todo el globo como representante de la misma ética contra la que tan denodadamente batallaba. Dumsday le miró con dolorido reproche. Duro sino el del americano en el extranjero, que no sospecha por qué suscita tanta hostilidad.

Después de que aquella risita involuntaria escapara de labios de Saladin, Dumsday se sumió en un sopor taciturno y ofendido, dejando a Chamcha con sus propios pensamientos. ¿Debía considerarse la película de a bordo como una mutación de la forma especialmente vil y casual, que al fin sería extinguida por la selección natural, o representaba el futuro del cine? Un futuro de películas de estrambóticas peripecias eternamente protagonizadas por Shelley Long y Chevy Chase resultaba insoportable, una visión del infierno... Chamcha empezaba a cerrar los ojos de nuevo cuando se encendieron las luces, la película se detuvo y la ilusión del cine fue sustituida por la visión del telediario cuando cuatro figuras armadas empezaron a correr por los pasillos.

Los pasajeros fueron retenidos en el avión secuestrado durante ciento once días, encallados en una pista inundada de una luz trémula y rutilante, en torno a la cual se estrellaban las grandes olas de arena del desierto, porque uno de los cuatro secuestradores, tres hombres y una mujer, había obligado al piloto a aterrizar y nadie podía decidir qué había que hacer con el pasaje. No habían aterrizado en un aeropuerto internacional, sino en una pista para jumbos construida por la absurda locura de un jeque local en su oasis favorito, al que ahora conducía también una autopista de seis carriles muy popular entre hombres y mujeres solteros, que paseaban por su ancha desolación en coches lentos, mirándose por las ventanillas con ojos hambrientos..., pero una vez hubo aterrizado el 420, la autopista se llenó de vehículos acorazados, camiones y grandes coches negros con banderas. Y mientras los diplomáticos discutían lo que debía hacerse con el avión, si asaltar o no asaltar, mientras trataban de decidir entre transigir o mantenerse firmes a expensas de vidas ajenas, una gran quietud envolvió el avión y no tardaron en empezar los espejismos.

Al principio había acción a un ritmo constante,

mientras el cuarteto secuestrador se mostraba electrizado, frenético, ansioso de apretar el gatillo. Son los peores momentos, pensó Chamcha, mientras los niños gritaban y el miedo se extendía como una mancha; ahora es cuando todos podríamos saltar por los aires. Luego, la situación quedó controlada: eran tres hombres y una mujer, todos altos, ninguno enmascarado, todos guapos; ellos también eran actores, ahora eran estrellas, estrellas fugaces, y tenían nombres artísticos. Dara Singh Buta Singh Man Singh. La mujer era Tavleen. La mujer del sueño era anónima, como si la imaginación del sueño de Chamcha no tuviera tiempo para seudónimos; pero, al igual que ella, Tavleen hablaba con acento canadiense, meloso, con esas oes redondas delatoras. Cuando el avión hubo aterrizado en el oasis de Al-Zamzam los pasajeros, que observaban a sus captores con la atención obsesiva con que una mangosta pasmada mira a una cobra, comprendieron que en la belleza de los tres hombres había un algo narcisista, un romántico amor al peligro y a la muerte, que les hacía aparecer con frecuencia en las puertas del avión, mostrando el cuerpo a los francotiradores profesionales que debían de estar apostados entre las palmeras del oasis. La mujer se abstenía de esta frivolidad y parecía hacer un esfuerzo para no reprender a sus colegas. Ella parecía ajena a su propia belleza, lo que la hacía la más peligrosa de los cuatro. Saladin tenía la impresión de que los chicos eran demasiado remilgados, demasiado narcisos para estar dispuestos a mancharse las manos de sangre. Les costaría trabajo matar; lo que querían era salir en la televisión. Pero Tavleen estaba allí trabajando. Él no apartaba la mirada de ella. Los chicos *no saben*, pensó. Ellos quieren comportarse como los secuestradores del cine y de la televisión; en realidad, imitan una imagen tosca de sí mismos, son gusanos que devoran su propia cola. Pero ella, la mujer, *sabe*... Mientras Dara, Buta y

Man Singh se pavoneaban y hacían aspavientos, ella se quedó quieta, volvió la mirada hacia el interior e hizo que los pasajeros se helaran de miedo.

¿Qué querían? Nada nuevo. Una patria independiente, libertad religiosa, libertad de presos políticos, justicia, rescate y salvoconducto al país que ellos eligieran. Muchos de los pasajeros llegaron a simpatizar con ellos, a pesar de que se encontraban bajo constante amenaza de ejecución. Si vives en el siglo veinte, no te cuesta trabajo verte retratado en quienes, más desesperados que tú, tratan de modelarlo a su voluntad.

Después de aterrizar, los secuestradores liberaron a todos los pasajeros menos a cincuenta, que consideraban era el número máximo que podían vigilar cómodamente. Las mujeres, los niños y los *sikhs* fueron liberados. Resultó que Saladin fue el único miembro de la compañía Prospero Players que no recuperó la libertad; pero sucumbió a la lógica perversa de la situación y, en lugar de sentirse afligido por verse prisionero, se alegró de perder de vista a sus mal educados colegas; a paseo la chusma, pensó.

Eugene Dumsday, el científico creacionista, se sintió incapaz de aceptar la idea de que los secuestradores no fueran a liberarlo a él. Se puso en pie, oscilando a su gran altura como un rascacielos en un huracán, y empezó a gritar histéricas incoherencias. Un hilo de saliva le caía por las comisuras de los labios y él lo lamía con lengua febril. Bueno, un momento, canallas, ya está bien, YA ESTÁ BIEN, peroqué, peroaquién se le ocurre, etcétera; preso en su pesadilla de vigilia, siguió babeando y babeando hasta que uno de los cuatro, evidentemente la mujer, se le acercó y le partió la mandíbula con la culata del rifle. Y, lo que es peor, el baboso Dumsday se estaba lamiendo los labios cuando se le cerraron violentamente los maxilares cercenándole la lengua, que fue a parar al pantalón de Saladin Chamcha, seguida rápidamente de su antiguo propietario. Eugene Dumsday cayó deslenguado e inconsciente en brazos del actor.

Eugene Dumsday consiguió la libertad a trueque de perder la lengua; el persuasor consiguió persuadir a sus secuestradores entregando su instrumento de persuasión. Ellos no estaban para cuidar a un herido con riesgo de gangrena, etcétera, por lo que él siguió al éxodo del avión. En aquellas primeras horas de revuelo, Saladin Chamcha no hacía más que pensar en cuestiones de detalle, si son rifles automáticos o metralletas, cómo subieron todo ese material a bordo, en qué partes del cuerpo se puede recibir una bala sin morirse, qué asustados deben de estar esos cuatro, qué conscientes de su propia muerte... Una vez se marchó Dumsday, esperaba quedarse solo, pero en la butaca que había dejado el creacionista se sentó un hombre diciendo: con permiso, *yaar*, pero en estas circunstancias uno necesita compañía. Era la estrella de cine, Gibreel.

Después de los primeros días de nervios en tierra, durante los cuales los tres enturbantados secuestradores se acercaban peligrosamente a los límites de la locura, gritando a la noche del desierto *bastardos, venid a cogernos* o, también, *ay, Dios, ay, Dios, ahora nos mandan a los jodidos comandos, esos soplapollas americanos*, yaar, *esos ingleses gilipollas* –momentos durante los cuales los restantes rehenes cerraban los ojos y rezaban, porque cuando más miedo tenían era cuando los secuestradores daban señales de debilidad–, se instauró cierta rutina que empezaba a parecer lo normal. Dos veces al día un solitario vehículo llevaba comida y bebida al *Bostan* y la depositaba en la pista. Los mismos rehenes tenían que subir las cajas mientras los secuestradores los observaban desde el avión. Fuera de esta visita diaria no había contacto con el mundo exterior. La radio había enmudecido. Era como si el incidente hubiera sido olvidado, como si fuera tan vergonzoso que lo hubieran expurgado. «¡Esos bastardos nos dejan que nos pudramos!», exclamó Man Singh, y los rehenes le hicieron coro con brío: «*Hijras! Chootias!* ¡Mierdas!»

Estaban envueltos en calor y silencio y ahora, en los ángulos, empezaban a brillar con luz trémula los espectros. El más nervioso de los rehenes, un joven con perilla y el pelo rizado y muy corto, se despertó un amanecer chillando de miedo porque había visto un esqueleto cabalgando en un camello por las dunas. Otros veían globos de colores suspendidos del aire u oían batir alas gigantescas. Los tres secuestradores varones cayeron en una sombría melancolía fatalista. Un día Tavleen los convocó a una conferencia al extremo del avión. Los rehenes oyeron voces airadas. «Ella les dice que tienen que presentar un ultimátum –dijo Gibreel Farishta a Chamcha–. Que uno de nosotros tiene que morir o algo así.» Pero cuando los tres hombres volvieron, Tavleen no iba con ellos, y ahora en sus miradas, además de desánimo había bochorno. «Han perdido las agallas. Ya no pueden seguir adelante –susurró Gibreel–. ¿Y ahora qué puede hacer nuestra Tavleen *bibi*? Nada. Se acabó la historia.»

Lo que ella hizo:

A fin de demostrar a sus cautivos, y también a sus compañeros secuestradores, que la idea del fracaso, de la rendición, nunca debilitaría su decisión, salió de su momentáneo retiro en el salón de primera clase y se quedó de pie delante de ellos, como una azafata que fuera a hacer una demostración de medidas de seguridad. Pero en lugar de ponerse un chaleco salvavidas y levantar la boquilla del soplador, etcétera, se levantó rápidamente la chilaba negra, que era su única prenda de vestir, y les mostró su cuerpo desnudo convertido en verdadero arsenal para que todos pudieran ver las granadas que le colgaban como pechos extra, y la gelignita sujeta con adhesivo a sus muslos, como lo estaba en el sueño de Chamcha. Luego volvió a ponerse la túnica y dijo en su voz suave y oceánica: «Cuando una gran idea adviene al mundo, una gran causa, se le formulan ciertas preguntas cruciales –murmuró–. La Historia nos pregunta: ¿qué clase de causa somos? ¿Somos inflexibles, íntegros, fuertes o nos mostraremos esclavos del tiempo, gentes que hacen concesiones y claudican?» Su cuerpo había dado la respuesta.

Pasaban los días. Las circunstancias de su cautiverio, en aquel espacio reducido y tórrido, a un tiempo íntimo y distante, hacían que Saladin Chamcha deseara discutir con la mujer; la inflexibilidad también puede ser monomanía, quería decirle, puede ser tiranía y también puede ser debilidad, mientras que lo flexible también puede ser humano y lo bastante fuerte para perdurar. Pero, desde luego, no dijo nada y se sumió en el estupor de los días. Gibreel Farishta descubrió en la bolsa del asiento de delante un folleto escrito por el ausente Dumsday. Para entonces, Chamcha había advertido el empeño con el que el astro de cine se resistía al sueño, por lo que no le sorprendió verle recitar y aprender de memoria el folleto del creacionista, mientras sus pesados párpados se iban cerrando y cerrando hasta que él los obligaba a abrirse. El folleto argüía que incluso los científicos se afanaban en reinventar a Dios, que una vez hubieran demostrado la existencia de una fuerza única unificada de la que el electromagnetismo, la gravedad y las fuerzas grandes y pequeñas de la nueva física no eran sino aspectos, avatares, como si dijéramos, o ángeles, entonces qué tendríamos sino la cosa más antigua de todas, un ente supremo que controlaba toda la creación... «Mira, lo que nuestro amigo dice es que, puestos a elegir entre un tipo de campo de fuerza abstracto y el Dios vivo y real, ¿con cuál te quedarías? Interesante, ¿no? A una corriente eléctrica no puedes dirigir una oración. No tiene objeto pedir a una onda la llave del paraíso. –Cerró los ojos y luego volvió a abrirlos con vehemencia–. Todo son malditas bobadas –dijo secamente–. Me pone enfermo.»

Después de los primeros días, Chamcha ya no notaba el mal aliento de Gibreel, porque en aquel mundo de sudor y miedo nadie olía mucho mejor. Pero era imposible no fijarse en su cara, en la que los grandes círculos púrpura de la vigilia rodeaban sus ojos como grandes bolsas de aceite. Hasta que, agotadas sus fuerzas, se derrumbó en el hombro de Saladin y durmió cuatro días de un tirón.

Cuando despertó, vio que Chamcha, con ayuda del rehén de la perilla y aspecto ratonil, un tal Jalandri, le había colocado en una fila de asientos del bloque central. Fue al aseo y estuvo orinando doce minutos. Al volver tenía mirada de terror. Se sentó otra vez al lado de Chamcha, pero sin decir palabra. Dos noches después, Chamcha le oyó resistirse nuevamente al sueño. O, mejor dicho, a los sueños.

«El décimo pico más alto del mundo –le oyó murmurar Chamcha– es el Xixabangma Geng, ocho mil trece metros. El noveno, el Annapurna, ocho mil setenta y ocho. –O empezaba por el otro extremo–: Primero, el Chomolungma, ocho mil ochocientos cuarenta y ocho. Dos, el K2, ocho mil seiscientos once. Kanchenjunga, ocho mil quinientos noventa y ocho. Makalu, Dhaulagiri, Manaslu, Nanga Parbat, metros ocho mil cientos veintiséis.»

«¿Cuentas los picos de ocho mil metros para dormir? –preguntó Chamcha–. Son más altos que las ovejas, pero menos numerosos.» Gibreel Farishta lo miró, furioso; luego, inclinó la cabeza; tomó una decisión. «No para dormir, amigo. Para estar despierto.»

Fue entonces cuando Saladin Chamcha descubrió por qué Gibreel Farishta empezaba a tener miedo de quedarse dormido. Todo el mundo necesita a alguien con quien hablar, y Gibreel no había hablado con nadie de lo que ocurrió después de que comiera cerdos impuros. Los sueños empezaron aquella misma noche. En aquellas visiones, él estaba siempre presente, no como él mismo, sino como su homónimo, y no interpretando el papel, Bobito, sino que yo soy él y él es yo, yo soy el recondenado árcangel, Gibreel en persona, tamaño jodidamente natural.

Bobito. Al igual que a Zeenat Vakil, a Gibreel le hacía gracia que Chamcha se hubiera acortado el nombre. «Bhai, tú, qué risa. De verdad que tiene gracia. O sea que en inglés eres Chamcha. Pues muy bien. En lugar de mi compañero de viaje, serás mi Bobito. Será nuestro chistecito particular.» Gibreel Farishta poseía el don de no ver cuándo enfurecía a las personas. Saladin odiaba los motes. Pero no podía hacer nada. Excepto odiar.

Tal vez fuera por el mote o tal vez no, lo cierto es que a Saladin las revelaciones de Gibreel le parecieron patéticas e incongruentes. ¿Qué tenía de particular que en sueños se viera como un arcángel? Los sueños pueden hacer cualquier maldita cosa. ¿Revelaba algo más que una trivial egomanía? Pero Gibreel sudaba de miedo. «La cuestión es que cada vez que me duermo el sueño continúa donde quedó. El mismo sueño en el mismo sitio. Como si alguien parase el vídeo mientras yo estoy fuera de la habitación. O, o... O como si el que estuviera despierto fuera el otro, y yo la verdadera pesadilla. Como si nosotros fuéramos su jodido sueño. Aquí. Todo esto.» Chamcha le miraba fijamente. «Sí, es una locura, tienes razón –dijo–. Quién sabe si duermen los ángeles, y no digamos si sueñan. Esto parece una locura. ¿Tengo razón o no?»

«Sí; parece que estás loco.»

«Entonces, ¿qué diantre está pasando dentro de mi cabeza?»

Cuánto más tiempo pasaba sin dormir, más locuaz se volvía. Empezó a obsequiar a los rehenes, a los secuestradores y también a la maltrecha tripulación del vuelo 420 –aquellas azafatas antes tan desdeñosas y el flamante personal de la cabina de vuelo, que ahora miraban a las musarañas en un rincón del avión y que incluso habían perdido su anterior entusiasmo por unas interminables partidas de *rummy*–, con unas teorías de la reencarnación a cual más excéntrica, comparando su estancia en la pista próxima al oasis de Al-Zamzam con un segundo período de gestación, diciendo a todo el mundo que estaban todos muertos para el mundo y en fase de ser regenerados, creados de nuevo. Esta idea parecía animarle bastante, pero hizo que muchos de los rehenes desearan darle una paliza, y se subió de pie a un asiento para explicar que el día de su liberación sería el día de su renacimiento, optimismo que tuvo la virtud de sosegar a su auditorio. «Extraño pero cierto –exclamó–. Ése será el día cero y puesto que todos naceremos a la vez, a partir de entonces todos tendremos la misma edad para el resto de nuestros días. ¿Cómo se llama a los cincuenta hijos que nacen de un solo parto? Sabe Dios. Cincuentillizos. ¡Maldición!»

Para el enloquecido Gibreel la reencarnación era un término bajo el que se amalgamaban muchas ideas: el Ave Fénix que surge de las cenizas, la Resurrección de Jesucristo, la transmigración, en el instante de la muerte, del alma del Dalai Lama en el cuerpo de un recién nacido..., cosas que se confundían en los avatares de Vishnu, las metamorfosis de Júpiter, que imitó a Vishnu y adoptó la forma de un toro, etcétera, incluyendo, naturalmente, la progresión de los seres humanos por sucesivos ciclos de vida, ora como cucarachas, ora como reyes, hasta la dicha del no volver. *Para volver a nacer, tienes que morir.* Chamcha no se molestó en argüir que, en la mayoría de los ejemplos que ponía Gibreel en sus soliloquios, la metamorfosis no exigía la muerte; se entraba en la nueva carne por otras vías. Gibreel, en su alto vuelo, batiendo los brazos como imperiosas alas, no soportaba interrupciones. «Lo viejo debe morir, atended al mensaje, o lo nuevo no podrá ser lo que haya de ser.»

A veces, la perorata acababa en lágrimas. Farishta, extenuado, perdía la serenidad y apoyaba la cara, sollozando, en el hombro de Chamcha y éste –el cautiverio prolongado erosiona cierta reserva en los cautivos– le acariciaba la mejilla y le daba un beso en el pelo. Vamos, vamos, vamos. Otras veces podía más la irritación. La séptima vez que Farishta citó al castaño de Gramsci, Saladin gritó indignado: «Quizá eso mismo esté ocurriéndote a ti, bocazas; tu viejo yo se está muriendo y ese ángel de tus sueños trata de encarnarse en ti.»

«¿Quieres saber algo realmente raro? –Gibreel, al cabo de ciento un días, ofrecía más confidencias a Chamcha–. ¿Quieres saber por qué estoy aquí? –De todos modos, se lo dijo–: Por una mujer. Sí, señor. Por el jodido gran amor de mi jodida vida. Con la que he pasado en total tres días y medio. ¿No demuestra eso que estoy realmente majareta? ¿Qué dices, Bobito, viejo Chamcha?»

Y: «¿Cómo explicártelo? Tres días y medio de eso, ¿cuánto tiempo necesitas para saber que ha ocurrido lo mejor de todo, la cosa más profunda, el momento de la verdad? Te lo juro, cuando la besé saltaron condenadas chipas, *yaar*, créelo o no, ella dijo que era electricidad estática de la moqueta, pero yo he besado a muñecas en habitaciones de hotel antes y aquello fue lo auténtico, lo definitivo. Jodidas descargas eléctricas, tío, el susto me hizo dar un brinco.»

No tenía palabras para describirla, aquella mujer de hielo de la montaña, para expresar lo que había sido aquel momento en que su vida quedó hecha añicos a sus pies y ella se convirtió en el significado de su vida. «No te haces cargo –renunció–. Será que nunca encontraste a una persona por la que cruzarías el mundo, por la que lo dejarías todo plantado y tomarías un avión. Ella subió al Everest, tío. Veintinueve mil dos pies, o quizá veintinueve mil ciento cuarenta y uno. Hasta la misma cima. ¿Imaginas que no había de subirme a un jumbo por una mujer como ella?»

Cuanto más se empeñaba Gibreel Farishta en explicar su obsesión por Alleluia Cone, la escaladora, con más empeño trataba Saladin de evocar el recuerdo de Pamela, pero ella se le resistía. Al principio quien le visitaba era Zeeny, su sombra, y, al cabo de un tiempo, nadie. La pasión de Gibreel empezó a poner a Chamcha frenético de indignación y frustración, pero Farishta no lo notaba, le daba palmadas en la espalda, *anímate, Bobito, ya queda poco.*

Al ciento décimo día, Tavleen se acercó a Jalandri, el pequeño rehén de barba de chivo, y le hizo una seña con el dedo. Nuestra paciencia se ha agotado, anunció; hemos lanzado varios ultimátums sin recibir respuesta, ha llegado la hora del primer sacrificio. Utilizó esa palabra: sacrificio. Miró a Jalandri a los ojos y pronunció su sentencia de muerte: «Tú serás el primero. Apóstata, traidor, infame.» Ordenó a la tripulación que se preparasen para despegar; no iba a exponerse a que asaltaran el avión después de la ejecución y, con la boca del rifle, empujó a Jalandri hacia la puerta abierta de delante, mientras él chillaba y pedía clemencia. «Esa mujer tiene buena vista –dijo Gibreel a Chamcha–. Es un *cut-sird.*» Jalandri era su primer objetivo por su decisión de descartar el turbante y cortarse el pelo, con lo cual se había convertido en traidor a su fe, un *sirdarji* tonsurado. *Cut-Sird.* Una sentencia de siete letras. Inapelable.

Jalandri se había puesto de rodillas, unas manchas se le extendían por el fondillo de los pantalones. Ella lo arrastraba hacia la puerta agarrándolo del pelo. Nadie se movió. Dura Buta Man Singh volvieron la espalda a la escena. Él estaba arrodillado de espaldas a la puerta; Tavleen le dio la vuelta, le disparó en la nuca y él cayó al asfalto. La mujer cerró la puerta.

Man Singh, el más joven y nervioso del cuarteto, gritó: «¿Y ahora adónde vamos? Allí donde vayamos seguro que nos mandan a los comandos. Estamos perdidos.»

«El martirio es un privilegio –dijo ella con suavidad–. Seremos como las estrellas; como el sol.»

La arena cedió paso a la nieve. Europa, en invierno, bajo su alfombra blanca que la transformaba, su blancura fantasmagórica relucía en la noche. Los Alpes, Francia, la costa de Inglaterra, rocas blancas que se erguían hacia unas praderas blanqueadas. Mr. Saladin Chamcha, anticipando ansiosamente la llegada, se caló el bombín. El mundo había redescubierto el vuelo AI-420, el Boeing 747 *Bostan.* El radar lo seguía; crepitaba la radio. «¿Desean permiso para aterrizar?» Pero no se solicitaba permiso. El *Bostan* volaba en círculo sobre las costas de Inglaterra como una gigantesca ave marina. Gaviota. Albatros. Los indicadores de combustible descendían hacia el cero.

Cuando estalló la pelea, pilló desprevenidos a todos los pasajeros, porque ahora los tres secuestradores masculinos no discutían con Tavleen, no hubo furiosos cuchicheos acerca del *combustible* ni *qué coño te propones*, sino un hosco silencio, ni siquiera hablaban entre sí, como si hubieran abandonado toda esperanza, y entonces fue cuando Man Singh perdió la cabeza y fue a por ella. Los rehenes miraban la lucha a muerte, incapaces de sentirse involucrados, porque un extraño desapego de la realidad se había apoderado de todo el avión, una especie de indiferencia, un fatalismo podríamos decir. Los dos cayeron al suelo y ella le clavó el cuchillo en el estómago. Eso fue todo; la rapidez acrecentó la aparente intrascendencia del hecho. Luego, en el instante en que ella se levantó fue como si todo el mundo despertara; todos vieron con claridad que aquella mujer iba en serio, que pensaba llegar hasta el fin: en la mano tenía el cable que conectaba todas las espoletas de todas las granadas que llevaba debajo de la túnica, todos aquellos pechos fatídicos, y aunque en aquel momento Buta y Dura se le echaron encima, ella tiró del cable y las paredes saltaron.

No; muerte, no: nacimiento.

II

MAHOUND

Cuando Gibreel se somete a lo inevitable, cuando con párpados pesados se desliza hacia visiones de su peripecia angélica, se cruza con su amante madre que tiene para él un nombre diferente, Shaitan, le llama, Shaitan, ni más ni menos, a causa de sus enredos con los *tiffins* que hay que llevar a la ciudad para almuerzo de los oficinistas, chico travieso, ella corta el aire con la mano, el muy granuja ha puesto recipientes de carne destinados a los musulmanes en las bolsas de los hindúes no vegetarianos y los clientes se han indignado. Diablillo, le reprende, pero luego lo toma en brazos, mi pequeño farishta, los niños ya se sabe, y él la abandona mientras sigue hundiéndose en el sueño y creciendo a medida que va cayendo, y la caída empieza a parecer una huida, y la voz de su madre flota hasta él desde lo hondo, *baba*, mira cómo has crecido, qué enorme, ah, ah, palmadas. Él, gigantesco, sin alas, tiene los pies en el horizonte y los brazos alrededor del sol. En los primeros sueños, él ve principios: Shaitan, expulsado del cielo, extiende el brazo hacia una rama de la Cosa Suprema, el loto del último confín que está debajo del Trono, pero Shaitan no lo alcanza, cae, plaf. Pero siguió viviendo, no estaba, no podía estar muerto, cantaba desde las profundidades del infierno sus versos suaves y seductores. Oh, las dulces canciones que él cantaba y en las que sus hijas hacían coro diabólico, sí, las tres, Lat Manat Uzza, niñas sin madre que ríen con su *abba*, que ocultan la risa con la mano mirando a Gibreel, ya verás la broma que te preparamos, a ti y al negociante de la colina. Pero antes del negociante hay otras historias, aquí tenemos al arcángel Gibreel mostrando la fuente de Zamzam a Hagar, la egipcia, para que, cuando el profeta Ibrahim la abandone en el desierto con el hijo de ambos, ella pueda beber el agua fresca del manantial y salvar la vida. Y, después, cuando el *jurhum* tape la fuente de Zamzam con barro y gacelas doradas, por lo que estará perdida durante algún tiempo, él volverá a mostrarla a Muttalib, el de las tiendas escarlata, padre del niño de pelo de plata que, a su vez, engendrará al negociante. El negociante: aquí viene.

A veces, mientras duerme, Gibreel se siente dormir fuera del sueño, se siente soñar que sueña, y entonces llega el pánico. Oh, Dios, exclama. Oh, tododiós, aladiós, estoy perdido, pobre de mí. Tengo hecho polvo el cerebro, estoy completamente loco, un babuino chiflado, una cabra. Lo mismo que sintió él, el negociante, la primera vez que vio al arcángel: pensó que estaba chiflado, quiso tirarse desde una peña, desde una peña muy alta, una peña en la que crecía un loto escuálido, una peña tan alta como el techo del mundo.

Ya viene, ya sube por el monte Cone, camino de la cueva. Feliz cumpleaños: hoy cumple cuarenta y cuatro años. Pero, aunque allá abajo, a su espalda, la ciudad bulle en fiestas, él sube solo. No hubo para él traje nuevo de cumpleaños, bien planchado y doblado al pie de la cama. Hombre de gustos ascéticos. (¿Qué extraño tipo de negociante es éste?)

Pregunta: ¿Qué es lo contrario a la fe?

No es descreimiento. Excesivamente definitivo, cierto, terminante. En sí es una especie de creencia.

La duda.

En la condición humana; pero ¿y en la angélica? A medio camino entre Aladiós y el homosap, ¿dudaron alguna vez? Sí; un día, desafiando la voluntad de Dios, se escondieron debajo del Trono para murmurar, osaron preguntar cosas prohibidas: antipreguntas. Así es. No podría cuestionarse. Libertad, la vieja antipesquisa. Él los calmó, naturalmente, utilizando artes empresariales a lo divino. Los halagó: vosotros seréis los instrumentos de mi voluntad en la tierra, de la salvacondenación del hombre y demás etcétera. Y, en un abrir y cerrar de ojos, fin de la protesta, adelante con las aureolas y vuelta al trabajo. A los ángeles se les apacigua con facilidad, conviértelos en instrumentos y tocarán la música que quieras. Los humanos son más duros de pelar, todo lo dudan, incluso lo que está delante de sus propios ojos. Y detrás de sus ojos. Aquello que, cuando les pesan los párpados, desfila por dentro... los ángeles lo que se dice mucha voluntad no tienen. Voluntad es discrepancia; no sumisión; disensión.

Ya lo sé; discurso de diablo, Shaitan que interrumpe a Gibreel.

¿Yo?

El negociante: tiene el aspecto que debe tener, frente alta, nariz aguileña, hombros anchos, caderas estrechas. Estatura mediana, taciturno, vestido con dos trozos de tela, cada uno de cuatro varas, uno alrededor del cuerpo y el otro sobre el hombro. Ojos grandes, pestañas largas, como de muchacha. Sus pasos pueden parecer muy largos para sus piernas, pero es hombre de pie ligero. Los huérfanos aprenden a ser blancos móviles, andan deprisa, tienen reacciones rápidas, cautela. Sube por entre los espinos y los opabálsamos, saltando peñas, es hombre ágil y fuerte, no un usurero fofo. Y, sí, insisto: no abundan los negociantes que se vayan al desierto, que suban al monte Cone, a veces un mes seguido, únicamente para estar solos.

Su nombre: nombre de sueño, cambiado por la visión. Correctamente pronunciado significa: «aquel al que gracias han de ser dadas», pero él no atendería; tampoco, a pesar de saber lo que le llaman en Jahilia, allá abajo –*aquel que sube y baja el viejo Coney*–. Aquí no es Mahomet ni es MoeHammered, sino que ha adoptado el mote demoníaco que le colgaron los *farangis*. Insultos convertidos en blasón: *whigs*, *toes*, *blacks*, todos optaron con orgullo por el nombre que se les daba con desdén. Así también nuestro solitario escalador de montañas con vocación de profeta será el ogro medieval que asusta a los niños, sinónimo del diablo: Mahound.

Éste es él. Mahound, el negociante que sube su tórrida montaña del Hijaz. A sus pies brilla al sol el espejismo de una ciudad.

La ciudad de Jahilia está totalmente construida de arena, sus muros están formados por el desierto en el que se levanta. Es una visión maravillosa: amurallada, con cuatro puertas, toda ella un milagro realizado por sus ciudadanos que dominan el arte de transformar la fina arena blanca de estas remotas dunas –el mismo símbolo de la inconsistencia, la quintaesencia de lo inconstante, fluido, engañoso, efímero– y, por medio de la alquimia, han hecho de ella el material de su recién inventada permanencia. Este pueblo se encuentra sólo a tres o cuatro generaciones de su pasado nómada, de la época en la que tenía tan poco arraigo como las dunas o creía que el camino era el hogar.

–El emigrante, por el contrario, puede prescindir totalmente del viaje; no es más que un mal necesario; lo que importa es llegar.

Muy recientemente y como buenos negociantes que son, los jahilianos se establecieron en la intersección de las rutas de las grandes caravanas y domeñaron las dunas. Ahora la arena sirve a los poderosos mercaderes urbanos. Prensada en adoquines, pavimenta las tortuosas calles de Jahilia; por la noche, llamas doradas arden en braseros de arena bruñida. Hay cristales en las ventanas, en las largas y estrechas ventanas abiertas en las altísimas paredes de arena de los palacios de los mercaderes; en los callejones de Jahilia los carros tirados por asnos avanzan sobre suaves ruedas de silicio. Yo, en mi maldad, a veces imagino que avanza por el desierto una ola gigante, un alto muro de agua espumeante y rugiente, una catástrofe líquida llena de navíos chispeantes y brazos náufragos, un maremoto que conduciría estos orgullosos castillos de arena a la nada, reduciéndolos a los granos de los que salieron. Pero aquí no hay olas. El agua es la enemiga de Jahilia. Es transportada en cántaros de barro y no puede ser derramada (el código penal señala duros castigos para los infractores) porque dondequiera que cae una gota la ciudad se erosiona alarmantemente. Las casas se inclinan y vacilan. Los aguadores de Jahilia son una necesidad odiosa, parias imprescindibles y, por lo tanto, inexcusables. En Jahilia nunca llueve; en los jardines de silicio no hay fuentes. Unas cuantas palmeras crecen en patios cerrados y sus raíces han de recorrer gran trecho en busca de humedad. El agua de la ciudad procede de arroyos y fuentes subterráneas, una de ellas, la fabulosa Zamzam, situada en el corazón de la concéntrica ciudad de arena, junto a la Casa de la Piedra Negra. Aquí, en Zamzam, un *behesti*, un despreciado aguador, extrae el fluido vital y peligroso. El aguador tiene nombre: se llama Khalid.

Jahilia, ciudad de negociantes. El nombre de la tribu es Shark.

En esta ciudad, Mahound, el negociante-profeta,

está fundando una de las grandes religiones del mundo; y en este día, el día de su cumpleaños, ha llegado a la encrucijada de su vida. Una voz le susurra al oído: *¿Qué clase de idea eres tú? ¿Hombre o ratón?*

Nosotros conocemos la voz. Ya la oímos una vez.

Mientras Mahound trepa al Coney, Jahilia celebra otro aniversario. En los tiempos antiguos, el patriarca Ibrahim llegó a este valle con Hagar e Ismail, el hijo de ambos. Aquí, en este desierto, la abandonó. Ella la preguntó ¿puede ser esto voluntad de Dios? Y él respondió, lo es. Y se marchó, el muy bastardo. Desde el principio, los hombres han utilizado a Dios para justificar lo injustificable. Sus designios son insondables, dicen los hombres. No es de extrañar, así pues, que las mujeres se hayan vuelto hacia mí... Pero no nos desviemos; Hagar no era ninguna pécora. Ella confiaba: *pues entonces Él no permitirá que yo muera.* Cuando Ibrahim la abandonó ella dio de mamar al niño hasta que se quedó sin leche. Luego subió dos montañas, Safa y Marwah, corriendo de una a otra en su desesperación, tratando de descubrir una tienda, un camello, un ser humano. No vio nada. Entonces fue cuando acudió a ella Gibreel y le mostró las aguas de Zamzam. Y Hagar sobrevivió; pero ¿por qué se congregan ahora los peregrinos? ¿Para celebrar que ella se salvara? No, no. Celebran el honor que fue otorgado al valle con la visita de, sí, lo han adivinado, Ibrahim. En el nombre de aquel amante esposo se reúnen, rezan y, sobre todo, dilapidan.

Hoy, Jahilia es toda perfume. Los aromas de Arabia, de *Arabia Odorífera*, impregnan el aire: bálsamo, cassis, canela, incienso, mirra. Los peregrinos beben el vino de la datilera y pasean por la gran feria de la fiesta de Ibrahim. Y, entre ellos, deambula uno cuyo sombrío ceño se destaca entre la alegre muchedumbre: un hombre alto, con ropas anchas y blancas, casi toda una cabeza más alto que Mahound. Lleva la barba recortada, siguiendo el contorno de su cara de mejillas hundidas y pómulos pronunciados. Camina con el contoneo, con la elegancia terrible del poder. ¿Cómo se llama? Por fin, la visión da su nombre; también lo ha cambiado el sueño. Éste es Karim Abu Simbel, grande de Jahilia, esposo de la feroz y hermosa Hind. Jefe del consejo de la ciudad, dueño de incalculables riquezas, de los lucrativos templos de las puertas de la ciudad y de muchos camellos, controlador de caravanas y esposo de la mujer más hermosa de la región. ¿Qué había de conmover las ideas de semejante hombre? No obstante, también Abu Simbel se aproxima a una crisis. Un nombre le roe por dentro, y ya pueden ustedes imaginar cuál es, Mahound, Mahound, Mahound.

¡Qué esplendor el de la feria de Jahilia! Aquí, en amplias tiendas perfumadas, se exhiben especias, hojas de sena, maderas fragantes; aquí están los vendedores de perfume que compiten por las narices, y por las bolsas, de los peregrinos. Abu Simbel se abre paso entre la multitud. Los mercaderes, judíos, monofisitas y nabateos, compran y venden objetos de plata y oro, pesando y mordiendo monedas con diente experto. Aquí hay lino de Egipto y seda de China; de Basora, armas y grano. Hay juego y bebida y baile. Hay esclavos en venta: nubios, anatolios, etíopes. Las cuatro ramas de la tribu de Shark controlan distintos sectores de la feria. Los perfumes y especias, en las Tiendas Escarlata, y los tejidos y cueros, en las Tiendas Negras. El grupo de Pelo de Plata se encarga de los metales preciosos y las espadas. La diversión –dados, danzarinas, vino de palma, hachís y *afeem*– compete a la cuarta rama, los Dueños de los Camellos Moteados, que también dirigen el mercado de esclavos. Abu Simbel mira al interior de una tienda de danza. Los peregrinos están sentados sosteniendo la bolsa del dinero con la mano izquierda; de vez en cuando una moneda pasa de la bolsa a la palma de la mano derecha. Las danzarinas mueven el vientre y sudan sin apartar la mirada de los dedos de los peregrinos; cuando dejan de correr las monedas, termina la danza. El gran hombre hace una mueca y deja caer la cortina de la tienda.

Jahilia está construida en una serie de desiguales círculos. Sus casas se extienden al exterior desde la Casa de la Piedra Negra, aproximadamente por orden de riqueza y rango. El palacio de Abu Simbel está en el primer círculo, el más interior; él avanza por una de las sinuosas calles radiales barridas por el viento, por delante de los numerosos videntes de la ciudad que, a cambio del dinero de los peregrinos, trinan, rugen o silban, poseídos por *djinnis* de pájaros, fieras o serpientes. Le sale al paso, en cuclillas, una hechicera que no ha visto a quién aborda: «¿Quieres cautivar el corazón de una muchacha, querido mío? ¿Quieres tener a tu merced a un enemigo? ¡Prueba mis artes; prueba mis nuditos!» Y levanta una cuerda de nudos, haciéndola oscilar, hechizo de vidas humanas; pero al ver a quien tiene delante, deja caer el brazo con desencanto y se aleja refunfuñando entre la arena.

Por todas partes, ruidos y codos. Los poetas declaman, subidos en cajas, y los peregrinos arrojan monedas a sus pies. Hay bardos que recitan versos *rajaz* cuyo metro tetrasílabo se inspira, según la leyenda, en el paso del camello; otros recitan *qasidah*, poemas de amantes ingratas, aventuras del desierto, la caza del onagro. Dentro de un día aproximadamente se celebrará el concurso anual de poesía, después del cual los siete mejores versos serán clavados en las paredes de la Casa de la Piedra Negra. Los poetas se preparan para el gran día; Abu Simbel se ríe de los cantores que cantan sátiras malévolas y odas vitriólicas encargadas por un jefe contra otro, por una tribu contra su vecina. Y saluda inclinando la cabeza cuando uno de los poetas se sitúa a su lado acomodando el paso, un joven delgado y vivaz de dedos nerviosos. Este hombre, a pesar de su juventud, posee la lengua más temida de toda Jahilia, pero con Abu Simbel se muestra casi deferente. «¿Por qué tan preocupado, Grandeza? Si no estuvieras perdiendo el pelo, te diría que te lo soltaras.» Abu Simbel esboza su sonrisa oblicua. «Qué reputación la tuya –murmura–. Cuánta fama, incluso antes de que se te caigan los dientes de leche. Cuidado no tengamos que arrancártelos.» Bromea, habla con ligereza, pero incluso la ligereza está impregnada de amenaza por la magnitud de su poder. El muchacho no se inmuta. Acompasando perfectamente el paso, responde: «Por cada uno que me arranquéis nacerá otro más fuerte que morderá mejor y hará brotar chorros de sangre más caliente.» El Grande asiente levemente. «Te gusta el sabor de la sangre», dice. El muchacho se encoge de hombros. «La misión del poeta es nombrar lo innombrable, denunciar el engaño, tomar partido, iniciar discusiones, dar forma al mundo e impedir que se duerma.» Y si de los cortes que infligen sus versos brotan ríos de sangre, de ellos se alimentarán. Éste es Baal, el satírico.

Pasa una litera con cortinillas; una gran dama de la ciudad que va a ver la feria, transportada a hombros de ocho esclavos anatolios. Abu Simbel toma el brazo al joven Baal con el pretexto de apartarlo del paso y murmura: «¿Quería verte; permíteme una palabra.» Baal se admira de la habilidad del Grande. Cuando busca a un hombre puede hacer que su presa piense que ha cazado al cazador. Abu Simbel aumenta la presión de su mano; llevándolo del codo, lo conduce hasta el santo de los santos, situado en el centro de la ciudad.

«Tengo que hacerte un encargo –dice el Grande–. Una cosa literaria. Yo conozco mis limitaciones; las dotes para la malicia rimada, el arte del insulto métrico están fuera de mi alcance. Tú ya me entiendes.»

Pero Baal, orgulloso y arrogante, se yergue para defender su dignidad. «No está bien que el artista se convierta en servidor del Estado.» La voz de Simbel se suaviza y adquiere una entonación más dulce. «Ah, sí. Pero ponerte a la disposición de asesinos es cosa perfectamente honorable.» En Jahilia hace furor el culto de los muertos. Cuando un hombre muere las plañideras alquiladas se golpean, se arañan el pecho y se mesan los cabellos. Sobre la tumba se deja morir a un camello desjarretado. Y si el hombre ha sido asesinado, su pariente más próximo hace votos de ascetismo y persigue al asesino hasta que la sangre es vengada con sangre; entonces es costumbre componer una poesía celebrándolo, pero pocos son los vengadores que poseen el don de la versificación. Muchos poetas se ganan la vida escribiendo cantos de asesinato, y existe la creencia general de que el mejor de estos cantores de la sangre es el precoz polemista Baal. Cuyo orgullo profesional le impide ahora sentirse herido por la ironía del Grande. «Es una cuestión cultural», responde. Abu Simbel se hace más meloso todavía. «Quizá sí –murmura a las puertas de la Casa de la Piedra Negra–. Pero, Baal, reconócelo, ¿no me debes cierta consideración? Los dos servimos, o así lo creía yo, a la misma señora.»

Ahora la sangre huye de las mejillas de Baal; su confianza se resquebraja, se desprende de él como una concha. El Grande, aparentemente ajeno a su confusión, lleva al satírico al interior de la Casa.

En Jahilia se dice que este valle es el ombligo de la tierra; que el planeta, cuando fue creado, empezó a girar en torno a este punto. Adán llegó y vio un milagro: cuatro columnas de esmeralda que sostenían un rubí gigantesco y, debajo de ese dosel, una gran piedra blanca que resplandecía también como una visión de su propia alma. Adán construyó fuertes muros alrededor de la visión a fin de unirla para siempre a la tierra. Aquélla fue la primera Casa. Fue reconstruida muchas veces –una vez por Ibrahim, después de que Hagar e Ismail se salvaran gracias a la intervención del ángel– y poco a poco, la infinidad de manos de los peregrinos de los siglos oscurecieron la piedra blanca hasta hacerla negra. Luego llegó el tiempo de los ídolos; en los tiempos de Mahound, trescientos sesenta dioses de piedra se apiñaban alrededor de la auténtica piedra de Dios.

¿Qué habría pensado el viejo Adán? Sus propios hijos están aquí ahora: el coloso de Hubal, enviado por los amalecitas de Hit, se yergue sobre el pozo del tesoro, Hubal, el pastor, el pálido creciente de luna, y el torvo y peligroso Kain, que es el menguante, herrero y músico; también él tiene sus devotos.

Hubal y Kain contemplan desde su altura al Grande y al poeta que pasean. Y el protoDionisos nabateo, El-de-Shara; y Astarté, lucero del alba, y el saturnino Nakruh. Aquí está Manaf, el dios sol. ¡Mira, ahí aletea el gigantesco Nastr, el dios águila! Mira a Quzah, que sostiene el arco iris... ¿No es esto una inundación de dioses, una riada de piedra, para alimentar la gula de los peregrinos, para saciar su sed profana? Estas deidades vienen para atraer a los viajeros –al igual que los peregrinos– de muy lejos. También los ídolos son delegados en una especie de feria internacional.

Aquí hay un dios llamado Alá (que significa, simplemente, el dios). Pregunta a los jahilianos y ellos reconocerán que ese tipo tiene una especie de autoridad general, pero no es muy popular: un universalista en una época de imágenes especialistas.

Abu Simbel y Baal, que ha empezado a sudar, llegan a los altares, colocados uno al lado del otro, de las tres diosas más amadas de Jahilia. Se inclinan ante las tres: Uzza, la de rostro resplandeciente, diosa de la belleza y del amor; la oscura y sombría Manat, la que vuelve la cara, de misteriosos designios, que deja correr arena entre los dedos; la que rige el destino; y, por último, la más importante de las tres, la diosa-madre a la que los griegos llamaban Destino. Ilat la llaman aquí o, con frecuencia, Al-Lat. La *diosa*. Su mismo nombre la hace opuesta e igual de Alá. Lat, la omnipotente. Con súbito alivio en la cara, Baal se arroja al suelo y se prosterna ante ella. Abu Simbel permanece de pie.

La familia de Abu Simbel, Grande de Jahilia –o, para ser exactos, de Hind, su esposa–, controla el célebre templo de Lat, situado en la puerta sur de la ciudad. (También perciben las rentas del templo de Manat, en la puerta este, y del templo de Uzza, en la puerta norte.) Estas concesiones son la base de las riquezas del Grande, por lo que, naturalmente, y Baal así lo comprende, él es siervo de Lat. Y la devoción del poeta por esta diosa es conocida en toda Jahilia. ¡Así que sólo a esto se refería! Temblando de alivio, Baal permanece postrado dando gracias a su divina patrona. La cual le mira con benevolencia; pero no hay que fiarse de la expresión de una diosa. Baal acaba de equivocarse.

Insospechadamente, el Grande da al poeta una patada en los riñones. Baal, atacado en el momento en que se creía a salvo, chilla y rueda, y Abu Simbel va tras él, sin dejar de darle patadas. Se oye el crujido de una costilla al partirse. «Enano –comenta el Grande con voz suave y afable–. Truhán de voz chillona y testículos pequeños. ¿Pensabas que el sacerdote del templo de Lat se consideraría camarada tuyo por tu pasión de adolescente por la diosa?» Más patadas, acompasadas, metódicas. Baal llora a los pies de Abu Simbel. La Casa de la Piedra Negra está muy concurrida, pero ¿quién se atrevería a interponerse entre el Grande y su ira? De pronto, el verdugo de Baal se inclina, agarra del pelo al poeta, le levanta la cabeza y le susurra al oído «Baal, no era ella la señora a la que yo me refería», y entonces Baal profiere un aullido de horrísona autocompasión, porque sabe que su vida llega a su fin, a su fin cuando aún tiene tanto por alcanzar, el infeliz. Los labios del Grande le rozan la oreja. «Mierda de camello asustado –susurra Abu Simbel–, sé que tú te acuestas con mi esposa.» Observa con interés que Baal ha adquirido una perceptible erección, irónico monumento a su miedo.

Abu Simbel, el Grande burlado, se levanta, ordena: «De pie» y Baal, perplejo, le sigue al exterior.

Las tumbas de Ismail y de su madre Hagar, la egipcia, están en la fachada noroeste de la Casa de la Piedra Negra, en un recinto rodeado de un muro bajo. Abu Simbel se acerca a esa zona y se detiene a cierta distancia. En el recinto hay un pequeño grupo de hombres. Están Khalid, el aguador, un vagabundo persa que responde al curioso nombre de Salman y, completando esta trinidad de la escoria, Bilal, el liberado por Mahound, un enorme monstruo negro con una voz acorde con su tamaño. Los tres haraganes están sentados en el muro. «Ese hatajo de inútiles –dice Abu Simbel–, ésos son tus objetivos. Escribe sobre ellos, y también sobre su jefe.» Baal, a pesar del miedo, no puede disimular la incredulidad. «Grandeza, ¿esos idiotas, esos jodidos payasos? No debes preocuparte por ellos. ¿Piensas acaso que el solitario Dios de Mahound arruinará tus templos? ¿Trescientos sesenta contra uno y va a ganar el uno? Imposible.» Ríe, casi histérico. Abu Simbel permanece sereno: «Guarda tus insultos para tus versos.» Baal no puede contener la risa. «Una revolución de aguadores, inmigrantes y esclavos..., buáa, Grandeza. Qué miedo.» Abu Simbel mira fijamente al poeta, que no cesa de reír. «Sí –responde–, haces bien en tener miedo. Empieza a escribir, haz el favor, y espero que esos versos sean tu obra maestra.» Baal se derrumba y gime: «Pero será desperdiciar mi, mi pequeño talento...» Entonces ve que ha hablado demasiado.

«Obedece; no tienes elección», son las últimas palabras que le dice Abu Simbel.

El Grande de Jahilia está repantigado en su dormitorio mientras las concubinas le sirven. Aceite de coco para su pelo pobre, vino para su paladar, lenguas para su deleite. *Tiene razón el chico. ¿Por qué he de temer a Mahound?* Distraídamente, empieza a contar las concubinas y al llegar a quince abandona, agitando una mano. El chico. *Hind seguirá viéndolo, desde luego; ¿qué posibilidades tiene él de resistírsele?* Es una debilidad, lo sabe; ve demasiado y tolera demasiado. Él tiene sus apetitos; ¿por qué no va a tener ella los suyos? Mientras sea discreta, y mientras él lo sepa. Él debe saberlo; el conocimiento es su narcótico, su adición. Él no puede tolerar lo que no conoce, y por esta razón, si no por otra, Mahound es su enemigo, Mahound, con su hatajo de desharrapados. El chico tenía razón al reírse. Él, el Grande de Jahilia, ríe más difícilmente. Al igual que su oponente, es hombre cauto, camina sigilosamente. Recuerda al grandullón, el esclavo Bilal, al que su amo, a la puerta del templo de Lat, pidió que enumerara los dioses. «Uno», respondió él con su vozarrón musical. Blasfemia que puede castigarse con la muerte. Lo estiraron en la feria con un pedrusco en el pecho. *¿Cuántos has dicho?* Uno, repetía él, uno. Agregaron otro pedrusco al primero. *Uno uno uno.* Mahound pagó una gran suma al amo y liberó a Bilal.

No, piensa Abu Simbel, el joven Baal se equivoca: ocuparse de esos hombres no es perder el tiempo. ¿Por qué temo a Mahound? Por eso: uno uno uno, su terrorífica singularidad. Mientras que yo estoy siempre dividido, siempre dos o tres o quince. Incluso puedo estimar su punto de vista; él es tan rico y próspero como cualquiera de nosotros, como cualquiera de los consejeros, pero, puesto que carece de las adecuadas relaciones familiares, no le hemos ofrecido un lugar en nuestro grupo. Excluido por su orfandad de la buena sociedad mercantil, se siente marginado, cree que no ha recibido lo que merece. Siempre fue un tipo ambicioso. Ambicioso, pero también solitario. No se llega a lo más alto trepando a una montaña con tan sólo las propias fuerzas. A no ser, quizá, que allí te encuentres con un ángel..., sí, eso es. Ahora sé lo que se propone. Pero él a mí no me entendería. *¿Qué clase de idea soy yo?* Yo me doblego. Yo me inclino. Yo calculo las probabilidades, arrío velas, manipulo, sobrevivo. Por ello no quiero acusar de adulterio a Hind. Formamos una buena pareja, hielo y fuego. El escudo de su familia, el fabuloso león rojo, la mantícora de muchos dientes. Que juegue con su poeta; entre nosotros nunca ha habido relación sexual. Acabaré con él cuando ella haya acabado. Qué mentira tan grande, piensa el Grande de Jahilia mientras se duerme, aquello de que la pluma es más fuerte que la espada.

Las fortunas de la ciudad de Jahilia se lograron gracias a la supremacía de la arena sobre el agua. En los viejos tiempos, se creía más seguro transportar las mercancías por el desierto que por los mares, en los que en cualquier momento podían atacar los monzones. En aquellos tiempos anteriores a la meteorología estas cosas eran imposibles de predecir. Por eso prosperaban los caravanserrallos. Los productos del mundo iban de Zafar a Saba y de allí a Jahilia y al oasis de Ahrib y hasta Midian, donde vivía Moisés, y de allí a Aqabah y Egipto. De Jahilia partían otras rutas; al Este y Nordeste, hacia Mesopotamia y el gran imperio persa. A Petra y a Palmira, donde Salomón amó a la reina de Saba. Aquéllos fueron días orondos. Pero ahora las flotas que surcan las aguas que rodean la península son más osadas; sus tripulaciones, más diestras; sus instrumentos de navegación, más precisos. Las caravanas de camellos pierden clientela ante los barcos. La nave del desierto y la nave marina, la vieja rivalidad; ahora, la balanza del poder se decanta. Los gobernantes de Jahilia se irritan, pero poco pueden hacer. A veces, Abu Simbel piensa que sólo las peregrinaciones salvan a la ciudad de la ruina. El consejo busca por todo el mundo imágenes de dioses ajenos para atraer a nuevos peregrinos a la ciudad de arena; pero también en esto hay competencia. En Saba se ha construido un gran templo, un santuario que rivalizará con la Casa de la Piedra Negra. Muchos peregrinos son atraídos hacia el Sur, y en la feria de Jahilia disminuyen los visitantes.

Por recomendación de Abu Simbel, los gobernantes de Jahilia han añadido a las prácticas religiosas el tentador y picante aliciente de la disipación. La ciudad se ha hecho famosa por su depravación: antro de juego, burdel, un lugar en el que suenan canciones obscenas y música alocada y estrepitosa. Una vez, varios miembros de la tribu de los *sharks* fueron muy lejos impulsados por su codicia del dinero de los peregrinos. Los guardianes de la puerta de la Casa empezaron a exigir sobornos a los agotados viajeros; cuatro de ellos, furiosos por lo exiguo de la propina, arrojaron a dos peregrinos por las grandes y empinadas escaleras causándoles la muerte. Esta costumbre fue contraproducente, ya que desanimó a muchos a repetir el viaje... Hoy las peregrinas son raptadas para conseguir rescate o vendidas como concubinas. Pandillas de jóvenes *sharks* patrullan por la ciudad imponiendo su propia ley. Se dice que Abu Simbel se reúne en secreto con los jefes de las bandas para organizar sus actividades. Éste es el mundo al que Mahound ha traído su mensaje: uno uno uno. En medio de tanta multiplicidad, suena como una palabra peligrosa.

El Grande de Jahilia se incorpora y, de inmediato, las concubinas se acercan para reanudar los untes y masajes. Él las despide agitando la mano y da una palmada. Entra el eunuco. «Lleva un mensaje a casa del *kahin* Mahound», ordena Abu Simbel. *Le pondremos una pequeña prueba. Una contienda justa: tres contra uno.*

Aguador inmigrante esclavo: los tres discípulos de Mahound se lavan en la fuente de Zamzam. En la ciudad de arena su obsesión por el agua hace de ellos unos excéntricos. Abluciones y más abluciones: las piernas, hasta la rodilla; los brazos, hasta el codo; la cabeza, hasta el cuello. El tronco seco, las extremidades mojadas y el pelo húmedo, ¡qué tipos tan raros! Splish, splosh, lavar y rezar. De rodillas, hundiendo brazos, piernas y cabeza en la ubicua arena y, luego, vuelta a empezar el ciclo de agua y oración. Son blancos fáciles para la pluma de Baal. Su amor al agua es una especie de traición; el pueblo de Jahilia reconoce la omnipotencia de la arena. Se mete entre los dedos de las manos y de los pies, se deposita en las pestañas y se hace costra en los poros. Ellos se abren al desierto: ven, arena, inúndanos de aridez. Así son los jahilitas, desde el primero hasta el último. Son gente de silicio, y ahora entre ellos hay partidarios del agua.

Baal, a distancia –con Bilal no se puede jugar–, los provoca. «Si las ideas de Mahound tuvieran algún valor, ¿creéis que serían aceptadas únicamente por gentuza como vosotros?» Salman apacigua a Bilal: «Debemos sentirnos honrados de que el poderoso Baal se digne atacarnos», sonríe, y Bilal se relaja y desiste; Khalid, el aguador, está inquieto, y cuando ve acercarse la figura corpulenta de Hamza, tío de Mahound, corre ansiosamente hacia él. Hamza, a los sesenta años, todavía es el luchador y el cazador de leones más famoso de la ciudad. No obstante, la verdad es menos gloriosa que los elogios: muchas veces Hamza ha sido vencido en el combate y salvado por los amigos o por la suerte; rescatado de las fauces de los leones. Tiene dinero suficiente para hacer que estos detalles no trasciendan. Y la edad, y la supervivencia, imprimen una especie de refrendo en una leyenda marcial. Bilal y Salman se olvidan de Khalid y siguen a Baal. Los tres están nerviosos, son jóvenes.

Todavía no ha vuelto a casa, dice Hamza. Y Khalid, preocupado: Pero si hace horas. ¿Qué estará haciéndole ese bastardo, torturándole, empulgueras, látigo? Salman, una vez más, es el más sosegado: No es el estilo de Simbel, dice; debe de ser algo más taimado, podéis estar seguros. Y Bilal vocifera lealmente: Taimado o no, yo tengo fe en él, en el Profeta. Él no sucumbirá. Hamza se limita a reprochar ligeramente: Oh, Bilal, ¿cuántas veces habré de decírtelo? Conserva tu fe para Dios. El Mensajero sólo es un hombre. La tensión estalla en Khalid: se planta ante el viejo Hamza y pregunta: ¿Quieres decir que el Mensajero es débil? Por más tío suyo que seas... Hamza golpea al aguador en la cabeza. No le demuestres tu miedo, dice, ni aunque estés medio muerto.

Los cuatro están otra vez lavándose cuando llega Mahound; se arremolinan alrededor de él quiénquéporqué. Hamza se mantiene apartado. «Sobrino, esto no me gusta –dice con su áspera voz de soldado–. Cuando bajas de Coney hay en ti un resplandor; hoy todo son sombras.»

Mahound se sienta en el brocal del pozo y sonríe. «Me han ofrecido un trato.» *¿Abu Simbel?*, grita Khalid. *Inconcebible. Recházalo.* El leal Bilal le reprende: No sermonees al Mensajero. Naturalmente, lo ha rechazado. Salman, el persa, pregunta: Qué trato. Mahound sonríe otra vez. «Por lo menos, uno de vosotros quiere enterarse.»

«Es una cosa pequeña –vuelve a empezar–. Un grano de arena. Abu Simbel pide a Alá que le conceda una pequeña gracia.» Hamza ve que está exhausto. Como si hubiera peleado con un demonio. El aguador grita: «¡Nada! ¡Ni un adarme!» Hamza le hace callar.

«Si nuestro gran Dios quisiera conceder... él usó esta palabra: *conceder*... que tres, sólo tres de los trescientos sesenta ídolos de la casa son dignos de adoración...»

«¡No hay más dios que Dios!», grita Bilal. Y sus compañeros hacen coro: «¡Ya, Alá!» Mahound parece enojado. «¿Quieren los fieles oír al Mensajero?» Ellos enmudecen, restregando los pies en el polvo.

«Él pide que Alá reconozca a Lat, Uzza y Manat. A cambio, garantiza que seremos tolerados, incluso oficialmente reconocidos; en señal de lo cual yo voy a ser elegido miembro del consejo de Jahilia. Ésta es la oferta.»

Salman, el persa, dice: «Es una trampa. Si subes al Coney y luego bajas con semejante Mensaje, él te preguntará cómo conseguiste que Gibreel te hiciera la revelación precisa. Entonces podrá llamarte charlatán y farsante.» Mahound mueve la cabeza. «Tú sabes, Salman, que yo he aprendido a *escuchar*. Esta manera de *escuchar* es especial; es también una manera de preguntar. Muchas veces, cuando Gibreel viene, es como si él supiera lo que hay en mi corazón. Casi siempre me da la impresión de que él viene de dentro de mi corazón; de lo más profundo, de mi alma.»

«Puede ser una trampa diferente –insiste Salman–. ¿Cuánto tiempo hace que recitamos el credo que tú nos diste? No hay otro dios más que Dios. ¿Qué somos nosotros si ahora lo abandonamos? Esto nos debilita, nos hace absurdos. Dejamos de ser peligrosos. Nadie volverá a tomarnos en serio.»

Mahound se ríe, divertido de verdad. «Quizá no llevas aquí el tiempo suficiente –dice con amabilidad–. ¿No te has dado cuenta? La gente no nos toma en serio. Cuando hablo nunca hay más de cincuenta personas y la mitad son forasteros. ¿No has leído los pasquines que Baal cuelga por toda la ciudad?» Recita:

Mensajero, escucha atentamente
Tu monofilia,
tu uno uno uno, no es para Jahilia.
Devolver al remitente.

«En todas partes se burlan de nosotros, y tú dices que somos peligrosos», exclama.

Ahora Hamza parece inquieto: «Nunca te habías preocupado por sus opiniones. ¿Por qué ahora sí? ¿Por qué, después de hablar con Simbel?»

Mahound mueve la cabeza. «A veces pienso que debo dar facilidades a la gente para que crea.»

Un silencio violento se hace entre los discípulos; intercambian miradas, se revuelven inquietos. Mahound vuelve a gritar: «Todos sabéis lo que ha pasado. Nuestra incapacidad para conseguir conversiones. La gente no quiere renunciar a sus dioses. No quiere, no quiere, no.» Se pone de pie, se aleja de ellos a grandes zancadas, se lava solo, al otro lado del Zamzam, y se arrodilla para rezar.

«La gente está sumida en la oscuridad –dice Bilal tristemente–. Pero un día verá. Y oirá. Dios es uno.» La pena los embarga a los tres; hasta Hamza está desanimado. Mahound ha sido conmovido y sus seguidores tiemblan.

Él se levanta, se inclina, suspira y se acerca a ellos. «Escuchadme todos –dice poniendo un brazo alrededor de los hombros de Bilal, y el otro alrededor de los de su tío–. Escuchad, es una oferta interesante.»

Khalid, que ha quedado fuera del abrazo, interrumpe con resentimiento: «Es una oferta *tentadora.*» Los otros se horrorizan. Hamza habla dulcemente al aguador: «¿No eras tú, Khalid, el que quería pelearse conmigo hace poco porque suponías erróneamente que cuando llamé hombre al Mensajero en realidad le llamaba débil? ¿Y bien? ¿Ahora me toca a mí retarte a pelear?»

Mahound suplica la paz. «Si peleamos no hay esperanza. –Trata de elevar la discusión al plano teológico–. No se trata de que Alá acepte a las tres diosas como iguales. Ni siquiera a Lat. Sólo se trata de reconocerles una categoría intermedia, menor.»

«Como demonios», estalla Bilal.

«No. –Salman, el persa, ha comprendido–. De arcángeles. Simbel es hombre inteligente.»

«Ángeles y demonios –dice Mahound–, Shaitan y Gibreel. Todos nosotros, ya, aceptamos su existencia. Abu Simbel pide que reconozcamos a tres más de esa gran cohorte. Sólo tres, y dice que todas las almas de Jahilia serán nuestras.»

«¿Y la Casa quedará limpia de imágenes?», pregunta Salman. Mahound responde que eso no se especificó. Salman mueve la cabeza. «Hace esto para destruirte.» Y Bilal agrega: «Dios no puede ser cuadro.» Y Khalid, casi llorando: «Mensajero, ¿qué dices? Lat, Manat, Uzza... ¡todas son *hembras*! ¡Por piedad! ¿Es que ahora vamos a tener diosas? Viejas grullas, garzas, brujas?»

Pena tensión fatiga, marcadas profundamente en la cara del Profeta. La cual Hamza, como el soldado que consuela a un compañero herido en el campo de batalla, toma entre las manos. «Nosotros no podemos aclarar esto por ti, sobrino –dice–. Sube a la montaña. Ve a preguntar a Gibreel.»

Gibreel es el durmiente cuyo punto de vista es unas veces el de la cámara y otras el del espectador. Cuando es cámara, el objetivo está siempre en movimiento, detesta las tomas estáticas, de manera que evoluciona sobre una alta grúa, mirando las figuras de los actores en escorzo, o desciende bruscamente y se mezcla, invisible, con ellos, girando lentamente sobre los talones para conseguir una panorámica de trescientos sesenta grados, o quizá intenta una toma móvil siguiendo a Baal y Abu Simbel mientras caminan, o, con un estabilizador, indaga en los secretos del dormitorio del Grande de Jahilia. Pero casi siempre permanece sentado en el monte Cone, como un espectador de anfiteatro, mirando a Jahilia, su pantalla. Él observa y juzga la acción como cualquier aficionado, goza con las luchas, infidelidades, crisis morales, pero no hay suficientes chicas para un auténtico éxito, tío, ¿y dónde están las malditas canciones? Hubieran tenido que alargar la escena de la feria, quizá con una actuación especial de Pimple Billimoria en una de las tiendas, moviendo sus famosas domingas.

Y entonces, de repente, Hamza dice a Mahound: «Ve a preguntar a Gibreel», y él, el durmiente, siente que el corazón le da un vuelco del susto, quién, ¿yo? ¿*Yo* tengo que saber la respuesta? Yo estaba aquí sentado, mirando la película, y ahora ese actor me señala, habráse visto, ¿quién pide al jodido público de una película teológica que les resuelva el condenado argumento? Pero el sueño cambia constantemente y él, Gibreel, ya no es un simple espectador, sino el protagonista, la estrella. Por su antigua debilidad de aceptar demasiados papeles: sí, sí, no sólo interpreta al arcángel, sino también al otro, el negociante, el Mensajero, Mahound, que en cuanto te descuidas ya está subiendo la montaña. Hay que montar cuidadosamente las escenas en las que hace papel doble. No pueden salir los dos en la misma toma, cada uno tiene que hablar al vacío, a la encarnación imaginaria del otro, y confiar en que la técnica, con tijeras y cinta adhesiva, haga aparecer al ausente o recurrir a una plataforma móvil, lo cual es más exótico, aunque no hay que confundirlo con una alfombra mágica, jaja.

Él ha comprendido: que tiene miedo del otro, del negociante, ¿no es una bobada? El arcángel temblando ante el simple mortal. Es verdad: pero es la clase de miedo que experimentas cuando estás en un plató por primera vez y ahí, a punto de entrar, se encuentra una de las leyendas vivas del cine; y piensas: voy a hacer el ridículo, me quedaré seco, muerto, y deseas como un loco estar *a la altura*. Serás arrastrado por el vendaval de su genio, él puede hacerte quedar bien, como un actor de altos vuelos; pero si no respondes lo sentirás y, lo que es peor, él también... El miedo de Gibreel, el miedo del personaje creado por su sueño, le hace resistirse a la llegada de Mahound, intentar de demorarla, pero ya llega, no hay duda, y el arcángel contiene la respiración.

Esos sueños en los que te empujan al escenario cuando no tienes que estar en él, no conoces el argumento, no has estudiado el papel, pero hay un teatro lleno que te mira, te mira: eso es lo que él sentía. O el caso verídico de la actriz blanca que interpretaba a una negra en una obra de Shakespeare y al salir a escena se dio cuenta de que llevaba puestos los lentes, ayyy, pero también se había olvidado de teñirse las manos y no podía levantarlas para quitárselos, ayyayyy: eso, también. *Mahound viene a mí en busca de una revelación, a pedirme que elija entre alternativas monoteísta y henoteísta, y yo no soy más que un pobre actor idiota que tiene una pesa*dilla bhaemchud, *qué carajo sé yo,* yaar, *qué puedo decirte, socorro. Socorro.*

Para llegar al monte Cone desde Jahilia tienes que caminar por oscuros desfiladeros en los que la arena no es blanca, no es la arena pura, filtrada hace tiempo por los cuerpos de las holoturias marinas, sino negra y áspera y absorbe la luz del sol. Coney se cierne sobre ti como una fiera imaginaria. Tú subes por su lomo. Dejando atrás los últimos árboles de flores blancas y hojas gruesas y lechosas, trepas por entre las peñas que se hacen más y más grandes a medida que vas subiendo, hasta que parecen enormes murallas y empiezan a tapar el sol. Los lagartos son azules como sombras. Llegas a la cumbre, Jahilia está detrás de ti y, delante, la inmensidad del desierto. Bajas por el lado del desierto y, unos ciento cincuenta metros más abajo, encuentras la cueva que es lo bastante alta como para que puedas estar de pie y que tiene suelo de milagrosa arena albina. Mientras subes, oyes a las palomas del desierto llamarte por tu nombre, y a las peñas saludarte en tu propia lengua, gritando *Mahound, Mahound.* Cuando llegas a la cueva, estás cansado, te tiendes y te duermes.

Pero una vez que ha descansado, penetra en otra clase de sueño, un duermevela, ese estado que él llama de *escucha*, y siente un dolor en el vientre, como de algo que quisiera nacer, y ahora Gibreel, que estaba planeando y mirando desde las alturas, se siente confuso, *yo quién soy*, y en este momento empieza a parecer que el arcángel está realmente *dentro del Profeta*; yo soy el dolor sordo que le retuerce el vientre, yo soy el ángel que es presionado por el ombligo del durmiente, yo, Gibreel Farishta, emerjo mientras Mahound, mi otro yo, yace escuchando, en trance; estoy unido a él, ombligo con ombligo, por un reluciente cordón luminoso; no es posible decir cuál de nosotros sueña al otro. Los dos fluimos en ambas direcciones por el cordón umbilical.

Hoy Gibreel, además de la arrolladora vehemencia de Mahound, siente su propia desesperación: sus dudas. También, que sufre una gran necesidad, pero Gibreel todavía no se sabe el papel... tiende el oído a la escucha-que-también-es-pregunta. Mahound *pregunta*: Se les mostraron milagros, pero ellos no creyeron. Vieron que tú venías a mí ante toda la ciudad, y que me abrías el pecho; vieron cómo lavabas mi corazón en las aguas de Zamzam y volvías a colocarlo dentro de mi cuerpo. Muchos de ellos lo vieron, pero siguen adorando piedras. Y cuando viniste de noche y me llevaste volando a Jerusalén y yo planeé sobre la ciudad santa, ¿no volví y la describí tal como es con toda precisión, hasta el último detalle, para que no pudiera dudarse del milagro, y aun así, ellos seguían acudiendo a Lat? ¿No hice cuanto estaba en mi mano para facilitarles las cosas? Cuando me subiste hasta el mismo Trono, Alá impuso a los fieles la dura obligación de rezar cuarenta oraciones al día. En el viaje de regreso me encontré con Moisés y él dijo la carga es muy pesada, vuelve y pide que te sea reducida. Cuatro veces volví y cuatro veces Moisés dijo demasiadas todavía, vuelve. Pero la cuarta vez Alá había rebajado la obligación a cinco oraciones y yo me negué a volver. Me daba vergüenza suplicar más. En su bondad, Él pide cinco en lugar de cuarenta y aun así ellos aman a Manat, ellos quieren a Uzza. ¿Qué puedo hacer? ¿Qué puedo decir?

Gibreel permanece en silencio, vacío de respuestas, demonios, *bhai*, a mí no me preguntes. La angustia de Mahound es espantosa. Él *pregunta:* ¿es posible que ellas *sean* ángeles? Mat, Manat, Uzza... ¿puedo llamarlas angélicas? Gibreel, ¿tú tienes hermanas? ¿Son ellas hijas de Dios? Y él se castiga: Oh, qué vanidad la mía, yo soy un hombre arrogante, ¿es esto debilidad, es un simple sueño de poder? ¿Debo traicionarme a mí mismo por un lugar en el consejo? ¿Es esto lo sensato y prudente o es banal y egoísta? Ni siquiera sé si el Grande es sincero. ¿Lo sabe él? Quizá ni él mismo. Yo soy débil y él es fuerte, la oferta le proporciona muchas formas de arruinarme. Pero también yo tengo mucho que ganar. Las almas de la ciudad del mundo, ¿no han de valer tres ángeles? ¿Es Alá tan inflexible que no puede acoger a otras tres para salvar a la especie humana? –Yo no sé nada–. ¿Debe ser Dios orgulloso o humilde, majestuoso o sencillo, transigente o in...? *¿Qué clase de idea es Él? ¿Qué clase soy yo?*

A medio camino del sueño o a medio camino del despertar, Gibreel Farishta se siente con frecuencia lleno de resentimiento por la no aparición, en las visiones que le persiguen, de Aquel que se supone conoce todas las respuestas; *Él* nunca acude, el que se mantuvo alejado cuando yo me moría, cuando lo necesitaba necesitaba. Aquel al que todo se refiere, Alá Ishvar Dios. Ausente como siempre mientras nosotros nos retorcemos y sufrimos en su nombre.

El Ser Supremo se mantiene distante; lo que vuelve constantemente es esta escena: el Profeta en trance, el extrusionado, el cordón luminoso, y luego Gibreel, en su doble papel, está tanto arriba-mirando-abajo como abajo-mirando-arriba. Y los dos locos de miedo por la trascendencia de todo ello. Gibreel se siente paralizado por la presencia del Profeta, por su grandeza, piensa que no puedo emitir ni un sonido parecería un condenado imbécil. El consejo de Hamza: nunca muestres tu miedo; los arcángeles necesitan estos consejos tanto como los aguadores. Un arcángel tiene que guardar la compostura, ¿qué pensaría el Profeta si los Exaltados por Dios empezaran a tartamudear de miedo escénico?

Tiene lugar: la revelación. Así: Mahound, aún en su duermevela, se pone rígido, se le abultan las venas del cuello, se agarra el vientre. No, no es ataque de epilepsia, no puede explicarse tan fácilmente; ¿qué ataque de epilepsia ha conseguido nunca hacer que el día se transforme en noche, que las nubes se amontonen en el cielo, que el aire se haga irrespirable mientras un ángel, muerto de miedo, planea sobre el doliente, sostenido como una cometa por un cordón de oro? Otra vez el tirón, el tirón y ahora el milagro empieza en sus mis nuestras entrañas, él tira de algo con todas sus fuerzas, obligando a algo, y Gibreel empieza a sentir ese poder, esa fuerza, aquí están, en *mi propia mandíbula*, moviéndola, abriendo cerrando; y el poder que sale de dentro de Mahound se eleva hasta *mis cuerdas vocales* y me viene la voz.

No es mi voz yo no conozco estas palabras no soy gran orador nunca lo fui ni lo seré pero no es mi voz es una Voz.

Los ojos de Mahound se abren como platos, ahora ve una visión, la mira sin pestañear, oh, sí, Gibreel recuerda, me ve a mí. Me ve a mí. Mis labios que se mueven, que son movidos por. ¿Qué, quién? No sé, no sabría decir. No obstante, aquí están ya, ya me salen por la boca, me suben por la garganta, cruzan por entre mis dientes; las Palabras.

Ser el cartero de Dios no es divertido, *yaar*.

Peroperopero: Dios no está en esta foto.

Sabe Dios de quién habré sido el cartero.

En Jahilia esperan a Mahound junto al pozo. Khalid, el aguador, como siempre el más impaciente, corre a la puerta de la ciudad para verle venir. Hamza, como todos los viejos soldados, acostumbrado a la soledad, está en cuclillas, jugando con guijarros. No tiene sentido la urgencia, a veces está fuera varios días o, incluso, semanas. Y hoy la ciudad está casi desierta; todo el mundo ha ido a las grandes tiendas de la feria a oír a los poetas que han de concursar. En el silencio sólo se oye el ruido de los guijarros de Hamza y el arrullo de una pareja de palomas torcaces, visitantes llegadas del monte Cone. Entonces oyen los pasos que corren.

Llega Khalid, sin aliento, desolado. El Mensajero ha regresado, pero no viene a Zamzam. Ahora todos están de pie, perplejos por esta desviación de lo establecido. Los que aguardaban con palmas y estelas preguntan a Hamza: ¿Entonces, no habrá Mensaje? Pero Khalid, que todavía no ha recobrado el aliento, mueve la cabeza. «Creo que lo habrá. Él tiene el aspecto de cuando recibe la Palabra. Pero no me ha hablado, sino que ha ido hacia la feria.»

Hamza toma el mando, anticipándose a la discusión, y abre la marcha. Los discípulos –se han reunido unos veinte– le siguen hacia los burdeles de la ciudad con expresiones de virtuosa repugnancia. Hamza es el único que parece contento de ir a la feria.

Encuentran a Mahound plantado delante de las tiendas de los Dueños de los Camellos Moteados, con los ojos cerrados, aprestándose a la tarea. Ellos preguntan con ansiedad; él no contesta. Al cabo de unos momentos, entra en la tienda de la poesía.

Dentro de la tienda el auditorio saluda con burlas la llegada del impopular profeta y de sus tristes seguidores. Pero a medida que Mahound, con los ojos firmemente cerrados, avanza entre la gente, se apagan los abucheos y silbidos y se hace el silencio. Mahound no abre los ojos ni un instante, pero su paso es seguro y llega al estrado sin tropezar ni chocar. Sube los pocos peldaños hacia la luz; todavía tiene los ojos cerrados. Los poetas líricos, autores de elegías de asesinatos, versificadores de relatos y comentaristas satíricos allí reunidos –Baal está presente, desde luego–, miran con sorna pero también con cierta inquietud al sonámbulo Mahound. Sus discípulos tratan de abrirse paso entre la muchedumbre. Los escribas pugnan entre sí por situarse cerca de él y escribir todo lo que diga.

El Grande Abu Simbel descansa sobre almohadones en una alfombra de seda colocada junto al estrado. A su lado, resplandeciente de áureos collares egipcios, está Hind, su esposa, la de famoso perfil griego y cabellera negra tan larga como su cuerpo. Abu Simbel se levanta y grita a Mahound: «Bienvenido.» –Es todo urbanidad–. «Bienvenido, Mahound, el vidente, el *kahin.*» Es una pública muestra de respeto e impresiona a la multitud. Los discípulos del Profeta ya no reciben empujones, sino que se les permite pasar. Desconcertados, complacidos sólo a medias, llegan a la primera fila. Mahound habla sin abrir los ojos.

«Ésta es una reunión de muchos poetas –dice con voz clara–, y no puedo pretender ser uno de ellos. Pero soy el Mensajero, y os traigo versos de Uno que es más grande que todos los que están aquí reunidos.»

El público se impacienta. La religión, para el templo; aquí tanto los jahilitas como los peregrinos han venido a divertirse. ¡Que se calle! ¡Fuera! Pero Abu Simbel vuelve a hablar: «Si tu Dios te ha hablado realmente, entonces todo el mundo debe escuchar.» Y al instante en la gran tienda se hace silencio absoluto.

«*La Estrella* –grita Mahound, y los escribas empiezan a escribir.

»¡En el nombre de Alá, el Misericordioso, el Compasivo!

»Por la Pléyade en su ocaso: Tu compañero no está en el error; tampoco se ha desviado.

»Tampoco hablan por él sus deseos. Es una revelación que ha sido hecha: un poderoso le ha hablado.

»Él estaba en el alto horizonte: el señor de la fuerza. Entonces se acercó, se acercó hasta una distancia menor que la longitud de dos arcos y reveló a su siervo lo que ha sido revelado.

»El corazón del siervo era sincero cuando vio lo que vio. ¿Os atreveréis a dudar de lo que fue visto?

»Yo lo vi también en el loto del último confín, cerca del cual se encuentra el Jardín del Reposo. Cuando el árbol fue cubierto por su manto, mi ojo no se apartó, ni mi mirada se desvió; y vi algunas de las más grandes señales del Señor.»

Al llegar a este punto, sin asomo de vacilación ni duda, recita otros dos versos.

«¿Habéis pensado en Lat y Uzza, y en Manat, la tercera, la otra?» –Después del primer verso, Hind se pone en pie; el Grande de Jahilia ya está muy erguido. Y Mahound, con ojos amordazados, recita–: «Ellas son aves exaltadas, y su intercesión es verdaderamente deseable.»

Mientras la algarabía –exclamaciones, vivas, gritos de devoción a la diosa Al-Lat– crece y estalla dentro de la tienda, la congregación, atónita, contempla el doblemente sensacional espectáculo del Grande Abu Simbel que pone los pulgares sobre los lóbulos de las orejas, abre las manos y profiere en alta la fórmula: «Allahu Akbar.» Después de lo cual cae de rodillas y, deliberadamente, toca el suelo con la frente. Hind, su esposa, le imita inmediatamente.

Khalid, el aguador, lo ha visto todo desde la puerta de la tienda. Ahora mira con horror cómo todos los reunidos, tanto la multitud de la tienda como los que la rebosan, empiezan a arrodillarse, una fila tras otra, con una ondulación de agua que parte de Hind y el Grande, como si ellos fueran las piedras arrojadas a un lago; hasta que toda la congregación, los de fuera y los de dentro, está de rodillas, trasero al aire, ante el Profeta de los ojos cerrados que ha reconocido a las divinidades patronas de la ciudad. El mismo Mensajero permanece de pie, reacio a unirse al coro de devociones. El aguador rompe a llorar y huye hacia el desierto corazón de la ciudad de las arenas. Al correr, funde el suelo con sus lágrimas como si contuvieran poderoso ácido corrosivo.

Mahound permanece inmóvil. En las pestañas de sus ojos cerrados no se detecta ni rastro de humedad.

En aquella noche del desolador triunfo del negociante en la tienda de los descreídos, tienen lugar ciertos asesinatos para cuya terrible venganza la primera dama de Jahilia esperará años.

Hamza, el tío del Profeta, regresa a casa, solo, con la cabeza gris inclinada al crepúsculo de aquella triste victoria cuando oye un rugido y, al levantar la mirada, ve un gigantesco león escarlata que se dispone a saltar sobre él desde las elevadas almenas de la ciudad. Él conoce esta fiera, esta fábula. *La iridiscencia de su anca escarlata se confunde con el resplandor trémulo de las arenas del desierto. Por sus fauces exhala el horror de los lugares solitarios de la tierra. Escupe pestilencia y cuando los ejércitos se aventuran por el desierto él los consume por completo.* A la última luz azul de la tarde, él grita a la fiera, disponiéndose, inerme como está, a enfrentarse con la muerte: «Salta, bastardo, Mantícora. En mis tiempos estrangulé grandes felinos con mis manos.» Cuando era más joven. Cuando era joven.

Hay risas a su espalda, y risas lejanas resuenan, o así le parece, en las almenas. Mira en derredor; el Mantícora ha desaparecido de la muralla. Está rodeado por un grupo de jahilitas vestidos de fiesta que vuelven de la feria riendo. «Ahora que esos místicos han abrazado a nuestra Lat, en cada esquina descubren dioses nuevos, ¿no?» Hamza, al comprender que la noche estará llena de terrores, vuelve a casa y pide su espada de guerra. «Más que nada en el mundo –gruñe al apergaminado criado que le ha servido en la guerra y en la paz durante cuarenta y cuatro años– aborrezco reconocer que mis enemigos tienen razón. Es mucho mejor matar a los bastardos, es lo que he pensado siempre. Es la mejor recondenada solución.» La espada ha permanecido en su vaina de piel desde el día en que su sobrino lo convirtió, pero esta noche dice en confianza al criado: «El león anda suelto. La paz tendrá que esperar.» Es la última noche de las fiestas de Ibrahim. Jahilia es carnaval y desenfreno. Los cuerpos gruesos y aceitados de los luchadores han dejado de retorcerse, y las siete poesías han sido clavadas en las paredes de la Casa de la Piedra Negra. Ahora las prostitutas cantantes han sustituido a los poetas y las prostitutas danzantes, con el cuerpo reluciente de aceites, han empezado su trabajo; la lucha nocturna ha sustituido a la diurna. Las cortesanas bailan y cantan cubiertas con máscaras de oro en forma de cabeza de pájaro, y el oro se refleja en los ojos brillantes de sus clientes. Oro, oro en todas partes, en las manos de los avispados jahilitas y de sus libidinosos visitantes, en los llameantes braseros de arena, en las fosforescentes paredes de la ciudad nocturna. Hamza camina dolorido por las calles de oro, pasando por delante de peregrinos que yacen inconscientes mientras los ladrones se ganan la vida. Oye los cantos distorsionados por el vino en todas las puertas doradas y siente que el canto y las carcajadas y el tintineo de las monedas le duelen como insultos mortales. Pero no encuentra lo que busca, aquí no, y se aleja de la algazara iluminada del oro y empieza a merodear por las sombras, acechando la aparición del león.

Y al cabo de varias horas de búsqueda encuentra lo que él sabía que estaría esperando, en un rincón oscuro de las murallas exteriores de la ciudad: su visión, el Mantícora rojo de triple dentadura. El Mantícora tiene ojos azules y cara humana y su voz es mitad trompeta y mitad flauta. Es veloz como el viento, sus garras son retorcidas como sacacorchos y de su cola se erizan púas envenenadas. Le gusta alimentarse de carne humana... Hay pelea. Silban cuchillos en el silencio y, de vez en cuando, se oye el choque de metal con metal. Hamza reconoce a los atacados; Khalid, Salman, Bilal. Hamza, hecho un león, saca la espada y hace trizas el silencio. Da un grito y acude corriendo con toda la rapidez que le permiten sus piernas de sesenta años. Los atacantes de sus amigos son irreconocibles detrás de las máscaras.

Ha sido noche de máscaras. Mientras recorría las calles licenciosas de Jahilia, con el corazón lleno de amargura, Hamza ha visto a hombres y mujeres disfrazados de águilas, chacales, caballos, grifos, salamandras, cerdos verrugosos, aves roks; de la inmundicia de los callejones han salido *amphisbaenae* bicéfalos y los toros alados conocidos como esfinges asirias. *Djinns, houris* y demonios pueblan la ciudad esta noche de fantasmagoría y lujuria. Pero hasta ahora, en este lugar oscuro, no descubre las máscaras rojas que buscaba. Las máscaras de hombre-león: y corre hacia su destino.

Bajo los efectos de una infelicidad autodestructiva, los tres discípulos habían empezado a beber, y a causa de la falta de familiaridad con el alcohol, pronto estuvieron no ya intoxicados, sino embrutecidos. Estaban en una plazuela y empezaron a insultar a los transeúntes y, al cabo de un rato, Khalid, el aguador, empezó a blandir el pellejo de agua, jactancioso. Él podía destruir la ciudad, él llevaba el arma definitiva. El agua: el agua limpiaría la inmunda Jahilia, la disolvería para que pudiera construirse de nuevo con la blanca arena purificada. Fue entonces cuando los hombres-león empezaron a perseguirlos y, después de larga carrera, los acorralaron, haciendo que del miedo se les pasara la borrachera, y los perseguidos estaban mirando las máscaras rojas de la muerte cuando, al punto, llegó Hamza.

... Gibreel planea sobre la ciudad contemplando la lucha. Ésta, una vez entra en escena Hamza, acaba pronto. Dos atacantes enmascarados huyen, otros dos yacen muertos. Bilal, Khalid y Salman han sido heridos, pero no de gravedad. Más grave que sus heridas es la visión que se esconde detrás de las máscaras de león de los muertos. «Los hermanos de Hind –dice Hamza–. Ahora sí que todo acabará para nosotros.»

Matadores de Mantícoras y terroristas del agua: los seguidores de Mahound se sientan a llorar a la sombra de la muralla de la ciudad.

Y, en cuanto a él, Profeta Mensajero Negociante: ahora tiene los ojos abiertos. Pasea por el patio interior de su casa, de la casa de su esposa, pero no quiere entrar a verla. Ella tiene casi setenta años y ahora se siente aun más madre. Ella era rica y hace mucho tiempo lo contrató para que se encargara de sus caravanas. Sus dotes de administrador enseguida le gustaron y, después de un tiempo, los dos se enamoraron. No es fácil ser una mujer brillante y próspera en una ciudad en la que los dioses son femeninos pero las mujeres son simple mercancía. Los hombres, o la temían o la creían tan fuerte que no necesitaban su estima. Él no la temía y parecía poseer la firmeza que ella necesitaba. A su vez, él, el huérfano, halló en ella muchas mujeres en una sola: madre hermana amante sibila amiga. Cuando él mismo temía estar loco, ella creyó en sus visiones: «Es el arcángel –le dijo–; no es una ilusión de tu cabeza. Él es Gibreel y tú eres el Mensajero de Dios.»

Él no puede ni quiere verla ahora. Ella le observa desde una ventana con celosía de piedra. Él no puede dejar de pasear, camina por el patio en una secuencia casual de geometría inconsciente. Sus pasos dibujan una serie de elipses, trapecios, rombos, óvalos y anillos. Y, mientras, ella lo recuerda al volver de las caravanas, lleno de historias oídas en los oasis de la ruta. Como la de Isa, profeta, hijo de una mujer llamada Maryam, no engendrado por varón y nacido bajo una palmera del desierto. Historias que hacían que sus ojos brillaran y luego se perdieran en la lejanía. Ella recuerda su excitabilidad: el apasionamiento con que él discutía, toda la noche si era necesario, afirmando que los viejos tiempos nómadas eran mejores que esta ciudad de oro en la que la gente abandonaba a sus hijas en el desierto. En las tribus de antaño hasta las huérfanas más pobres recibían amparo. Dios está en el desierto, decía, no aquí, en este aborto de ciudad. Y ella respondía: Nadie te lo discute, amor, es tarde y mañana hay que hacer las cuentas.

Ella tiene el oído fino, ya está enterada de lo que él ha dicho de Lat, Uzza y Manat. ¿Y qué? En los viejos tiempos, él quería proteger a las niñas de Jahilia; ¿por qué no había de tomar bajo su tutela también a las hijas de Alá? Pero, después de hacerse esta pregunta, ella sacude la cabeza y se apoya pesadamente en la fría pared, al lado de la ventana con celosía de piedra. Mientras, abajo, su marido pasea en pentágonos, paralelogramos, estrellas de seis puntas y, después, en formas abstractas y cada vez más laberínticas para las que no hay nombre, como si fuera incapaz de encontrar una línea simple.

Pero cuando, a los pocos momentos, mira al patio, él ya se ha ido.

El Profeta despierta entre sábanas de seda, con un dolor como si le estallara la cabeza, en una habitación que nunca ha visto. Fuera de la ventana, el sol está cerca de su salvaje cenit y, perfilándose sobre la blancura, hay una figura alta, con una capa negra, encapuchada, que canta suavemente con voz fuerte y grave. La canción es la que entonan a coro las mujeres de Jahilia acompañándose de tambores cuando los hombres marchan a la guerra.

Avanzad y nosotras os abrazaremos,
abrazaremos, abrazaremos.
Avanzad y os abrazaremos
y extenderemos suaves alfombras.

Retroceded y nosotras os abandonaremos,
os dejaremos, os abandonaremos.
Retroceded y no os querremos
en el lecho del amor.

Él reconoce la voz de Hind, se incorpora y se encuentra desnudo bajo la sábana cremosa. Él le grita: «¿Fui atacado?» Hind se vuelve a mirarle con su sonrisa de Hind: «¿Atacado?» le imita y da unas palmadas para pedir el desayuno. Entran criados que traen, sirven, retiran y desaparecen. Han puesto a Mahound una bata de seda negra y oro; Hind desvía la mirada con exagerada modestia. «Mi cabeza –dice él–. ¿Fui golpeado?» Ella está junto a la ventana, con la cabeza inclinada, fingiendo recato. «Oh, Mensajero, Mensajero –dice, burlona–. No eres galante, Mensajero. ¿No podrías haber venido a mis habitaciones conscientemente, por tu propia voluntad? No; claro que no, yo te inspiro aversión, seguro.» Él no le sigue el juego. «¿Estoy prisionero?», pregunta. Y ella ríe de nuevo. «No seas tonto –entonces, encogiéndose de hombros, se ablanda–. Esta noche paseaba por las calles de la ciudad, enmascarada, para ver los festejos, y ¿con qué crees que tropecé sino con tu cuerpo inconsciente? ¡Como un borracho en el arroyo, Mahound! Yo envié a mis criados en busca de una litera y te traje a casa. Dame las gracias.»

«Gracias.»

«No creo que te reconocieran –dice ella–. O quizá estarías muerto. Ya sabes cómo estaba anoche la ciudad. La gente se ofusca. Mis propios hermanos aún no han vuelto a casa.

Él recuerda ahora su angustiado y frenético paso por la ciudad corrupta, contemplando las almas que supuestamente había salvado, mirando las efigies de *simurgh*, las máscaras de diablo, los *behemoths* y los hipogrifos. La fatiga de aquel día larguísimo en el que bajó del monte Cone, se encaminó a la ciudad, sufrió la angustia de los acontecimientos en la tienda de la poesía –y, después, la cólera de los discípulos, la duda–, todo ello le había abrumado. «Me desmayé», recuerda.

Ella se aproxima y se sienta en la cama, cerca de él, extiende un dedo, encuentra la abertura de la bata y le acaricia el pecho. «Te desmayaste –murmura–. Eso es debilidad, Mahound. ¿Es que te has vuelto débil?»

Antes de que él pueda responder, Hind le pone sobre los labios el dedo con el que le acariciara. «No digas nada, Mahound. Yo soy la esposa del Grande y ninguno de nosotros es amigo tuyo. Pero mi marido es débil. En Jahilia creen que es astuto, pero yo sé que no. Él sabe que yo tengo amantes y no hace nada, porque los templos están bajo el cuidado de mi familia. El de Lat, el de Uzza y el de Manat. Las... ¿puedo llamarlas *mezquitas*?, de tus nuevos ángeles.» Ella toma dados de melón de una fuente y trata de ponérselos en la boca. Él no consiente y los toma con la mano y come. Ella prosigue: «El último de mis amantes fue el joven Baal. –Ve la cólera en su cara–. Sí –dice, satisfecha–. Creo que te ha fascinado. Pero él no importa. Ni él ni Abu Simbel se parecen a ti. Pero yo sí.»

«Debo marcharme», dice él. «Es pronto», responde

ella, volviendo a la ventana. En las afueras de la ciudad están desmontando las tiendas, las largas caravanas de camellos se disponen a partir, por el desierto ya se alejan filas de carretas; el carnaval ha terminado. Ella se vuelve de nuevo hacia él.

«Yo soy tu igual –repite–, y también tu oponente. No quiero que te vuelvas débil. No debiste hacer lo que hiciste.»

«Pero tú te beneficiarás –responde Mahound con amargura–. Ahora ya no peligran tus ingresos del templo.»

«No te das cuenta –dice ella suavemente, acercándose, arrimándole la cara–. Si tú estás a favor de Alá yo estoy a favor de Al-Lat. Y ella no cree en tu Dios cuando Él la reconoce. Su antagonismo es implacable, irrevocable, absorbente. La guerra entre nosotros no puede tener tregua. ¡Y qué tregua! El tuyo es un señor paternalista y condescendiente. Al-Lat no tiene el menor deseo de ser hija suya. Ella es su igual como yo lo soy de ti. Pregunta a Baal: él la conoce. Como me conoce a mí.»

«Entonces, ¿el Grande no cumplirá su compromiso?», dice Mahound.

«¡Quién sabe! –responde Hind con desdén–. Ni él mismo se conoce. Tiene que calcular los pros y los contras. Es débil, como te digo. Pero tú sabes que digo la verdad. Entre Alá y las Tres no puede haber paz. Yo no la quiero. Yo quiero pelear. A muerte; ésta es la clase de idea que soy yo. ¿Cuál eres tú?»

«Tú eres arena y yo soy agua –dice Mahound–. El agua arrastra la arena.»

«Y el desierto absorbe el agua –responde Hind–. Mira a tu alrededor.»

Poco después de la marcha de Mahound, los heridos llegan al palacio del Grande después de hacer acopio de valor para informar a Hind de que el viejo Hamza ha matado a sus hermanos. Para entonces el Mensajero ha desaparecido; una vez más, lentamente, se encamina hacia el monte Cone.

Cuando Gibreel está cansado asesinaría de buena gana a su madre por haberle puesto un mote tan condenadamente ridículo, *ángel*, qué palabra, él ruega *¿a qué? ¿a quién?* ser liberado de la ciudad soñada de castillos de arena que se desmoronan y leones con tres filas de dientes, basta de limpieza de corazones de profetas, de instrucciones que recitar y promesas de paraíso, basta de revelaciones, *finito, khattam-shud.* Lo que él ansía: dormir y no soñar. Los jodidos sueños, causa de todos los males de la Humanidad, y las películas también; si yo fuera Dios le quitaría la imaginación a la gente y entonces quizá los pobres infelices como yo podrían dormir por la noche. Luchando contra el sueño, obliga a sus ojos a permanecer abiertos, sin parpadear, hasta que la púrpura visual se borra de las retinas y le ciega, pero al fin y al cabo no es más que humano y acaba por caer en la madriguera y ya está otra vez en el País de las Maravillas, subiendo la montaña, y el negociante despierta y, una vez más, su necesidad, su afán, se hace sentir, no en mi boca y en mi voz esta vez, sino en todo mi cuerpo; él me reduce a su propio tamaño y me atrae hacia sí, su campo de gravedad es increíble, tan poderoso como una maldita megaestrella… y entonces Gibreel y el Profeta luchan, desnudos los dos, rodando y rodando, en la cueva de fina arena blanca que se eleva alrededor de ellos como un velo. *Como si él estuviera estudiándome, registrándome, como si yo estuviera sometido al examen.*

En una cueva situada a ciento cincuenta metros de la cima del monte Cone, Mahound lucha con el arcángel arrojándolo de un lado al otro y permitan que les diga que está llegando a todas partes, su lengua a mi oído, su puño a mis huevos, nunca hubo persona con tanta rabia dentro, él quiere saber, quiere SABER y yo no tengo nada que decirle, físicamente es dos veces más fuerte que yo y, por lo menos, cuatro veces más sabio, quizá los dos hayamos aprendido mucho escuchando, pero es evidente que él escucha mejor que yo; y así rodamos pateamos arañamos, él empieza a tener cortes, pero, naturalmente, mi piel sigue tan suave como la de un recién nacido, no puedes arañar a un ángel con un jodido abrojo, no puedes magullarlo con una piedra. Y tienen público, hay *djinns* y *afreets* y toda clase de duendes sentados en las peñas mirando la pelea y, en el cielo, las tres criaturas con alas que parecen grullas o cisnes o simplemente mujeres, depende del efecto de la luz... Mahound le pone fin... Él se da por vencido.

Después de haber luchado durante horas o, incluso, semanas, Mahound quedó aprisionado debajo del ángel, tal como deseaba; era su voluntad la que me invadió y me dio la fuerza para sujetarlo, porque los arcángeles no pueden perder estas peleas, no estaría bien. Sólo los demonios pueden ser derrotados en estas circunstancias, así que en el mismo momento en que yo me quedé encima, él empezó a llorar de alegría y entonces hizo su viejo truco, hizo que mi boca se abriera y que la voz, la Voz, saliera de mí de nuevo y se derramara sobre él como un vómito.

Al término de su combate de lucha libre con el arcángel Gibreel, el profeta Mahound cae exhausto en su sueño habitual, revelador, pero en esta ocasión despierta antes de lo normal. Cuando recobra el conocimiento en aquella desolación de las alturas no hay nadie a la vista, no hay criaturas aladas posadas en las rocas. Se pone en pie de un salto, embargado por la angustia de su descubrimiento. «Era el demonio –dice en voz alta al aire, haciéndolo verdad al darle voz–. La última vez era Shaitan.» Esto es lo que él ha *oído* en su *escucha*, que ha sido engañado, que le ha visitado el diablo bajo la forma de un arcángel, de manera que los versos que aprendió de memoria, los que recitó en la tienda de la poesía, no eran lo verdadero, sino su diabólica antítesis, no divinos sino satánicos. Él vuelve a la ciudad lo más deprisa que puede para tachar los versos inmundos que huelen a azufre y sulfuro, a borrarlos para siempre por los siglos de los siglos, de manera que sólo subsistan en una o dos colecciones dudosas de viejas tradiciones que los intérpretes ortodoxos tratarán de eliminar, pero Gibreel, que planea y vigila desde el ángulo de la cámara más alto, conoce un pequeño detalle, sólo una cosita que resulta que es todo un problema: que *las dos veces era yo*, baba, *el primero yo y el segundo, también yo*. De mi boca, la afirmación y la negación, versos y conversos, universos y reversos, toda la historia, y todos sabemos cómo me movían la boca.

«Primero fue el diablo –murmura Mahound mientras corre hacia Jahilia–. Pero esta vez ha sido el ángel, indiscutiblemente. Él me hará morder el polvo.»

Los discípulos lo paran en las quebradas próximas al pie del monte Cone, para prevenirle de la cólera de Hind, que lleva blancas ropas de luto y se ha soltado el negro cabello, dejando que la envuelva como una tormenta o arrastre por el polvo, borrando las huellas de sus pies, de manera que parece la encarnación del espíritu de la venganza. Todos han huido de la ciudad y el mismo Hamza se esconde; pero se dice que Abu Simbel todavía no ha accedido a la demanda de su esposa, que pide sangre para lavar la sangre. Todavía está calculando los pros y los contras en el asunto de Mahound y las diosas... Mahound, desoyendo los consejos de sus seguidores, regresa a Jahilia, y va directamente a la Casa de la Piedra Negra. Los discípulos le siguen a pesar de su temor. Se congrega una muchedumbre ante la perspectiva de un nuevo escándalo, descuartizamiento o diversión por el estilo. Mahound no les defrauda.

Se encuentra ante las imágenes de las Tres y anuncia la abrogación de los versos que Shaitan le susurró al oído. Estos versos fueron suprimidos del verdadero texto, *al-qur'ān*. En su lugar se rugen nuevos versos.

«¿Él ha de tener hijas y tú, hijos? –recita Mahound–. ¡Bonito reparto sería!

»Éstos no son sino nombres que habéis soñado vosotros, tú y tus antepasados. Alá no les concede autoridad.»

Mahound abandona la atónita Casa antes de que a alguien se le ocurra recoger, o arrojar, la primera piedra.

Después del repudio de los versos satánicos, el profeta Mahound vuelve a su casa donde encuentra esperándole una especie de castigo. Una especie de venganza –¿de quién? ¿Luz o tinieblas? ¿Bueno o malo?– infligida, como suele ocurrir, a un inocente. La esposa del Profeta, setenta años, está sentada al pie de una ventana con celosía de piedra, erguida, con la espalda apoyada en la pared, muerta.

Mahound, abrumado por la pena, se retrae, apenas dice palabra durante semanas. El Grande de Jahilia instaura una política de persecución que, para Hind, avanza demasiado despacio. El nombre de la nueva religión es *Sumisión*; ahora Abu Simbel decreta que sus adeptos deben someterse al confinamiento en el barrio más mísero de la ciudad, todo tugurios; a un toque de queda; a una prohibición de trabajar. Y hay muchos ataques físicos, se escupe a las mujeres en las tiendas, los fieles son golpeados por bandas de jóvenes bárbaros controladas en secreto por el Grande; por las noches se arroja fuego por una ventana sobre los que duermen confiados, y, por una de las habituales paradojas de la Historia, el número de los fieles se multiplica como una cosecha que, milagrosamente, prosperara a medida que empeora el clima.

Se recibe una oferta de los moradores del poblado del oasis de Yathrib, al norte: Yathrib acogerá a los que se sometan, si desean abandonar Jahilia. Hamza opina que deben marchar. «Aquí nunca terminarás tu Mensaje, sobrino, créeme. Hind no descansará hasta que te haya arrancado la lengua y a mí los huevos, con perdón.» Mahound, solo y lleno de ecos en la casa de su desconsuelo, da su consentimiento, y los fieles parten para hacer sus planes. Khalid, el aguador, se queda atrás y el Profeta de ojos hundidos espera que hable. Con turbación, dice: «Mensajero, yo dudé de ti, pero tú eras más sabio de lo que nosotros pensábamos. Al principio, dijimos: Mahound nunca transigirá y tú transigiste. Entonces dijimos: Mahound nos ha traicionado, pero tú nos traías una verdad más profunda. Tú nos trajiste al mismo diablo para que nosotros pudiéramos ser testigos de las artes del Maligno y de su derrota por la Bondad. Tú has enriquecido nuestra fe. Yo te pido perdón por lo que pensé.»

Mahound se aparta del sol que entra por la ventana. «Sí. –Amargura, cinismo–. Fue algo maravilloso lo que hice. Una verdad más profunda. Traeros al diablo. Sí, suena propio de mí.»

Desde lo alto del monte Cone, Gibreel mira cómo los fieles escapan de Jahilia, dejando la ciudad de la aridez por el lugar de las palmeras frescas y el agua, agua, agua. Pequeños grupos, casi con las manos vacías, se mueven por el imperio del sol, en este primer día del primer año del nuevo comienzo del Tiempo que también ha vuelto a nacer, mientras lo viejo muere a su espalda y lo nuevo aguarda delante. Y un día el propio Mahound se marcha. Cuando se descubre su huida, Baal compone una oda de despedida:

¿Qué clase de idea
parece hoy «Sumisión»?
Una idea llena de miedo.
Una idea que huye.

Mahound ha llegado a su oasis; Gibreel no es tan afortunado. Ahora se encuentra frecuentemente solo en lo alto del monte Cone, lavado por las frías estrellas fugaces, y entonces del cielo de la noche caen sobre él las tres criaturas aladas, Lat Uzza Manat, que baten alas junto a su cabeza, le clavan las garras en los ojos, le muerden y le azotan con su cabello y con sus alas. Él levanta las manos para protegerse, pero su venganza es incansable y prosigue siempre que él descansa, cuando él baja la guardia. Él lucha pero ellas son más rápidas, más ágiles, tienen alas.

Él no tiene diablo que repudiar. Está soñando y no puede ahuyentarlas.

III

ELEOENE DEERREEESE

III

[illegible]

[illegible] de apuntes, [illegible] también [illegible] paquetes de [illegible] primaria con bolas de naftalina, las antiguas lecturas de jovencitas de antaño, [illegible] de Lacrosse, álbumes de [illegible] cofres del [illegible], llenos de [illegible]

1

Yo sé lo que es un fantasma, afirmó silenciosamente la anciana. Se llamaba Rosa Diamond, tenía ochenta y ocho años y bizqueaba, aguileña, a través de las ventanas de su dormitorio cubiertas de fina capa de sal, contemplando el mar de luna llena. Y yo sé, también, lo que no lo es, agregó. No es el gemido horripilante ni es la sábana que se agita, eso son bobadas. ¿Qué es un fantasma? Un asunto no concluido, eso... Y la anciana, de metro ochenta, espalda recta y pelo corto como un hombre, dobló hacia abajo las comisuras de los labios en satisfecha mueca de máscara de tragedia, se ciñó a los flacos hombros un chal de punto azul, y cerró un momento sus ojos sin sueño para rezar por la vuelta del pasado. Venid, naves normandas, rogaba, ven acá, Guille-el-Conquis.

Novecientos años atrás, todo esto estaba bajo el agua, esta costa parcelada, esta playa de guijarros privada, que se empina hacia la hilera de chalets despintados, con sus cobertizos desconchados, llenos de tumbonas, marcos vacíos, viejos baúles repletos de paquetes de cartas atados con cintas, lencería de seda y encaje con bolas de naftalina, lacrimógenas lecturas de jovencitas de antaño, palos de *lacrosse*, álbumes de sellos y demás cofres del tesoro enterrados, llenos de recuerdos y tiempo perdido. El perfil de la costa había cambiado, había avanzado más de un kilómetro hacia el mar, dejando el primer castillo normando varado lejos del agua, lamido ahora por unas tierras pantanosas que castigaban con toda clase de afecciones reumáticas a los pobres que vivían allí en sus cómosedice *propiedades.* Ella, la anciana, veía en el castillo la ruina de un pez traicionado por una antigua bajamar, un monstruo marino petrificado por el tiempo. ¡Novecientos años! Nueve siglos atrás, la flota normanda había navegado a través de la casa de esta señora inglesa. Y ahora, en las noches claras de luna llena, ella aguardaba el destello de un fantasma largo tiempo ausente.

Es el sitio mejor para verles venir, se tranquilizaba, vista de tribuna. Las repeticiones se habían convertido en el consuelo de su vejez: las frases gastadas, *asunto no concluido*, *vista de tribuna*, la hacían sentirse sólida, inmutable, perdurable, en lugar de la criatura de achaques y ausencias que ella se sabía... Cuando la luna se pone, en la oscuridad que precede al amanecer, ése es el momento. Ondear de velas, brillo de remos y el Conquistador en persona, en la proa de la nave insignia, navegaría por la playa entre los rompeolas de madera cubiertos de bígaros y los botes volcados... Oh, yo he visto muchas cosas en mi vida, siempre tuve el don, la visión fantasmal... El Conquistador, con su casco puntiagudo de nariz metálica, atraviesa la puerta de su casa, deslizándose entre las mesitas y los sofás con antimacasar, como un eco que resonara levemente por la casa de recuerdos y añoranzas; y luego enmudece; *como una tumba.*

... Una vez, en Battle Hill, siendo niña –le gustaba narrar, siempre con las mismas palabras pulidas por el tiempo–, una vez, siendo una niña solitaria, me encontré de pronto y sin sensación de extrañeza en medio de una guerra. Arcos, mazas, picas. Mozos sajones de pelo albino, segados en la flor de la edad. Harold Arroweye y Guillermo, con la boca llena de arena. Sí, siempre el don, siempre la visión fantasmal... La historia del día en que la pequeña Rosa tuvo una visión de la batalla de Hastings se convirtió, para la anciana, en uno de los hitos que definían su ser, aunque había sido contada tantas veces que nadie, ni siquiera la narradora, hubiera podido jurar que fuera cierta. *A veces, los añoro*, decían los pensamientos habituados de Rosa. *Les beaux jours: los días queridos, muertos.* Volvió a cerrar sus ojos reminiscentes. Cuando los abrió, vio, en la orilla del agua algo que innegablemente empezaba a moverse.

Esto dijo ella, en voz alta, emocionada: «¡No puedo creerlo!» «¡No es verdad!» «¡Él no puede haber venido!» Con pie inseguro y pecho alborotado, Rosa fue en busca del sombrero, la capa y el bastón. Mientras, en la playa invernal, Gibreel Farishta despertaba con la boca llena de, no, no de arena.

Nieve.

¡Pfui!

Gibreel escupió; se levantó de un salto, como propulsado por la nieve expectorada, deseó a Chamcha –como ya se ha dicho– un feliz cumpleaños, y empezó a sacudirse la nieve de las mangas púrpura, «Dios, *yaar* –gritaba, saltando sobre uno y otro pie–, no es de extrañar que esta gente tenga el corazón de jodido hielo».

Después, sin embargo, la pura delicia de estar rodeado de tanta nieve venció su primer cinismo –porque él era hombre tropical– y empezó a hacer cabriolas, saturnino y empapado, y bolas de nieve que arrojaba a su caído compañero, y ya pensaba en un muñeco de nieve y cantaba una alocada y arrolladora versión del villancico *Jingle Bells*. En el cielo se insinuaba la primera luz del día, y en esta abrigada playa bailaba Lucifer, la estrella de la mañana.

Su aliento, así hay que consignarlo, por lo que fuere, había dejado de oler...

«Vamos, chico –gritó el invencible Gibreel, en cuya conducta el lector advertirá, no sin razón, el delirio y trastorno de su reciente caída–. ¡Levántate y luce! Tomaremos este lugar por asalto. –Volviendo la espalda al mar, borrando el mal recuerdo para dejar sitio a lo que vendría a continuación, apasionado como siempre por la novedad, habría plantado (de haberla tenido) una bandera para reclamar en nombre de quiensabequién esa tierra blanca, su nueva tierra–. Bobito –suplicó–, muévete, *baba*, ¿o estás jodidamente muerto? –Palabras que, una vez proferidas, tuvieron la virtud de hacer reaccionar al que las dijo. Se inclinó sobre la figura postrada, sin atreverse a tocarla–. Ahora no, viejo amigo –rogaba–. No, después de llegar tan lejos.»

Saladin: no estaba muerto, sino llorando. Las lágrimas del trauma se le helaban en la cara. Y todo su cuerpo estaba estuchado en una fina capa de hielo, liso como el cristal, una pesadilla hecha realidad. En el marasmo de semiinconsciencia inducida por la baja temperatura de su cuerpo, sentía el temor de resquebrajarse como en la pesadilla, de ver cómo la sangre le salía burbujeando por las rendijas del hielo, de que su carne siguiera a las astillas. Estaba lleno de preguntas, realmente nosotros, me refiero a que tú movías las manos aleteando, y luego las aguas, no me dirás que *realmente*, nosotros, como en las películas cuando Charlton Heston levantaba la vara para que nosotros pudiéramos cruzar por el fondo marino, eso no pudo ocurrir, imposible, pero si no entonces cómo, o acaso nosotros, de alguna manera, por debajo del agua, escoltados por las sirenas y el mar pasaba a través de nosotros como si fuéramos peces o fantasmas, eso era la verdad, sí o no, necesito saber... pero cuando abrió los ojos las preguntas adquirieron la vaguedad de los sueños, de manera que ya no pudo asirlas, sus colas se ondulaban ante él y desaparecían como aletas submarinas. Estaba de cara al cielo y observó que tenía el color completamente equivocado, naranja sanguina, con manchas verdes, y la nieve, azul como la tinta. Parpadeó con fuerza, pero los colores no querían cambiar, e hicieron nacer en él la idea de que del cielo había caído en mal lugar, en otro sitio, no en Inglaterra, o quizá en Inglaterra, una zona contrahecha, un municipio podrido, un estado alterado. ¿Quizá pensó fugazmente, el infierno? No, no, se tranquilizó mientras le amenazaba la inconsciencia, no puede ser, todavía no, aún no estás muerto; sólo muriéndote.

Bueno, pues, si no: una sala de espera para viajeros en tránsito.

Empezó a tiritar; la vibración se hizo tan intensa que se le ocurrió que, con la tensión, podía estallar como un, como un, avión.

Así que todo había dejado de existir. Estaba en un vacío y, si quería sobrevivir, tendría que construirlo todo empezando desde cero, tendría que inventar la tierra bajo sus pies antes de poder dar un paso, sólo que ahora no había necesidad de preocuparse por esas cosas, porque aquí, delante de él, estaba lo inevitable: la figura alta y huesuda de la Muerte, con sombrero de paja de ala ancha y una capa oscura ondeando a la brisa. La Muerte, que se apoyaba en un bastón de puño de plata y calzaba botas altas verde aceituna.

«¿Se puede saber qué hacen ustedes aquí? –quería saber la Muerte–. Esto es propiedad privada. Ahí está el letrero», dijo con voz de mujer un poco trémula y más que un poco emocionada.

Momentos después, la Muerte se inclinó sobre él –*para darme el beso*, se dijo con pánico. *Para extraer el aliento de mi cuerpo*–. Hizo pequeños e inútiles movimientos de protesta.

«Vive –dijo la Muerte a, quién era el otro, Gibreel–.

Pero, hijo, menudo aliento; qué *peste*. ¿Cuánto hace que no se lava los dientes?»

El aliento del uno se purificó mientras el del otro, por un misterio análogo y contrario, se corrompió. ¿Qué esperaban? Caer así del cielo: ¿imaginaban que no habría efectos secundarios? Los Poderes Superiores se interesaban por ellos, eso tenían que haberlo notado, y esos Poderes (naturalmente, hablo de mí mismo) tienen una actitud traviesa, casi caprichosa, hacia las moscas llovidas del cielo. Y, otra cosa, que quede claro: las grandes caídas cambian a la gente. ¿Ustedes creen que *ellos* cayeron de muy alto? En cuestión de caídas, yo no me inclino ante nadie. De nubes a cenizas, por la chimenea, como quien dice, de la luz celestial al fuego del infierno... con la tensión de una caída prolongada, como les decía, son de esperar mutaciones, no todas casuales. Selecciones antinaturales. Tampoco es tan alto precio a cambio de la supervivencia, del renacimiento, de la *renovación*, y, por si fuera poco, a su edad.

¿Qué? ¿Tengo que enumerar los cambios?

Buen aliento/mal aliento.

Y alrededor de la cabeza de Gibreel Farishta, que estaba de espaldas al amanecer, Rosa Diamond creyó divisar un resplandor tenue pero nítidamente dorado.

¿Y no eran unos bultitos lo que Chamcha tenía en las sienes, debajo del bombín empapado y todavía encasquetado?

Y, y, y.

Cuando vislumbró la estrafalaria y satírica figura de Gibreel Farishta, exuberante y dionisíaca en la nieve, Rosa Diamond no pensó en, digámoslo, ángeles. Al divisarlo desde su ventana, a través de un cristal empapado por la sal, con unos ojos empañados por la edad, sintió que el corazón le daba dos patadas tan dolorosas que temió que pudiera parársele; porque, en aquella figura borrosa, ella creyó reconocer la encarnación del más íntimo deseo de su alma. Se olvidó de los conquistadores normandos como si nunca hubieran existido y bajó trabajosamente por una pendiente de traidores guijarros, con excesiva rapidez para la integridad de sus piernas poco menos que nonagenarias, a fin de poder hacer como que reprendía al imposible forastero por allanamiento de propiedad.

Generalmente, ella era implacable en la defensa de su adorado fragmento de costa, y cuando los excursionistas veraniegos pasaban de la línea de la marea alta, ella se abatía sobre ellos *como lobo en el aprisco*, según su propia expresión, para explicar y exigir: «Esto es mi jardín, saben ustedes.» Y, si ellos se ponían impertinentes –quésehacreídolavieja lajodidaplayaesdetodos–, ella volvía a su casa, sacaba una larga manguera verde de jardín y la dirigía implacablemente sobre sus mantas escocesas, palos de críquet de plástico, frascos de aceite solar, destruía los castillos de arena de los niños y empapaba sus bocadillos de salchicha sin dejar de sonreír dulcemente: *¿No les molestará que riegue mi jardín...?* Oh, buena era ella, todo el pueblo la conocía, no pudieron encerrarla en una residencia de ancianos, echó a cajas destempladas a toda su familia cuando se atrevieron a proponérselo, no volváis a aparecer por aquí si no queréis que os deje sin un penique ni un ahí te pudras. Ahora estaba sola, sin recibir ni una visita, semana tras bendita semana, ni siquiera la de Dora Shufflebotham, que durante tantos años le hiciera la limpieza. Dora había muerto en septiembre, que en paz descanse, de todos modos, es fantástico cómo se apaña el viejo loro a sus años, con tantas escaleras, desde luego quizá esté un poco chiflado pero hay que reconocer que estando tan solos más de cuatro perderían la chaveta.

Para Gibreel no hubo ni manguera ni *amonestación.* Rosa profirió unos reproches simbólicos, se tapó la nariz mientras examinaba al caído y sulfuroso Saladin (que todavía no se había quitado el sombrero hongo) y luego, con un acceso de timidez que percibió con nostálgico asombro, tartamudeó una invitación, vvale mmás que traiga a su ammmigo a la cccasa, que hace ffrío, y echó a andar sobre los guijarros, para poner agua a calentar, agradeciendo al cortante aire invernal que le enrojecía las mejillas, el disimulo de su rubor.

De joven, Saladin Chamcha tenía una cara de excepcional inocencia, una cara que no parecía haber topado con el desengaño ni con la maldad, de una piel tan suave y delicada como la mano de una princesa. Le había sido útil en sus tratos con las mujeres y, en realidad, fue una de las primeras razones que Pamela Lovelace, su futura esposa, adujo para enamorarse de él. «Tan redonda y angelical –se admiraba tomándola entre las manos–. Como una pelota de goma.»

Él se ofendió. «Tengo huesos –protestó–. *Estructura* ósea.»

«Sí, por ahí dentro estará –concedió ella–. Todos la tenemos.»

Después de que aquello y durante un tiempo, él no podía librarse de la idea de que tenía aspecto de medusa amorfa, y fue en buena medida para contrarrestar esta sensación por lo que decidió desarrollar aquella actitud estirada y altiva que ahora era como una segunda naturaleza. Por lo tanto, fue cuestión de cierta importancia cuando, al levantarse de un largo letargo, agitado por una serie de sueños intolerables entre los que destacaba la figura de Zeeny Vakil transformada en sirena que le cantaba desde un iceberg en tono de angustiosa dulzura, lamentando no poder reunirse con él en tierra firme, llamándole, llamándole; pero cuando él se acercó, ella lo encerró rápidamente en las entrañas de su montaña de hielo y su dulce canto se trocó en himno de triunfo y venganza... fue, como digo, algo serio cuando Saladin Chamcha, al despertar y mirarse en un espejo con marco de laca *Japonaiserie* azul y oro, vio reflejada en él la antigua cara angelical con un par de bultos en las sienes, alarmantes y descoloridos, señal de que durante sus recientes aventuras debía de haber recibido dos fuertes golpes.

Mientras miraba en el espejo su cara alterada, Chamcha trataba de acordarse de sí mismo. Soy un hombre de verdad, dijo al espejo, con una historia de verdad y un futuro bien trazado. Soy un hombre para el que ciertas cosas tienen importancia: el rigor, la autodisciplina, la razón, la búsqueda de lo noble sin recurso a la vieja muleta de Dios. El ideal de la belleza, la posibilidad de la exaltación, la mente. Yo soy: un hombre casado. Pero a pesar de su letanía, perversos pensamientos le visitaban con insistencia. Por ejemplo, el de que el mundo no existía más allá de aquella playa de allá fuera y, ahora, de esta casa. De que, si no tenía cuidado, si se precipitaba, caería por el borde a las nubes. Todas las cosas tenían que *hacerse.* O que: si llamaba a su casa, ahora mismo, como era su obligación, si informaba a su amante esposa de que no estaba muerto, de que no se había desintegrado en el aire sino que estaba aquí, en tierra firme, si realizaba ese acto eminentemente sensato, la persona que contestara al teléfono no reconocería su nombre. O, en tercer lugar: que el ruido de pasos que sonaba en sus oídos, unos pasos lejanos pero que se acercaban, no era una resonancia temporal causada por la caída sino el sonido de una catástrofe inminente que se acercaba letra a letra, eleoene deerreeese,

Londres. *Aquí estoy, en la casa de la abuela. La de ojos, manos, dientes grandes.*

Había un teléfono supletorio en su mesita de noche. Venga, se exhortó él. Descuelga, marca y tu equilibrio se restablecerá. Estos farfulleos no son propios ni dignos de ti. Piensa en su dolor; llámala ya.

Era de noche. Ignoraba la hora. En la habitación no había reloj y el suyo de pulsera había desaparecido durante los últimos acontecimientos. ¿Debía, no debía? Marcó las nueve cifras. A la cuarta llamada, le contestó una voz de hombre.

«¿Qué puñeta?» Soñolienta, inidentificable, familiar. «Perdón –dijo Saladin Chamcha–. Disculpe, me equivoqué de número.»

Se quedó mirando fijamente el teléfono mientras recordaba una comedia que había visto en Bombay, basada en un original inglés, una obra de, de, no daba con el nombre. ¿Tennyson? No, no. ¿Somerset Maugham? «A hacer puñetas.» En el original, ahora de autor anónimo, un hombre al que se creía muerto, regresa al cabo de muchos años de ausencia, como un fantasma viviente, a su mundo anterior. Visita la que fuera su casa, por la noche, subrepticiamente, y mira por una ventana abierta. Descubre que su esposa, que se creía viuda, ha vuelto a casarse. En el alféizar ve el juguete de un niño. Se queda un rato allí de pie, en la oscuridad, luchando con sus sentimientos; luego coge el juguete del alféizar y se marcha para siempre, sin delatar su presencia. En la versión india, el argumento había sido modificado un poco. La esposa se había casado con el mejor amigo de su marido. El marido regresa y entra en la casa, sin esperar nada. Al encontrar a su esposa y a su viejo amigo sentados juntos, no sospecha que se hayan casado. Da las gracias a su amigo por consolar a su esposa; pero él ya ha vuelto a casa y todo está bien. El matrimonio no sabe cómo decirle la verdad; al fin, es una criada la que aclara el tinglado. El marido, cuya larga ausencia se debió a un ataque de amnesia, al oír la noticia les anuncia que, seguramente, él también debe de haber vuelto a casarse durante su larga ausencia del hogar; desgraciadamente, sin embargo, ahora que ha recobrado el recuerdo de su vida anterior, ha olvidado lo ocurrido durante los años de su desaparición. Así que se dirige a la policía para que busque a su nueva esposa, a pesar de que no puede recordar nada de ella, ni sus ojos ni el mero hecho de su existencia.

Caía el telón.

Saladin Chamcha, solo, en un dormitorio desconocido, con un pijama extraño a rayas rojas y blancas, lloraba boca abajo en una cama estrecha. «Malditos sean todos los indios», gritaba ahogando la voz con la ropa de la cama, golpeando con los puños unas fundas de almohada de puntillas compradas en Harrod's de Buenos Aires, con tanto furor que la tela de cincuenta años quedó hecha trizas. «*Qué puñeta.* Pero qué ordinariez, qué *puta, puta* falta de delicadeza. *Qué puñeta.* Ese bastardo, esos bastardos, qué falta de bastardo gusto.»

Fue en aquel momento cuando llegó la policía que venía a arrestarle.

La noche después de recogerlos a los dos en la playa, Rosa Diamond estaba otra vez en la ventana nocturna de su insomnio de anciana, contemplando el mar de novecientos años. El que olía había estado durmiendo desde que lo acostaron rodeado de botellas de agua caliente, lo mejor que se podía hacer por él, a ver si recobraba la fuerza. Los había puesto a los dos en el piso de arriba, a Chamcha, en la habitación de los invitados, y a Gibreel, en el estudio de su difunto marido, y mientras contemplaba la inmensa y reluciente llanura del mar, podía oírle moverse allá arriba, entre los grabados ornitológicos y los silbatos de reclamo del difunto Henry Diamond, las bolas y el látigo y las fotografías aéreas de la estancia de Los Álamos, allá lejos, hacía ya tanto tiempo, pisadas de hombre en aquella habitación, qué tranquilidad. Farishta paseaba arriba y abajo, rehuyendo el sueño por sus propios motivos. Y, debajo de sus pisadas, Rosa miraba al techo y le llamaba en susurros con un nombre no pronunciado en mucho tiempo. Martín, decía. Y, de apellido, el nombre de la serpiente más venenosa de su país. La víbora *de la Cruz*.

Entonces vio los bultos que se movían por la playa, como si el nombre prohibido hubiera conjurado a los muertos. Otra vez no, pensó, y fue en busca de sus gemelos. Cuando volvió encontró la playa llena de sombras y esta vez se asustó, porque, mientras que la flota normanda, cuando llegaba navegaba ufana y abiertamente, sin recurso a subterfugios, aquellas sombras eran furtivas, emitían imprecaciones ahogadas y alarmantes, gañidos y ladridos sordos, parecían decapitadas, agazapadas, con brazos y piernas bamboleantes, como cangrejos gigantes sin caparazón. Se escurrían de costado y los guijarros rechinaban bajo pesadas botas. Había cantidad de ellas. Las vio llegar al cobertizo en cuya pared la figura descolorida de un pirata tuerto sonreía blandiendo un sable, y eso ya fue demasiado, *eso sí que no lo aguanto,* decidió ella, y bajó por la escalera dando traspiés en busca de ropa de abrigo y cogió el arma preferida de su castigo: un gran rollo de manguera verde. Desde la puerta de la casa gritó con voz clara: «Os veo perfectamente. Salid, salid, quienquiera que seáis.»

Ellos encendieron siete soles cegándola y entonces ella sintió pánico, iluminada por los siete focos azulados alrededor de los cuales, como luciérnagas o satélites, se movía una horda de luces más pequeñas: farolas linternas cigarrillos. Empezó a darle vueltas la cabeza y, por un momento, perdió la facultad de distinguir entre *entonces* y *ahora* y, en su consternación, empezó a decir «Apaguen esa luz, es que no saben que hay alarma aérea, como sigan así se nos van a echar encima los alemanes.» *Estoy desvariando*, descubrió ella con irritación, y golpeó el felpudo con el bastón. Y entonces, como por arte de magia, unos policías aparecieron en el deslumbrante círculo de luz.

Alguien había denunciado la presencia de una persona sospechosa en la playa, usted se acordará de cuando llegaban en barcos de pesca, los inmigrantes ilegales, y, gracias a aquella única llamada telefónica anónima, cincuenta y siete policías de uniforme peinaban ahora la playa, con linternas que oscilaban alocadamente en la oscuridad, agentes llegados de Hastings Eastbourne Bexhill-upon-Sea e, incluso, una delegación de Brighton, porque nadie quería perderse la diversión, la emoción de la caza. Cincuenta y siete agentes en una expedición playera, acompañados de trece perros que olfateaban el aire marino y levantaban la pata con alegría. Arriba, en la casa, lejos del pelotón de hombres y perros, Rosa Diamond miraba a los cinco agentes que guardaban las salidas, puerta principal, ventanas de la planta baja, la puerta del fregadero, por si el presunto maleante intentaba una presunta huida; y a los tres hombres de paisano, con americanas de paisano, sombreros de paisano y caras a juego; y, delante de todos, sin atreverse a mirarla a los ojos, el joven inspector Lime, que frotaba el suelo con las suelas de los zapatos, se tocaba la nariz y parecía más viejo y más colorado que lo que justificaban sus cuarenta años. Ella le apoyó la punta del bastón en el pecho, *a estas horas de la noche, Frank, qué es esto*, pero él no iba a consentir que ella le gritara, no esta noche, no con los de inmigración observando todos sus movimientos, de manera que se irguió y metió el doble mentón.

«Usted nos perdonará, Mrs. D... ciertas denuncias... informaciones que no han sido facilitadas... existen fundados motivos para creer... justifican la investigación... obligados a registrar su... obtenido el mandamiento.»

«No sea ridículo, Frank, amigo mío», empezó Rosa, pero en aquel momento los tres hombres con cara de paisano se irguieron como si se pusieran rígidos, con una pierna un poco levantada, como perros pointer; el primero empezó a lanzar un extraño siseo que parecía de placer, mientras que de los labios del segundo se escapaba un leve gemido y el tercero empezaba a poner los ojos en blanco con una curiosa expresión de contento. Luego, los tres señalaron al recibidor situado a la espalda de Rosa Diamond, iluminado por los focos, donde se hallaba Mr. Saladin Chamcha, sujetándose el pijama con la mano izquierda porque cuando se arrojó sobre la cama se le saltó un botón. Con la derecha, se frotaba un ojo.

«Bingo», dijo el del siseo, mientras que el del gemido juntó las manos debajo de la barbilla para indicar que sus oraciones habían sido escuchadas y el de los ojos en blanco pasó junto a Rosa Diamond sin más cumplidos que un: «Con su permiso, señora.»

Luego vino la inundación, y Rosa fue acorralada en un rincón de su propia sala de estar por aquel mar encrespado de cascos, de manera que no podía distinguir a Saladin Chamcha ni oír lo que decía. No le oyó explicar lo de la explosión del *Bostan*; es un error, gritaba él, yo no soy un inmigrante ilegal de los barcos de pesca, yo no soy uno de sus ugando-kenyatas. Los policías empezaban a sonreír, comprendo, señor, desde diez mil metros y luego nadó hasta la costa. Tiene derecho a guardar silencio, dijeron con voz temblorosa de regocijo, aunque enseguida estallaron en estruendosas carcajadas, vaya pájaro, desde luego. Pero Rosa no oía las protestas de Saladin, los policías que reían se lo impedían, tienen que creerme, soy ciudadano británico, con permiso de residencia, pero al no poder presentar pasaporte ni otro documento identificativo, ellos empezaron a partirse de risa, las lágrimas resbalaban por las caras pálidas de los policías de paisano del servicio de inmigración. Desde luego, ni que decir tiene, reían, los papeles se le cayeron del bolsillo durante la caída, ¿o a lo mejor las sirenas le birlaron la cartera en el fondo del mar? Rosa no podía ver, en aquel tumulto de hombres agitados por la risa y perros, lo que unos brazos de uniforme podían hacer a los brazos de Chamcha, ni unos puños a su estómago, ni unas botas a sus espinillas; ni podía estar segura de si eran gritos de él o ladridos de los perros. Por fin sí oyó su voz que se alzaba en un último grito desesperado. «¿Es que ninguno de ustedes ve la televisión? ¿No me conocen? Yo soy Maxim. Maxim Alien.»

«Desde luego –dijo el funcionario de los ojos en blanco–. Y yo, la Rana Kermit.»

Lo que Saladin Chamcha no dijo, ni siquiera cuando comprendió que se estaba cometiendo un grave error es: «Aquí tienen un número de Londres –omitió informar a los policías que le arrestaban–. Al otro extremo del hilo encontrarán a una persona que responderá por mí, que les confirmará que lo que les digo es cierto: mi encantadora esposa blanca e inglesa.» No, señor. *Qué puñeta.*

Rosa Diamond reunió energías. «Un momento, Frank Lime –dijo con voz sonora–. Un momento.» Pero los tres de paisano habían empezado otra vez su extraño número de siseo gemido ojos en blanco, en el súbito silencio de la habitación, el de los ojos en blanco señalaba a Chamcha con un dedo tembloroso diciendo: «Señora, si lo que quiere es una prueba, no encontrará otra mejor que *eso.*»

Saladin Chamcha, siguiendo la dirección del dedo

de ojos en blanco, levantó las manos a la frente y entonces comprendió que había despertado a la más espantosa de las pesadillas, una pesadilla que no había hecho más que empezar, porque allí, en sus sienes, desarrollándose por momentos y lo bastante agudos como para hacerle sangre, había dos cuernos nuevos, caprinos, incuestionables.

Antes de que la tropa de policías se llevaran a Saladin Chamcha a su nueva vida, hubo otro hecho inesperado. Gibreel Farishta, al ver el fuerte resplandor de las luces y oír la risa delirante de los funcionarios de la ley, bajó vestido con una chaqueta de esmoquin color burdeos y pantalón de montar, elegidos del guardarropa de Henry Diamond. Envuelto en un leve olor a bolas de naftalina, observaba los hechos desde el rellano del primer piso sin hacer comentarios. Permaneció allí sin que se advirtiera su presencia hasta que Chamcha, cuando iba a salir, esposado, hacia el furgón, descalzo y todavía sujetándose el pijama, lo vio y gritó: «Gibreel, por amor de Dios, diles lo que ha pasado.»

Siseo gemido ojos en blanco se volvieron rápidamente hacia Gibreel. «¿Y éste quién es? –preguntó el inspector Lime–. ¿Otro llovido del cielo?

Pero la voz se le extinguió en los labios porque en aquel momento se apagaron los focos, ya que se había dado la orden para ello cuando Chamcha fue esposado y reducido, y, al extinguirse los siete soles, todos pudieron ver que una pálida luz dorada emanaba del hombre del esmoquin, concretamente, de un punto situado inmediatamente detrás de su cabeza. El inspector Lime nunca mencionó aquel resplandor y, si le hubieran preguntado, habría negado haber visto en su vida semejante cosa, una aureola a finales del siglo veinte, pues no faltaba más.

Y cuando Gibreel preguntó: «¿Qué quieren estos hombres?», todos los presentes sintieron el deseo de contestar su pregunta sin omitir detalle, de revelarle sus secretos, como si él fuera, como si, pero no, es ridículo, ellos moverían la cabeza durante semanas, hasta que se convencieran de que hicieron lo que hicieron por motivos puramente lógicos, él era un viejo amigo de Mrs. Diamond, los dos habían encontrado al granuja de Chamcha medio ahogado en la playa y le habían amparado por razones humanitarias, no había por qué seguir molestando a Rosa ni a Mr. Farishta, imposible encontrar caballero de mejor aspecto, con su esmoquin y sus, en fin, la excentricidad nunca fue un crimen.

«Gibreel –dijo Saladin Chamcha–, socorro.»

Pero los ojos de Gibreel estaban fijos en Rosa Diamond. La contemplaba sin poder retirar de ella la mirada. Movió afirmativamente la cabeza y volvió al piso de arriba sin que nadie tratara de detenerle.

Cuando Chamcha llegó al furgón vio al traidor, Gibreel Farishta, mirándole desde el balconcito del dormitorio de Rosa, y no había luz alguna rodeando la cabeza del bastardo.

[illegible]

[illegible] que llevaba en el cántaro [illegible] hasta la canción dura en el círculo del [illegible] al avestar pensando una sola vez, metido en pena

2

Kan ma kan/Fi qadim azzaman... Tal vez sí o tal vez no, vivían en tiempos más allá de la memoria en la tierra de plata de la Argentina un tal don Enrique Diamond que sabía mucho de pájaros y poco de mujeres y Rosa, su esposa, que sabía poco de hombres pero mucho del amor. Y ocurrió que cierto día en que la señora había salido a montar, cabalgando a la amazona y tocada con un sombrero adornado con una pluma, llegó a las grandes puertas de piedra de la estancia Diamond que se alzaban, incongruentemente, en medio de la vacía pampa, dio con un avestruz que corría hacia ella tan aprisa como podía, pues corría para salvar el pellejo usando todas las mañas y fintas que podía imaginar, dado que el avestruz es un ave maula, difícil de cazar. Detrás del avestruz se movía una nube de polvo llena de los ruidos de hombres que cazan, y cuando el avestruz estuvo a dos metros de Rosa, la nube lanzó unas bolas que se enredaron en las patas del animal y lo hicieron caer al suelo, a los pies de la yegua torda. El hombre que echó pie a tierra para matar el ave no apartaba los ojos de la cara de Rosa. Sacó un cuchillo con puño de plata de una funda que llevaba en el cinturón y lo hundió hasta la empuñadura en el cuello del ave, sin mirar al avestruz agonizante ni una sola vez, mirando sin pestañear a los ojos de Rosa Diamond, mientras se arrodillaba en la vasta tierra amarilla. Aquel hombre se llamaba Martín de la Cruz.

Una vez que se llevaran a Chamcha, Gibreel Farishta se maravilló de su propio comportamiento. En aquel momento irreal en el que se sintió atrapado en los ojos de la anciana inglesa, le pareció que ya no regía en su voluntad, que otra persona había asumido el poder sobre ella. Debido a la índole desconcertante de los recientes acontecimientos así como a su decisión de permanecer despierto el mayor tiempo posible tardó varios días en relacionar aquellos hechos con el mundo tras sus párpados, y sólo entonces comprendió que tenía que marcharse, porque el universo de sus pesadillas empezaba a penetrar en su vigilia y, si no tenía cuidado, nunca conseguiría empezar otra vez, renacer con ella, a través de ella, de Alleluia, la mujer que había visto el techo del mundo.

Gibreel se sorprendió al darse cuenta de que no había intentado ponerse en contacto con Allie; ni ayudar a Chamcha en su momento de apuro. Ni se había alarmado ante la aparición de un par de hermosos cuernos nuevecitos en la cabeza de Saladin, circunstancia que, indudablemente, debiera haberle producido cierta preocupación. Debía de estar en una especie de trance, y cuando preguntó a la vieja lo que pensaba de todo aquello, ella sonrió de un modo extraño y le dijo que no había nada nuevo bajo el sol, que ella había visto cosas, apariciones de hombres con cascos cornudos, que en una tierra antigua como Inglaterra no cabían historias nuevas, que hasta la última brizna de hierba había sido pisada cien mil veces. Durante largos períodos del día su charla se hacía divagatoria y confusa, pero en otros momentos se empeñaba en prepararle grandes comilonas, pastel de carne, ruibarbo picado en una espesa crema, suculentos estofados y potajes. Y en todo momento mostraba una expresión de inexplicable alegría, como si la presencia de Gibreel le produjera una profunda e inesperada satisfacción. Él iba con ella al pueblo, de compras; la gente miraba; ella, indiferente, andaba agitando imperiosamente el bastón. Pasaban los días. Gibreel no se iba.

«¡Maldita abuela inglesa! –se decía–. Reliquia de una especie extinta. ¿Qué carajo hago yo aquí?» Pero se quedaba, sujeto por invisibles cadenas. Y ella, a la menor oportunidad, cantaba una vieja canción en español de la que él no entendía ni palabra. ¿Una especie de hechizo? ¿Era ella una anciana Morgan Le Fay que cantaba para atraer a su cueva de cristal a un joven Merlin? Gibreel iba hacia la puerta; Rosa se ponía a cantar; él se paraba. «¿Por qué no, al fin y al cabo? –se decía él encogiéndose de hombros–. La vieja necesita compañía. Grandeza venida a menos, ¡qué demonios! Hay que ver a lo que ha venido a dar. En cualquier caso, el reposo no me vendrá mal. Repondré fuerzas. Sólo un par de días.»

Al anochecer se sentaban en aquel salón repleto de adornos de plata entre los que figuraba un cuchillo con puño de ese metal, colocado debajo del busto de escayola de Henry Diamond que miraba desde lo alto de la vitrina del rincón, y cuando el reloj de madera daba las seis, él servía dos copas de jerez y ella se ponía a hablar, pero no sin antes decir, tan ineluctable como el propio reloj: *El tiempo siempre llega cuatro minutos tarde, tiene buenos modales, no le gusta ser demasiado puntual.* Y entonces ella empezaba, sin preocuparse del éraseunavez, y, tanto si era verdad como mentira, él podía advertir la fiera energía que ella ponía en el relato, las últimas desesperadas reservas de su voluntad que ella vertía en su historia, *el único tiempo feliz que yo recuerde* le dijo, de modo que él comprendía que aquel saco de retazos revuelto por la memoria era en realidad el corazón de la mujer, su autorretrato, la forma en que ella se miraba al espejo cuando estaba sola, y que aquella tierra plateada del pasado era su morada predilecta, no esta casa ruinosa en la que siempre estaba tropezando con los trastos –tirando mesitas o golpeándose con los picaportes–, llorando y exclamando: *Todo merma.*

Cuando, en 1935, Rosa zarpó para la Argentina, recién casada con el anglo-argentino don Enrique, de Los Álamos, él dijo eso es la pampa, señalando el océano. Sólo con mirarla no te percatas de lo grande que es. Tienes que recorrerla, sentir su inmutabilidad día tras día. Hay lugares en los que el viento es tan fuerte como un puño, pero completamente silencioso, te tira pero no oyes nada. Y es que no hay árboles: ni un ombú, ni un álamo, nada. Y, por cierto, mucho cuidado con las hojas del ombú. Veneno mortal. El viento no te mata, pero el jugo de las hojas, sí. Ella palmoteó como una niña. Vamos, vamos, Henry, vientos silenciosos, hojas venenosas. Haces que parezca un cuento de hadas. Henry, de cabello rubio, cuerpo blando, ojos grandes y mente lenta, la miró afligido. *Oh, no*, dijo. *Tampoco es tan malo.*

Ella llegó a aquella inmensidad cubierta por una infinita bóveda azul, porque Henry le hizo la pregunta trascendental y ella le dio la única respuesta que puede dar una soltera de cuarenta años. Pero, cuando llegó, se hizo a sí misma una pregunta más trascendental todavía: ¿de qué sería ella capaz en todo aquel espacio? ¿Hasta dónde le llegaría el coraje, cómo podría ella *extenderse*? Sería buena o mala, se decía, lo importante era ser *nueva*. Nuestro vecino, el doctor Jorge Babington, le contó a Gibreel, no me podía ver, comprende, me contaba cuentos de los ingleses en América del Sur, todos unos tipos de cuidado, decía con desdén, espías, bandidos y saqueadores. «¿Tan exóticos son en su fría Inglaterra?», le preguntaba y luego contestaba su propia pregunta: «No lo creo, señora. Apretujados en ese ataúd de isla, tienen que buscar más amplios horizontes para expresar su personalidad secreta.»

El secreto de Rosa Diamond era una capacidad de amor tan grande que nunca podría verse colmada por su pobre y prosaico Henry, eso era evidente, porque todo el romanticismo que cabía en aquel cuerpo fofo estaba reservado para los pájaros, halcones de pantano, vencejos, agachadizas. Él pasaba sus días más felices en un pequeño bote de remos, en las lagunas, entre los juncos, con los prismáticos en los ojos. Una vez, en el tren de Buenos Aires, avergonzó a Rosa al hacerle una demostración de sus cantos favoritos en el vagón restaurante, haciendo bocina con las manos: dormilón, ibis vandurria, trupial. ¿Por qué no puedes quererme a mí de esa manera?, deseaba preguntar ella, pero nunca se lo preguntó, porque para Henry ella era una buena chica, y la pasión era una extravagancia propia de otras razas. Ella se convirtió en el generalísimo de la estancia, y hacía lo que podía para sofocar los malos pensamientos y deseos. Se acostumbró a salir de noche a pasear por la pampa, y se tendía en el suelo para mirar la galaxia de lo alto y, a veces, bajo la influencia de aquel brillante aluvión de belleza, empezaba a temblar, a estremecerse de un profundo deleite y a tararear una música desconocida, y esta música estelar fue lo único que ella llegó a conocer del goce.

Gibreel Farishta: él sentía que los relatos de la mujer le envolvían como una telaraña reteniéndolo en aquel mundo perdido en el que *todas las noches se sentaban a la mesa cincuenta hombres, y qué hombres, nuestros gauchos, nada serviles, muy bravos y orgullosos, mucho. Puros carnívoros; puede verlo en las fotos.* Durante las largas noches de sus insomnios, ella le hablaba de la bruma de calor que se extendía por la pampa haciendo que los pocos árboles destacaran como islas y que un jinete pareciera un ser mitológico galopando por la superficie del océano. *Era como el fantasma del mar.* Ella le contaba historias de fuegos de campamento, como la del gaucho ateo que a la muerte de su madre, demostró que no existía el paraíso llamando a su espíritu todas las noches, siete noches seguidas. A la octava noche anunció que, evidentemente, ella no le había oído, o habría vuelto para consolar a su amado hijo; así que la muerte había de ser el fin de todo. Rosa le cautivaba con descripciones de los días en que llegaron los peronistas, con sus trajes blancos y su pelo engominado, y los peones los echaron, le contaba cómo los anglos construyeron los ferrocarriles para comunicar sus estancias, y los diques, también, la historia, por ejemplo, de su amiga Claudette, «una auténtica mujer fatal, amigo mío, que se casó con un ingeniero llamado Granger, desilusionando a la mitad del Hurlingham. Y se fueron a una presa que él construía y al día se enteraron de que los rebeldes iban a volarla. Granger se fue a proteger la presa llevando consigo a todos los hombres, y dejó a Claudette sola con la criada, y a que no lo adivina, a las pocas horas, la criada apareció corriendo, señora, en la puerta hay un hombre tan grande como una casa. ¿Y quién si no? Un capitán rebelde. "¿Y su esposo, madame?" "Esperándole en la presa, como es su obligación." "Entonces, puesto que él no ha creído oportuno protegerla, la revolución la protegerá." Y apostó centinelas en la puerta, amigo mío, ¿qué le parece? Pero en la lucha murieron los dos, marido y capitán, y Claudette se empeñó en que les hicieran un funeral conjunto, vio bajar a la fosa los dos ataúdes, uno junto al otro, y los lloró a los dos. Después de aquello todos supimos que era peligrosa, *trop fatale*, ¿eh? ¡Y cómo! *Trop fatale* hasta la médula.» En la singular historia de la bella Claudette, Gibreel oía la música de los propios anhelos de Rosa. En aquellos momentos la sorprendía mirándole por el rabillo del ojo y sentía un tirón en la región del ombligo, como si algo intentara salir. Entonces ella desviaba la mirada, y la sensación desaparecía. Quizá fuera sólo un efecto secundario de la tensión.

Una noche él le preguntó si había visto los cuernos que le habían salido a Chamcha en la cabeza, pero ella se quedó sorda y, en lugar de contestar, le explicó que solía sentarse en un taburete de lona, junto al galpón, o corral de los toros en Los Álamos, y los toros bravos se le acercaban y apoyaban la testuz en su regazo. Una tarde, una muchacha llamada Aurora del Sol, prometida de Martín de la Cruz, dejó caer un comentario impertinente: creí que sólo les hacían eso a las vírgenes, murmuró sonoramente a sus amigas que contenían la risa, y Rosa se volvió hacia ella con una dulce sonrisa y respondió: Entonces, querida, ¿te gustaría probar? Desde aquel día, Aurora del Sol, la mejor bailarina de la estancia y la más deseable de todas las criadas, se convirtió en enemiga mortal de la mujer del otro lado del mar, demasiado alta y demasiado huesuda.

«Usted es idéntico a él –dijo Rosa Diamond, mientras los dos estaban en su ventana nocturna, uno al lado del otro, mirando al mar–. Su doble, Martín de la Cruz.» Al oír el nombre del gaucho, Gibreel sintió un dolor tan fuerte en el ombligo, un tirón, como si alguien le clavara un garfio en el vientre, que de sus labios se escapó un grito. Rosa Diamond no pareció oírlo. «Mire –gritó muy contenta–. Mire allí.»

Corriendo por la playa a medianoche, en dirección a la torre Martello y la zona de acampada, por la misma orilla, de manera que la marea que estaba subiendo borraba sus huellas, zigzagueando y fintando, corría un avestruz adulto de tamaño natural. Huyó por la playa, y los ojos de Gibreel le siguieron, admirados, hasta que se perdió en la oscuridad.

Lo que vino después ocurrió en el pueblo. Habían ido a recoger un pastel y una botella de champán porque Rosa había recordado que aquel día cumplía ochenta y nueve años. Su familia había sido expulsada de su vida, por lo que no hubo tarjetas de felicitación ni llamadas telefónicas. Gibreel insistió en que había que celebrarlo, y le mostró el secreto que guardaba dentro de la camisa: un ancho cinturón lleno de libras esterlinas adquiridas en el mercado negro antes de salir de Bombay. «También, tarjetas de crédito en cantidad –dijo–. Yo no soy un indigente. Vamos, invito yo.» Ahora estaba tan hechizado por el embrujo narrativo de Rosa que de día en día olvidaba que tenía una vida a la que regresar, una mujer a la que sorprender con el simple hecho de estar vivo, y demás pensamientos por el estilo. Caminaba sumiso detrás de Mrs. Diamond, cargado con las bolsas de la compra.

Gibreel estaba esperando en una esquina mientras Rosa charlaba con el panadero cuando volvió a sentir el garfio en el vientre y se apoyó en una farola, jadeando. Oyó ruido de cascos y, por la esquina, vio llegar una carreta llena de gente joven vestida como para un baile de máscaras: los hombres con pantalón negro ceñido a la pantorrilla por botones de plata y camisa blanca abierta hasta casi la cintura, y las mujeres con anchas faldas de volantes de colores chillones, escarlata, esmeralda, oro. Cantaban en lengua extranjera, y su alegría hacía que la calle pareciera oscura y triste, pero Gibreel comprendió que allí ocurría algo extraño, porque en la calle nadie más parecía fijarse en el carro. Entonces Rosa salió de la pastelería con el paquete suspendido del dedo índice de la mano izquierda y exclamó: «Oh, ahí vienen ya para el baile. A menudo había bailes, ¿sabe? A ellos les gusta, lo llevan en la sangre.» Y, después de una pausa, agregó: «Fue en aquel baile cuando él mató al buitre.»

Fue el baile en el que un tal Juan Julia, apodado *El Buitre* por su cadavérico semblante, bebió demasiado e insultó el honor de Aurora del Sol, y no paró hasta que Martín no tuvo más remedio que pelear, eh, Martín, *por qué te gusta tanto follar con ésa. Yo creía que era muy sosa.* «Salgamos del baile», dijo Martín y, en la oscuridad, recortando sus siluetas contra el resplandor de los farolillos colgados de los árboles alrededor de la pista de baile, los dos hombres se envolvieron el antebrazo con el poncho, sacaron el cuchillo, dieron vueltas y lucharon. Juan murió. Martín de la Cruz tomó el sombrero del muerto y lo arrojó a los pies de Aurora del Sol. Ella recogió el sombrero y siguió con la mirada al hombre que se alejaba.

Rosa Diamond, a los ochenta y nueve años, con un vestido plateado ceñido al cuerpo, boquilla en una enguantada mano y un turbante de plata en la cabeza bebía gin-and-sin en una copa cónica verde y hablaba de los viejos buenos tiempos. «Quiero bailar –dijo de pronto–. Es mi cumpleaños y no he bailado jamás.»

El esfuerzo de aquella noche en la que Rosa y Gibreel bailaron hasta el amanecer resultó excesivo para la anciana, que al día siguiente cayó en cama con unas décimas de fiebre que indujeron nuevas apariciones delirantes: Gibreel vio a Martín de la Cruz y Aurora del Sol bailar flamenco en el tejado de dos aguas de la casa Diamond, y a peronistas vestidos de blanco que hablaban del futuro a una reunión de peones en el cobertizo: «Con Perón, estas tierras serán expropiadas y repartidas entre el pueblo. Los ferrocarriles ingleses también pasarán a ser propiedad del Estado. Vamos a echar a esos bandidos, a esos piratas...» El busto de escayola de Henry Diamond flotaba en el aire, observando la escena, y un agitador vestido de blanco gritó, señalándolo con el dedo: Ahí está vuestro opresor; ahí está el enemigo. A Gibreel le dolía tanto el vientre que temía por su vida, pero en el mismo instante en que su razón consideraba la posibilidad de una úlcera o una apendicitis, el resto de su cerebro le susurraba la verdad: que la voluntad de Rosa lo tenía prisionero y manipulado, del mismo modo que el ángel Gibreel había sido obligado a hablar por la irresistible necesidad de Mahound, el Profeta.

Se muere, pensó. *No durará mucho*. Rosa Diamond, revolviéndose en las garras de la fiebre, hablaba del veneno del ombú y de la antipatía de su vecino, el doctor Babington, que preguntó a Henry ¿su esposa es quizá lo bastante pacífica para la vida pastoril? Y (cuando ella se recuperó del tifus) le regaló un ejemplar de los relatos de los viajes de Américo Vespucio. «Este hombre era un gran fantasioso, desde luego –sonrió Babington–. Pero la fantasía puede ser más fuerte que los hechos; después de todo, le pusieron su nombre a un continente.» Cuanto más se debilitaba más energías vertía ella en sus sueños de la Argentina, y Gibreel sentía como si el ombligo le ardiera. Estaba caído en una butaca, al lado de la cama, y, según transcurrían las horas, se multiplicaban las apariciones. Llenaba el aire una música de instrumentos de viento de madera y, lo más maravilloso, muy cerca de la orilla, apareció una pequeña isla blanca que se mecía en las olas como una balsa; era tan blanca como la nieve, con una playa de arena blanca que se elevaba hasta un grupo de árboles albinos, blancos como la tiza, blancos como el papel hasta las puntas de las hojas.

Después de la aparición de la isla blanca, Gibreel cayó en un profundo letargo. Repantigado en la butaca del dormitorio de la moribunda, se le cerraban los párpados, sentía cómo el peso de su cuerpo aumentaba hasta que todo movimiento se hacía imposible. Entonces se veía en otra habitación, con pantalón negro con botones de plata en las pantorrillas y una gran hebilla en la cintura. «¿Me mandó usted llamar, don Enrique?», decía al hombre corpulento y fofo que tenía la cara blanca como un busto de escayola, pero él sabía quién le había mandado llamar, y no apartaba los ojos de la cara de la mujer, ni siquiera cuando la vio sonrojarse sobre el cuello de encaje fruncido.

Henry Diamond se negó a permitir a las autoridades que intervinieran en el asunto de Martín de la Cruz, *esta gente son responsabilidad mía*, dijo a Rosa, *es una cuestión de honor.* No contento con ello, se esforzaba por demostrar su confianza en el homicida De la Cruz, nombrándole por ejemplo, capitán del equipo de polo de la estancia. Pero don Enrique nunca volvió a ser el mismo después de que Martín matara a *El Buitre*. Cada vez se cansaba más y más y se le veía inquieto y distraído y hasta perdió el interés por los pájaros. Las cosas empezaron a decaer en Los Álamos, al principio de un modo imperceptible y más obvio luego. Volvieron los hombres del traje blanco y esta vez no fueron expulsados. Cuando Rosa Diamond contrajo el tifus, muchos en la estancia lo consideraron señal de la decadencia de la hacienda.

Qué hago yo aquí, pensó Gibreel vivamente alarmado, al verse en pie ante don Enrique, en el despacho del estanciero, mientras doña Rosa se sonrojaba en un segundo plano, *éste es el lugar de otra persona.* Gran confianza en ti –decía Henry, no en inglés, aunque Gibreel le entendía–. Mi esposa tiene que hacer una excursión en coche, aún está convaleciente, y tú la acompañarás... En Los Álamos hay responsabilidades que me impiden ir a mí. *Ahora tengo que hablar yo*, *pero qué digo*, y cuando abrió la boca salieron palabras extrañas, será un honor para mí, don Enrique, taconazo, media vuelta, mutis.

Rosa Diamond, con su debilidad de ochenta y nueve años, había empezado a soñar la más importante de sus historias guardadas durante más de medio siglo, y Gibreel iba a caballo detrás de su Hispano-Suiza, de estancia en estancia, por un bosque de arrayanes a los pies de la alta cordillera, llegando a fincas grotescas construidas al estilo de castillos escoceses o palacios indios, visitando las tierras de Mr. Cadwallader Evans, el de las siete esposas que estaban encantadas por tener sólo una noche de servicio a la semana, y los territorios del tristemente célebre MacSween, que se había enamorado de las ideas que llegaban a la Argentina desde Alemania y empezaba a hacer ondear del asta de su estancia una bandera roja en cuyo centro, dentro de un círculo blanco, bailaba una cruz negra y retorcida. Fue en la estancia de MacSween donde cruzaron la laguna y Rosa vio por primera vez la isla blanca de su destino, y se empeñó en almorzar allí, pero sin que la acompañaran ni la doncella ni el chófer, llevándose sólo a Martín de la Cruz para que remara y extendiera una manta escarlata en la arena blanca y le sirviera la carne y el vino.

Blanco como la nieve, rojo como la sangre y negro como el ébano. Cuando ella, con su falda negra y su blusa blanca, se hallaba sentada sobre el escarlata que, a su vez, estaba extendido sobre el blanco, y él (también de blanco y negro) echaba vino rojo en una copa que ella sostenía con su mano enguantada en blanco, entonces, para asombro de sí mismo, él, *maldición y condenación*, él le tomó la mano y empezó a besarla, algo ocurrió, la escena se difuminó y al minuto estaban tendidos en la manta escarlata, rodando sobre los quesos, los fiambres y las ensaladas y patés, que quedaron aplastados bajo el peso de su deseo, y cuando volvieron al Hispano-Suiza fue imposible ocultar nada al chófer y a la doncella, por las manchas de comida de sus ropas; pero al minuto siguiente ella se apartaba de él no con crueldad sino con tristeza, retirando la mano y moviendo ligeramente la cabeza, *no*, y él de pie, se inclinaba y retrocedía, dejándola con la virtud y el almuerzo intactos, las dos posibilidades se alternaban mientras Rosa se moría dando vueltas en la cama, ¿lo hizo, no lo hizo?, elaborando la última versión de la historia de su vida, incapaz de decidir cuál de las dos quería que fuera cierta.

Me vuelvo loco, pensaba Gibreel. *Ella se muere, pero yo pierdo el juicio*. Había salido la luna y la respiración de Rosa era el único sonido de la habitación: roncaba al inhalar y al exhalar el aire penosamente, con tenues gruñidos. Gibreel trató de levantarse de la butaca y descubrió que le era imposible. Incluso en aquellos intervalos entre visiones, su cuerpo seguía siendo increíblemente pesado. Como si tuviera un pedrusco en el pecho. Y las imágenes, cuando llegaban, seguían siendo confusas, de manera que en un momento estaba en un granero de Los Álamos con ella en brazos, que susurraba su nombre una y otra vez, *Martín de la Cruz*, y al momento siguiente ella le trataba con indiferencia ante los ojos atentos de una cierta Aurora del Sol, de manera que no era posible distinguir el recuerdo del deseo, ni las rememoranzas culpables de las verdades confesables, porque ni en su lecho de muerte Rosa Diamond sabía cómo mirar cara a cara su pasado.

La luna entraba en la habitación. Cuando dio a Rosa en la cara, parecía que la atravesaba, y Gibreel incluso empezaba a distinguir el dibujo del encaje de la almohada. Entonces vio a don Enrique y a su amigo, el puritano y reluctante doctor Babington, de pie en el balcón, tan sólidos como te venga en gana. Gibreel creyó advertir que a medida que las apariciones ganaban nitidez, Rosa quedaba más y más desdibujada, diluyéndose como si se intercambiara con los fantasmas. Y, puesto que él también había comprendido que las manifestaciones dependían de él, de aquel dolor de su vientre, del peso de la piedra en su pecho, empezó a temer por su propia vida.

«Querías que falsificara el certificado de defunción de Juan Julia –decía el doctor Babington–. Lo hice por nuestra amistad. Pero hice mal y ahora veo el resultado. Has amparado a un homicida y quizá es tu propia conciencia la que te consume. Vuelve a casa, Enrique, vuelve a casa, y llévate a esa mujer tuya, antes de que ocurra algo peor.»

«Ésta es mi casa –dijo Henry Diamond–. Y no me gusta que hables de mi esposa en ese tono.»

«Allá donde los ingleses se instalen, nunca salen de Inglaterra –dijo el doctor Babington, mientras se deshacía en el claro de luna–. A no ser que, como doña Rosa, se enamoren.»

Una nube atravesó la luna y, ahora que el balcón quedó vacío, Gibreel Farishta consiguió por fin dejar la butaca y ponerse de pie. Caminar era como arrastrar por el suelo una bola y una cadena, pero llegó a la ventana. En todas las direcciones y hasta donde alcanzaba la vista, había unos cardos gigantes que se mecían en la brisa. Donde antes estuviera el mar había ahora un océano de cardos que llegaba hasta el horizonte, tan altos como un hombre. Entonces Gibreel oyó la voz incorpórea del doctor Babington que murmuraba a su oído: «La primera plaga de cardos en cincuenta años. Al parecer, el pasado vuelve.» Vio a una mujer correr entre la espesa maleza, descalza, con el negro pelo suelto. «Lo hizo ella –la voz de Rosa dijo claramente a su espalda–. Después de engañarle con *El Buitre* y de convertirle en asesino. Él no quería ni mirarla después de aquello. Oh, es muy peligrosa esa mujer. Mucho.» Gibreel perdió a Aurora del Sol entre los cardos; un espejismo borró al otro.

Sintió que algo le agarraba por la espalda, le hacía girar y lo tumbaba de espaldas. Allí no había nadie, pero Rosa Diamond estaba sentada en la cama, muy erguida, mirándole con ojos muy abiertos, haciéndole comprender que había abandonado la esperanza de aferrarse a la vida y que le necesitaba para ayudarle a completar la última revelación. Como le ocurriera con el negociante de su sueño, él se sentía inerme, ignorante... ella, sin embargo, parecía saber cómo extraer imágenes de él. Él vio un brillante cordón que los unía ombligo con ombligo.

Él estaba ahora al lado de un estanque en la inmensidad de los cardos, abrevando el caballo, y ella llegaba cabalgando en su yegua. Ahora él la abrazaba, le quitaba la ropa y le soltaba el pelo, y luego yacían juntos. Ella le susurraba cómo es posible que te guste si soy mucho más vieja que tú y él le decía palabras tranquilizadoras.

Ahora ella se levantaba, se vestía y se alejaba en su yegua, y él se quedaba allí, con el cuerpo lánguido y caliente, sin advertir que una mano de mujer salía de los cardos y agarraba el cuchillo con empuñadura de plata.

¡No! ¡No! ¡Así no!

Ahora ella llegaba cabalgando hasta la orilla del estanque y en el momento en que desmontaba, mirándole nerviosamente, él se abalanzaba sobre ella, le decía que no podía seguir soportando su desprecio y caían juntos al suelo, ella gritaba, él le arrancaba la ropa, y las manos de ella, que le arañaban, tropezaban con el mango del cuchillo.

¡No! ¡No, nunca, no! Así, ¡sí!

Ahora los dos hacían tiernamente el amor, con muchas caricias lentas; y un tercer jinete entraba entonces en el claro junto al estanque, y los amantes se separaban; y entonces don Enrique sacaba su pequeña pistola y apuntaba al corazón de su rival,

y él sentía que Aurora le clavaba el cuchillo en el

corazón, una y otra vez, ésta por Juan y ésta por dejarme, y ésta por tu distinguida puta inglesa,

y él sentía en el corazón el cuchillo de su víctima que Rosa le clavaba una vez y otra, y otra,

y después de que la bala de Henry le matara, el inglés tomaba el cuchillo del muerto y se lo clavaba muchas veces en la herida sangrante.

Entonces, Gibreel, con un alarido, perdió el conocimiento.

Cuando volvió en sí, la anciana de la cama hablaba consigo misma en una voz tan débil que él casi no podía discernir las palabras. «Llegó el pampero, el viento del sudoeste, que doblaba los cardos. Fue cuando lo encontraron, o quizá antes.» Lo último de la historia. Cómo Aurora del Sol escupió a la cara a Rosa Diamond en el funeral de Martín de la Cruz. Cómo se acordó que nadie fuera acusado del asesinato, a condición de que don Enrique se llevara cuanto antes a doña Rosa a Inglaterra. Cómo subieron al tren en la estación de Los Álamos y los hombres del traje blanco en el andén con sus sombreros borsalino para asegurarse de que se marchaban. Cómo, una vez puesto en marcha el tren, Rosa Diamond abrió el neceser en el asiento y dijo desafiante: *Me he llevado una cosa, un pequeño recuerdo*. Y de un hato sacó un cuchillo de gaucho con empuñadura de plata.

«Henry murió durante el primer invierno de nuestro regreso. Después no ocurrió nada más. La guerra. El fin. –Hizo una pausa–. Tener que reducirse a esto, habiendo conocido aquella inmensidad. No se soporta. –Y, después de otro silencio–: Todo merma.»

El claro de luna fluctuó, y Gibreel sintió que le quitaban un peso de encima, tan repentinamente que le dio la impresión de que se elevaría hasta el techo. Rosa Diamond yacía quieta, con los ojos cerrados y los brazos descansando en la colcha de retazos. Estaba *normal*. Gibreel comprendió que ya nada le impediría salir por la puerta.

Bajó por las escaleras cuidadosamente, con las piernas todavía un poco inseguras; encontró una pesada gabardina de Henry Diamond y un sombrero flexible de fieltro gris, dentro del cual el nombre de don Enrique había sido bordado por la mano de su esposa, y salió sin mirar atrás. En cuanto cruzó el umbral, el viento le arrancó el sombrero y se lo llevó rodando por la playa. Corrió tras él, lo cogió y se lo encasquetó. *Londres, shareef, allá voy.* Tenía la ciudad en el bolsillo: Geographers' London, la guía de la metrópoli, muy sobada, de la A a la Z.

¿Qué hago?, pensaba. *¿Llamo o no llamo? No; me presento sin más, toco el timbre y digo nena, tu sueño se ha hecho realidad, del lecho marino a tu lecho, hace falta algo más que una catástrofe aérea para mantenerme lejos de ti... Bueno, quizá no exactamente así sino algo por el estilo. Sí. La sorpresa es la mejor táctica. Allie Bibi, ay de ti.*

Entonces oyó el canto. Venía del cobertizo del pirata tuerto pintado en la pared, y la canción era extraña pero familiar: era una canción que Rosa Diamond tarareaba con frecuencia, y la voz también era familiar, aunque un poco diferente, menos temblona; *más joven.* Inexplicablemente, la puerta del cobertizo estaba abierta y el viento la batía. Él fue hacia la canción.

«Quítate la gabardina», dijo. Ella vestía como el día de la isla blanca: falda y botas negras y blusa de seda blanca, sin sombrero. Él extendió la gabardina en el suelo del cobertizo. Su forro escarlata relucía en aquel pequeño espacio iluminado por el claro de luna. Ella se tendió entre el revoltijo de una vida inglesa, palos de críquet, una pantalla amarillenta, jarrones desportillados, una mesita plegable, baúles, y extendió un brazo hacia él. Él se tendió a su lado.

«¿Cómo puedo gustarte? –murmuró–. Soy mucho mayor que tú.»

3

Cuando le quitaron el pijama en el furgón sin ventanas de la policía, y vio el vello espeso y rizado que le cubría los muslos, Saladin Chamcha se derrumbó por segunda vez aquella noche; pero ahora empezó a reír histéricamente, contagiado quizá por la persistente hilaridad de sus captores. Los tres funcionarios de inmigración estaban muy animados, y fue uno de ellos –el tipo que ponía los ojos en blanco y que resultó llamarse Stein– quien «desenfundó» a Saladin al grito de «¡Hora de abrir los regalos, "paki"; vamos a ver de qué estás hecho!» Arrancaron las rayas rojas y blancas a Chamcha que protestaba tirado en el suelo del furgón con dos gruesos policías sujetándole cada brazo y la bota de un quinto agente firmemente plantada en el pecho, pero sus protestas quedaron ahogadas por la festiva algarabía. Sus cuernos tropezaban con las cosas, las paredes y el suelo desnudo del furgón o la espinilla de un policía –en cuyo caso era sacudido contundentemente por el agente de la ley, comprensiblemente furioso– y estaba, en suma, de un humor más negro que nunca en la vida. No obstante, al ver lo que había debajo del pijama prestado, no pudo impedir que una risita de incredulidad se le escapara entre los dientes.

Sus muslos se habían vuelto mucho más anchos y

robustos, además de peludos. Debajo de las rodillas terminaba el vello y sus piernas se afinaban en unas pantorrillas duras y casi descarnadas, rematadas por un par de relucientes pezuñas hendidas como las de cualquier carnero. Saladin también quedó asombrado al ver el falo, considerablemente aumentado y bochornosamente erecto, un órgano que no pudo reconocer como propio sino con gran dificultad. «¿Y qué es esto? –bromeó Novak, anteriormente llamado "Siseos", dándole un pellizquito–. ¿Te gusta alguno de nosotros?» A lo que «Gemidos», el funcionario de inmigración Joe Bruno, se descargó una palmada en un muslo, dio a Novak un codazo en el costado y gritó: «Na, no es eso. Es que, por fin, le hemos cabreado.» «¡Ya lo pesqué!», gritó Novak mientras accidentalmente golpeaba con el puño los desarrollados testículos de Saladin. «¡Je! ¡Je! –gargarizó Stein con lágrimas en los ojos–. Ésta es todavía mejor... ¡No es de extrañar que esté tan jodidamente cachondo!»

A lo que los tres, repitiendo muchas veces «Cabreado... cachondo...», se abrazaron dando alaridos de risa. Chamcha quería decir algo, pero temía averiguar que su voz se había transformado en balido y, además, la bota del agente le oprimía el pecho con más fuerza que nunca y le costaba trabajo articular palabra. Lo que desconcertaba a Chamcha era que una circunstancia que le parecía totalmente insólita y sin precedentes –es decir, su metamorfosis en criatura sobrenatural– fuera tratada por los demás como lo más trivial y normal que pudieran imaginar. «Esto no es Inglaterra», pensó y no por primera ni por última vez. ¿Cómo podía ser, después de todo; dónde, en aquel país moderado y lleno de sentido común, cabía un furgón como aquél, en cuyo interior semejantes hechos podían ser tratados como cosas plausibles? Se sentía impulsado hacia la conclusión de que, en realidad, había muerto cuando el avión estalló, y todo lo que había seguido era una especie de más allá. En tal caso, su rechazo de tantos años de la vida eterna empezaba a resultar bastante ridículo. Pero ¿dónde, en todo esto, había un atisbo de un Ser Supremo, ya fuera benévolo o maligno? ¿Por qué el purgatorio, o el infierno, o lo que fuera este lugar, se parecía tanto a aquel Sussex de premios y hadas que todo colegial conocía? Quizá, pensó, no había muerto en la catástrofe del *Bostan* sino que se encontraba gravemente enfermo en algún hospital, y padecía delirios. Esta explicación le resultaba simpática, especialmente porque restaba significado a cierta llamada telefónica nocturna y a una voz masculina que trataba inútilmente de olvidar... Sintió un fuerte puntapié en las costillas, lo bastante doloroso y real como para hacerle dudar de la verdad de tales teorías alucinantes. Concentró su atención en el presente, un presente en el que figuraba un furgón de policía que contenía tres funcionarios de inmigración y cinco policías y que, por lo menos de momento, era todo el universo que le era dado. Un universo de miedo.

Novak y los demás se dejaron de bromas. «Animal», le insultó Stein administrándole una serie de puntapiés, y Bruno se sumó a él: «Todos sois iguales. No se puede esperar que los animales observen normas civilizadas. ¿Eh?» Y Novak tomó el hilo: «Estamos hablando de jodida higiene personal, jodido enano.»

Chamcha estaba perplejo. Entonces observó que en el suelo del furgón había aparecido un gran número de cositas blandas y redondas. Se sintió mortificado y lleno de vergüenza. Al parecer, hasta sus procesos naturales eran caprinos. ¡Qué humillación! ¡Él, que era –que tanto se había esforzado en ser– un hombre refinado! Semejante degradación podía ser propia de la chusma de las aldeas de Sylhet o de los talleres de reparación de bicicletas de Gujranwala, pero él era de otra índole.

«Miren ustedes, señores míos –empezó tratando de adoptar un tono de autoridad bastante difícil de conseguir en aquella postura tan poco digna, tendido de espaldas y abierto de pezuñas, rodeado por las bolitas de su propio excremento–, señores míos, les conviene reparar su error antes de que sea tarde.»

Novak puso una mano detrás de la oreja. «¿Qué ha sido ese ruido?», preguntó, mirando en derredor, y Stein dijo: «A mí que me registren.» «Ha sonado así –describió Joe Bruno que, haciendo bocina con las manos, bramó–: ¡Maa-aa-aa!» Entonces los tres volvieron a reír, de manera que Saladin no pudo saber si estaban insultándole o si sus cuerdas vocales habían sido infectadas, como temía él, por aquella macabra demoniasis que le había acometido sin el menor aviso. Estaba tiritando otra vez. La noche era muy fría.

El funcionario Stein, que parecía ser el jefe de la trinidad o, por lo menos, *primus inter pares*, volvió bruscamente al tema de las bolitas que rodaban por el suelo del furgón. «En este país –informó a Saladin–, cada cual limpia lo que ensucia.»

El policía dejó de mantenerle echado y tiró de él obligándole a arrodillarse. «Eso es –dijo Novak–. Límpialo.» Joe Bruno puso una manaza en la nuca de Chamcha y le empujó la cabeza hacia el suelo. «Empieza –dijo con tono coloquial–. Cuanto antes empieces, antes acabarás.»

Mientras realizaba (por no tener alternativa) el ritual último y más inmundo de su injustificada humillación –o, dicho con otras palabras, mientras las circunstancias de su vida milagrosamente salvada se hacían más infernales y escandalosas–, Saladin Chamcha empezó a advertir que los tres funcionarios de inmigración ya no se conducían de un modo tan extraño como al principio.

En primer lugar, ya no se parecían entre sí en nada. El oficial Stein, a quien sus colegas llamaban «Mack» o «Jockey», resultó un hombre corpulento con una narizota en forma de montaña rusa y un acento exageradamente escocés. «Así se hace –observó con aprobación mientras Chamcha masticaba tristemente–. ¿Actor has dicho? A mí me gusta ver la función de un buen cómico.»

Este comentario indujo al oficial Novak –es decir, Kim–, que había adquirido una coloración alarmantemente pálida, una cara ascética y delgada que recordaba un icono medieval, y un pliegue en el entrecejo que sugería un intenso tormento interior, a lanzar una breve perorata sobre los artistas de las series de telefilmes y presentadores de concursos de televisión que más le gustaban, mientras que el oficial Bruno, que, según observó Chamcha con cierta sorpresa, se había transformado en un sujeto extraordinariamente bien parecido, con el pelo brillante y engominado, peinado con raya en medio y una barba rubia que contrastaba dramáticamente con el tono más oscuro del cabello, Bruno, el más joven de los tres, preguntó lascivamente qué había de las mujeres, que eso era lo bueno. Este nuevo enfoque animó a los tres a rivalizar en la narración de anécdotas de la más diversa especie que dejaban sin terminar, cuajadas de frases de doble significado, pero cuando los cinco policías trataron de meter baza, los tres funcionarios cerraron filas, adoptaron un aire severo y pusieron a los policías en su lugar. «Los niños –les reprendió Mr. Stein– son para que se les vea y no para que se les oiga.»

A esas alturas Chamcha sufría violentas arcadas provocadas por su comida y trataba de no vomitar, pues sabía que tal error no haría sino prolongar sus desdichas. Gateaba por el suelo del furgón, buscando las bolitas de su tortura que rodaban de un lado al otro, y los policías, que necesitaban una válvula de escape para la frustración engendrada por el rapapolvo del oficial de inmigración, empezaron a insultar rotundamente a Saladin y a tirar del pelo de sus ancas para aumentar su incomodidad y su bochorno. Luego, los cinco policías, con acento desafiante, iniciaron su propia versión de la conversación de los funcionarios de inmigración, y se pusieron a analizar los méritos de diversas artistas de cine, jugadores de dardos, luchadores profesionales y similares; pero, dado que la arrogancia de Jockey Stein les había puesto de mal humor, no conseguían mantener el tono abstracto e intelectual de sus superiores y empezaron a discutir sobre los relativos méritos del equipo del Tottenham Hotspur que consiguió el «doblete» en los años sesenta y el poderoso Liverpool de la actualidad, conversación en la que los partidarios del Liverpool provocaron a los *fans* del Tottenham diciendo que el gran Danny Blanchflower era un jugador «de lujo», un dulce de crema, flor por el apellido y por naturaleza, a lo que la afición ofendida respondió gritando que, en el Liverpool, los sarasas eran los seguidores, que los del Tottenham podían despedazarlos con los brazos atados a la espalda. Desde luego, todos los policías estaban familiarizados con las técnicas de los *hooligans* futboleros, ya que habían pasado muchos sábados de espaldas al campo, vigilando a los espectadores en los diversos estadios del país, y a medida que la discusión se acaloraba, llegaron al extremo de desear demostrar a sus colegas oponentes exactamente lo que quería decir aquello de «despedazar», «zumbar», «embotellar» y demás. Los coléricos bandos se miraban con ojos llameantes y de repente, todos a la vez, se volvieron contra la persona de Saladin Chamcha. Bien, el barullo en el furgón aquel era cada vez mayor –y es cierto que Chamcha era en parte responsable, pues había empezado chillando como un cerdo– y los jóvenes *bobbies* pateaban y sacudían diversas partes de su anatomía utilizándolo al mismo tiempo de conejo de Indias y de válvula de escape, procurando, eso sí, a pesar de su excitación, limitar los golpes a las partes más blandas y carnosas, a fin de reducir al mínimo el riesgo de fracturas y hematomas; y cuando Jockey, Kim y Joey vieron lo que hacían sus subordinados, optaron por la tolerancia porque hay que dejar que los chicos se diviertan.

Además, aquella conversación acerca del espectáculo indujo a Stein, Bruno y Novak al examen de asuntos de más trascendencia y ahora, con expresión solemne y voces graves, hablaban de la necesidad, en este día y época, de aumentar la observación, no simplemente en el sentido de «mirar», sino en el de «vigilar». La experiencia de los jóvenes policías era extraordinariamente importante, declaró Stein: mirar al público, no al juego. «La vigilancia permanente es el precio de la libertad», proclamó.

«Eech –gritó Chamcha, incapaz de evitar la interrupción–. Aaaj, unnnch, ouoooo.»

Al cabo de un rato invadió a Saladin una extraña abulia. No tenía la menor idea de cuánto tiempo llevaban viajando en el furgón de sus desdichas, ni hubiera podido aventurar una suposición acerca de la proximidad de su destino, a pesar de que en sus oídos repicaba con más y más fuerza el sonsonete de eleoene, deerreeese, Londres. Los golpes que llovían sobre él los sentía dulces como caricias de enamorada; la grotesca visión de su cuerpo transformado ya no le horrorizaba; incluso las últimas bolitas de cabra habían dejado de remover su muy trastornado estómago. Aturdido, se acurrucó en su pequeño mundo, tratando de hacerse lo más pequeño posible, con la esperanza de que al fin conseguiría desaparecer del todo y así recobrar la libertad.

La conversación acerca de técnicas de vigilancia había reunido a funcionarios de inmigración y policías, limando la aspereza de las palabras de severa reprimenda de Stein. Chamcha, el insecto en el suelo del furgón, oía cómo a través de un auricular telefónico, las distantes voces de sus captores que hablaban animadamente de la necesidad de aumentar el material de vídeo en los espectáculos públicos y de las ventajas de la informática y, lo que parecía ser una contradicción, de la eficacia de dar un pienso enriquecido a los caballos de la policía la noche antes de un partido importante, porque cuando los desarreglos digestivos de la caballería rociaban de mierda a las masas siempre las provocaban a la violencia, y *entonces nosotros podemos entrar a discreción.* Chamcha, incapaz de hacer que aquel universo de telefilmes, partidodelajornada, policías y ladrones formara un conjunto coherente, cerró los oídos a la cháchara y escuchó los pasos que resonaban en sus oídos.

Entonces saltó la chispa.

«¡Pregunten al ordenador!»

Tres funcionarios de inmigración enmudecieron cuando la hedionda criatura se irguió y les chilló. «¿Qué dice? –preguntó el más joven de los policías, uno de los hinchas del Tottenham por cierto, con aire dubitativo–. ¿Le atizo?»

«Yo me llamo Salahuddin Chamchawala, nombre artístico Saladin Chamcha –gimió el semichivo–. Soy miembro de Actor's Equity, la Asociación Automovilística y el club Garrick. El número de matrícula de mi coche es talytal. Pregunten al ordenador. Por favor.»

«¿A quién se la quieres dar? –preguntó uno de los hinchas del Liverpool, aunque también parecía inseguro–. Mírate, tú eres un "paki" de mierda. ¿Sally-qué? ¿qué nombre es ése para un inglés?»

Chamcha encontró en algún sitio un punto de indignación. «¿Y ellos? –preguntó señalando con un movimiento de cabeza a los funcionarios de inmigración–. Por el nombre no me parecen muy anglosajones.»

Durante un momento dio la impresión que todos iban a echársele encima y descuartizarlo por su temeridad, pero al fin el oficial Novak, cara de calavera, se limitó a darle varios cachetes mientras respondía: «Yo soy de Weybridge, capullo. Fíjate bien: *Weybridge*, donde vivían los jodidos Beatles.»

«Más vale que lo comprobemos», dijo Stein. Tres minutos y medio después, el furgón se detenía y los tres funcionarios de inmigración, los cinco agentes de policía y un conductor celebraban una conferencia de urgencia –*estamos hasta las cejas de mierda*– y Chamcha observó que los nueve volvían a parecerse, que la tensión y el miedo los igualaban. No tardó en entender que la llamada al Ordenador Central de la Policía, que rápidamente lo había identificado como Ciudadano Británico de Primera, lejos de mejorar su situación, le colocaba en una circunstancia más peligrosa todavía.

«Podríamos decir que lo encontramos en la playa, sin sentido», sugirió uno de los nueve. «No vale –fue la respuesta–, a causa de la vieja y el fulano.» «Bien, pues se resistió al arresto, se puso violento y, en el altercado, se desmayó.» «O la vieja chocheaba y no había manera de entenderla y el otro tío, comosellame, no dijo ni mu, y en cuanto a este fulano, no hay más que verlo, parece el mismísimo diablo, ¿qué podíamos pensar?» «Y entonces va y se nos desmaya, de manera que qué podíamos hacer, pregunto yo, Señoría, sino llevarlo a la enfermería del Centro de Detenidos para que lo atendieran y tuvieran en observación e interrogaran, según las normas en estos casos. ¿Qué os parece algo así?» «Somos nueve contra uno, pero la vieja y el otro fulano pueden joderlo todo.» «Mira, luego lo pensamos, ahora lo primero, insisto, es dejarlo inconsciente.» «De acuerdo.»

Chamcha despertó en una cama de hospital echando una especie de lodo verde de los pulmones. Sentía los huesos como si alguien se los hubiera metido en un frigorífico durante largo tiempo. Empezó a toser y, cuando se le pasó la tos, al cabo de diecinueve minutos y medio, volvió a aletargarse, sin haber reparado en ningún detalle de su actual paradero. Cuando regresó de nuevo a la superficie, una cara de mujer le miraba cordialmente con una sonrisa de aliento. «Pronto estará bien –dijo dándole una palmada en un hombro–. Un poco de pulmonía y nada más. –Se presentó, era Hyacinth Phillis, su fisioterapeuta. Y agregó–: Yo nunca juzgo a las personas por su aspecto. No, señor. No vaya usted a creer.»

Con estas palabras le puso de lado, le colocó una cajita de cartón al lado de la boca, se levantó la bata blanca, se quitó los zapatos y de un atlético salto se subió a la cama, a horcajadas de Chamcha, como si él fuera un caballo y ella pensara hacerle cruzar los biombos que rodeaban su cama para llevarlo por sabe Dios qué paisajes encantados. «Órdenes del doctor –explicó ella–. Sesiones de treinta minutos, dos veces al día.» Sin más preámbulos empezó a sacudirle el tórax con puños no demasiado fuertes pero evidentemente, expertos.

Para el pobre Saladin, con la paliza del furgón tan reciente, este nuevo asalto fue la gota que hace rebosar el vaso. Empezó a luchar bajo los puños de la enfermera, gritando: «Quiero salir de aquí. ¿Han avisado a mi esposa?» El esfuerzo de los gritos le provocó otro acceso de tos que le duró diecisiete minutos y tres cuartos y le valió un rapapolvo de Hyacinth, la fisioterapeuta: «Me hace perder el tiempo –le dijo–. Ahora ya tendría que haber terminado con su pulmón derecho y no he hecho más que empezar. ¿Va a portarse bien o no?» Seguía en la cama montada sobre él, saltando con las convulsiones de su cuerpo, como un jinete de rodeo que espera la campana que anuncia los nueve segundos. Él dejó de resistirse, derrotado, y consintió que ella le extrajera, a golpes, el fluido verde de sus inflamados pulmones. Cuando hubo terminado, se vio obligado a reconocer que se sentía mucho mejor. Ella retiró la cajita que estaba medio llena de lodo y dijo alegremente: «Dentro de nada estará como nuevo, otra vez sobre sus pies. –Entonces se sonrojó y se disculpó–. Ay, *perdone*» y salió huyendo, sin acordarse de correr los biombos.

«Es el momento de considerar la situación», se dijo él. Un rápido examen físico le informó de que su nueva condición persistía. Ello le entristeció, y entonces advirtió que había alimentado la esperanza de que la pesadilla terminara con el sueño. Ahora llevaba otro pijama, éste verde manzana, liso, a juego con la tela de los biombos y lo que podía ver de las paredes de aquel misterioso y anónimo pabellón. Sus piernas terminaban todavía en aquellas lamentables pezuñas, y los cuernos de su frente eran tan agudos como antes... Fue a distraerle de este triste inventario la voz de un hombre que gritaba muy cerca con una aflicción que partía el corazón: «¡Oh, cómo sufre este pobre cuerpo!»

«¿Qué diablos?», pensó Chamcha, y decidió investigar. Pero ahora se percataba de otros muchos sonidos, tan alarmantes como el primero. Le parecía oír toda clase de ruidos animales: mugidos de bueyes, chillidos de monos, incluso el parloteo de loros o periquitos. Luego, en otra dirección, oyó a una mujer que profería gruñidos y gritos al final de lo que parecía un parto doloroso; seguidos del chillido de un recién nacido. Pero los gritos de la mujer no cesaron cuando empezaron los del niño; al contrario, redoblaron su intensidad, y unos quince minutos después Chamcha oyó claramente que la voz de otro niño se unía a la del primero. Pero la agonía natal de la mujer no acabó ahí y, a intervalos de quince a treinta minutos, durante un período interminable, siguió sumando niños al ya improbable número de los salidos de su vientre, como un ejército invasor.

Su nariz le informó de que el sanatorio, o lo que fuera aquel sitio, empezaba a apestar; olores de jungla y granja se mezclaban con un aroma rico, como de especias exóticas que estuvieran friendo en mantequilla ligera: coriandro, jengibre, canela, cardamomo, clavo. «Esto es demasiado –se dijo él con firmeza–. Ya es hora de empezar a aclarar las cosas.» Sacó las piernas de la cama, trató de levantarse e inmediatamente cayó al suelo, por la falta de costumbre en el uso de aquellas nuevas extremidades. Tardó alrededor de una hora en resolver el problema; aprendió a andar sujetándose a la cama y dando traspiés hasta adquirir confianza. Al fin, y tambaleándose, llegó hasta el biombo más próximo; y entonces, entre dos de los biombos de su derecha, apareció la cara del oficial Stein con una sonrisa de gato de Cheshire seguida rápidamente del resto del individuo, que volvió a juntar los biombos a su espalda con sospechosa rapidez.

«¿Se encuentra mejor?», preguntó Stein con su amplia sonrisa.

«¿Cuándo vendrá el doctor? ¿Cuándo podré ir al váter? ¿Cuándo podré marcharme?», preguntó Chamcha. Stein respondió pormenorizadamente: el médico llegaría enseguida; la enfermera Phillips le daría un orinal; podría marcharse en cuanto estuviera restablecido. «Por cierto, fue usted muy amable al contraer esa pulmonía –agregó Stein con la gratitud del autor cuyo personaje, inesperadamente, le resuelve un peliagudo problema técnico–. Hace mucho más verosímil la historia. Al parecer, estaba usted tan enfermo que perdió el conocimiento. Somos nueve los que lo recordamos perfectamente. Gracias. –Chamcha no pudo encontrar palabras–. Y, otra cosa –prosiguió Stein–, a la vieja chiflada de Mrs. Diamond resulta que la encontraron muerta en la cama, fría como una raspa, y el otro caballero se esfumó. No se descarta la posibilidad de un hecho delictivo.

»Resumiendo –dijo, antes de desaparecer para siempre de la nueva vida de Saladin–, le sugiero, ciudadano Saladin, que no dé usted la lata con una denuncia. Perdone la franqueza, pero con esos cuernos y esas pezuñas no resultaría un testigo muy fidedigno. Que usted lo pase bien.»

Saladin Chamcha cerró los ojos y, cuando volvió a abrirlos, su verdugo se había convertido en la enfermera fisioterapeuta Hyacinth Phillips. «¿Por qué ese afán de echar a andar? –preguntó–. Lo que desee, no tiene más que pedírmelo a mí, Hyacinth, y ya veremos lo que podemos hacer.»

«Ssst.»

Aquella noche, a la luz verdosa de la misteriosa institución, despertó a Saladin un sisco salido de un bazar indio. «Ssst. Tú, Belcebú. Despierta.»

Delante de él había una figura tan imposible que Chamcha sintió el deseo de taparse la cabeza con la sábana; pero no pudo, porque, ¿acaso no era él mismo...? «Eso es –dijo la criatura–, ya ves que no eres el único.»

Tenía un cuerpo absolutamente humano, pero cabeza de tigre feroz, con tres hileras de dientes. «Los guardianes de noche se duermen a veces –explicó–. Y nosotros podemos hablar.»

En aquel momento, una voz de una de las otras camas –cada cama, ahora lo sabía Chamcha, tenía su propia cerca de biombos– gimió con fuerza: «¡Oh, cómo sufre este pobre cuerpo!» Y el hombre-tigre, o Mantícora, como él se llamaba, gruñó de irritación. «Menudo llorica –exclamó–. Y, total, lo único que le han hecho es dejarle ciego.»

«¿Quién ha hecho qué?» Chamcha estaba confuso.

«La cuestión es –prosiguió el Mantícora–: ¿vas a soportarlo?»

Saladin seguía perplejo. El otro parecía sugerir que aquellas mutaciones eran obra de... ¿de quién? ¿Cómo podía nadie? «No sé cómo se puede culpar a nadie...»

El Mantícora rechinó sus tres hileras de dientes con evidente frustración. «Hay por ahí una mujer que ya es casi búfalo de agua –dijo–. Hay empresarios nigerianos a los que les han salido gruesas colas. Y un grupo de turistas del Senegal que, con tan sólo cambiar de avión, fueron convertidos en viscosas serpientes. Yo mismo estoy en el ramo de la confección; desde hace años soy un modelo masculino muy cotizado con residencia en Bombay y presento una amplia gama de sastrería y camisería. Pero ¿quién va a querer contratarme con esta pinta?» Prorrumpió en súbito e inesperado llanto. «Vamos, vamos –dijo Saladin Chamcha automáticamente–. Todo se arreglará, estoy seguro. Ten valor.»

La criatura se dominó. «La cuestión es que algunos de nosotros no queremos seguir tolerándolo –dijo con vehemencia–. Saldremos de aquí antes de que nos conviertan en algo peor. Noche tras noche siento que otra parte de mí empieza a cambiar. Por ejemplo, últimamente no hago más que tirarme pedos... con perdón... ¿te haces cargo? A propósito, prueba uno –pasó a Chamcha un paquete de chicle de menta extra fuerte–. Disimulan el aliento. He sobornado a un guardián para que me los proporcione.»

«Pero, ¿cómo lo hacen?», inquirió Chamcha.

«Nos describen –susurró el otro solemnemente–. Eso es todo. Tienen el poder de la descripción, y nosotros sucumbimos a las imágenes que ellos trazan.»

«Cuesta creerlo –argumentó Chamcha–. Yo he vivido aquí muchos años y nunca me había ocurrido...» Su voz se extinguió porque el Mantícora le miraba entornando los ojos con suspicacia. «¿Muchos años? –preguntó–. ¿No serás un confidente? Sí, eso es: ¿un espía?»

En un rincón apartado del pabellón sonó entonces un lamento. «Dejadme salir –aullaba una voz de mujer–. Oh, Jesús, quiero irme. Jesús, María, tengo que irme, dejadme salir. Ay, Dios. Ay, Jesús, Dios mío.» Un lobo con aspecto lascivo asomó la cabeza entre los biombos de Saladin y se dirigió con urgencia al Mantícora. «Los guardianes están a punto de llegar –siseó–. Es ella otra vez, Berta Cristal.»

«¿Cristal...?», empezó Saladin. «La piel se le volvió de cristal –explicó el Mantícora con impaciencia, ignorando que estaba haciendo realidad la peor de las pesadillas de Chamcha–. Y esos hijos de puta se lo hicieron añicos. Ahora no puede ni ir al baño.»

Una nueva voz siseó en la noche verdosa. «Por el amor de Dios, mujer. Hazlo en el jodido orinal.»

El lobo arrastraba a Mantícora. «¿Está o no está con nosotros?», preguntó. El Mantícora se encogió de hombros. «Está indeciso –respondió–. No se cree lo que está viendo, y eso es lo malo.»

Huyeron al oír crujir las pesadas botas de los guardianes.

Al día siguiente el médico seguía sin aparecer, y también Pamela, y Chamcha, desconcertado, se dormía y despertaba como si ambos estados ya no tuvieran que ser considerados opuestos, sino complementarios para crear un perenne delirio de los sentidos. Soñó con la Reina, que hacía el amor con el Monarca. Ella era el cuerpo de la Gran Bretaña, el avatar del Estado, y él la había elegido, había copulado con ella; era su Amada, la luna de sus delicias.

Hyacinth venía a horas fijas a montarle y sacudirle a lo que él se sometía sin rechistar. Pero, al terminar, ella le susurraba al oído: «¿Usted está de acuerdo con los demás?», y él comprendía que estaba implicada en la gran conspiración. «Si lo está usted, cuenten conmigo», decía él. Ella asentía, satisfecha. Chamcha notaba que le invadía un dulce calor y empezó a pensar en coger uno de los puños pequeñitos, pero fuertes, de la fisioterapeuta, mas en aquel momento, se oyó una voz procedente de donde se encontraba el ciego: «Mi bastón, he perdido el bastón.»

«Pobre infeliz», dijo Hyacinth, y bajándose de Chamcha se acercó corriendo al invidente, recogió el bastón, se lo puso en la mano a su dueño y volvió a Saladin. «Hasta esta tarde –le dijo–. ¿De acuerdo? ¿Algún problema?»

Él quería que se quedara, pero la mujer se movía con rapidez. «Soy una mujer muy ocupada, Mr. Chamcha. Cosas que hacer, gente que atender.»

Cuando ella se fue, él se recostó en la almohada y, por primera vez en mucho tiempo, sonrió. No se le ocurrió que su metamorfosis había de prolongarse, pues tenía ideas románticas sobre una mujer negra; y, antes de que tuviera tiempo de pensar cosas tan complejas, el ciego del rincón volvió a hablar:

«Me he fijado en usted –le oyó decir Chamcha– y agradezco su amabilidad y comprensión. –Saladin advirtió que estaba haciendo un discurso de agradecimiento al aire, al espacio donde creía que seguía la fisioterapeuta–. Yo no soy hombre que olvide la amabilidad. Quizá un día pueda recompensarla, pero por el momento quiero que sepa que aprecio lo que hace, y con cariño... –Chamcha no tuvo valor para gritar *ella no está, se marchó hace rato*, y se quedó escuchando tristemente, hasta que al fin el ciego hizo una pregunta al aire–: Confío en que usted también se acuerde de mí. ¿Un poquito? ¿De vez en cuando?» Luego hubo un silencio, una risa seca; el ruido de un hombre que, de pronto, se sienta pesadamente. Y, al fin, después de una pausa insoportable, un brusco cambio de tono: «¡Oh! –se lamentó el ciego en su soliloquio–. ¡Cómo sufre este pobre cuerpo!»

Aspiramos a lo sublime pero nuestra naturaleza nos traiciona, pensó Chamcha; payasos en busca de coronas. Le invadió la amargura. *Antaño yo era más alegre, más feliz, amable. Ahora en mis venas hay agua negra.*

Pamela seguía sin aparecer. *Que le den morcilla.* Aquella noche dijo al Mantícora y al lobo que estaba con ellos, hasta el fin.

La gran fuga tuvo lugar varias noches después, cuando los pulmones de Saladin ya estaban casi limpios de lodo verde, gracias a los cuidados de Miss Hyacinth Phillips. Resultó un asunto bastante bien organizado en una escala más bien grande, que afectaba no sólo a los internos del sanatorio sino también a los *detenus*, como los llamaba el Mantícora, que estaban recluidos tras cercas de alambre en el contiguo Centro de Detención. Puesto que Chamcha no era uno de los grandes estrategas de la fuga, se limitó a esperar al lado de la cama, tal como le habían ordenado, hasta que Hyacinth fue a avisarle, y entonces salieron corriendo del pabellón de las pesadillas a la claridad de un cielo frío y bañado por la luna, pasando ante varios hombres atados y amordazados: sus guardianes. Había muchas sombras que corrían por la noche incandescente, y Chamcha vislumbró criaturas que nunca hubiera imaginado, hombres y mujeres que tenían algo de plantas, o de insectos gigantes e, incluso, algunos eran en parte de ladrillo o de piedra; había hombres con cuernos de rinoceronte en lugar de nariz y mujeres con largos cuellos de jirafa. Los monstruos corrieron en silencio hasta la valla del complejo del Centro de Detención, donde el Mantícora y otros mutantes de buena dentadura les esperaban junto a los grandes agujeros que habían abierto a dentelladas en la tela metálica, y enseguida estuvieron fuera, libres, yendo cada cual por su lado, sin esperanza pero también sin vergüenza. Saladin Chamcha y Hyacinth Phillips corrían juntos, los cascos de chivo repicaban en el duro pavimento: «al este», dijo ella cuando él oyó que sus propias pisadas sustituían el zumbido de sus oídos, al este, al este, al este corrían por carreteras de tercer orden, camino de la ciudad de Londres.

4

Jumpy Joshi se hizo amante de Pamela Chamcha «por pura casualidad», como ella diría después, la noche en que ella se enteró de la muerte de su esposo en la explosión del *Bostan*, de manera que el sonido de la voz de su antiguo condiscípulo Saladin hablando desde la ultratumba a medianoche, mascullando las cinco palabras mágicas perdón, lo siento, número equivocado –y, lo que era peor, hablando menos de dos horas después de que Jumpy y Pamela formaran la bestia de dos espaldas, con ayuda de dos botellas de whisky– le sobrecogió. «¿Quién era?», se volvió a preguntar Pamela, más dormida que despierta, con un antifaz negro sobre los ojos. «Nadie, un bromista, no te preocupes», decidió responder él, lo cual estaba muy bien, salvo por la circunstancia de que ahora tenía que preocuparse él solo, sentado en la cama, desnudo y chupándose el dedo de la mano derecha para tranquilizarse, como había hecho siempre.

Era una persona pequeña, con hombros de percha de alambre y una enorme capacidad para la agitación nerviosa, evidenciada por su cara pálida, de ojos hundidos; por su pelo, más bien pobre –todavía completamente negro y rizado–, mesado tan a menudo por sus manos frenéticas que ya no le hacían el menor efecto los cepillos ni los peines sino que se disparaba en todas las direcciones, dando a su dueño en todo momento el aire de que acababa de levantarse de la cama, tarde y con prisas; y por su risa alta, tímida, contrita y simpática, pero entrecortada y demasiado excitada; todo ello había contribuido a convertir su nombre, Jamshed, en el *Jumpy*, o «Asustadizo», que todo el mundo utilizaba automáticamente, incluso los que acababan de conocerle; todos salvo Pamela Chamcha. La esposa de Saladin, pensaba él, chupando de un modo febril. ¿O la viuda? O, Dios me asista, la esposa, a fin de cuentas. Se encontró resentido hacia Chamcha. El regreso desde una tumba en el mar: un hecho tan espectacular, incluso para esta época, resultaba casi una indecencia, un acto de mala fe.

En cuanto se enteró de la noticia corrió a casa de Pamela, y la encontró tranquila y con los ojos secos. Ella le hizo pasar a su estudio de partidaria del desorden, en cuyas paredes se alternaban las acuarelas de rosaledas con los carteles de puños cerrados con inscripciones de *Partido Socialista*, fotografías de amigos y una pila de máscaras africanas, y mientras él avanzaba con cautela entre ceniceros, números del diario *Voice* y novelas de cienciaficción feminista, ella le dijo, con naturalidad: «Lo más sorprendente es que cuando me lo dijeron pensé, bien, qué se le va a hacer, su muerte dejará en mi vida un agujero realmente pequeño.» Jumpy, que tenía ganas de llorar y reventaba de recuerdos, se quedó parado y agitó los brazos, con su gran abrigo negro y su cara pálida y aterrorizada, como un vampiro sorprendido por una repentina y abominable luz diurna. Entonces vio las botellas de whisky vacías. Pamela había empezado a beber, dijo, hacía varias horas, y desde entonces había continuado regular, rítmicamente, con la constancia de un corredor de fondo. Él se sentó a su lado en el sofá-cama bajo y blando y se ofreció para poner las cosas en su sitio. «Como quieras», dijo ella pasándole la botella.

Ahora, sentado en la cama, con el pulgar en lugar de la botella, con su secreto y la resaca martilleándole la cabeza de forma igualmente dolorosa (no era aficionado a la bebida ni a los secretos), Jumpy volvió a sentir que las lágrimas acudían a sus ojos y decidió levantarse y andar un poco por la casa. Se fue al piso de arriba, a la habitación que Saladin insistía en llamar su «guarida», una enorme buhardilla con claraboyas y ventanas que daban a unos jardines mancomunados salpicados de hermosos árboles, robles, arces e incluso el último de los olmos, superviviente de los años de la plaga. *Antes, los olmos, ahora, nosotros*, pensó Jumpy. *Quizá lo de los árboles fuera una advertencia.* Agitó la cabeza para ahuyentar el morbo del amanecer y se sentó en el borde del escritorio de caoba de su amigo. Una vez, en una fiesta de la universidad, él se había sentado en una mesa que chorreaba vino y cerveza, al lado de una chica cadavérica con minivestido de blonda negra, un boa de plumas púrpura y unos párpados que eran como dos cascos plateados, sin atreverse a decirle hola. Por fin, la miró y tartamudeó una trivialidad; ella le lanzó una mirada de absoluto desprecio y, sin mover sus labios lacados de negro, dijo: «La conversación ha muerto, tío.» Él se mosqueó, tanto se mosqueó que le dijo: «Me gustaría que me explicaras por qué todas las chicas de esta ciudad son tan antipáticas», a lo que ella respondió sin vacilar: «porque la mayoría de los chicos son como tú». Instantes después llegó Chamcha oliendo a pachulí, vestido con *kurta* blanca, el consabido símbolo de los misterios de Oriente, y la chica no tardó cinco minutos en irse con él. El muy bastardo, pensaba Jumpy Joshi mientras volvía a inundarle la vieja amargura, no tenía escrúpulos, estaba dispuesto a ser lo que ellos quisieran, el Hare-Krishna quiromántico envuelto en una colcha y rezumando dharma, pero a mí no me querían ni muerto. Esto le detuvo, esa palabra. Muerto. Reconócelo, Jamshed, a ti nunca se te dieron bien las chicas, ésa es la verdad y todo lo demás es envidia. Bueno, quizá, concedió y otra vez: Quizá muerto, agregó, o quizá no.

Al intruso sin sueño la guarida de Chamcha le parecía artificial y, por consiguiente, triste: la caricatura de un camerino, con fotos de colegas firmadas, carteles, programas enmarcados, fotos de funciones, diplomas, premios, tomos de memorias de artistas de cine, una habitación convencional hecha por metros, una imitación de la vida, máscara de una máscara. Por todos lados chucherías: ceniceros en forma de piano, pierrots de porcelana que atisbaban desde el fondo de una librería. Y en todas partes, en las paredes, en los carteles de películas, en el resplandor de la lámpara sostenida por un Eros de bronce, en el espejo en forma de corazón, rezumando en la alfombra rojo sangre, goteando del techo, el ansia de amor de Saladin. En el teatro todo el mundo se besa y todo el mundo es adorable. La vida del actor ofrece a diario el simulacro del amor; una máscara puede ser satisfecha o, por lo menos, consolada, por el eco de lo que anhela. Aquella desesperación, así lo entendía Jumpy, estaba dentro de él, él habría hecho cualquier cosa, se habría puesto cualquier maldito traje de idiota, habría adoptado cualquier forma con tal de recibir una palabra de amor. A pesar de que Saladin no era desafortunado con las mujeres, ni mucho menos, como ya se ha dicho. El pobre idiota. Ni la misma Pamela, con toda su hermosura y su inteligencia, había sido suficiente.

Era evidente que también él empezaba a no ser suficiente para ella, ni de lejos. Al llegar al fondo de la segunda botella de whisky, ella apoyó la cabeza en su hombro y dijo con lengua estropajosa: «No tienes idea del descanso que supone estar con alguien con quien no tengo que pelearme cada vez que doy una opinión. Alguien que está del lado de los malditos ángeles. –Él esperó; después de una pausa, llegó algo más–. Él y su Familia Real, es increíble. Críquet, el Parlamento, la Reina. Esto para él nunca dejó ser una postal en color. No podías conseguir que viera lo realmente real.» Cerró los ojos y dejó descansar una mano en la de él, como por casualidad. «Era un auténtico Saladin –dijo Jumpy–. Un hombre con una tierra santa que conquistar, su Inglaterra, la Inglaterra en la que él creía. Tú formabas parte de ella.» Ella se apartó de su lado girando sobre sí misma y se tendió sobre revistas, bolas de papel, desorden. «¿Parte de ella? Yo era la mismísima jodida Britannia. Cerveza tibia, pastel de frutas, sentido común y yo. Pero yo también soy realmente real, J.J.; realmente, realmente. –Extendió los brazos hacia él y lo atrajo hasta donde su boca le esperaba, besándolo con un gran sorbetón impropio de Pamela–. ¿Ves lo que quiero decir?» Sí; lo veía.

«Habrías tenido que oírle hablar de la guerra de las islas Falkland –dijo ella después, desasiéndose y jugando con su pelo–. "Pamela, imagina que una noche oyes un ruido en la planta baja y, cuando vas a investigar, te encuentras a un hombrón en la sala con una escopeta que te dice: Vuelve arriba. ¿Qué harías?" Yo volvería arriba, le contesté. "Pues eso es ni más ni menos. Intrusos en la casa. Es intolerable." –Jumpy observó que apretaba los puños y se le blanqueaban los nudillos–. Yo le dije: si te empeñas en usar metáforas trasnochadas, por lo menos, úsalas con propiedad. ¿Qué ocurre cuando dos personas dicen que son dueños de una casa y uno está ocupándola y el otro se presenta con una escopeta. Porque es *así.*» Jumpy asintió, muy serio: «Eso es lo realmente real.» «Justo. –Ella le dio una palmada en la rodilla–. Lo realmente justo, Mr. Jam... es real y verdaderamente así. Realmente. Otro trago.»

Ella se inclinó hacia el casete y oprimió un botón. *Jesús*, pensó Jumpy, *¿Boney M?* Dame un respiro. A pesar de su actitud progre en cuestión de razas, la señora tenía mucho que aprender en música. Ya empezaba el bumchicabum. Y, de pronto, sin más, él se echó a llorar, le hizo llorar de verdad la emoción fingida, la imitación del dolor a base de música discotequera. Era el salmo ciento treinta y siete, «Super río». El rey David que hacía oír su voz a través de los siglos. Cómo cantaremos la canción del Señor en un país extranjero.

«Cuando iba al colegio me obligaban a aprender de memoria los salmos –dijo Pamela Chamcha, sentada en el suelo, con la cabeza apoyada en el sofá-cama y los párpados apretados. *Junto a los ríos de Babilonia, nos sentábamos, llorábamos oh, oh...* Paró la cinta, volvió a recostarse y recitó–: Si yo me olvidara de ti, Jerusalén, olvidada sea mi diestra. Péguese mi lengua al paladar si no me acordara de ti, si no pusiera a Jerusalén por encima de mi alegría.»

Después, en la cama, soñaba con su colegio de monjas, con maitines y vísperas y con el canto de los salmos cuando Jumpy entró corriendo y la despertó gritando: «No puedo seguir callando, tengo que decírtelo. Él no ha muerto. Saladin está jodidamente vivo.»

Ella despertó de golpe, hundiendo las manos en su cabello espeso rizado y alheñado en el que empezaban a asomar las primeras hebras blancas; se arrodilló en la cama, desnuda, con las manos en la cabeza, sin poder moverse, hasta que Jumpy dejó de hablar, y entonces, sin avisar, empezó a pegarle puñetazos en el pecho, los brazos y los hombros y hasta en la cara, con todas sus fuerzas. Él estaba sentado en la cama, a su lado, ridículo con el camisón de puntillas de ella, mientras ella le pegaba; él dejaba el cuerpo inerte, recibiendo los golpes, sometiéndose. Cuando a ella se le acabaron los golpes, tenía el cuerpo sudoroso y él pensó que tal vez le había roto un brazo. Ella se sentó a su lado jadeando y los dos permanecieron callados.

En la habitación entró el perro de Pamela, con cara de preocupado, y se acercó a ella para darle la pata y lamerle la pierna izquierda. Jumpy se movió con cautela. «Creí que lo habían robado», dijo al fin. Pamela movió la cabeza en un *sí, pero*. «Los ladrones me llamaron y pagué el rescate. Ahora se llama Glenn. No importa. De todos modos, nunca llegué a pronunciar *Sher Khan* como es debido.»

Al cabo de un rato, Jumpy observó que ella tenía ganas de hablar. «Lo que hiciste antes...», empezó.

«Oh, Dios.»

«No. Es como lo que yo hice una vez. Quizá la cosa más sensata que haya hecho en mi vida.» En el verano de 1967, había arrastrado al «apolítico» Saladin, que tenía veintiún años, a una manifestación pacifista. «Una vez en la vida, Mister Remilgos, voy a rebajarte a mi nivel.» Harold Wilson visitaba la ciudad y, a causa del apoyo del gobierno laborista a la intervención estadounidense en el Vietnam, se organizó una protesta masiva. Chamcha fue «por curiosidad», según dijo él. «Yo fui para ver cómo personas autodenominadas inteligentes se convertían en masa.»

Aquel día llovía a mares. Los manifestantes congregados en Market Square quedaron calados. Jumpy y Chamcha, arrastrados por la multitud, se encontraron subiendo las escaleras del ayuntamiento; localidad de tribuna, dijo Chamcha con tosca ironía. A su lado había dos estudiantes disfrazados de asesinos rusos, con sombrero negro de ala ancha, abrigo y gafas negras, que llevaban debajo del brazo unas cajas de zapatos llenas de tomates embadurnados de tinta, con una etiqueta en la que en letras grandes se leía *bombas*. Poco antes de la llegada del primer ministro, uno de ellos tocó en el hombro a un policía y dijo: «Perrdon, favor. Cuando llega Mr. Wilson autodenominado primer ministro en coche largo, favor pedirle bajar ventana para que aquí mi amigo poder arrojar bombas.» El policía contestó: «Jo, jo, muy bueno. Ahora escuche. Usted puede tirarle huevos, por mí no hay inconveniente. Y también puede tirarle tomates, como los que tiene en esa caja pintados de negro y etiquetados como bombas, por mí no hay inconveniente. Pero si le tira algo duro, señor, aquí mi compañero le disparará a usted con su pistola.» Oh, días de inocencia, cuando el mundo era joven... Cuando llegó el coche hubo una avalancha y Chamcha y Jumpy fueron separados. Luego apareció Jumpy, se subió al capó del coche negro de Harold Wilson y empezó a dar saltos, abollándolo, brincando como un loco al ritmo del estribillo que cantaba la gente: *Lucharemos, venceremos, que viva Ho Chi Minh.*

«Saladin empezó a gritarme que me bajara, en parte porque entre la gente había cantidad de tipos de las Brigadas Especiales que iban hacia el coche desde todas las direcciones, pero principalmente porque se sentía recondenadamente violento.» Pero él seguía saltando, subiendo más arriba y cayendo con más fuerza, calado hasta los huesos, agitando la larga melena: Jumpy el saltarín, saltando hacia la mitología de los viejos tiempos. Y Wilson y Marcia, encogidos en el asiento de atrás. *¡Ho! ¡Ho! ¡Ho Chi Minh!* En el último momento, Jumpy se llenó los pulmones de aire y se zambulló de cabeza en un mar de caras mojadas y amigas; y desapareció. No pudieron dar con él: negrata de mierda. «Saladin estuvo una semana sin dirigirme la palabra –rememoró Jumpy–. Y, cuando me habló, fue para decirme: "Espero que te darás cuenta de que esos policías hubieran podido acribillarte, y no te acribillaron."»

Seguían sentados en el borde de la cama, uno al lado del otro. Jumpy oprimió el antebrazo de Pamela. «Sólo quiero decir que sé lo que es eso. ¡Pumba, bam! Aquello fue increíble. Y parecía necesario.»

«Ay, Dios mío –dijo ella, volviéndose a mirarle–. Ay, Dios mío, perdona, pero así ha sido.»

Por la mañana, le costó una hora comunicar con la Compañía Aérea, a causa del volumen de llamadas que seguía generando la catástrofe, más de veinticinco minutos de insistir *–pero él me llamó, era su voz–*, mientras, al otro extremo del hilo telefónico, una voz femenina, adiestrada especialmente para tratar con seres humanos en estado de crisis, comprendía sus sentimientos, se identificaba con ella en este momento de dolor y derrochaba paciencia, pero evidentemente, sin creer una sola palabra. «Lo siento, señora, no quiero ser brutal, pero el avión estalló a diez mil metros de altura.» Al final de la conversación Pamela Chamcha, habitualmente la más serena de las mujeres, que para llorar se encerraba en el cuarto de baño, gritaba al teléfono: «Por Dios, mujer, ¿por qué no se guarda sus discursos bondadosos y presta atención a lo que le digo?» Finalmente, colgó con fuerza el auricular y se revolvió contra Jumpy Joshi, que al ver la expresión de sus ojos derramó el café de la taza que le llevaba, porque empezaron a temblarle las manos de miedo. *Gusano de mierda* –le acusó–. *Conque todavía está vivo, ¿eh? Seguramente bajó del cielo volando y se metió en la primera cabina de teléfono para quitarse el jodido traje de Superman y llamar a su mujercita.* Estaban en la cocina, y Jumpy reparó en una serie de cuchillos suspendidos de una cinta magnética en la pared situada a la izquierda de Pamela. Él abrió la boca para decir algo pero ella no le dejó. «Sal de aquí antes de que haga algo. No me explico cómo pude picar. Tú y tus jodidas voces telefónicas: debí figurármelo.»

A principio de los años setenta Jumpy tenía una discoteca ambulante instalada en su minifurgoneta amarilla. La llamaba «El Pulgar de Finn» en honor de Finn MacCool, el legendario gigante dormido de Irlanda, otro capullo, como decía Chamcha. Un día, Saladin gastó una broma a Jumpy. Le llamó por teléfono adoptando un acento vagamente mediterráneo y solicitando los servicios del Pulgar musical en la isla de Skorpios en nombre de Mrs. Jacqueline Kennedy Onassis, por unos honorarios de diez mil dólares y viaje a Grecia en avión privado de hasta seis personas. Era algo terrible hacerle aquello a una persona tan inocente y tan íntegra como Jamshed Joshi. «Necesito una hora para pensarlo», dijo, y entonces sufrió un calvario espiritual. Cuando Saladin llamó al cabo de una hora y oyó que Jumpy rehusaba la oferta de Mrs. Onassis por razones políticas, comprendió que su amigo iba para santo y de nada servía tratar de tomarle el pelo. «Mrs. Onassis se sentirá muy apenada sin duda», concluyó, y Jumpy respondió, preocupado: «Por favor, dígale que no es una cuestión personal. En realidad, personalmente, yo la admiro mucho.»

Hace demasiado que nos conocemos, pensó Pamela cuando Jumpy se fue. Podemos mortificarnos el uno al otro con recuerdos de dos décadas.

Sobre el tema de las confusiones a que pueden dar lugar las voces, pensaba aquella tarde mientras conducía a excesiva velocidad por la M4 en su viejo MG, lo cual le producía un placer que, según confesaba siempre alegremente, era «ideológicamente del todo malsano»; sobre ese tema, precisamente yo debería ser más caritativa.

Pamela Chamcha, *née* Lovelace, era poseedora de una voz que durante toda su vida había tratado de contrarrestar por todos los medios. Era una voz que sugería trajes de tweed, pañuelos a la cabeza, pudín, palos de hockey, tejados de paja, jaboncillo para limpiar botas de montar, fines de semana en el campo, monjas, bancos propios en la iglesia, perros grandes y vulgaridad y, pese a sus esfuerzos por reducir su volumen, era sonora y llamaba tanto la atención como un borracho vestido de esmoquin que arrojara panecillos en un Club. La tragedia de su juventud había sido que, gracias a aquella voz, fuera asediada por los terratenientes y los galanes y los buenos partidos de la City, a los que despreciaba de corazón, mientras que los ecologistas y los pacifistas y los revolucionarios con los que instintivamente se encontraba a gusto la trataban con una suspicacia rayana en la aversión. ¿Cómo podía estar *del lado de los ángeles*, si en cuanto abría la boca sonaba como un parásito? Al pasar por Reading, Pamela pisó el acelerador y rechinó los dientes. Una de las razones por las que, *reconozcámoslo*, había decidido poner fin a su matrimonio antes de que el destino lo deshiciera por ella, era que una mañana al despertar se había dado cuenta de que Chamcha no estaba enamorado de ella sino de su voz que apestaba a pudín de Yorkshire y a madera de roble, esa voz cordial y rubicunda de la vieja Inglaterra soñada en la que con tanto afán deseaba él vivir. Fue un matrimonio contradictorio porque cada uno de ellos buscaba en el otro lo que el otro trataba de descartar.

No hay supervivientes. Y el idiota de Jumpy con su estúpida falsa alarma en mitad de la noche. Quedó tan impresionada por la noticia que no tuvo tiempo de impresionarse por haberse acostado con Jumpy y haber copulado de una forma, *reconozcámoslo*, bastante satisfactoria, *déjate de disimulos*, se reprendió a sí misma, *¿cuánto tiempo hacía que no te divertías tanto?* Ella tenía mucho que afrontar y aquí estaba ahora, afrontándolo por el procedimiento de escapar a la mayor velocidad. Unos cuantos días de recreo en un hotel campestre caro y el mundo puede empezar a parecer un agujero infernal menos jodido. Lujoterapia; deacuerdodeacuerdo, reconoció, ya lo sé: *una recaída en el sistema de clases.* A tomar por el saco. Si alguien tiene objeciones, que se joda.

Después de Swindon se puso a cien millas por hora, y el tiempo empeoró bruscamente. Súbitas nubes negras, rayos, aguaceros; ella mantenía el pie en el acelerador. *No hay supervivientes.* Siempre se le moría la gente dejándola con la boca llena de palabras y sin nadie a quien escupírselas. Su padre, el especialista en Lenguas Clásicas, que podía hacer frases de doble sentido en griego antiguo y del que ella heredó la voz, su legado y su maldición; y su madre, que sufrió por él durante la guerra, cuando era piloto explorador –ciento once veces regresó de Alemania, de noche, volando en un avión lento, iluminado por sus propias balizas lanzadas para guiar a los bombarderos– y que, cuando él volvía a casa con el ruido de los antiaéreos en los oídos, le juraba que nunca le dejaría, y por eso le siguió a todas partes, incluso al callejón sin salida de la depresión y de las deudas, porque él no tenía cara de póquer y, cuando acabó con su propio dinero, echó mano del de ella, y, finalmente, a la azotea de un edificio alto a la que al fin se encaminaron los dos. Pamela nunca los perdonó, especialmente por hacerle imposible decirles que les negaba el perdón. Para desquitarse se impuso la tarea de desterrar todo lo que conservaba de ellos. Por ejemplo, la inteligencia: se negó a estudiar. Y, ya que no podía cambiarse la voz, le hizo expresar ideas que los suicidas conservadores de sus padres habrían reprobado. Se casó con un indio. Y, puesto que él resultó igual que ellos, le hubiera dejado. Había decidido dejarle.

Pero la muerte le gastó una buena broma de nuevo.

Estaba adelantando a un camión-remolque de congelados, cegada por las salpicaduras que levantaban las ruedas, cuando se metió en un gran charco de agua que se había formado en una pequeña depresión del asfalto y que estaba esperándola. El MG patinó a una velocidad terrorífica, se salió del carril rápido y giró en redondo de manera que pudo ver los faros del camión-remolque mirándola sin pestañear como los ojos de Azrael, el ángel exterminador. «Telón», pensó ella; pero su coche derrapó saliéndose del camino del mastodonte, cruzando los tres carriles de la carretera, que milagrosamente estaban vacíos, y yéndose a incrustar con menos violencia de la que cabía prever en la barrera del arcén, después de hacer otro giro de ciento ochenta grados hasta quedar, una vez más, cara al Oeste, donde con el cursi romanticismo de la vida real, el sol disipaba las nubes de tormenta.

El hecho de estar vivo te compensa de lo que te hace la vida. Aquella noche, en un comedor de paredes de roble decorado con banderas medievales, Pamela Chamcha, en su vestido más deslumbrante, comió un asado de caza y se bebió una botella de Château Talbot, sentada a una mesa cargada de plata y cristal, celebrando un nuevo comienzo, la huida de las fauces de, la otra oportunidad, para volver a nacer antes tienes que: bueno, casi, de todos modos. Bebió y comió sola, ante la mirada lasciva de americanos y viajantes, y se retiró temprano a una habitación de princesa en una torre de piedra, donde tomó un largo baño y estuvo viendo películas viejas en televisión. Ahora, después de haber visto a la muerte tan cerca, sentía que el pasado se alejaba de ella: por ejemplo, de su adolescencia bajo la tutela del malvado tío Harry Higham, que vivía en una mansión del siglo XVII que había sido propiedad de un pariente lejano, Matthew Hopkins, el Descubridor de Brujas General, quien con macabro sentido del humor le puso el nombre de *Gremlins.* Ahora, al recordar al juez Higham para olvidarlo, Pamela murmuró, dirigiéndose al ausente Jumpy, que también ella tenía su historia de Vietnam. Después de la gran manifestación celebrada en Grosvenor Square, en la que mucha gente lanzó canicas bajo los cascos de los caballos de la policía que cargaba, se produjo el único caso en la historia jurídica británica en el que la canica fue considerada arma letal y muchos jóvenes fueron encarcelados e, incluso, deportados por posesión de las pequeñas esferas de vidrio. El juez que presidía el tribunal del caso de las Canicas de Grosvenor era el mismo Henry Higham (al que en adelante se apodó «Hang'em», es decir «Colgadlos»), y ser su sobrina fue algo muy duro para una joven aquejada ya de una voz de derechas. Ahora, en la tibia cama de su castillo eventual, Pamela Chamcha se liberó de aquel viejo demonio, *adiós, Hang'em, no tengo tiempo para perderlo contigo*; y de los fantasmas de sus padres; y se dispuso a liberarse del más reciente de todos sus fantasmas.

Mientras degustaba un coñac, Pamela veía vampiros en televisión y se permitía sentirse satisfecha, bueno satisfecha de sí misma. ¿No se había inventado a sí misma a su propia imagen? Yo soy lo que soy, brindó por sí misma con coñac Napoleón. Yo trabajo en el consejo de asistencia a la comunidad del barrio de Brickhall, Londres, NE1; encargada de la asistencia a la comunidad y muy buena en mi trabajo, aunqueestémaleldecirlo. ¡Salud! Acabamos de elegir a nuestro primer presidente negro, y todos los votos emitidos contra él eran blancos. ¡Abajo la esclavitud! Hace una semana, un respetado comerciante asiático por el que habían intercedido parlamentarios de todos los partidos, fue deportado después de haber vivido en Inglaterra dieciocho años porque hace quince echó al correo determinado impreso con cuarenta y ocho horas de retraso. ¡Chin-chin! La semana próxima, en la audiencia de Brickhall, la policía tratará de ajustarle las cuentas a una nigeriana de cincuenta años, acusándola de asalto, después de haberla molido a palos. ¡Salud! Ésta es mi cabeza, ¿la ven? Lo que yo llamo mi trabajo: romperme la cabeza contra Brickhall.

Saladin estaba muerto y ella estaba viva.

Bebió por eso. Había muchas cosas que quería decirte, Saladin. Cosas importantes: sobre el rascacielos de oficinas de la Brickhall High Street, frente al McDonald's; lo insonorizaron completamente, pero el silencio agobiaba a los empleados y ahora ponen cintas de ruido ambiental blanco en el sistema de altavoces... Esto te habría gustado, ¿eh? Y esa mujer parsi conocida mía, Bapsy se llama, que vivió una temporada en Alemania y se enamoró de un turco. Lo malo es que el único idioma que tenían en común era el alemán; ahora Bapsy ha olvidado casi todo el alemán que sabía mientras que él lo habla cada vez mejor; él le escribe unas cartas cada vez más poéticas y ella casi no puede contestarle ni con canciones infantiles. El amor que muere por causa de un desfase lingüístico, ¿qué te parece? El amor que muere. Un tema que nos va, ¿eh, Saladin? ¿Qué dices a eso?

Y un par de cosillas más. Hay un asesino suelto en mi distrito que está especializado en matar viejas; por lo tanto, no sufras, estoy segura. Hay muchas más viejas que yo.

Y otra cosa: te dejo. Se acabó. Hemos terminado.

Yo no podía decirte nada, ni lo más mínimo. Si te decía que estabas engordando, te pasabas una hora gritándome, como si eso pudiera cambiar lo que veías en el espejo, lo que te decía la tirantez del pantalón. Me interrumpías en público. La gente se daba cuenta de lo que pensabas de mí. Yo te perdonaba, ése fue mi error; yo podía ver el centro de tu ser, esa cosa tan terrible que tenías que proteger con todo tu aplomo y afectación. Ese espacio vacío.

Adiós, Saladin. Vació la copa y la dejó a su lado. La lluvia que caía de nuevo azotaba los cristales emplomados de las ventanas; corrió las cortinas y apagó la luz.

Tendida en la cama, deslizándose hacia el sueño, Pamela pensó en las últimas cosas que necesitaba decir a su difunto marido. *En la cama* –así le vinieron las palabras– *nunca parecías interesado en mí; no en mi placer ni en lo que yo deseaba, nunca. Llegué a pensar que lo que tú deseabas no era una esposa sino una criada. Ya lo sabes. Ahora descansa en paz.*

Soñó con él, su cara llenaba todo el sueño. «Las cosas se acaban –le decía–. Esta civilización; los desastres se acercan. Ha sido toda una cultura brillante e inmunda, caníbal y cristiana, la gloria del mundo. Deberíamos celebrarla mientras podamos; hasta que llegue la noche.»

Ella no estaba de acuerdo, ni siquiera en el sueño, pero soñando comprendió que no serviría de nada decírselo ahora.

Cuando Pamela lo echó, Jumpy Joshi se fue al Café Shaandaar de Mr. Sufyan, situado en Brickhall High Street, y se sentó a tratar de averiguar si era idiota. Era temprano y el local estaba casi vacío, exceptuando a una señora gruesa que compraba una caja de *pista barfi* y *jalebis*, un par de jóvenes trabajadores de la industria de la confección que bebían *chaloo chai* y una mujer polaca de los viejos tiempos, cuando los que llevaban las confiterías del barrio eran los judíos, que se pasaba el día sentada en un rincón con dos *samosas* vegetales, un *puri* y un vaso de leche, haciendo saber a todo el que entraba que si ella estaba allí era porque allí se servía «lo más parecido al *kosher* y hoy en día tienes que arreglártelas como buenamente puedas». Jumpy se sentó con su café debajo de una chillona pintura de una mujer mítica de pechos desnudos y varias cabezas con nubecillas que le velaban los pezones, pintada de tamaño natural en rosa salmón, verde neón y oro, y dado que aún no había empezado la aglomeración, Mr. Suyfan notó que estaba hecho polvo.

«Eh, San Jumpy –gritó–, ¿por qué traes tu mal tiempo a mi casa? ¿Es que no hay bastantes nubes en esta tierra?».

Jumpy se ruborizó cuando Sufyan se acercó a él contoneándose, con su gorrita blanca de devoción bien puesta, y la barba, pues bigote no tenía, alheñada tras la reciente peregrinación de su dueño a La Meca. Muhamad Sufyan era un sujeto fuerte y barrigudo, de espesos antebrazos, creyente más devoto y exento de fanatismo no encontrarán ustedes, y Joshi veía en él a una especie de pariente mayor. «Escúchame, Tío –dijo cuando el dueño del café estuvo delante de él–, ¿te parezco un auténtico idiota o qué?»

«¿Has hecho dinero en tu vida?», preguntó Sufyan.

«Yo no, Tío.»

«¿Negocios? ¿Importación y exportación? ¿Mercancía decomisada? ¿Tenderete?»

«Los números nunca fueron mi fuerte.»

«¿Y dónde está tu familia?»

«No tengo familia, Tío. Estoy solo.»

«Entonces debes rogar siempre a Dios que te guíe en tu soledad, ¿no?»

«Tú me conoces, Tío. Yo no rezo.»

«Entonces, no cabe duda –dictaminó Safyan–. Eres un idiota mayor de lo que piensas.»

«Gracias, Tío –dijo Jumpy apurando el café–. Me has sido de gran ayuda.»

Sufyan, advirtiendo que su broma animaba al otro, a pesar de que mantenía la cara larga, llamó al asiático de tez clara y ojos azules que acababa de entrar con un elegante abrigo a cuadros de enormes solapas. «Eh. Hanif Johnson –llamó–, ven a resolver un misterio.» Johnson, abogado sagaz y chico del barrio que había prosperado y que tenía su bufete encima del Shaandaar Café, se apartó de las dos hermosas hijas de Sufyan y se acercó a la mesa de Jumpy. «Explícame a este hombre –dijo Sufyan–. No lo entiendo. No bebe, el dinero le parece una enfermedad, no tiene más de dos camisas, carece de vídeo, a los cuarenta años sigue soltero, trabaja por una miseria en el centro deportivo enseñando artes marciales y qué sé yo, vive del aire, se comporta como un *rishi* o un *pir* pero no tiene fe, no va a ningún sitio y parece conocer un secreto. Y, además, ha estudiado en la universidad. A ver si me lo explicas.»

Hanif Johnson golpeó a Joshi en el hombro. «Oye voces», dijo. Sufyan levantó las manos con fingido asombro. «¡Voces, oooh *baba*! ¿Voces de dónde? ¿Del teléfono? ¿Del cielo? ¿Tiene un Walkman Sony escondido en la chaqueta?»

«Voces interiores –dijo Hanif con solemnidad–. Arriba, en su mesa, hay un papel que tiene escritos unos versos. Y un título: *El río de sangre*.»

Jumpy dio un salto, tirando la taza vacía. «Te mataré», gritó a Hanif, que cruzó rápidamente el local cantando: «Tenemos un poeta entre nosotros, Sufyan Sahib. Trátalo con respeto. Manéjalo con cuidado. Dice que una calle es un río y nosotros somos la corriente; la humanidad es un río de sangre, ésa es la opinión del poeta. También el ser humano. –Se interrumpió mientras corría hasta una mesa para ocho y Jumpy iba tras él, muy colorado, moviendo los brazos como aspas–. En nuestro propio cuerpo, ¿no corre también el río de sangre?» *Al igual que el romano*, había dicho el hurón de Enoch Powell, *yo creo ver el río Tíber espumeante de sangre.* Recupera la metáfora, se dijo Jumpy Joshi. Dale la vuelta; haz de ella algo que podamos aprovechar. «Esto es como una violación –suplicó a Hanif–. Por Dios, para.»

«Las voces que oye uno están en el exterior –rumiaba el dueño del café–. Juana de Arco, na. O ése del gato, cómo se llama: Whittington, el que vuelve. Pero con las voces ésas uno se hace grande o, por lo menos, rico. Y este chico no tiene nada de grande, y es pobre.»

«Basta. –Jumpy levantó las manos sobre su cabeza sonriendo sin ganas de sonreír–. Me rindo.»

Después de aquello, durante tres días, a pesar de los esfuerzos de Mr. Sufyan, Mrs. Sufyan, sus hijas Mishal y Anahita, y el abogado Hanif Johnson, Jumpy Joshi dejó de ser el de siempre. Estaba «mustio», como decía Sufyan. Hacía su trabajo en los clubs juveniles, en las oficinas de la cooperativa cinematográfica a la que pertenecía y, en las calles, distribuyendo folletos, vendiendo determinados periódicos, paseando; pero caminaba pesadamente, sin la gracia del que brinca haciendo honor a su nombre. Hasta que, a la cuarta noche, detrás del mostrador del Shaandaar Café, sonó el teléfono.

«Mr. Jamshed Joshi –entonó Anahita Safyan imitando un elegante acento inglés–. Se ruega a Mr. Joshi que acuda al aparato. Tiene una llamada personal.»

El padre, al ver la alegría que estallaba en la cara de Jumpy, dijo en voz baja a su mujer: «Señora, la voz que este chico está deseando oír no es interior de ninguna de las maneras.»

Lo imposible se produjo entre Pamela y Jamshed después de que estuvieran siete días en la cama amándose con inagotable entusiasmo, infinita ternura y una frescura de espíritu que cualquiera hubiera podido estimar que acababan de inventar el procedimiento. Siete días estuvieron desnudos con la calefacción a tope, fingiendo ser amantes tropicales, en un país cálido y luminoso del Sur. Jamshed, que siempre había sido patoso con las mujeres, dijo a Pamela que no se había sentido tan maravillosamente desde el día en que, a los dieciocho años, aprendió por fin a montar en bicicleta. Apenas lo hubo dicho temió haberlo estropeado todo, que la comparación del gran amor de su vida con la vieja bicicleta de sus días de estudiante sería tomada por el insulto que era indiscutiblemente; pero no tenía por qué preocuparse, pues Pamela le besó en los labios y le dio las gracias por haberle dicho lo más hermoso que un hombre podía decir a una mujer. En aquel momento, él comprendió que nunca podría hacer nada malo y, por primera vez en su vida, empezó a sentirse verdaderamente seguro, seguro como una casa, seguro como un ser humano que es amado: y lo mismo le ocurrió a Pamela Chamcha.

A la séptima noche, el ruido inconfundible de alguien que intentaba entrar por la fuerza en la casa los despertó de un plácido sueño. «Debajo de la cama tengo un palo de hockey», susurró Pamela, aterrorizada. «Dámelo», respondió Jumpy, no menos asustado. «Bajo contigo», dijo Pamela con la voz quebrada, y Jumpy tartamudeó: «Oh, no, no.» Al fin, bajaron los dos, cada uno con una de las vaporosas *négligés* de Pamela, cada uno con una mano en el palo de hockey que ninguno de los dos se atrevería a usar. *Y si es un hombre con una escopeta*, pensaba Pamela, *que me dice: Vuelva arriba...* Llegaron al pie de la escalera. Alguien encendió las luces.

Pamela y Jumpy chillaron al unísono, dejaron caer el palo y corrieron escaleras arriba con toda la rapidez de que eran capaces; mientras abajo, en el vestíbulo, de pie, bien iluminada junto a la puerta de entrada con el panel de cristal que había roto para hacer girar el picaporte (Pamela, en la efervescencia de su pasión, olvidó echar los cerrojos de seguridad), había una figura que parecía salida de una pesadilla o de una película de terror de la televisión, una figura cubierta de barro, hielo y sangre, la criatura más hirsuta que hayan visto ustedes, con las patas y pezuñas de un macho cabrío gigante, brazos humanos y una cabeza dotada de cuernos pero, por lo demás, humana, cubierta de tizne y mugre y un comienzo de barba. Aquella cosa imposible, sola y sin ser observada, cayó de bruces y se quedó inmóvil.

Arriba, en la habitación más alta de la casa, es decir, la «guarida» de Saladin, Mrs. Pamela Chamcha se retorcía en los brazos de su amante, llorando desconsoladamente y berreando: «No es verdad. Mi marido explotó. No hubo supervivientes. ¿Me has oído? Yo soy la viuda de Chamcha y mi marido está jodidamente muerto.»

5

Mr. Gibreel Farishta, en el tren que lo llevaba a Londres fue acometido nuevamente y quién no lo hubiera sido por el temor de que Dios había decidido castigarlo por su pérdida de fe haciéndole perder el juicio. Se había sentado al lado de la ventanilla de un compartimiento de primera no fumadores, de espaldas a la máquina, porque por desgracia en el otro sitio iba sentado un individuo, y con el sombrero bien encasquetado, hundía los puños en los bolsillos de su gabardina de forro escarlata y sentía pánico. El terror de perder la razón por una paradoja, de ser destruido por algo en lo que ya no creía que existiera, de convertirse, en su locura, en el avatar de un arcángel quimérico, era tan fuerte que le resultaba imposible contemplar siquiera durante mucho tiempo tal eventualidad; sin embargo, ¿cómo si no explicar los milagros, metamorfosis y apariciones de los últimos días? «Es una elección sencilla –se decía temblando en silencio–. Es A, yo he perdido el juicio, o B, *baba*, alguien ha ido y cambiado las reglas.»

Pero ahora, sin embargo contaba con el agradable refugio de aquel compartimiento del tren que, afortunadamente, no tenía nada de milagroso: los apoyabrazos estaban deshilachados, la lamparita de lectura de encima de su hombro no funcionaba, el espejo carecía de luna, y, además, estaba el reglamento: las pequeñas señales circulares rojas y blancas prohibiendo fumar, los rótulos que castigaban el uso indebido de la alarma, las flechas que indicaban los puntos hasta los cuales –y no más– se permitía abrir las pequeñas ventanas correderas. Gibreel hizo una visita al aseo y también allí una pequeña serie de prohibiciones e instrucciones le alegraron el corazón. Cuando llegó el revisor, con la autoridad de su máquina de taladrar medias lunas en los billetes, Gibreel, tranquilizado por tales manifestaciones de la ley, empezó a animarse y a inventar explicaciones racionales. Había tenido mucha suerte al escapar de la muerte, luego había sufrido una especie de delirio y ahora volvía a ser él mismo, podía esperar que, de un modo u otro, retomaría el hilo de su vieja vida, es decir, de su vieja vida nueva, la vida nueva que él planeara antes de la, hum, interrupción. Mientras el tren lo alejaba y alejaba de la zona crepuscular de su llegada y subsiguiente misterioso cautiverio, transportándolo por unas vías metálicas paralelas halagüeñamente previsibles, sintió que la atracción de la gran ciudad empezaba a ejercer su mágico efecto en él, y renació su antiguo don de la esperanza, su talento para acoger el cambio, para volver la espalda a las penalidades pasadas y afrontar el futuro. Súbitamente, se levantó y se dejó caer en una butaca del lado opuesto del compartimiento, volviendo la cara simbólicamente hacia Londres, aun a costa de renunciar a la ventanilla. ¿Qué le importaban a él las ventanillas? Todo lo que él deseaba ver de Londres lo tenía allí, ante los ojos de la imaginación. Pronunció su nombre en voz alta: «Alleluia.»

«Aleluya, hermano –dijo el único otro ocupante del compartimiento–. Hosanna, señor, y amén.»

«Aunque debo agregar, caballero, que mis creencias nada tienen que ver con denominación alguna –prosiguió el desconocido–. Si usted hubiera dicho "La-ilaha" yo le habría contestado gustosamente con un rotundo "illallah".»

Gibreel comprendió que su cambio de asiento y su distraído enunciamiento del poco corriente nombre de Allie habían sido erróneamente interpretados por su compañero como manifestaciones de carácter social y teológico. «John Maslama –exclamó el individuo poniendo en la mano de Gibreel una tarjeta extraída de una maletita de piel de cocodrilo–. Personalmente, yo sigo mi propia variante de la fe universal inventada por el emperador Akbar. Dios, diría yo, es algo similar a la Música de las Esferas.»

Era evidente que Mr. Maslama reventaba de ganas de hablar y, ahora que se había destapado, no cabía sino aguantar el chaparrón hasta que agotara su sentenciosa verborrea. Puesto que el sujeto tenía complexión de campeón de lucha libre, parecía desaconsejable irritarle. Farishta vislumbró en sus ojos el brillo del Verdadero Creyente, una luz que hasta hacía poco había visto todos los días en el espejo al afeitarse.

«He conseguido situarme bastante bien –se jactaba Maslama con su bien modulado acento de Oxford–. Para un hombre de color, excepcionalmente bien, habida cuenta de las peregrinas circunstancias en las que estamos inmersos como sin duda reconocerá.» Con una manaza que parecía un jamón hizo un ligero pero elocuente movimiento indicando la opulencia de su atuendo: terno de raya fina con muy buena hechura, reloj de oro con su colgante y su cadena, zapatos italianos, corbata de seda con escudo y gemelos de orfebrería en blancos puños almidonados. Sobre esa indumentaria propia de un milord inglés había una cabeza de asombroso tamaño, cubierta de espeso y liso pelo, dotada de cejas de increíble frondosidad debajo de las que relampagueaban los ojos feroces de los que Gibreel ya había tomado buena nota. «Muy elegante», concedió, pues estaba claro que algo había que decir. Maslama asintió. «Yo siempre me he inclinado hacia el ornato», reconoció.

Había hecho lo que él llamaba su *primer montón* con la producción de cancioncitas publicitarias, «esa música del diablo» que arrastra a las mujeres a la lencería y el rojo de labios, y a los hombres, a la tentación. Ahora poseía tiendas de discos en toda la ciudad, un próspero club nocturno llamado «Cera Caliente» y un almacén lleno de relucientes instrumentos musicales que era su orgullo y alegría. Era indio de la Guayana, «pero allí ya no queda nada. La gente se marcha más rápido de lo que vuelan los aviones. –Se hizo rico en poco tiempo– ... por la gracia de Dios Todopoderoso. A mí me gusta santificar el domingo, confieso que tengo debilidad por los himnos ingleses y cuando yo canto tiemblan las tejas.»

La autobiografía terminó con una breve mención de la existencia de una esposa y una docena de niños. Gibreel le dio la enhorabuena, confiando en que se haría el silencio, pero entonces Maslama soltó la bomba: «No tiene usted que contarme nada de sí mismo –dijo jovialmente–. Naturalmente, yo sé quién es usted, a pesar de que no espera uno encontrar a semejante personaje en la línea Eastbourne-Victoria. –Guiñó un ojo con una amplia sonrisa y puso un dedo al lado de la nariz–. Chitón. Yo respeto la intimidad de las personas, desde luego, ni que decir tiene.»

«¿Yo? ¿Quién soy yo?» La sorpresa hizo reaccionar a Gibreel de un modo absurdo. El otro movió pesadamente la cabeza, ondulando las cejas como suaves antenas. «La pregunta clave, en mi opinión. Éstos son tiempos difíciles para un hombre moral. Cuando un hombre abriga dudas respecto a su esencia, ¿cómo va a saber si es bueno o malo? Pero usted debe encontrarme tedioso. Yo respondo mis propias preguntas por mi fe en Ello. –Maslama señaló el techo del compartimiento– y, por supuesto, usted no siente la menor confusión acerca de su identidad, ya que es el famoso, podría decirse el legendario, Mr. Gibreel Farishta, estrella de la pantalla y, últimamente, cada vez más, siento mencionarlo, del vídeo pirata; mis doce hijos, mi esposa y yo somos viejos e incondicionales admiradores de sus divinas hazañas.» Agarró y comprimió la mano derecha de Gibreel.

«Dado que yo personalmente me inclino por la idea panteísta –siguió tronando Maslama–, mi propia simpatía hacia su trabajo se debe a su buena disposición para encarnar a deidades de toda índole imaginable. Usted, señor mío, es una coalición arco iris de lo celestial; una ONU de dioses ambulante. Usted es, en suma, el futuro. Permítame saludarle. –Aquel hombre empezaba a despedir el tufo del loco auténtico y, a pesar de que hasta el momento no había dicho ni hecho todavía algo que se apartara de lo puramente propio del tipo, Gibreel empezaba a alarmarse y a medir la distancia hasta la puerta con rápidas miraditas de ansiedad–. Yo, caballero, me inclino por la opinión –decía Maslama– de que comoquiera que uno lo llame, el nombre no es más que un código, una clave, Mr. Farishta, detrás de la cual se oculta el verdadero nombre.»

Gibreel guardaba silencio, y Maslama, sin disimular su decepción, se vio obligado a hablar por él. «Cuál es ese nombre verdadero, me parece oírle preguntar», dijo, y entonces Gibreel dejó de dudar: aquel hombre era un lunático, y probablemente su autobiografía era tan falsa como su fe. Gibreel pensó que, dondequiera que fuera, le perseguían las ficciones, ficciones enmascaradas en seres humanos. *Yo lo he atraído sobre mí* –se acusó–. *Al temer por mi propia razón, he despertado, sabe Dios en qué negro rincón, a este loco parlanchín y quizá peligroso.*

«¿No lo sabe? –gritó de pronto Maslama, levantándose de un salto–. ¡Charlatán! ¡Embustero! ¡Farsante! ¿Pretende ser el inmortal de la pantalla, avatar de ciento y un dioses y no tiene *ni la más remota*? ¿Cómo es posible que yo, un pobre chico de Bartica en Essequibo, que ha triunfado por su propio trabajo, sepa estas cosas y Gibreel Farishta, no? ¡Caradura. Más que caradura!»

Gibreel se puso en pie, pero el otro ocupaba casi todo el espacio disponible para estar de pie y él, Gibreel, tuvo que ladear el cuerpo grotescamente para hurtarlo de los brazos de Maslama, que se movían como aspas de molino, uno de los cuales le hizo caer el sombrero de fieltro gris. Inmediatamente, Maslama se quedó con la boca abierta. Pareció que se encogía varios centímetros y, después de unos momentos de helado pasmo, cayó de rodillas con un golpe sordo.

¿Qué hace ahora en el suelo?, se preguntó Gibreel. ¿Irá a recoger el sombrero? Pero el loco le estaba pidiendo perdón. «Nunca dudé que vendrías –decía–. Perdona mi torpe indignación.» El tren entró en un túnel y Gibreel vio que les envolvía una cálida luz dorada procedente de un punto situado mismamente detrás de su cabeza. En el cristal de la puerta corredera vio el reflejo de la aureola alrededor de su pelo.

Maslama luchaba con los cordones de los zapatos. «Señor, toda mi vida supe que había sido elegido –decía con una voz que era ahora tan humilde como antes amenazadora–. Lo sabía ya cuando era niño, allá en Bartica. –Se quitó el zapato del pie derecho y empezó a enrollar el calcetín–. Me fue dada una señal –dijo. Se quitó el calcetín, dejando al descubierto un pie completamente normal, aunque de gran tamaño. Entonces

Gibreel contó y contó, del uno al seis–. El otro pie, igual –dijo Maslama con orgullo–. Yo nunca dudé del significado.» Él se nombró a sí mismo ayudante del Señor, el sexto dedo del pie de la Cosa Universal. Algo ha naufragado en la vida espiritual del planeta, pensó Gibreel Farishta. Demasiados demonios dentro de la gente que decía creer en Dios.

El tren salió del túnel. Gibreel tomó una decisión. «Levántate, Seisdedos –declamó con su mejor entonación de película hindi–. Levántate, Maslama.»

El hombre se puso en pie retorciéndose los dedos de las manos, con la cabeza inclinada. «Lo que yo quiero saber, señor –murmuró–, es qué va a ser, ¿aniquilación o salvación? ¿Por qué has vuelto?»

Gibreel pensó con rapidez. «Para juzgar –dijo al fin–. Hay que examinar los hechos y sopesar debidamente pros y contras. Aquí es la raza humana lo que se juzga, y el acta de acusación es tremenda, el acusado es un infame, un huevo podrido. Han de hacerse cuidadosas evaluaciones. Por el momento se reserva el veredicto, el cual será revelado oportunamente. Mientras, mi presencia debe permanecer en secreto, por vitales razones de seguridad.» Volvió a ponerse el sombrero, satisfecho de sí mismo.

Maslama daba furiosas cabezadas. «Puedes fiarte de mí –prometió–. Yo soy un hombre que respeta profundamente la intimidad de las personas. Lo dicho: chitón.»

Gibreel huyó del compartimiento perseguido por los himnos del loco. Cuando llegó al extremo del tren los cánticos de Maslama seguían oyéndose claramente a su espalda. «¡Aleluya! ¡Aleluya!» Al parecer, su nuevo discípulo la había emprendido con fragmentos de *El Mesías* de Haendel.

Ahora bien: Gibreel no fue seguido y, afortunadamente, en la cola del tren había un vagón de primera clase. Éste era de tipo salón, con cómodos sillones naranja dispuestos en grupos de cuatro alrededor de las mesas, y Gibreel se instaló junto a una ventana, de cara a Londres, con el corazón en la boca y el sombrero encasquetado. Trató de hacerse al hecho ineludible de la aureola pero no lo consiguió porque, con el desequilibrio de John Maslama detrás y la ilusión de Alleluia Cone delante, costaba trabajo ordenar los pensamientos. Y entonces, para su desesperación, vio a Mrs. Rekha Merchant flotando al lado de su ventanilla, sentada en su Bokhara voladora, obviamente impasible a la tormenta de nieve que se estaba preparando y que daba a Inglaterra el aspecto de un estudio de televisión cuando ya ha terminado el programa del día. Ella le saludó con la mano y Gibreel sintió que la esperanza le abandonaba. El castigo en alfombra voladora: cerró los ojos y se concentró en tratar de no temblar.

«Yo sé lo que es un fantasma –decía Allie Cone a una clase de jovencitas que la miraban con caras iluminadas por la suave luz interior de la adoración–. En el Himalaya se da con frecuencia el caso de que los escaladores sean acompañados por los espíritus de los que fracasaron en el intento o por los espíritus, más tristes pero también más ufanos, de los que consiguieron llegar a la cumbre y perecieron durante el descenso.»

Fuera, en el parque, la nieve se posaba en los altos árboles desnudos y en el suelo llano. Entre las nubes de nieve bajas y oscuras y la ciudad alfombrada de blanco, la luz tenía un feo color amarillo, era una luz empañada que deprimía el ánimo y ahuyentaba el ensueño. Allá arriba, recordaba Allie, allá arriba, a ocho mil metros, la luz tenía una claridad que parecía vibrar y resonar como la música. Aquí, en la tierra llana, la luz también era llana y terrena. Aquí no volaba nada, el junco estaba seco y no se oía cantar ningún pájaro. Pronto sería de noche.

«¿Ms Cone? –Las manos de las niñas que se agitaban en el aire la hicieron regresar a la clase–. ¿Fantasmas, señorita? ¿Allí arriba? Nos toma el pelo, ¿verdad?» En sus caras, el escepticismo luchaba con la adoración. Ella sabía cuál era la pregunta que realmente querían hacerle y, probablemente, no le harían: la pregunta acerca del milagro de su tez. Las había oído cuchichear nerviosamente al entrar en clase, es verdad, fíjate, qué *palidez*, es increíble. Alleluia Cone, cuya blancura de hielo resistía el sol de los ocho mil metros. Allie, la doncella de nieve, la reina de hielo. *Señorita, ¿cómo es que usted no se broncea?* Cuando subió al Everest con la triunfante expedición Collingwood, los periódicos los llamaban Blancanieves y los Siete Enanitos, por más que ella no tenía nada de muñequita de Disney: sus labios eran pálidos y no rojo sangre; su cabello, rubio-hielo en lugar de azabache, y sus ojos, no grandes e inocentes sino entornados por la costumbre de evitar el reverbero de la nieve. El súbito recuerdo de Gibreel Farishta la pilló desprevenida: Gibreel en un momento de sus tres días y medio, vociferando con su habitual falta de reserva: «Nena, digan lo que digan, tú no tienes nada de iceberg. Tú eres una dama apasionada, *bibi*. Más caliente que una *kachori*» y se soplaba las yemas de los dedos y agitaba la mano enfáticamente. *Oh, qué caliente. Hay que echar agua.* Gibreel Farishta. Logró dominarse: eh, eh, a trabajar.

«Fantasmas –repitió con firmeza–. Durante la ascensión al Everest, cuando dejé atrás la cascada de hielo, vi a un hombre sentado en un saliente en la postura del loto, con los ojos cerrados y una boina escocesa que entonaba la vieja mantra: *Om mani padmé hum*.» Adivinó enseguida, por su arcaica indumentaria y sorprendente conducta, que se trataba del espectro de Maurice Wilson, el yogi que, allá por 1934, se preparó para una ascensión al Everest en solitario ayunando durante tres semanas, con el propósito de crear una unión tan íntima entre su cuerpo y su alma que la montaña no fuera lo bastante fuerte para escindirlas. En una avioneta se elevó cuanto pudo, estrelló el aparato en la nieve, continuó la ascensión a pie y jamás volvió. Cuando Allie se acercaba, Wilson abrió los ojos y saludó con un ligero movimiento de cabeza. Durante el resto del día caminaba a su lado o se mantenía suspendido en el aire mientras ella escalaba una pared. En un momento dado se lanzó en plancha sobre la nieve que cubría una pronunciada pendiente y se deslizó hacia arriba como si viajara en un invisible funicular. Allie, por razones que después no sería capaz de explicarse, se comportó con toda naturalidad, como quien acaba de topar con un viejo conocido.

Wilson le daba conversación. «Últimamente no tengo mucha compañía», y manifestó entre otras cosas, su profunda irritación porque la expedición china de 1960 hubiera descubierto su cuerpo. «Esos pequeños capullos amarillos tuvieron el descaro de filmar mi cadáver.» Alleluia Cone estaba impresionada por los vistosos cuadros amarillos y negros de su inmaculado pantalón bombacho. Contaba estas cosas a las niñas de la escuela de Brickhall Fields que le habían escrito tantas cartas para pedirle que les diera una charla que le fue imposible negarse. «Tienes que venir –le rogaban–. Si hasta vives aquí.» Por la ventana de la clase se veía su apartamento, al otro lado del parque, ahora velado por la nevada que arreciaba.

Lo que no dijo a la clase fue esto: mientras el fantasma de Maurice Wilson describía con pormenorizado detalle su propia ascensión –y también sus descubrimientos póstumos, por ejemplo, el lento, tortuoso, infinitamente delicado e invariablemente improductivo ritual de apareamiento del yeti, que había presenciado recientemente en el Collado Sur–, ella pensó que su visión de aquel excéntrico de 1934, el primer ser humano que intentara escalar el Everest en solitario, él mismo una especie de abominable hombre de las nieves, no fue casual sino una señal, un signo de parentesco. Una profecía, quizá, porque fue en aquel momento cuando nació su sueño secreto, el imposible: el sueño de una ascensión en solitario. También era posible que Maurice Wilson fuera el ángel de su muerte.

«Yo quería hablaros de fantasmas –decía– porque la mayoría de los montañeros, cuando bajan de las cumbres, se callan estas cosas por pudor. Pero existen, tengo que reconocerlo, a pesar de que yo soy de la clase de personas que siempre mantienen los pies bien firmes sobre la tierra.»

Esto era una broma. Sus pies. Ya antes de subir al Everest había empezado a tener fuertes dolores, y su médico, la doctora Mistry, una mujer de Bombay poco amiga de rodeos, le dijo que tenía arcos caídos. «Lo que vulgarmente se llama pies planos.» Sus arcos, que siempre fueron débiles, se habían debilitado aún más por el uso prolongado durante años de zapatillas y calzado perjudicial. La doctora Mistry carecía de recursos precisos: ejercitar los dedos aprisionando objetos, subir corriendo las escaleras descalza, usar calzado apropiado. «Todavía es joven –le dijo–. Tiene que cuidarse. Si no, a los cuarenta años será una inválida.» Cuando Gibreel –¡maldita sea!– supo que había subido al Everest como si llevara tachuelas en los pies, empezó a llamarla su *silkie*. Él había leído un libro de cuentos de hadas en el que dio con la historia de la sirena que dejaba el océano y adoptaba forma humana por el amor de un hombre. Ahora tenía pies en lugar de cola, pero cada paso era un martirio, como si caminara sobre cristales rotos; a pesar de todo, ella seguía andando, alejándose del mar tierra adentro. Tú lo hiciste por una jodida montaña, le dijo. ¿Lo harías por un hombre?

Ella había ocultado el dolor a sus compañeros de expedición porque la atracción del Everest era abrumadora. Pero el dolor persistía y se hacía cada día más fuerte. El azar, un defecto congénito, le encadenaba los pies. Fin de la aventura, pensó Allie; traicionada por los pies. La obsesionaba la imagen de los pies vendados. *Condenados chinos,* pensaba, haciendo eco al fantasma de Wilson.

«Para algunas personas es tan fácil la vida –sollozó en brazos de Farishta–. ¿Por qué a ellas no les fallan sus condenados pies?» Él le dio un beso en la frente. «Para ti siempre será un desafío –dijo él–. Lo deseas demasiado.»

La clase esperaba, impaciente toda aquella charla de fantasmas. Las chicas querían que les explicara el caso, su caso. Querían encontrarse en la cumbre. Ella deseaba preguntar: *¿Vosotras sabéis lo que significa que toda tu vida se concentre en un momento, en un par de horas? ¿Sabéis lo que es cuando no puedes ir más que hacia abajo?* «Yo estaba en la segunda cordada, con el sherpa Pemba –dijo–. El tiempo era perfecto, perfecto. Tan claro que te parecía que podrías ver a través del cielo cualquier cosa que hubiera más allá. La primera cordada ya debe de estar arriba, dije a Pemba. El tiempo se mantiene y podemos subir. Pemba se puso muy serio, lo cual era una novedad, ya que era uno de los más bromistas de la expedición. Él tampoco había estado en la cumbre. Hasta entonces yo no había pensado en subir sin oxígeno, pero al ver que Pemba se disponía a intentarlo, pensé: de acuerdo, yo también. Fue un capricho estúpido, de aficionado, pero de repente quise ser una mujer sentada en lo alto de aquella montaña hija de puta, un ser humano, no una máquina que respira. Pemba dijo: Allie Bibi, no hacer, pero yo eché a andar. Al poco rato nos cruzamos con los que bajaban y pude ver la expresión de sus ojos. Estaban tan contentos, tan eufóricos, que ni se dieron cuenta de que yo no llevaba el equipo de oxígeno. Mucho cuidado, nos gritaron. Cuidado con los ángeles. Pemba respiraba a buen ritmo y yo acompasé la respiración aspirando el aire con él y expulsando el aire con él. Sentía la cabeza ligera y sonreía de oreja a oreja, y cuando Pemba me miraba veía que él estaba igual que yo. Parecía una mueca, como de dolor, pero era una alegría loca. –Era una mujer que había alcanzado la trascendencia, los milagros del alma, por el duro esfuerzo físico de subir por una alta roca cubierta de hielo–. En aquel momento –dijo a las chicas que subían con ella, siguiendo cada paso de la ascensión–, lo creí todo: que el universo tiene un sonido, que puedes levantar un velo y ver la faz de Dios, todo. Vi los Himalayas a mis pies, y aquello también era la faz de Dios. Pemba debió de ver en mi expresión algo que le alarmó, porque me gritó: Cuidado, Allie Bibi, la altura. Recuerdo que floté por el último repecho y llegué arriba, y allí estábamos, y por todos los lados se extendía el descenso. Qué luz; el universo purificado en luz. Quería arrancarme la ropa y dejar que me empapara la piel. –En la clase, ni una risita; todas estaban bailando desnudas con ella en el techo del mundo–. Entonces empezaron las visiones, los arco iris que se ondulaban y danzaban en el cielo, el resplandor que caía como una cascada del sol, y había ángeles, los otros no bromeaban. Yo los vi, y el sherpa Pemba los vio. Los dos estábamos de rodillas. Sus pupilas tenían un blanco puro y las mías también, estoy segura. Probablemente habríamos muerto allí, seguro, cegados por la nieve y enloquecidos por la montaña, pero entonces oí un ruido, una detonación seca como el disparo de un rifle. Aquello me despertó. Tuve que gritar a Pem hasta que también él reaccionó y empezamos a bajar. El tiempo cambiaba rápidamente; se acercaba una ventisca. Ahora el aire estaba denso, ahora, en lugar de aquella levedad, aquella ligereza, había pesadez. Apenas llegamos al punto de reunión los cuatro nos metimos en la pequeña tienda del Campamento Seis, a ocho mil doscientos metros. Allá arriba no hablas mucho. Cada cual tenía su propio Everest que escalar una y otra vez, durante toda la noche. Pero sí pregunté: "¿Qué fue aquel ruido? ¿Alguien disparó una escopeta?" Me miraron como si estuviera desquiciada. ¿Quién haría una estupidez semejante a esa altura, dijeron; además, Allie, sabes perfectamente que no hay ni un arma en toda la montaña. Tenían razón, naturalmente, pero yo lo oí, de eso estoy segura; bang, bing, el disparo y el eco. Y eso es todo –dijo, terminando bruscamente–. Fin. La Historia de mi vida.» Agarró un bastón con puño de plata y estaba a punto de irse cuando Mrs. Bury, la maestra, se adelantó para pronunciar las frases de ritual. Pero las chicas no se querían quedar con un palmo de narices. «¿Y qué fue, Allie?», insistieron; y ella, que de repente parecía tener diez años más de sus treinta y tres, se encogió de hombros. «No lo sé –dijo–. A lo mejor, el fantasma de Maurice Wilson.»

Salió de la clase apoyándose pesadamente en el bastón.

La City –el mismísimo Londres, *yaar*, nada menos– estaba vestida de blanco, como una plañidera en un funeral. «A ver de quién, el jodido funeral, míster –se preguntaba Gibreel Farishta, frenético–; no será el mío, carajo, espero y deseo.» Cuando el tren entró en la estación Victoria, él saltó sin esperar a que se parase del todo, se torció un tobillo y cayó de bruces entre los carros de equipaje y las risas burlonas de los londinenses que esperaban el tren, agarrándose en su caída a su sombrero cada vez más maltrecho. A Rekha Merchant no se la veía por ninguna parte y, aprovechando el momento, Gibreel corrió como un poseso entre la gente que se apartaba a su paso, sólo para encontrarla en el control de billetes, flotando pacientemente en su alfombra, a un metro del suelo, invisible para todos los ojos menos los suyos.

«¿Qué es lo que quieres? –le apostrofó él–. ¿Qué buscas aquí?» «He venido a ver tu caída –repuso ella al instante–. ¿Ves? –agregó–. Ya he conseguido que hicieras el ridículo.»

La gente se apartaba de Gibreel, aquel tipo raro de la gabardina grande y el sombrero aplastado, *ese hombre habla solo*, dijo una voz infantil, y la madre respondió *shhh, cariño, no hay que burlarse de las desgracias de la gente.* Bienvenido a Londres. Gibreel Farishta corrió hacia las escaleras del Metro. Rekha, en su alfombra, le dejó ir.

Pero cuando, atropelladamente, llego al andén de la dirección Norte de la Línea Victoria, volvió a verla. Ahora estaba en un cartel publicitario sobre el muro del lado opuesto que anunciaba las ventajas del sistema telefónico automático internacional. *Envíe su voz hasta la India en una alfombra mágica* –instaba–. *Sin djinns y sin lámparas maravillosas.* Él lanzó un alarido que nuevamente hizo que sus compañeros de viaje dudaran de su cordura, y huyó al andén de la dirección Sur, por cuya vía entraba un tren. Saltó al interior de un vagón y allí estaba Rekha Merchant, ante él, con la alfombra arrollada en el regazo. Las puertas se cerraron estrepitosamente a su espalda.

Aquel día Gibreel Farishta huyó en todas las direcciones del Metro de la ciudad de Londres y, dondequiera que iba, Rekha Merchant daba con él; en las interminables escaleras mecánicas de Oxford Circus se sentaba a su lado, y en los atestados ascensores de Tufnell Park se le apretaba por detrás de un modo que, en vida, hubiera considerado escandaloso. En los confines de la

Metropolitan Line, arrojó los fantasmas de sus hijos desde la copa de unos árboles como garras y, cuando él salió a respirar delante del Banco de Inglaterra, se lanzó histriónicamente desde la cúspide de su frontón neoclásico. Y aunque él no tenía la menor idea de la verdadera forma de aquélla, la más proteica y camaleónica de las ciudades, estaba seguro de que mientras él circulaba por sus entrañas, cambiaba constantemente de forma, y así las estaciones cambiaban de línea y se sucedían en una secuencia aparentemente azarosa. Más de una vez emergió medio asfixiado de aquel mundo subterráneo en el que las leyes del espacio y del tiempo habían dejado de funcionar, e intentó parar un taxi; pero ninguno se detenía, y él tenía que volver a sumirse en aquel laberinto infernal, aquel laberinto sin salida, y proseguir su huida épica. Por fin, exhausto y más allá de toda esperanza, se rindió a la lógica fatal de su locura y salió al azar en la que supuso debía de ser la última estación inútil de su prolongado y fútil viaje en busca de la quimera de la renovación. Salió a la amarga indiferencia de una calle de desperdicios esparcidos cercana a una rotonda infestada de camiones. Ya había oscurecido y él, con paso inseguro, utilizando sus últimas reservas de optimismo, entró en un parque al que las ectoplásmicas luces de tungsteno daban un aire espectral. Al caer de rodillas en la soledad de la noche de invierno, vio una figura de mujer que avanzaba lentamente hacia él a través de la hierba cubierta de nieve, y supuso que era su némesis, Rekha Merchant, que venía a darle el beso de la muerte, a arrastrarle a un submundo más profundo que aquel en el que le había enloquecido. Ya no le importaba, y cuando llegó la mujer, él había caído de bruces sobre los antebrazos, con la gabardina plegada a su alrededor, dándole el aspecto de un gran escarabajo moribundo que, por oscuras razones, llevaba un sucio sombrero de fieltro gris.

Como a mucha distancia, oyó que de la garganta de aquella mujer partía un grito en el que se mezclaban la incredulidad, la alegría y un extraño resentimiento, y, poco antes de perder el sentido, comprendió que, por el momento, Rekha le permitía hacerse la ilusión de que había alcanzado un lugar seguro, para que, cuando llegara, su victoria fuera aún más dulce.

«Estás vivo –dijo la mujer, repitiendo las palabras que le dijo la primera vez que lo vio–. Has recobrado la vida. Eso es lo que importa.»

Sonriendo, él se quedó dormido ante los pies planos de Allie mientras caía la nieve.

IV

AYESHA

Incluso las visiones por entregas han emigrado; ya se conocen la ciudad mejor que él. Y en las secuelas de Rosa y Rekha, los mundos soñados de su otro yo arcangélico empiezan a parecer tan tangibles como las fluctuantes realidades que habita cuando está despierto. Esto, por ejemplo, ha empezado a aparecérsele: un bloque residencial construido al estilo holandés en una parte de Londres que identificará como Kensington, a la que el sueño lo transporta volando a gran velocidad, por delante de los almacenes Barkers y de la pequeña casa gris con doble mirador en la que Thackeray escribió *La feria de las vanidades,* y de la plaza con el convento en el que siempre entran niñas de uniforme y que nunca vuelven a salir, y de la casa en la que Talleyrand pasó su vejez, cuando, tras mil y un cambios de lealtad y principios, asumió la apariencia de embajador de Francia en Londres, y llega a un edificio de siete pisos que hace esquina, con balcones de hierro forjado verde hasta el cuarto piso, y ahora el sueño le hace subir por la fachada de la casa y, al llegar al cuarto piso, aparta las pesadas cortinas del balcón de la sala de estar y por fin se queda allí sentado, sin dormir, como siempre, con los ojos muy abiertos a la tenue luz amarilla, mirando el futuro, el Imán barbudo del turbante.

¿Quién es? Un exiliado. No confundir ni permitir que la expresión degenere en todas esas palabras que lanza la gente: emigrado, expatriado, refugiado, inmigrante, silencio, astucia. Exilio es soñar con un retorno glorioso. Exilio es visión de revolución: Elba, no Santa Elena. Es una paradoja interminable: mirar hacia adelante de tanto mirar atrás. El exilio es una pelota que se lanza al aire. Él queda colgado, congelado en el tiempo, traducido en fotografía; inmovilizado, suspendido imposiblemente sobre su tierra natal, esperando el momento inevitable en que la fotografía empiece a moverse y la tierra reclame lo que es suyo. En estas cosas piensa el Imán. Su hogar es un apartamento alquilado. Es una sala de espera, una fotografía, aire.

El grueso papel de la pared, rayas verde oliva sobre fondo crema, se ha descolorido un poco, lo suficiente para que se noten los rectángulos y óvalos más vivos en los que estaban los cuadros. El Imán es enemigo de imágenes. Cuando llegó al apartamento los cuadros se deslizaron de las paredes y salieron de la habitación sin hacer ruido, eludiendo el furor de su mudo reproche. No obstante, algunas representaciones permanecen. En la repisa guarda unas cuantas postales con vistas de su patria, que él llama, simplemente, Desh: una montaña que se alza junto a una ciudad; una pintoresca escena aldeana bajo un gran árbol; una mezquita. Pero en su dormitorio, en la pared situada frente al duro camastro en el que duerme, está colgado un icono más potente, el retrato de una mujer de una fuerza excepcional, famosa por su perfil de estatua griega y por su pelo negro, tan largo como alta es ella. Una mujer poderosa, su enemiga, su otro: él la guarda cerca. Al igual que allá lejos, en los palacios de su omnipotencia, ella apretará el retrato de él bajo su real manto o lo ocultará en un medallón alrededor de su garganta. Ella es la Emperatriz y su nombre es –¿y cuál si no?– Ayesha. En esta isla, el Imán exiliado y, en la patria, en Desh, Ella. Cada uno tramando la muerte del otro.

Las cortinas, grueso terciopelo oro, están cerradas todo el día, porque, de lo contrario, el mal podría entrar en el apartamento: lo diferente, lo extranjero, la nación extraña. La triste circunstancia de que él está aquí y no allá, alrededor de la que giran todos sus pensamientos. En las raras ocasiones en las que el Imán sale a la calle, para respirar el aire de Kensington, en el centro de un cuadrilátero formado por ocho jóvenes con gafas negras y americanas abultadas, él junta las manos delante del pecho y mantiene la mirada fija en ellas, para que ningún elemento ni partícula de esta detestada ciudad –este sumidero de iniquidad que al brindarle refugio lo humilla, porque el Imán tiene que estar en deuda con ella, a pesar de la lujuria, la codicia y la vanidad que rigen sus actos– pueda alojarse, como una mota de polvo, en sus ojos. Cuando abandone este aborrecido exilo para volver triunfalmente a aquella otra ciudad situada bajo la montaña de la postal, tendrá a gala poder decir que ha permanecido ignorante de la Sodoma en la que se vio obligado a esperar; ignorante y, por consiguiente, incontaminado, inalterado, puro.

Y otra de las razones para mantener las cortinas cerradas es la de que, naturalmente, alrededor de él hay ojos y oídos, y no todos son amigos. Los edificios naranja no son neutrales. En algún lugar al otro lado de la calle habrá lentes zoom, equipos de vídeo, micros ultrasensibles y, naturalmente, siempre el riesgo de los francotiradores. Encima, debajo y a los lados del Imán están los apartamentos seguros ocupados por sus guardias personales que pasean por las calles de Kensington disfrazados de mujeres, con velos y alhajas, porque toda precaución es poca. La paranoia es requisito para la supervivencia del exiliado.

Una fábula, oída a uno de sus favoritos, el converso americano, otrora cantante de éxito y ahora conocido como Bilal X. En determinado club nocturno al que el Imán suele enviar a sus lugartenientes para espiar a determinadas personas que pertenecen a determinados grupos rivales, Bilal conoció a un joven de Desh, cantante también, con el que trabó conversación. Resultó que el tal Mahmood era un individuo terriblemente asustado. Recientemente, se había *unido sentimentalmente* a una *gori*, una mujer de cabellera roja, alta, todo un tipazo, y luego resultó que el anterior amante de su adorada Renata era el jefe exiliado de la SAVAK, la organización de tortura del Sha de Irán. El mismísimo Gran Panjandrum número uno, no un sádico de medio pelo especializado en arrancar uñas de los pies o prender fuego a los párpados, sino el gran *haramzada* en persona. Al día siguiente de que Mahmood y Renata se mudaran a su nuevo apartamento, llegó una carta para Mahmood. *Oye tío mierda, te estás cepillando a mi mujer, sólo quería saludarte.* Al día siguiente, llegó una segunda carta. *Por cierto, imbécil, se me olvidó decírtelo, éste es vuestro nuevo número de teléfono.* Maahmood y Renata habían solicitado un número que no figuraba en la guía, pero la Compañía telefónica aún no se lo había dado. Cuando, dos días después, se lo comunicaron y resultó ser el mismo de la carta, a Mahmood se le cayó el pelo de golpe. Entonces, al ver su cabello encima de la almohada, juntó las manos delante de Renata y le suplicó: «Nena, te quiero, pero eres demasiado caliente para mí, así que, haz el favor, vete lejos, lejos.» Cuando el Imán supo la historia, movió la cabeza diciendo: esa ramera, ¿quién se atreverá ahora a tocarla, a pesar de su cuerpo concupiscente? Ha puesto sobre sí una mancha peor que la lepra; así se mutilan los seres humanos a sí mismos. Pero la verdadera moraleja de la anécdota era la necesidad de mantener una constante vigilancia. Londres era una ciudad en la que el ex jefe de la SAVAK tenía magníficos contactos en la Compañía telefónica y el ex chef del Sha dirigía un próspero restaurante en Hounslow. Una ciudad muy acogedora, refugio de toda clase de gentes. Mejor mantener las cortinas corridas.

Los pisos tres al cinco del bloque residencial son, por el momento, toda la patria que el Imán posee. Aquí están los rifles y las radios de onda corta y las salas en las que los jóvenes espabilados del traje europeo hablan con urgencia por varios teléfonos. Aquí no hay alcohol ni cartas ni dados, y la única mujer es la que está colgada de la pared del dormitorio del viejo. En este sucedáneo de patria que el santo insomne considera su sala de espera o escala de transbordo, la calefacción central está al máximo noche y día y las ventanas están bien cerradas. El exiliado no puede olvidar y, por lo tanto, tiene que simular el calor seco de Desh, la tierra pasada y futura, donde hasta la luna es caliente y húmeda como un *chapati* recién hecho y untado de mantequilla. Oh, esa añorada parte del mundo en la que sol y luna son masculinos, pero su luz cálida y dulce recibe nombres femeninos. Por la noche, el exiliado aparta las cortinas y el extraño claro de luna se cuela en la habitación y su frialdad le golpea el globo del ojo como un clavo. Él hace una mueca y entorna los párpados. Un hombre ataviado con amplia túnica, taciturno, amenazador, vigilante: éste es el Imán.

El exilio es una tierra sin alma. En el exilio los muebles son feos, caros, comprados todos al mismo tiempo en la misma tienda y con demasiada prisa: relucientes sofás plateados con aletas como viejos Buick DeSoto Oldsmobile, librerías con puertas de cristal que no contienen libros sino carpetas. En el exilio, la ducha te escalda en cuanto se abre un grifo en la cocina, por lo que cuando el Imán se ducha todo el séquito debe recordar que no se puede llenar un puchero ni aclarar un plato sucio, y cuando el Imán va al retrete, sus discípulos salen de la ducha, escaldados. En el exilio no se guisa; los guardias de las gafas negras salen a comprar platos preparados. En el exilio todo intento de arraigo se considera traición: es el reconocimiento de la derrota.

El Imán es el centro de una rueda.

Él irradia movimiento a todas las horas del reloj. Khalid, su hijo, entra en su santuario con un vaso de agua que sostiene con la mano derecha sobre la palma de la izquierda. El Imán bebe agua constantemente, un vaso cada cinco minutos, para mantenerse limpio; el agua misma es también purificada antes de que él la sorba, en una máquina filtradora americana. Todos los jóvenes que le rodean conocen bien su famosa Monografía sobre el Agua, cuya pureza, cree el Imán, se transmite al que la bebe, así como su claridad y simplicidad, el ascético placer de su sabor. «La Emperatriz bebe vino», señala. Los borgoñas, los claretes y los vinos del Rin mezclan su intoxicante corrupción dentro de su cuerpo a un tiempo bello y degenerado. Este pecado es suficiente para condenarla por los siglos de los siglos sin esperanza de redención. El cuadro que tiene en su habitación muestra a la emperatriz Ayesha sosteniendo con las dos manos un cráneo humano lleno de un fluido rojo oscuro. La Emperatriz bebe sangre, pero el Imán es hombre de agua. «No en vano los pueblos de nuestras tórridas tierras la reverencian –proclama la Monografía–. El agua, protectora de la vida. Ningún individuo civilizado puede negársela a un semejante. La abuela, por artrítica que esté, se levantará inmediatamente para ir al grifo si un niño se le acerca para pedirle *pani, nani.* Guardaos de los que blasfeman contra el agua. El que la contamina, diluye su propia alma.»

El Imán ha desatado con frecuencia su furor contra la memoria del difunto Aga Khan, desde que le mostraran el texto de una entrevista en la que aparecía el jefe de los ismailitas bebiendo champán de añada. *Oh, caballero, este champán es sólo apariencia. En el instante en que toca mis labios se convierte en agua.* Diablo, truena el Imán. Apóstata, blasfemo, farsante. Cuando llegue el futuro estos individuos serán juzgados, dice a sus hombres. El agua triunfará y la sangre correrá como el vino. Tal es la milagrosa naturaleza del futuro de los exiliados: lo que se dice en la impotencia de un apartamento sobrecalentado se convierte en el destino de naciones. ¿Quién es el que no ha tenido este sueño de ser rey por un día? Pero el Imán sueña con algo más que un día; siente que de las yemas de sus dedos parten los hilos de araña con los que controlará el movimiento de la Historia.

No; de la Historia, no.

El suyo es un sueño más extraño.

Khalid, su hijo, el que le trae el agua, se inclina delante de su padre como un peregrino ante el santuario y le informa de que el centinela de servicio en la puerta del gabinete es Salman Farsi. Bilal está en la radio, transmitiendo el mensaje del día, en la frecuencia convenida, a Desh.

El Imán es una masiva quietud, una inmovilidad. Es piedra viva. Sus manos grandes y sarmentosas, gris granito, descansan pesadamente en los brazos de su sillón de alto respaldo. Su cabeza, que parece excesivamente grande para el cuerpo que hay debajo, se balancea pesadamente sobre el cuello sorprendentemente delgado que puede entreverse a través de una barba rala y cana. Los ojos del Imán están velados; sus labios no se mueven. Es pura fuerza, un ser elemental; se mueve sin movimiento, actúa sin acción, habla sin proferir un sonido. Él es el mago y la Historia es su truco.

No; la Historia, no: algo más extraño.

La explicación de este acertijo puede oírse, en este mismo momento, en ciertas subrepticias ondas de radio, en las que la voz de Bilal, el converso americano, canta la canción santa del Imán. Bilal, el *muezzin:* su voz entra por una estación de radioaficionado de Kensington y emerge en la Desh soñada, transmutada en el discurso atronador del propio Imán. Empieza con los rituales insultos contra la Emperatriz, con listas de sus crímenes, asesinatos, sobornos, relaciones sexuales con lagartos, etcétera, y a continuación procede a lanzar en tono vibrante la llamada cotidiana del Imán a su pueblo para que se alce contra la maldad del Gobierno de la Emperatriz. «Haremos una revolución –proclama el Imán a través de Bilal– que será una rebelión no sólo contra una tiranía, sino contra la Historia.» Porque existe un enemigo peor que Ayesha, y es la Historia misma. La Historia es el vino-sangre que hay que dejar de beber. La Historia es el tóxico, la creación y posesión del diablo, del gran Shaitan, la mayor de las mentiras –progreso, ciencia, derechos– con las que se ha encarado el Imán. La Historia es una desviación del Camino, el conocimiento es una ilusión, porque la suma del conocimiento se completó el día en que Al-Lat terminó su revelación a Mahound. «Nosotros rasgaremos el velo de la Historia –declama Bilal a la noche oyente– y, cuando desaparezca, veremos el Paraíso allí, con toda su gloria y su luz.» El Imán eligió a Bilal para esta función por la belleza de su voz que, en anterior encarnación, consiguió escalar el Everest de la lista de éxitos no una vez, sino una docena, hasta la cumbre. La voz está bien modulada y es persuasiva, una voz acostumbrada a ser escuchada; bien alimentada, adiestrada a la perfección, la voz de la confianza americana, un arma de Occidente vuelta contra sus creadores cuyo poderío apoya a la Emperatriz y su tiranía. Al principio, Bilal X protestó ante semejante descripción de su voz. Él también pertenecía a un pueblo oprimido, insistía, por lo que era injusto compararlo con los imperialistas yanquis. El Imán respondió, no sin gentileza: Bilal, tu sufrimiento es también el nuestro. Pero quien se cría en la casa del poder aprende sus artes, las absorbe, a través de esa misma piel que es la causa de tu opresión. El hábito del poder, su timbre, su actitud, su forma de ser con otras personas. Es una enfermedad, Bilal, que infecta a todos los que se acercan demasiado. Si los poderosos te pisotean, quedas infectado por las plantas de sus pies.

Bilal sigue dirigiéndose a la oscuridad. «¡Muerte a la tiranía de la emperatriz Ayesha, de los calendarios, de América, del tiempo! Nosotros buscamos la eternidad, la intemporalidad de Dios. Las aguas tranquilas de Dios, no el trasiego de vinos de la Emperatriz.» Quemad los libros y confiad en el Libro; dejaos de papeles y escuchad la Palabra tal como fue revelada por el ángel Gibreel al mensajero Mahound y explicada por vuestro intérprete e Imán. «Ameen», dijo Bilal, dando por terminados los protocolos de la noche. Mientras, en su retiro, el Imán envía su propio mensaje llamando, invocando, a Gibreel, el arcángel.

Se ve a sí mismo en el sueño: no un ángel al que mirar sino un hombre con su ropa de calle, las prendas póstumas de Henry Diamond: gabardina y sombrero gris sobre unos pantalones excesivamente grandes sujetos por tirantes, un jersey de pescador y una camisa blanca holgada. Este Gibreel del sueño, tan parecido al de la vigilia, está temblando en el santuario del Imán, cuyos ojos son blancos como las nubes. Gibreel habla en tono quejumbroso, para disimular el miedo.

«¿Por qué insistir con los arcángeles? Deberías saber que esos días ya pasaron.»

El Imán cierra los ojos, suspira. La alfombra tiende largos pelos que se enredan alrededor de Gibreel sujetándolo con fuerza.

«Tú no me necesitas –insiste Gibreel–. La revelación está hecha. Déjame ir.»

El otro mueve la cabeza y habla, pero sus labios no se mueven, y es la voz de Bilal la que llena los oídos de Gibreel, a pesar de que no se ve el altavoz, *ésta es la noche,* dice la voz, *y tienes que llevarme volando a Jerusalén.*

Entonces el apartamento se esfuma y ellos están de pie en el tejado, al lado del depósito del agua, porque el Imán, cuando desea moverse, puede permanecer quieto y hacer que el mundo se mueva en torno a él. Su barba ondea al viento. Ahora es más larga; si no fuera por el viento que la hace tremolar como pañuelo de gasa, le llegaría hasta los pies; tiene los ojos rojos, y su voz pende del cielo. *Llévame.* Gibreel arguye: Al parecer, no me necesitas para nada; pero el Imán, con un solo movimiento de asombrosa rapidez, se echa la barba sobre el hombro, se sube la falda enseñando dos piernas flacas con una capa de vello casi monstruosa, da un gran salto en el aire de la noche, hace una voltereta y se instala sobre los hombros de Gibreel, agarrándose a él con uñas convertidas en largas y curvadas garras. Gibreel siente que se eleva hacia el cielo, portando al viejo del mar, el Imán cuyo cabello crece a ojos vista flotando en todas las direcciones y cuyas cejas son como gallardetes al viento.

Jerusalén, ¿por dónde cae?, se pregunta. Pero es que, además, es una palabra muy resbaladiza, Jerusalén, tanto puede ser una idea como un lugar: una meta, una ilusión. ¿Dónde está la Jerusalén del Imán? «La caída de la meretriz –le dice al oído la voz incorpórea–. Su ruina, la ramera de Babilonia.»

Vuelan en la noche. La luna se calienta, empieza a hacer burbujas como el queso en el tostador; él, Gibreel, ve caer los pedazos de vez en cuando, gotas de luna que chisporrotean en la sartén del cielo. La tierra aparece bajo ellos. El calor se hace intenso.

Es un paisaje inmenso, rojizo, con árboles de copa aplastada. Vuelan por encima de montañas que también tienen las cumbres aplastadas; aquí hasta las piedras están aplastadas por el calor. Llegan a una montaña alta, de forma cónica casi perfecta, una montaña que también se ve en una postal que está en una repisa, muy lejos; y, a la sombra de la montaña, una ciudad se extiende a los pies de los viajeros, implorando, y en la falda de la montaña, un palacio, el palacio, su palacio: la Emperatriz difamada por mensajes radiofónicos. Es una revolución de radioaficionados.

Gibreel, al que el Imán utiliza de alfombra mágica, desciende un poco, y en la noche sofocante las calles parecen estar vivas, se retuercen como serpientes; mientras, delante del palacio de la derrota de la Emperatriz, parece levantarse una nueva colina, *delante de nuestros propios ojos,* baba, *¿qué pasa ahí abajo?* La voz del Imán pende del cielo: «Baja. Yo te enseñaré lo que es Amor.»

Cuando llegan a la altura de los tejados, Gibreel advierte que las calles son un hervidero de gente. Los seres humanos están tan comprimidos en esos tortuosos caminos, que forman una entidad mayor, homogénea, implacable y serpenteante. La gente avanza despacio, a paso regular, de los callejones a las calles estrechas, de las calles estrechas a las calles más anchas, de las calles más anchas a los paseos y de los paseos a la gran avenida, de doce carriles de ancho, bordeada de eucaliptos gigantes, que conduce a las puertas de palacio. La avenida está repleta de humanidad; es el órgano central del nuevo ser de muchas cabezas. De setenta en fondo, la gente camina gravemente hacia las puertas de la Emperatriz. Ante las cuales los guardias de palacio esperan en tres filas, echados, rodilla en tierra y de pie, con las metralletas a punto. La gente sube la pendiente hacia las metralletas; setenta en fondo, ya están a tiro; las metralletas barbotan y ellos mueren, y los setenta siguientes se encaraman sobre los cuerpos de los muertos, las metralletas vuelven a carcajearse y la colina de muertos crece. Los que están detrás empiezan, a su vez, a trepar. En las oscuras puertas de las casas de la ciudad hay madres con el manto en la cabeza que empujan a sus adorados hijos al desfile, *ve, sé mártir, haz lo necesario, muere.* «Ya ves como me quieren –dice la voz sin cuerpo–. No hay en el mundo tiranía que pueda resistir el poder de este amor lento y en marcha.»

«Eso no es amor –responde Gibreel, llorando–. Es odio. Ella los ha arrojado en tus brazos.» La explicación suena endeble, superficial.

«Ellos me quieren –dice la voz del Imán– porque yo soy agua. Yo soy fertilidad y ella es podredumbre. Ellos me quieren por mi costumbre de destrozar relojes. Los seres humanos que se apartan de Dios pierden el amor, y la certidumbre, y también el sentido de su Tiempo infinito que abarca pasado, presente y futuro; el tiempo sin tiempo que no necesita moverse. Nosotros anhelamos lo eterno, y yo soy eternidad. Ella no es nada: un tic o un tac. Ella se mira al espejo todos los días y siente terror de la vejez y de la huida del tiempo. Por ello, es prisionera de su propia naturaleza; también ella está encadenada al Tiempo. Después de la revolución no habrá relojes; nosotros los destruiremos todos. La palabra *reloj* será borrada de nuestros diccionarios. Después de la revolución no habrá cumpleaños. Todos volveremos a nacer, todos tendremos la misma edad invariable a los ojos de Dios Todopoderoso.»

Ahora calla porque debajo de nosotros llega el momento supremo en el que el pueblo alcanza las metralletas. Las cuales son silenciadas a su vez, cuando la interminable serpiente de gente, la pitón gigantesca de las masas sublevadas, abraza a los guardias asfixiándolos y ahoga la risotada letal de sus armas. El Imán suspira profundamente. «Ya está.»

Las luces del palacio se apagan mientras el pueblo camina hacia él, con el mismo paso mesurado de antes. Entonces, del interior del palacio oscurecido surge un sonido escalofriante que empieza como un lamento alto y penetrante y luego se hace profundo como un aullido, un ulular tan fuerte como para llenar con su ira todas las rendijas de la ciudad. La cúpula dorada del palacio estalla como un huevo y de ella se eleva, resplandeciente de negrura, una aparición mitológica con vastas alas negras y el cabello tan largo y tan negro como largo y blanco es el del Imán: Al-Lat, comprende Gibreel, que ha salido de la concha de Ayesha.

«Mátala», ordena el Imán.

Gibreel lo deposita en el balcón ceremonial de palacio, con los brazos abiertos para abarcar la alegría del pueblo, cuyo sonido ahoga los alaridos de la diosa y se eleva como un cántico. Y entonces es impulsado al aire, irresistiblemente, una marioneta que va a la guerra; y ella, al verlo llegar, da la vuelta, se agacha en el aire y, gruñendo espantosamente, se le echa encima con todo su poder. Gibreel comprende que el Imán, peleando por delegación, como siempre, lo sacrificará tan rápido como a la colina de cadáveres que está en la puerta de palacio; que él es un soldado suicida al servicio de la causa del clérigo. Yo soy débil, piensa, no soy adversario para ella, pero ella ha sido debilitada por su derrota. La fuerza del Imán mueve a Gibreel, y pone rayos en sus manos. Se inicia el combate; él arroja lanzas de rayos a sus pies y ella le echa cometas al vientre; *nos estamos matando el uno al otro*, piensa él, *los dos moriremos y habrá dos nuevas constelaciones en el espacio: Al-Lat y Gibreel.* Se tambalean como dos guerreros exhaustos dando mandobles en un campo sembrado de cadáveres. Los dos se debilitan rápidamente.

Ella cae.

Baja en picado, Al-Lat, reina de la noche; choca contra el suelo destrozándose la cabeza; y yace, inerte y rota, un ángel negro descabezado, con las alas arrancadas, junto a una puertecita lateral de los jardines de palacio. Y Gibreel, al apartar de ella la mirada horrorizado, ve que el Imán se ha hecho monstruoso, está tendido en el patio del palacio con la boca abierta ante las puertas, y a medida que el pueblo va entrando, él se lo va tragando entero.

El cuerpo de Al-Lat se desintegra en la hierba, dejando sólo una mancha oscura; y ahora todos los relojes de la capital de Desh empiezan a dar campanadas y siguen y siguen, más de doce y más de veinticuatro y más de mil y una, anunciando el fin del Tiempo, la hora que no puede medirse, la hora del regreso del exiliado, de la victoria del agua sobre el vino, del comienzo del Antitiempo del Imán.

Cuando el argumento de la historia nocturna cambia, cuando, sin previo aviso, el acontecer de Jahilia y Yathrib cede el paso a la lucha entre el Imán y la Emperatriz, Gibreel abriga momentáneamente la esperanza de que la maldición haya terminado y sus sueños recuperado la excentricidad casual de la vida corriente; pero entonces, cuando la nueva historia se ajusta a la vieja fórmula de continuar cada vez que él cierra los ojos en el punto preciso en que fue interrumpida, y su propia imagen, traducida en un avatar del arcángel, vuelve a entrar en la estructura, su esperanza muere y él sucumbe una vez más a lo inexorable. Las cosas han llegado al extremo de que algunas de sus crónicas nocturnas resultan más tolerables que otras, y después del apocalipsis del Imán casi se alegra con el comienzo del relato siguiente que amplía su repertorio interior, porque, por lo menos, sugiere que la deidad que él, Gibreel, ha tratado en vano de matar puede ser un Dios de amor, no sólo de venganza, poder, deber, leyes y odio; y también es un cuento un poco nostálgico sobre una patria perdida; suena como un retorno al pasado... ¿Qué historia es ésta? Ya llega. Empecemos por el principio: La mañana de su cuarenta cumpleaños, en una habitación llena de mariposas, Mirza Saeed Akhtar contemplaba a su esposa dormida...

La fatídica mañana de su cuarenta cumpleaños, en una habitación llena de mariposas, el *zamindar* Mirza Saeed Akhtar velaba el sueño de su esposa con el corazón rebosante de amor. Por una vez se había despertado temprano y se había levantado antes del amanecer con el agrio sabor de boca de una pesadilla, aquel sueño reiterativo del fin del mundo en el que la catástrofe, invariablemente, era culpa suya. Había estado leyendo a Nietzsche la noche anterior –«el fin inexorable de esta pequeña y pululante especie llamada Hombre»– y se quedó dormido con el libro abierto sobre el pecho. Al despertar por el aleteo de mariposas en el dormitorio fresco y oscuro, se enfadó consigo mismo por su necia elección de lectura nocturna. Pero ahora estaba bien despierto. Se levantó sin hacer ruido, se calzó *chappals* y salió a pasear por los porches de la gran mansión, todavía en penumbra por estar echadas las persianas, y las mariposas hacían reverencias a su espalda como cortesanos. A lo lejos, sonaba una flauta. Mirza Saeed subió las persianas y anudó las cuerdas. Los jardines estaban sumidos en la bruma, y en ella evolucionaban las mariposas, nubes dentro de la nube. Esta remota región siempre fue famosa por sus lepidópteros, milagrosos escuadrones que llenaban el aire de día y de noche, mariposas con la propiedad del camaleón, cuyas alas cambiaban de color según se posaran en una flor bermellón, una cortina ocre, una copa de obsidiana o un anillo de ámbar. En la mansión del *zamindar* y también en la aldea cercana, el milagro de las mariposas era tan frecuente que parecía cosa corriente, pero en realidad no hacía más que diecinueve años que habían regresado, según recordaban las criadas. Habían sido los espíritus familiares, o así rezaba la leyenda de una santa de la localidad, a la que se conocía por el nombre de Bibiji, que había vivido hasta los doscientos cuarenta y dos años y cuya tumba, mientras se supo donde estaba, tenía la virtud de curar la impotencia y las verrugas. Desde la muerte de Bibiji, hacía ciento veinte años, las mariposas se habían desvanecido en el mismo reino de la leyenda que la propia Bibiji, por lo que, cuando regresaron, al cabo de ciento un años de su ida, pareció, en un principio, una señal precursora de algún prodigio inminente. Después de la muerte de Bibiji –rápidamente sea dicho– el pueblo siguió prosperando y las cosechas de patatas siguieron siendo abundantes, pero en muchos corazones se abrió un vacío a pesar de que los actuales habitantes del pueblo no guardaran recuerdo de los tiempos de la vieja santa. Por lo tanto, el regreso de las mariposas alegró muchos ánimos, pero en vista de que las esperadas maravillas no se producían, los vecinos volvieron a sumirse poco a poco en la decepcionante monotonía de lo cotidiano. El nombre de la mansión del *zamindar*, *Peristan*, tal vez se derivara de las tenues alas de las mágicas criaturas, como ciertamente se deriva el del pueblo, Titlipur. Pero los nombres, una vez empiezan a usarse de forma corriente, pronto se convierten en meros sonidos y su etimología, al igual que tantas maravillas del mundo, queda sepultada bajo el polvo de la costumbre. Los habitantes humanos de Titlipur y sus hordas de mariposas se movían los unos entre los otros con una suerte de mutuo desdén. Los vecinos del pueblo y la familia del *zamindar* habían abandonado hacía ya mucho tiempo sus intentos por expulsar de sus casas a las mariposas, y ahora, cuando se abría un baúl, salía de él una bandada de alas como los demonios de Pandora, que cambiaban de color a medida que se elevaban; había mariposas debajo de las tapaderas de los retretes de Peristan, y dentro de los armarios, y entre las páginas de los libros. Cuando despertabas encontrabas las mariposas durmiendo en tus mejillas.

El lugar común llega a hacerse invisible, y hacía años que Mirza Saeed no reparaba en las mariposas. Pero la mañana de su cuarenta cumpleaños, cuando la primera luz del día dio en la casa y las mariposas empezaron a resplandecer al instante, la belleza del momento le hizo contener la respiración. Corrió al dormitorio de la reclusión en que dormía Mishal, su esposa, velada por una mosquitera. Las mariposas mágicas se habían posado en los dedos de sus pies y, al parecer, también un mosquito se había colado pues había una línea de picaduras a lo largo de todo el perfil de su clavícula. Él deseó levantar la mosquitera, tenderse en la cama y borrar aquellas picaduras con sus besos. ¡Qué inflamadas estaban! ¡Cómo le picarían cuando despertara! Pero se contuvo, recreándose en la inocencia de la figura dormida. Ella tenía el cabello suave, sedoso y de un castaño encendido, la piel blanca y los ojos, ahora cubiertos por los párpados, eran de un gris de seda. Su padre era director del Banco del Estado, por lo que fue un partido irresistible, un matrimonio de conveniencia que restauró la quebrantada fortuna de la antigua familia del Mirza y que, con el tiempo y a pesar de la falta de hijos, se convirtió en una unión de verdadero amor. Mirza Saeed contemplaba con ternura el sueño de Mishal ahuyentando de su pensamiento los últimos vestigios de su pesadilla. «¿Cómo va a estar condenado el mundo si puede ofrecer ejemplos de perfección tales como este hermoso amanecer?», reflexionaba con beatitud.

Siguiendo el hilo de sus placenteros pensamientos, el Mirza formuló un mudo discurso a su esposa que descansaba. «Mishal, tengo cuarenta años y me siento tan satisfecho como un niño de cuarenta días. Ahora veo que durante los años he ido sumiéndome más y más en nuestro amor y ahora nado en ese mar cálido como un pez.» ¡Cuánto le daba ella, se admiraba el Mirza, y cuánto la necesitaba él! Su matrimonio trascendía de la mera sensualidad, era tan íntimo que la separación era inconcebible. «Envejecer a tu lado, Mishal –le dijo mientras ella dormía–, será un privilegio.» Se permitió el sentimentalismo de lanzarle un beso con la punta de los dedos antes de salir de la habitación andando de puntillas. Cuando regresó al porche principal de sus aposentos privados, en el piso alto de la mansión, miró hacia los jardines que salían con el amanecer de la bruma, y vio la imagen que turbaría su paz de espíritu para siempre, destruyéndola irreparablemente en el mismo instante en el que comenzaba a creerla invulnerable a los estragos del destino.

Vio en el césped a una muchacha que estaba en cuchillas, con la mano izquierda extendida con la palma hacia arriba. En esa superficie se posaban las mariposas y ella, con la derecha, las cogía y se las metía en la boca. Lenta, metódicamente, se desayunaba sus alas inertes.

Tenía los labios, las mejillas y el mentón con manchas de muchos colores que le habían dejado las mariposas al morir.

Cuando el Mirza Saeed Akhtar vio a la joven tomar su desayuno de araña en el césped, sintió un arrebato de deseo tan violento que al momento se avergonzó. «No es posible –se reconvino–; al fin y al cabo, yo no soy un animal.» La joven envolvía su cuerpo en un sari amarillo azafrán, al modo de las mujeres pobres de la región y, cuando se inclinaba sobre las mariposas, la tela colgaba hacia adelante descubriendo sus pequeños senos ante la mirada del atónito *zamindar*. El Mirza Saeed extendió los brazos para asir la barandilla, y el ligero movimiento de su *kurta* blanca debió de llamar la atención de la muchacha, que levantó rápidamente la cabeza y le miró a la cara.

Y no bajó la mirada inmediatamente. Ni se levantó y echó a correr, como él casi esperaba.

No; ella esperó unos segundos, como para averiguar si él pensaba decir algo. En vista de que no decía nada, ella, sencillamente, reanudó su extraño ágape sin dejar de mirarle a la cara. Lo más extraño de todo ello era que las mariposas parecían converger hacia ella bajando del aire cada vez más luminoso, iban voluntariamente a la palma de la mano y a la muerte. Ella las tomaba por las alas, echaba la cabeza hacia atrás y se las metía en la boca con la punta de su estrecha lengua. En un momento dado, mantuvo la boca abierta, con los oscuros labios separados provocativamente, y el Mirza Saeed se estremeció al ver a la mariposa aleteando dentro de la oscura caverna de su muerte y, no obstante, sin intentar escapar. Cuando ella se hubo asegurado de que él lo había visto, juntó los labios y empezó a masticar. Así permanecieron, la campesina abajo y el hacendado arriba, hasta que, de pronto, ella puso los ojos en blanco y cayó pesadamente sobre el costado izquierdo, agitándose violentamente.

Al cabo de unos segundos de un pánico que le paralizó, el Mirza gritó: «¡Ah de la casa! ¡Eh, despertad, emergencia!» Al mismo tiempo echó a correr hacia la suntuosa escalera inglesa de caoba, traída desde un inimaginable Warwickshire, fantástico lugar en el que en un convento húmedo y oscuro, el rey Carlos I pisó esos mismos peldaños antes de perder la cabeza, en el siglo diecisiete de otro calendario. Mirza Saeed Akhtar, último vástago de su linaje, bajó corriendo por las escaleras, pisando las fantasmales huellas de unos pies decapitados, en su carrera hacia el jardín.

La muchacha tenía convulsiones y aplastaba mariposas al retorcerse y agitar las piernas. Mirza fue el primero en llegar a su lado, aunque los criados y Mishal, despertados por sus gritos, no se hicieron esperar. Él agarró a la muchacha por la mandíbula, le obligó a abrir la boca y le introdujo una ramita que ella enseguida partió con los dientes. Los cortes que tenía en la boca le sangraban, y él temió por su lengua, pero en aquel instante el mal la abandonó, ella se calmó y se durmió. Mishal ordenó que la llevaran a su propio dormitorio, y ahora Mirza Saeed tuvo que ver a otra bella durmiente en la misma cama, y por segunda vez se sintió invadido por algo que parecía una sensación muy rica y muy profunda para darle el grosero nombre de *lujuria.* Él descubrió que se sentía a un tiempo afligido por sus deseos impuros y eufórico por las emociones que le recorrían, unos sentimientos frescos cuya novedad le excitaba sobremanera. Mishal se acercó a su marido. «¿La conoces?», preguntó Saeed, y ella asintió. «Es huérfana. Hace pequeños animales de esmalte que vende en la ciudad. Tiene ataques de epilepsia desde que era muy pequeña.» Mirza Saeed quedó impresionado, y no por primera vez, por la sociabilidad de su mujer. Él apenas conocía a un puñado de habitantes del pueblo, en tanto que ella sabía el diminutivo de todo el mundo, la historia de las familias y lo que ganaba cada cual. Ellos hasta le contaban sus sueños, aunque muy pocos soñaban más de una vez al mes, porque eran muy pobres para permitirse esos lujos. Volvió a embargarle la ternura que sintiera por ella al amanecer y la abrazó. Ella apoyó la cabeza en su pecho y dijo suavemente:

«Feliz cumpleaños.» Él le besó los cabellos. Abrazados, contemplaron a la muchacha dormida. Ayesha: su esposa le dijo el nombre.

Cuando Ayesha, la huérfana, llegó a la pubertad y, por su belleza alucinada y su aire de mirar a otro mundo, fue pretendida por muchos jóvenes, empezó a decirse que esperaba a un amante del cielo, pues se consideraba muy buena para los mortales. Los pretendientes rechazados murmuraban, dolidos, que, en realidad, no debería ser tan exigente, en primer lugar porque era huérfana y, en segundo, porque estaba poseída por el demonio de la epilepsia, que sin duda ahuyentaría a los espíritus celestes que pudieran estar interesados. Algunos jóvenes despechados llegaron, incluso, a apuntar que, ya que los defectos de Ayesha le impedirían encontrar marido, por lo menos podía tomar amantes, para no desperdiciar esa belleza que, en justicia, hubiera debido otorgarse a persona menos inquietante. A pesar de todos los intentos de los jóvenes de Titlipur por convertirla en su ramera, Ayesha conservó la castidad, y su defensa era una mirada de feroz concentración en zonas de aire situadas encima del hombro izquierdo de las personas, que generalmente se tomaba por desprecio. Luego, la gente oyó hablar de su nueva costumbre de tragar mariposas y entonces modificaron su opinión de ella, convencidos de que estaba tocada de la cabeza y, por consiguiente, era peligroso acostarse con ella, ya que los demonios podían transmitirse a sus amantes. Después de esto, los lascivos varones del pueblo la dejaron sola en su choza, sola con sus animales de juguete y con su peculiar y alada dieta. Pero uno de los jóvenes tomó la costumbre de sentarse a cierta distancia de su puerta, vuelto discretamente hacia la dirección opuesta, como si estuviera de guardia, a pesar de que ella ya no necesitaba protectores. Él era un antiguo intocable del pueblo vecino de Chatnapatna que se había convertido al Islam y tomado el nombre de Osman. Ayesha nunca se dio por enterada de la presencia de Osman, ni él pretendía que le fuera reconocida. Las frondosas ramas de árbol del pueblo se agitaban sobre sus cabezas, movidas por la brisa.

El pueblo de Titlipur había crecido a la sombra de un inmenso baniano, único monarca que con sus múltiples raíces reinaba en una extensión de más de medio kilómetro de diámetro. Por estas fechas, el árbol se había metido en el pueblo, y el pueblo en el árbol, de tal manera que era imposible distinguirlos. Algunas zonas del árbol eran escondite de enamorados, y otras, gallineros. Los campesinos más pobres habían construido toscos refugios en los ángulos de ramas gruesas y vivían entre el denso follaje. Había ramas que hacían las veces de viaducto para cruzar el pueblo, con las lianas se hacían columpios para los niños, y en los sitios en los que el árbol se inclinaba hacia el suelo, sus hojas formaban el tejado de más de un albergue que parecía colgar de la espesura como el nido de un pájaro tejedor. Cuando se reunía el *panchayat* del pueblo, sus miembros se sentaban en la rama más gruesa. Los vecinos acostumbraban a referirse al árbol con el nombre del pueblo y a llamar al pueblo, simplemente, «el árbol». Los moradores no humanos del baniano –hormigas, ardillas, búhos– eran tratados con el respeto debido a conciudadanos. Sólo de las mariposas se hacía caso omiso, como si fueran ilusiones que se hubieran revelado vanas hacía tiempo.

Era un pueblo musulmán, por lo cual Osman, el converso, había venido a él después de abrazar la fe, con su traje de payaso y su toro «boom boom», en un acto de desesperación, para probar si un nombre musulmán le daba más suerte que anteriores cambios de nombre, como, por ejemplo, cuando se dio a los intocables el nuevo nombre de «hijos de Dios». Siendo hijo de Dios en Chatnapatna no podía ni sacar agua del pozo de la ciudad, porque el contacto de un paria habría contaminado el agua potable... Osman, sin tierras y, al igual que Ayesha, huérfano, se ganaba la vida haciendo de payaso. Su toro llevaba cucuruchos de papel rojo en los cuernos y muchos adornos brillantes en el morro y el lomo. Iban de pueblo en pueblo, a las bodas y otras fiestas, haciendo un número en el que el toro era la imprescindible pareja de Osman y movía el testuz de arriba abajo en respuesta a sus preguntas, una vez: no; dos veces: sí.

«Qué bonito es este pueblo, ¿verdad?»

Boom, negaba el toro.

«¿Que no? Sí que lo es. Mira ¿no es buena la gente?»

Boom.

«¿Cómo? ¿Es un pueblo de pecadores?»

Boom, boom.

«*¡Baapu-ré!* Entonces, ¿todos irán al infierno?»

Boom, boom.

«Pero, *bhaijan.* ¿No hay esperanza para ellos?»

Boom, boom, el toro les ofrecía la salvación. Osman, excitado, acercaba el oído al morro del toro. «Di, rápido. ¿Qué tienen que hacer para salvarse?» Entonces el toro arrancaba la gorra de la cabeza de Osman y la pasaba entre los espectadores, y Osman asentía alegremente. Boom, boom.

Osman, el converso, y su toro boom-boom tenía muchas simpatías en Titlipur, pero el muchacho sólo deseaba el afecto de una persona, y ella no se lo otorgaba. Él había reconocido que su conversión al Islam había sido, sobre todo, táctica. «Sólo para poder beber, *bibi,* ¿qué va a hacer uno?» Ella se escandalizó de su confesión, le participó que no tenía nada de musulmán, que su alma estaba en peligro y que, por ella, podía volver a Chatnapatna y morirse de sed. Se puso colorada al decírselo, con una decepción exagerada, y fue la vehemencia de esta decepción lo que dio ánimo a Osman para quedarse en cuchillas a una docena de pasos de su casa, día tras día, pero ella seguía pasando por su lado con la frente alta, sin un triste buenos días o me alegro de verte bueno.

Una vez a la semana, los carros de patatas de Titlipur, en cuatro horas de viaje, recorrían el estrecho camino surcado de roderas para ir a Chatnapatna, que se encontraba en el cruce del camino con la gran línea del ferrocarril. En Chatnapatna se erguían los altos silos de reluciente aluminio de los mayoristas de patatas, pero esto no tenía nada que ver con las visitas regulares de Ayesha a la ciudad. Ella se subía a uno de los carros de patatas, agarrando un pequeño hato de arpillera en el que llevaba sus juguetes al mercado. Chatnapatna era famosa en toda la región por sus chucherías para niños, juguetes de madera y figuritas de esmalte. Osman y su toro salían al extremo del baniano a despedirla y se quedaban mirando cómo se bamboleaba encima de los sacos de patatas hasta que no era más que un puntito lejano.

En Chatnapatna, ella se dirigió a casa de Sri Srinivas, dueño de la fábrica de juguetes más importante de la ciudad. En las paredes se leían las frases políticas del día: *Vota a Hand.* O, más cortésmente: *Sírvase votar por CP (M).* Encima de estas exhortaciones campeaba el ufano rótulo: *Juguetes Srinivas. Nuestro lema: Sinceridad & Creatividad.* Dentro estaba Srinivas: un gigantón gelatinoso de unos cincuenta años, con la cabeza monda como un sol, al que toda una vida dedicada a la venta de juguetes no había agriado el carácter. Ayesha le debía el sustento. Él había quedado tan prendado de su arte que se ofreció a comprar todos los muñequitos que ella pudiera hacer. Pero aquel día, a pesar de su habitual jovialidad, Srinivas frunció el entrecejo cuando Ayesha sacó del hato dos docenas de figuras de un muchacho con gorro de payaso acompañado de un toro muy engalanado que movía su adornada cabeza. Al comprender que Ayesha había perdonado a Osman su conversión, Sri Srinivas exclamó: «Ese hombre es un traidor a su nacimiento, como tú sabes bien. ¿Qué clase de persona es la que cambia de dioses con la misma facilidad que de *dhotis*? Sabe Dios cómo se te ha ocurrido tal cosa, muchacha, pero no quiero esos muñecos.» De la pared situada detrás del escritorio colgaba un certificado en un marco impreso en artísticos caracteres: *Por la presente se certifica que Mr. Sri S. Srinivas es experto en Historia Geológica del Planeta Tierra, por haber volado a través del Gran Cañón con Scenic Airlines.* Srinivas cerró los ojos y cruzó los brazos, como un Buda taciturno, con la indiscutible autoridad del que ha volado. «Ese chico es un demonio», dijo categóricamente, y Ayesha envolvió los muñecos en la arpillera y, sin discutir, dio media vuelta para marcharse. Srinivas abrió los ojos. «¡Condenada muchacha! –gritó–. ¿Es que no vas a protestar? ¿Crees que no sé que necesitas el dinero? ¿Por qué has hecho esa tontería? ¿Qué vas a hacer ahora? Anda, hazme unos cuantos muñecos de PF deprisa, y te los pagaré a buen precio, con una prima, porque soy generoso a más no poder.» El muñeco PF, de Planificación Familiar, era un invento personal de Mr. Srinivas, una variante de la muñeca rusa destinada a fomentar la responsabilidad social. Dentro de un muñeco *Abba* con traje y zapatos había una muñeca *Amma* con sari, y, dentro de ella, una hija que, a su vez, llevaba un hijo. Dos hijos y basta: era el mensaje de las muñecas. «Trabaja deprisa, deprisa –gritó Srinivas al despedir a Ayesha–. Las muñecas PF se venden muy bien.» Ayesha se volvió y le sonrió. «No te preocupes por mí, Srinivasji.»

Ayesha, la huérfana, tenía diecinueve años cuando

emprendió el camino de regreso a Titlipur por la ruta de las patatas surcada de roderas, pero cuando llegó a su pueblo, unas cuarenta y ocho horas después, había alcanzado la intemporalidad, porque su cabello se había vuelto blanco como la nieve y su piel había recuperado la luminosa perfección de la de un recién nacido, y aunque estaba completamente desnuda, las mariposas se habían posado en su cuerpo en tan grandes enjambres que parecía llevar un vestido de la tela más fina del mundo. Osman, el payaso, ensayaba con su toro junto al camino, porque, si bien la gran demora en el regreso de Ayesha le había producido viva angustia y pasó toda la noche buscándola, también tenía que ganarse la vida. Al verla, aquel muchacho que nunca había respetado a Dios por haber nacido intocable, se sintió lleno de un santo temor y no se atrevió a acercarse a la muchacha de la que estaba perdidamente enamorado.

Ella entró en su choza y durmió un día y una noche de un tirón. Luego, fue en busca del jefe del pueblo, *sarpanch* Muhammad Din, y le comunicó con toda naturalidad que el arcángel Gibreel se le había aparecido en una visión y se había acostado a su lado a descansar. «La grandeza ha descendido entre nosotros –informó al alarmado *sarpanch,* que hasta entonces se había preocupado más de los contingentes de patatas que de la trascendencia–. Se nos exigirá todo y también se nos dará todo.»

En otra parte del árbol, Khadija, la esposa del *sarpanch,* consolaba a un lloroso payaso que no se resignaba a que un ser superior le quitara a su amada Ayesha, porque cuando un arcángel yace con una mujer la hace inaccesible a los hombres. Khadija era vieja, distraída y torpe cuando trataba de ser cariñosa, y dio a Osman un pobre consuelo: «El sol siempre se oculta cuando rondan los tigres», viejo adagio que significa que las desgracias nunca vienen solas.

Poco después de que se conociera la noticia del milagro, la joven Ayesha fue llamada a la casa grande, y los días siguientes pasó largas horas encerrada con la esposa del *zamindar*, la *begum* Mishal Akhtar, cuya madre también había llegado de visita y se había encariñado con la esposa de blancos cabellos del arcángel.

El que sueña, al soñar quiere (pero no puede) protestar: Yo nunca le toqué ni un dedo. ¿Qué se han creído que es esto, un sueño erótico o qué? Que me ahorquen si sé de dónde sacaba esa chica su información/inspiración. Del que suscribe, no, desde luego.

Sucedió esto: ella iba andando de regreso a su pueblo cuando, de pronto, se sintió muy cansada, salió del camino y se tendió a descansar a la sombra de un tamarindo. Nada más cerrar los ojos, él estaba a su lado, ella soñaba a Gibreel con su gabardina y su sombrero, derritiéndose con aquel calor. Ella le miraba, pero él no habría podido decir lo que veía, alas, quizá, aureolas, todo eso. Luego él estaba allí tendido y no podía levantarse, los brazos y las piernas le pesaban más que barras de hierro y era como si su cuerpo se incrustara en la tierra por su propio peso. Cuando ella dejó de mirarle, asintió gravemente, como si él le hubiera hablado, y entonces se quitó su raquítico sari y se tendió a su lado, desnuda. Entonces, en el sueño, él se quedó dormido, insensible y frío, como si alguien hubiera desconectado los hilos, y cuando volvió a soñarse despierto, ella estaba de pie delante de él, con todo aquel pelo blanco suelto y vestida de mariposas: transformada. Ella seguía asintiendo, absorta, recibiendo un mensaje de algún lugar que ella llamaba Gibreel. Luego, lo dejó allí echado y volvió al pueblo e hizo su entrada.

O sea que ahora tengo una esposa soñada, discurre el que sueña. ¿Qué demonios hago con ella? Pero no depende de él. Ayesha y Mishal Akhtar están juntas en la casa grande.

Desde el día de su cumpleaños, Mirza Saeed estaba lleno de apasionados deseos, «como si realmente la vida empezara a los cuarenta», se admiraba su esposa. Su matrimonio se hizo tan activo que las criadas tenían que cambiar las sábanas tres veces al día. Mishal tenía la secreta ilusión de que este incremento de la libido de su esposo la haría concebir, porque ella estaba convencida de que el entusiasmo influía, por más que dijeran los médicos, y que todos aquellos años de tomarse la temperatura por la mañana antes de levantarse y luego pasar los resultados a un gráfico para determinar su ciclo de ovulación, no habían servido sino para disuadir a los niños de nacer, en parte porque resulta difícil llegar al ardor necesario cuando la ciencia se mete en la cama con una, y en parte, también en su opinión, porque un feto que se respete no querrá entrar en el seno de una madre programada tan mecánicamente. Mishal aún rezaba para tener un hijo, aunque ya no hablaba de ello a Saeed para evitarle la sensacón de haberla defraudado. Con los ojos cerrados, fingiendo dormir, ella pedía a Dios una señal, y cuando Saeed se volvió tan amoroso e insistente, ella pensó que tal vez eso era la señal. Por lo tanto, la extraña petición de su marido de que, a partir de ahora, siempre que vinieran a residir en Peristan, ella observara las «viejas costumbres» del *purdah* o retiro no fue tratada por ella con todo el desprecio que merecía. En la ciudad, donde tenían una casa grande y hospitalaria, el *zamindar* y su esposa estaban considerados como una de las parejas más «modernas» y «lanzadas» de la sociedad; coleccionaban arte contemporáneo y daban fiestas divertidas e invitaban a los amigos para magrearse a oscuras en los sofás mientras veían vídeos no demasiado pornos. Por lo tanto, cuando Mirza Saeed dijo: «¿No sería una delicia, Mishu, acomodar nuestra conducta a esta vieja casa?», ella habría tenido que reírse en sus barbas. Pero no, ella respondió: «Lo que tú quieras, Saeed», porque él le dio a entender que sería una especie de juego erótico. Incluso le insinuó que su pasión por ella se había hecho tan irresistible que podía tener que expresarla en el momento menos pensado, y si entonces ella estaba fuera de su retiro, podía violentar a la servidumbre; y, desde luego, su presencia le impediría concentrarse en cualquier trabajo y, además, en la ciudad «seguiremos siendo de lo más avanzado». De lo que ella dedujo que la ciudad estaba llena de distracciones para el Mirza, por lo que donde más posibilidades tenía de concebir era aquí, en Titlipur. Ella decidió no moverse. Fue entonces cuando invitó a su madre a visitarles porque, si iba a retirarse a la *zenana,* necesitaría compañía. Mrs. Qureishi llegó. Las carnes le temblaban de furor, venía decidida a reprender a su yerno hasta que desistiera de aquella tontería del *purdah,* pero Mishal la dejó asombrada al pedirle: «No, por favor.» Mrs. Qureishi, la esposa del director del Banco del Estado, era en sí una mujer bastante sofisticada. «Realmente, durante toda tu adolescencia, Mishu, tú fuiste la recatada y yo, la atrevida. Creí que ya habías salido de esa zanja, pero veo que ha vuelto a empujarte a ella.» La esposa del financiero siempre había opinado que, en el fondo, su yerno era un retrógrado y un roñoso, opinión que mantenía intacta a pesar de que carecía de todo fundamento. Por lo tanto, desoyendo el veto de su hija, fue en busca de Mirza Saeed al jardín delantero y se lanzó sobre él, agitando el cuerpo, como era su costumbre, para dar mayor énfasis a sus palabras. «¿Qué clase de vida hacéis? –inquirió–. A mi hija no se la encierra, a mi hija se la saca. ¿De qué te sirve toda su fortuna si la guardas también bajo llave? Hijo mío, saca la cartera y saca a tu mujer. ¡Llévatela de viaje, renueva tu amor, divertíos!» Mirza Saeed abrió la boca sin saber qué responder, y volvió a cerrarla. Deslumbrada por su propia elocuencia que, espontáneamente, había sugerido la idea de unas vacaciones, Mrs. Qureishi se entusiasmó. «¡Decidíos y marchaos! –instó–. ¡Marchaos, hombre, marchaos! Vete con ella, ¿o es que quieres tenerla encerrada hasta que ella se marche –en esto alzó al cielo un dedo amenazador– *para siempre*?»

Mirza, contrito, prometió pensarlo.

«¿A qué esperas? –gritó ella en tono triunfal–. Eres un pasmado. Especie de... de *Hamlet*.»

El ataque de su suegra provocó en Mirza Saeed uno de aquellos accesos de remordimiento que le mortificaban desde que había convencido a Mishal para que tomara el velo. Para consolarse, se puso a leer *Ghare-Baire*, la novela de Tagore en la que un *zamindar* insta a su esposa a abandonar el *purdah* y entonces ella entabla relaciones con un agitador político involucrado en la campaña «swadeshi», y el *zamindar* acaba muerto. La novela le animó momentáneamente, pero enseguida volvieron las dudas. ¿Fue sincero al dar aquellas razones a su esposa o pretendía, simplemente, despejar el terreno para perseguir a la *madonna* de las mariposas, la epiléptica Ayesha? «Menudo lío», pensó recordando a Mrs. Qureishi y sus ojos de halcón acusador, y «en el que me he metido». La presencia de su suegra, argüía, era otra prueba de su buena fe. ¿Acaso no animó a Mishal a llamarla, a pesar de que le constaba que la gorda no le tragaba y le atribuiría todas las canalladas del mundo? «¿Habría yo insistido en que viniera, de haber tenido intenciones *non sanctas*?», se preguntaba. Pero las impertinentes voces internas insistían: «Toda esta sexualidad de ahora, este nuevo interés por tu señora esposa, no es más que simple transferencia del deseo. Lo que te gustaría es que esa lagarta campesina viniera a lagartear contigo.»

La sensación de culpabilidad tenía el efecto de hacer que el *zamindar* se sintiera completamente despreciable. En su aflicción, los insultos de su suegra le sonaban como la pura verdad. «Blanducho», le había llamado, y, sentado en el estudio, rodeado de anaqueles en los que las polillas mordisqueaban felices textos sánscritos de valor incalculable, textos que ni en los archivos nacionales se encontraban y, también, las menos edificantes obras completas de Percy Westerman, G. A. Henty y Dornford Yates, Mirza Saeed reconoció, sí, desde luego, blando sí que soy. La casa tenía siete generaciones, y durante siete generaciones se había desarrollado el proceso de ablandamiento. Paseaba por el corredor en el que sus antepasados colgaban en deslucidos marcos dorados y se miraba en el espejo colocado en el último espacio, como recordatorio de que un día también él tendría que subir a aquella pared. Era un hombre sin ángulos ni cantos vivos; hasta en los codos tenía almohadillas de carne. En el espejo veía el fino bigote, la mandíbula débil, los labios manchados de *paan*. Las mejillas, la nariz, la frente: todo blando, blando, blando. «¿Quién iba a ver algo en un tipo como yo?», gritó al fin, y cuando advirtió que, en su agitación, había hablado en voz alta, comprendió que debía de estar enamorado, que estaba completamente trastornado de amor y que el objeto de su afecto ya no era su amante esposa.

«Soy un canalla, un farsante, un hipócrita –suspiró–. ¡Cómo he cambiado y en cuán poco tiempo! Merezco ser suprimido sin contemplaciones.» Pero él no era de los que se ensartan en su propia espada. No; él siguió paseando por los corredores de Peristan, y muy pronto la casa ejerció su encanto mágico y le devolvió una relativa calma.

La casa: a pesar de su poético nombre, era un edificio sólido y prosaico al que sólo hacía exótico la circunstancia de estar fuera de lugar. Fue construida hacía siete generaciones por un cierto Perowne, un arquitecto inglés que gozaba de gran predicamento entre las autoridades coloniales y que únicamente cultivaba el estilo de la casa de campo inglesa neoclásica. En aquellos tiempos, los grandes *zamindars* se volvían locos por la arquitectura europea. El antepasado de Saeed contrató al individuo a los cinco minutos de haberle sido presentado en la recepción del virrey, para demostrar públicamente que no todos los musulmanes de la India habían apoyado la acción de los soldados de Meerut ni simpatizaban con los posteriores levantamientos, ni mucho menos; y luego le dio carta blanca; y aquí estaba Peristan ahora, rodeada de unos campos de patatas casi tropicales, al lado del gran baniano, cubierta de buganvillas, con serpientes en las cocinas y esqueletos de mariposa en los armarios. Había quien decía que el nombre de la casa no aludía a lugares fantásticos, sino que, sencillamente, se derivaba del apellido del inglés: que era una simple contracción de *Perownistan.*

Al cabo de siete generaciones, por fin, la casa empezaba a encajar en aquel paisaje de carretas de bueyes, palmeras y cielos nítidos, altos y estrellados. Incluso la ventana de vidrios de colores que iluminaba la escalera del rey Carlos Sin Cabeza de un modo indefinible, se había naturalizado. Eran muy pocas las casas de los viejos *zamindars* que habían sobrevivido a las depredaciones igualitarias del presente, por lo que Peristan estaba impregnada de un aire rancio de museo, a pesar de que –o quizá precisament porque– Mirza Saeed se enorgullecía de la vieja mansión y gastaba generosamente en su conservación. Él dormía bajo un alto dosel de cobre labrado, en una cama en forma de barco que había sido ocupada por tres virreyes. En el gran salón gustaba de sentarse, con Mishal y Mrs. Qureishi, en el original asiento de tres plazas para enamorados. A un extremo de esa habitación estaba enrollada, descansando sobre unos tacos de madera, una colosal alfombra de Shiraz, esperando la esplendorosa recepción que mereciera su colocación, y que nunca llegaba. En el comedor había robustas columnas clásicas con artísticos capiteles corintios, en la gran escalinata lucían su plumaje los pavos reales, de verdad y de piedra, y en el vestíbulo tintineaban los candelabros venecianos. Todos los *punkahs* originales funcionaban, y sus cuerdas, conducidas por poleas a través de orificios hechos en las paredes y en los suelos, recorrían toda la casa hasta un cuartito sin ventilación en el que el *punkahwallah* tiraba de todas a la vez, atrapado en la paradoja de tener que respirar un aire fétido en un cuartito sin ventanas mientras se dedicaba a lanzar brisas refrescantes a todas las partes de la casa. También los criados se remontaban siete generaciones, por lo que habían perdido el arte de quejarse. Regían las viejas costumbres: hasta el pastelero de Titlipur tenía que pedir permiso al *zamindar* antes de poner a la venta cada dulce que inventaba. La vida era tan placentera en Peristan como dura bajo el árbol; pero, incluso en vidas tan regaladas se pueden sufrir fuertes golpes.

El descubrimiento de que su esposa pasaba la mayor parte del tiempo encerrada con Ayesha llenó al Mirza de una irritación insoportable, un eccema del espíritu que le ponía frenético porque no podía rascarlo. Mishal esperaba que el arcángel, el esposo de Ayesha, le concediera un hijo, pero puesto que a su marido no podía decirle esto, frunció el entrecejo y se encogió de hombros con irritación cuando él le preguntó por qué perdía tanto tiempo con la muchacha más loca del pueblo. La reticencia de Mishal acrecentó la comezón de Mirza Saeed y le puso celoso, aunque no sabía si estaba celoso de Ayesha o de Mishal. Reparó en que la dueña de las mariposas tenía unos ojos del mismo gris lustroso que su esposa, y, sin saber por qué, esto le enfureció también, como si fuera la prueba de que las mujeres se habían confabulado contra él contando sabe Dios qué secretos; ¡quizá cuchicheaban y chismorreaban de él! Al parecer, en el asunto del retiro en la *zenana* le había salido el tiro por la culata; hasta la mantecosa Mrs. Qureishi parecía cautivada por Ayesha. Vaya un trío, pensó Mirza Saeed; cuando el hechizo entra por la puerta, el sentido común sale por la ventana.

Y, en cuanto a la propia Ayesha, cuando encontraba al Mirza en el balcón, o en el jardín, mientras él paseaba leyendo poesía urdu, se mostraba invariablemente deferente y tímida; pero su respeto, unido a una total ausencia de interés erótico, arrastrada a Saeed más y más hacia la impotencia y la desesperación. Por lo tanto, el día en que, espiando a Ayesha, la vio entrar en los aposentos de su esposa y, minutos después, oyó la voz de su suegra alzarse en melodramático grito, se sintió invadido por un acceso de cerril resentimiento y, deliberadamente, esperó tres minutos antes de entrar a investigar. Encontró a Mrs. Qureishi mesándose el cabello y sollozando como una reina del cine, mientras Mishal y Ayesha estaban sentadas en la cama con las piernas cruzadas, una frente a otra, ojos grises mirando a ojos grises, y Ayesha, con los brazos extendidos, sostenía entre las manos la cara de Mishal.

Resultó que el arcángel había informado a Ayesha de que la esposa del *zamindar* estaba muriéndose de cáncer, que sus pechos estaban llenos de los malignos nódulos y que no le quedaban sino unos meses de vida. La localización del cáncer había demostrado a Mishal la crueldad de Dios, porque sólo una deidad malévola pondría la muerte en el pecho de una mujer cuya única ilusión era la de amamantar vida nueva. Cuando

Saeed entró, Ayesha susurraba a Mishal con vehemencia: «No pienses en eso. Dios te salvará. Es para poner a prueba tu fe.»

Mrs. Qureishi dio la mala noticia a Mirza Saeed entre gritos y sollozos, y aquello, para el perplejo *zamindar*, fue ya el colmo. Se puso furioso y empezó a gritar y a agitarse, como si de un momento a otro fuera a destrozar el mobiliario de la habitación y, con él, a sus ocupantes.

«¡Al infierno tú y tu cáncer fantasma! –gritó a Ayesha en su cólera–. Has traído a esta casa la locura y los ángeles y has destilado veneno en los oídos de mi familia. Fuera de aquí con tus visiones y tu esposo invisible. Éste es el mundo moderno, y son los médicos y no los espíritus que rondan por los campos de patatas, los que nos dicen si estamos enfermos. Has armado toda esta conmoción del carajo por nada. Márchate de aquí y no vuelvas a mis tierras nunca más.»

Ayesha le escuchó sin apartar los ojos ni las manos de Mishal. Cuando Saeed se paró a respirar, abriendo y cerrando las manos, ella dijo en voz baja a la esposa: «Se nos exigirá todo y todo se nos concederá.» Cuando él oyó la fórmula que las gentes del pueblo ya repetían como loros, como si supieran lo que significaba, Mirza Saeed Akhtar perdió el juicio momentáneamente, alzó la mano y golpeó a Ayesha dejándola sin sentido. Ella cayó al suelo, con la boca ensangrentada porque el puñetazo le había roto una muela, Mrs. Querishi empezó a lanzar invectivas contra su yerno. «¡Ay, Dios mío, he puesto a mi hija en manos de un asesino! ¡Ay, Dios, uno que pega a las mujeres! Vamos, pégame a mí también, practica. Sacrílego, blasfemo, demonio, ser inmundo.» Saeed salió de la habitación sin proferir palabra.

Al día siguiente, Mishal Akhtar se empeñó en regresar a la ciudad para hacerse un chequeo. Saeed se puso firme. «Si tú quieres caer en la superstición, adelante, pero no esperes que yo vaya contigo. Son ocho horas de viaje; conque a paseo.» Mishal salió aquella misma tarde, con su madre y el chófer, por lo que Mirza Saeed no estaba donde era su obligación estar, o sea, al lado de su esposa, cuando le fueron comunicados los resultados de las pruebas: positivo, inoperable, demasiado avanzado, las garras del cáncer profundamente clavadas en su pecho. Unos meses, seis con suerte y, antes, muy pronto ya, el dolor. Mishal regresó a Peristan y fue directamente a sus habitaciones de la *zenana,* donde escribió a su marido una carta en papel lavanda comunicándole el dictamen del médico. Cuando él leyó la sentencia de muerte, escrita de puño y letra de su mujer, quiso llorar, pero sus ojos permanecieron obstinadamente secos. Hacía muchos años que él no tenía tiempo para el Ser Supremo, pero ahora le vinieron a la mente un par de frases de Ayesha. *Dios te salvará. Todo será dado.* Se le ocurrió una idea dictada por el resentimiento y la superstición: «Es una maldición –pensó–. Yo deseaba a Ayesha y por eso ella mata a mi esposa.»

Cuando fue a la *zenana,* Mishal se negó a recibirle, y en la puerta, obstruyendo el paso, estaba la madre, que entregó a Saeed otra hoja de papel azul perfumado. «Quiero ver a Ayesha –decía–. Te ruego que lo permitas.» Mirza Saeed, cabizbajo, dio su consentimiento y se alejó avergonzado.

Con Mahound siempre hay lucha; con el Imán, esclavitud; pero con esta muchacha no hay nada. Gibreel está inerte, dormido en el sueño como en la vida real. Ella se le acerca debajo de un árbol, o en una zanja, escucha lo que él no dice, toma lo que quiere y se va. ¿Qué sabe él de cáncer, por ejemplo? Ni una sola cosa.

Alrededor de él, piensa mientras sueña a medias o vela a medias, hay personas que oyen voces, que son seducidas por unas palabras. Pero no sus palabras; nunca sus propias ideas originales. Entonces, ¿de quién? ¿Quién les susurra al oído, haciéndoles mover montañas, parar relojes y diagnosticar enfermedades?

Él no consigue averiguarlo.

Al día siguiente del regreso de Mishal Akhtar a Titlipur, la joven Ayesha, a la que la gente empezaba a llamar *kahin* y *pir,* desapareció durante una semana. Su desventurado admirador, el payaso Osman, que la siguió por el polvoriento camino de las patatas hasta Chatnapatna, dijo a los vecinos del pueblo que se levantó viento y le sopló polvo a los ojos; cuando él se los sacó, ella «ya no estaba». Generalmente, cuando Osman y su toro empezaban a contar sus historias de *djinnis,* lámparas mágicas y abretesésamos, la gente le miraba con aire tolerante y zumbón; está bien, Osman, guarda esas historias para los idiotas de Chatnapatna; ellos tal vez se las traguen, pero aquí, en Titlipur, sabemos lo que es la vida y que los palacios no aparecen a no ser que mil y un obreros los construyan, ni desaparecen como no los derriben los mismos obreros. Pero aquel día nadie se rió del payaso, porque, en lo tocante a Ayesha, la gente del pueblo estaba dispuesta a creer cualquier cosa. Estaban convencidos de que la muchacha del pelo de nieve era la auténtica sucesora de la vieja Bibiji, porque ¿no habían reaparecido las mariposas el mismo año de su nacimiento, y no la seguían a todas partes como un manto? Ayesha era la justificación de la marchita esperanza engendrada por el regreso de las mariposas, y la prueba de que en esta vida aún eran posibles grandes cosas, incluso para los más débiles y más pobres del país.

«Se la llevó el ángel –se admiró Khadija, la esposa del *sarpanch,* y Osman prorrumpió en llanto–. Oh no, si eso es maravillosos», explicó la vieja Khadija, desconcertada. Los vecinos se burlaban del *sarpanch.* «Cómo llegaste a jefe del pueblo con una esposa tan bruta, no se comprende.»

«Vosotros me elegisteis», respondió él hoscamente.

Al séptimo día de su desaparición, Ayesha fue vista caminando hacia el pueblo, nuevamente desnuda y vestida de mariposas de oro, con su pelo plateado flotando al viento. Fue directamente a casa de *sarpanch* Muhammad Din y pidió que se convocara al *panchayat* para una sesión de emergencia inmediata. «Ha llegado el mayor acontecimiento de la historia del árbol», reveló. Muhammad Din, incapaz de negarse, fijó la reunión para aquel mismo día, al anochecer.

Aquella noche, los miembros del *panchayat* tomaron asiento en la rama del árbol y Ayesha, la *kahin,* se quedó delante de ellos, en el suelo. «Yo he volado con el ángel hasta las cumbres más altas –dijo–. Sí, he ido incluso al loto del último confín. El arcángel Gibreel nos ha traído un mensaje que es también una orden. Todo se nos pide y todo nos será dado.»

Nada en la vida del *sarpanch* Muhammad Din le había preparado para la eventualidad en que se encontraba. «¿Qué pide el ángel, Ayesha, hija?», preguntó, esforzándose por dar aplomo a su voz.

«Es deseo del ángel que todos nosotros, todos los hombres, las mujeres y los niños del pueblo, empecemos a prepararnos inmediatamente para una peregrinación. Se nos ordena que caminemos desde este lugar hasta Mecca Sharif, a besar la Piedra Negra de la Ka'aba, en el centro de Haram Sharif, la sagrada mezquita. Y allí debemos ir.»

El quinteto que componía el *panchayat* empezó a discutir acaloradamente. Había que pensar en las cosechas, y era imposible que abandonaran sus hogares en masa. «Es inconcebible, niña –dijo el *sarpanch*–. Es bien sabido que Alá dispensa de *haj* y *umra* a quienes están impedidos por razones de pobreza o enfermedad.» Pero

Ayesha callaba y los ancianos seguían discutiendo. Luego fue como si su silencio se contagiara a todos, y durante un rato, mientras se decidió la cuestión –aunque nadie llegó a comprender por qué medio– no se pronunciaron palabras.

Fue Osman, el payaso, quien por fin habló, Osman, el converso, para el que su nueva fe no había sido más que un trago de agua. «Hay casi doscientas millas hasta el mar –exclamó–. Y en el pueblo hay ancianos y niños. ¿Cómo vamos a ir?»

«Dios nos dará fuerza», repuso Ayesha serenamente.

«¿No se te ha ocurrido que hay un gran océano entre nosotros y Mecca Sharif? –gritó Osman sin dar su brazo a torcer–. ¿Cómo lo cruzaremos? No tenemos dinero para pagar el pasaje en los barcos de los peregrinos. ¿Nos dará el ángel alas para volar?»

Muchos vecinos rodearon al blasfemo Osman, furiosos. «Cállate –le reprendió el *sarpanch* Muhammad Din–. Eres un recién llegado a nuestra fe y a nuestro pueblo. Mantén la boca cerrada y aprende nuestras costumbres.»

Pero Osman replicó con descaro: «¿Es así cómo recibís a los nuevos convecinos? No como iguales, sino como gente que tiene que hacer lo que le mandan.» Un grupo de hombres de cara roja empezó a apiñarse alrededor de Osman, pero antes de que pudiera ocurrir algo, la *kahin* Ayesha cambió el tono por completo respondiendo las preguntas del payaso.

«Esto también lo ha explicado el ángel –dijo con suavidad–. Caminaremos doscientas millas, y cuando lleguemos a la orilla del mar, pondremos los pies en la espuma y las aguas se abrirán ante nosotros. Las olas se dividirán y cruzaremos hacia La Meca andando por el fondo del mar.»

A la mañana siguiente, Mirza Saeed Akhtar despertó en una casa que se había quedado extrañamente silenciosa, y cuando llamó a los criados nadie contestó. El silencio se había extendido a los campos de patatas; pero bajo el gran techo del árbol del Titlipur todo era actividad y movimiento. El *panchayat* había votado unánimemente obedecer la orden del arcángel Gibreel, y los habitantes del pueblo habían empezado a preparar la partida. En un principio, el *sarpanch* quería que Isa, el carpintero, construyera literas que pudieran ser arrastradas por bueyes para que viajaran los viejos y enfermos, pero su propia esposa saboteó la idea diciendo: «*Sarpanch sahibji*, ¡tú no escuchas! ¿No dijo el ángel que debemos ir andando? Pues andaremos.» Únicamente los niños más pequeños serían dispensados de hacer la peregrinación a pie, y viajarían a hombros de los adultos (así se decidió), que se turnarían en portarlos. Los vecinos del pueblo reunieron todas sus existencias, y al lado de la rama del *panchayat* se amontonaron patatas, lentejas, aceite, calabazas de bebidas, chiles, berenjenas y otros vegetales. El peso de las provisiones se repartiría equitativamente entre los caminantes. También se recogieron utensilios de cocina y ropas de cama. Se llevarían bestias de carga y un par de carretas que transportarían pollos vivos y similares, pero, en general, los peregrinos se atenían a las instrucciones del *sarpanch* de llevar el mínimo de impedimenta. Los preparativos habían empezado antes del amanecer, por lo que cuando el colérico Mirza Saeed entró en el pueblo ya estaban muy avanzados. Durante cuarenta y cinco minutos el *zamindar* entorpeció las cosas lanzando furiosos discursos y sacudiendo a unos y otros por los hombros, pero al fin, afortunadamente, desistió y se marchó, por lo que el trabajo pudo proseguir al ritmo rápido del principio. Mientras se alejaba, el Mirza se golpeaba repetidamente la cabeza con la palma de la mano e insultaba a la gente, llamándoles *lunáticos* y *necios,* que son palabras muy feas, pero él siempre fue hombre sin fe, el último vástago débil de un linaje fuerte, y había que abandonarlo a su suerte; con hombres como él no se podía discutir.

A la puesta del sol, el pueblo estaba preparado para la marcha, y el *sarpanch* les dijo que se levantaran para el rezo a primera hora de la madrugada, para poder marchar inmediatamente después y evitar el mayor calor del día. Aquella noche, tendido en su esterilla al lado de la vieja Khadija, murmuró: «Por fin. Siempre quise ver la Ka'aba, caminar alrededor de ella antes de morir.» Ella alargó el brazo desde su esterilla para tomarle la mano. «Yo también he suspirado por ello, aunque sin gran esperanza –dijo–. Caminaremos juntos a través de las aguas.»

Mirza Saeed, empujado a un furor impotente por el espectáculo de todo un pueblo disponiéndose a partir, irrumpió en las habitaciones de su esposa sin ceremonia. «Tcndrías quc vcr lo quc ocurrc, Mishu exclamó, gesticulando ridículamente–. Todo Titlipur se ha vuelto loco, se va al mar. ¿Qué será de sus casas, de sus campos? Esto es la ruina. Debe de ser cosa de agitadores políticos. Alguien habrá repartido sobornos. ¿Crees que si les ofrezco dinero se quedarán, como personas sensatas?» Se le quebró la voz. En la habitación estaba Ayesha.

«¡Ah, perra!» Estaba sentada en la cama, con las piernas cruzadas, mientras Mishal y su madre, en cuclillas, repasaban sus pertenencias, tratando de decidir lo mínimo que necesitarían para ir en la peregrinación.

«Tú no vas –se rebeló Mirza Saeed–, yo te lo prohíbo. Sólo el diablo sabe el germen con el que esta mala pécora ha infectado al pueblo, pero tú eres mi esposa y no te consiento que te lances a esta aventura suicida.»

«Bonitas palabras –rió Mishal amargamente–. Saeed,

las has elegido bien. Sabes que no voy a vivir y hablas de suicidio. Saeed, aquí está ocurriendo algo y tú, con tu ateísmo europeo importado, no sabes lo que es. O quizá lo sabrías si miraras debajo de tus trajes ingleses y trataras de hallar tu corazón.»

«Es increíble –exclamó Saeed–. Mishal, Mishu, ¿eres tú quien habla? ¿Te has convertido de repente en ese tipo de devota a la antigua?»

Mrs. Qureishi dijo: «Vete, hijo. Aquí no hay sitio para los descreídos. El ángel ha dicho a Ayesha que cuando Mishal haya peregrinado a La Meca, el cáncer desaparecerá. Todo se pide y todo será dado.»

Mirza Saeed Akhtar apoyó las palmas de las manos en una de las paredes del dormitorio de su esposa y oprimió la frente contra el yeso. Después de una larga pausa, dijo: «Si de lo que se trata es de hacer *umra,* vayamos a la ciudad y subamos a un avión, por Dios. Podemos estar en La Meca dentro de un par de días.»

Mishal respondió: «Se nos ha ordenado caminar.»

Saeed perdió los estribos. «¡Mishal! ¡Mishal! –gritó–. ¿Ordenado? ¿Arcángeles, Mishu? ¿Gibreel? ¿Dios con barba larga y ángeles con alas? ¿Cielo e infierno, Mishal? ¿El diablo con una cola en punta y pezuñas hendidas? ¿Hasta dónde piensas llegar con esto? ¿Tienen alma las mujeres, qué me dices? O al contrario: ¿tienen sexo las almas? ¿Dios es negro o es blanco? Cuando se retiren las aguas del océano, ¿adónde irán? ¿Se levantarán a cada lado formando una pared? ¿Mishal? Contesta. ¿Hay milagros? ¿Crees en el Paraíso? ¿Se me perdonarán mis pecados? –Empezó a llorar y cayó de rodillas, con la frente apoyada todavía en la pared. Su esposa moribunda se acercó y lo abrazó por la espalda–. Vete entonces de peregrinación –dijo él con voz átona–. Pero, por lo menos, llévate el Mercedes furgoneta. Tiene aire acondicionado y puedes llenar la nevera de coca-cola.»

«No –dijo ella dulcemente–. Iremos como todos. Somos peregrinas, Saeed. Esto no es una excursión a la playa.»

«Yo no sé qué hacer –sollozó Mirza Saeed Akhtar–. Mishu, yo solo no puedo enfrentarme a esta situación.»

Ayesha habló desde la cama. «Mirza *sahib,* ven con nosotros –dijo–. Tus ideas están muertas. Ven y salva tu alma.»

Saeed se levantó, con los ojos enrojecidos. «¡Tú y tu manía de los viajes! –dijo a Mrs. Qureishi con rabia–. ¡La que has organizado! Tu viaje acabará con todos nosotros, siete generaciones, sin que quede ni uno.»

Mishal apoyó la mejilla en su espalda. «Ven con nosotros, Saeed. Ven.»

Él se volvió hacia Ayesha. «No hay dios», dijo firmemente.

«No hay otro Dios más que Dios, y Muhammad es Su Profeta», respondió ella.

«La experiencia mística es una verdad subjetiva, no objetiva –prosiguió él–. Las aguas no se dividirán.»

«El mar se abrirá a la orden del ángel», respondió Ayesha.

«Tú llevas a esta gente a un desastre seguro.»

«Los llevo al seno de Dios.»

«Yo no creo en ti –insistió Mirza Saeed–. Pero iré igualmente, y trataré de poner fin a esa locura con cada paso que dé.»

«Dios se sirve de muchos medios –dijo Ayesha con alegría–, muchos caminos por los que quienes dudan pueden ser conducidos a la seguridad divina.»

«Vete al infierno», gritó Mirza Saeed Akhtar, y salió violentamente de la habitación espantando mariposas.

«¿Qué locura es peor –susurró Osman, el payaso, al oído de su toro mientras lo engalanaba en su pequeño corral–: la de la loca o la del infeliz que ama a la loca?» El toro no contestó. «Quizá deberíamos haber seguido siendo intocables –prosiguió Osman–. Un océano obligatorio suena peor que un pozo prohibido.» Y el toro movió la cabeza dos veces para decir que sí, boom, boom.

V

UNA CIUDAD VISIBLE
AUNQUE NO VISTA

1

«Una vez me he convertido en búho, ¿cuál es el conjuro o antídoto que me devuelve a mi ser?» Mr. Muhammad Sufyan, dueño del Shaandaar Café y de la casa de huéspedes situada encima, mentor de la variopinta, transeúnte y multirracial clientela de ambos, de vuelta de todo, el menos doctrinario de los *hajis* y el menos vergonzante de los videomaníacos, ex maestro de escuela, autodidacta en textos clásicos de muchas culturas, cesado de su cargo en Dhaka por diferencias culturales con ciertos generales en los viejos tiempos en los que Bangladesh era simplemente un Ala Este y, por lo tanto, en sus propias palabras, «menos un inmig que un enano emig», humorística alusión a su corta talla, porque si bien era hombre ancho, de pecho y brazo robusto, no alzaba del suelo más que sesenta y una pulgadas, parpadeaba en la puerta de su dormitorio, despertado por la perentoria llamada de medianoche de Jumpy Joshi, mientras limpiaba sus gafas de media montura con el borde de su *kurta* estilo bengalí (con las cintas atadas en la nuca, en un pulcro lazo), luego apretó los párpados sobre sus ojos miopes, volvió a ponerse los lentes, mesó una barba alheñada sin bigote, aspiró a través de los dientes y respondió a la ahora indiscutible cornamenta de la frente del individuo tembloroso al que Jum-

py parecía haber recogido, como un gato, con la frase citada, robada con encomiable agilidad mental para una persona que acaba de ser sacada del sueño, a Lucio Apuleyo de Madaura, sacerdote marroquí, 120-180 d. C. aprox., colonial de un imperio anterior, persona que negó las acusaciones de haber embrujado a una viuda rica, aunque confesó, de un modo hasta cierto punto perverso, que en una anterior etapa de su carrera había sido transformado, por arte de brujería en (no búho sino) asno. «Sí, sí –prosiguió Sufyan saliendo al pasillo y soplándose las manos con una bruma blanca de aliento invernal–. Pobre infeliz, pero de nada sirve insistir en ello. Se impone adoptar una actitud constructiva. Despertaré a mi esposa.»

Chamcha era todo barba rala y porquería. Llevaba una manta a guisa de toga bajo la cual asomaba la regocijante monstruosidad de unas pezuñas de macho cabrío y, en la parte superior del cuerpo, la cruel ironía de una chaqueta de piel de cordero prestada por Jumpy, con el cuello subido, que ponía los lanudos rizos a pocos centímetros de unos puntiagudos cuernos. Parecía incapaz de hablar, se movía con torpeza y tenía los ojos apagados; por más que Jumpy trataba de animarle –«Ya verás como esto lo arreglamos en un abrir y cerrar de ojos»–, él, Saladin, se mostraba el más abúlico y pasivo de los –¿qué?–, digamos de los sátiros. Sufyan, entretanto, seguía brindando consuelo a base de Apuleyo: «En el caso del asno la retrometamorfosis exigió la intervención personal de la diosa Isis –dijo, radiante–. Pero dejemos los viejos tiempos para los anticuados. En su caso, mi joven caballero, el primer paso tal vez debería ser un bol de buena sopa caliente.»

En este punto, sus amables palabras fueron ahogadas por la intervención de una segunda voz, elevada en potente terror operístico; y a los pocos momentos su pequeña figura era empujada y desplazada por una mujer de carnes masivas que parecía indecisa entre apartarlo a un lado o utilizarlo a modo de escudo protector. El nuevo personaje, agazapado detrás de Sufyan, extendió un brazo tembloroso a cuyo extremo oscilaba un dedo índice rollizo, de uña escarlata. «¿Qué es eso? –aulló–. ¿Qué criatura ha caído sobre nosotros?»

«Es amigo de Joshi –dijo Sufyan suavemente y, volviéndose hacia Chamcha, agregó–: Disculpe, se lo ruego, la sorpresa, etcétera, ¿no es cierto? De todos modos, permítame pesentarle a mi señora, mi *begum sahiba,* Hind.»

«¿Qué amigo? ¿Cómo amigo? –dijo la mujer, que seguía refugiándoseescudándose en él–. Ya Allah, ¿es que no tienes ojos a cada lado de la nariz?»

El pasillo –suelo de madera desnuda, papel floral desgarrado en las paredes– empezaba a llenarse de soñolientos residentes. Entre ellos destacaban dos muchachas, una con peinado de púas y la otra con cola de caballo que se deleitaban ante la oportunidad de demostrar su pericia en las artes marciales (aprendidas de Jumpy) de kárate y Wing Chun: las hijas de Sufyan, Mishal (diecisiete años) y Anahita (quince), salieron de su dormitorio saltando con su atuendo de lucha, pijama Bruce Lee abierto sobre camiseta con la efigie de la nueva Madonna, descubrieron al infortunado Saladin, y sacudieron la cabeza con los ojos muy abiertos, encantadas.

«Radical», dijo Mishal aprobativamente. Y su hermana asintió: «Crucial. De puta madre.» Pero su madre no le reprochó el lenguaje soez; Hind estaba pensando en otra cosa, y gimió con más fuerza que nunca: «Miren a este marido mío. ¿Qué especie de *haji* es esto? Es el mismo Shaitan que ha entrado por nuestra puerta, y se me obliga a ofrecerle *yakhni* de pollo caliente, preparado por mis propias manos.» En aquellos momentos era inútil que Jumpy Joshi suplicara a Hind un poco de tolerancia, que tratara de dar explicaciones y pedir solidaridad. «Si no es el diablo en persona –dijo la dama de agitado pecho irrefutablemente–, ¿de dónde viene ese aliento pestilente que respira? ¿Del Jardín Perfumado quizá?»

«Bostan, no Gulistan –dijo Chamcha de pronto–. Vuelo AI-420.» Pero, al oír su voz, Hind lanzó un grito de pavor y salió corriendo hacia la cocina.

«Míster –dijo Mishal a Saladin mientras su madre huía escaleras abajo–, para asustarla a ella de esa manera, ya hay que ser *malo.*»

«Malvado –convino Anahita–. Bienvenido a bordo.»

La tal Hind, ahora tan encastillada en el aspaviento exclamatorio, fue un día –aunque parezca increíble– la más ruborosa de las novias, la esencia de la dulzura, la encarnación de la tolerancia y la placidez. En su calidad de esposa del erudito maestro de escuela de Dhaka, se hizo cargo de sus deberes con al mejor voluntad: ella sería la compañera perfecta. Llevaba a su marido té con aroma de cardamomo cuando él se quedaba hasta muy tarde corrigiendo exámenes, procuraba congraciarse con el director del colegio en la excursión anual del personal de la escuela, se peleaba con las novelas de Bibhutibushan Banerji y la metafísica de Tagore, en su empeño por ser más digna de un esposo que con la misma facilidad citaba el Rig-Veda que el Quran-Sharif que las crónicas militares de Julio César que las Revelaciones de san Juan el Divino. En aquellos tiempos ella admiraba la plural flexibilidad de la mente de su marido y, en su cocina, se esforzaba por alcanzar un eclecticismo paralelo, y aprendió a preparar tanto los *dosas* y *uttapams* de la India del Sur como las suaves albóndigas de Kashmir. Poco a poco, su adopción de la causa del pluralismo económico se convirtió en una gran pasión, y mientras el secularista Sufyan tragaba las múltiples culturas del subcontinente –y no vamos a pretender que la cultura occidental no está presente; después de tantos siglos, ¿cómo no iba a formar parte de nuestro patrimonio?–, su esposa guisaba, y consumía en crecientes cantidades, su comida. Mientras Hind devoraba las sabrosas especialidades de Hyderabad y las refinadas salsas al yogur de Lucknow, su cuerpo empezó a alterarse, porque tanta comida tenía que instalarse en alguna parte, y empezó a parecerse al masivo y ondulado paisaje, al subcontinente sin fronteras, pues la comida cruza cualquier barrera que puedas imaginar.

Mr. Muhammad Sufyan, sin embargo, no aumentaba de peso; ni una *tola,* ni una *onza.*

Su negativa a engordar fue el comienzo del problema. Cuando su mujer le reprochaba: «¿No te gustan mis guisos? ¿Por quién hago yo todas estas cosas y me hincho como un globo?», él respondía dulcemente, levantando la mirada (ella era más alta) por encima de sus lentes de media montura: «La moderación también está entre nuestras tradiciones, Begum. Come dos bocados menos del hambre que tengas: mortificación, la senda del ascetismo.» Qué hombre: conocía todas las respuestas, pero no había manera de tener con él una buena pelea.

La moderación no iba con Hind. Quizá si Sufyan se hubiera lamentado, si aunque no fuera más que una vez hubiera dicho: *yo creí que me casaba con una mujer, pero ahora abultas por dos,* si él le hubiera dado un incentivo, tal vez entonces ella habría desistido, y por qué no, naturalmente que sí; de manera que la culpa era de él, por carecer de agresividad; ¿qué clase de hombre es el que no es capaz de insultar a una esposa gorda? En realidad, era perfectamente posible que Hind no hubiera podido renunciar a sus comilonas aunque Suvyan hubiera proferido las imprecaciones y súplicas correspondientes; pero, puesto que él callaba, Hind seguía comiendo y echándole la culpa de su gordura.

En realidad, una vez empezó a culparle, descubrió que había otras muchas cosas que reprochar; y también descubrió que tenía lengua, por lo que en el humilde apartamento del maestro de escuela resonaban con regularidad los rapapolvos que él, por debilidad, no administraba a sus alumnos. Se le reconvenía, sobre todo, por sus principios excesivamente elevados, gracias a los cuales, decía Hind, ella sabía que él nunca le permitiría llegar a ser la esposa de un hombre rico; porque, ¿qué podía uno decir de un hombre que, al observar que el banco por error le había abonado en cuenta el sueldo dos veces en un mismo mes, se apresuraba a *llamar su atención* sobre el error y devolver el dinero? ¿Qué esperanza había para un maestro que cuando el más rico de los padres de sus alumnos fue a verle, se negó categóricamente a aceptar las consabidas gratificaciones por servicios prestados a la hora de corregir el examen del crío?

«Pero esto aún podría perdonarlo», murmuraba en tono amenazador, dejando en el aire el resto de la frase que era *de no ser por tus dos grandes faltas: tus crímenes sexuales y políticos.*

Desde su matrimonio, la pareja realizaba el acto sexual de tarde en tarde, completamente a oscuras, en absoluto silencio y casi total inmovilidad. A Hind nunca se le hubiera ocurrido retorcerse ni ondularse, y puesto que Sufyan parecía arreglárselas con un mínimo de movimiento, ella dedujo –así lo había supuesto siempre– que, en estas cuestiones, los dos tenían el mismo criterio, es decir, el de que era un asunto sucio, del que no se hablaba antes ni después y a cuyo desarrollo tampoco se prestaba mucha atención. El que tardara en concebir lo atribuía ella a un castigo divino por sabe Dios qué pecados de su pasado; pero el que las dos veces le naciera una niña se negó a achacarlo a Alá y prefirió pensar que se debía a la debilidad de la semilla que el pusilánime de su marido le había implantado, opinión que no se abstuvo de expresar con gran énfasis, y espanto de la comadrona, en el mismo momento del nacimiento de la pequeña Anahita. «Otra niña –jadeó con desdén–. Bien, si pienso en quién me la hizo, puedo considerarme afortunada de que no sea una cucaracha o un ratón.» Después de la segunda niña dijo a Sufyan ya basta y lo envió a dormir al recibidor. Él acató sin rechistar su decisión de no tener más hijos; pero entonces ella descubrió que el muy depravado creía que aún podía entrar de vez en cuando en la oscura habitación para realizar el extraño rito de silencio y casi inmovilidad al que ella se sometiera únicamente en aras de la reproducción. «¿Qué te has creído? –le gritó la primera vez que él lo intentó–. ¿Que yo hago eso por *diversión*?»

Cuando él entendió por fin que ella hablaba en serio, que basta de cuento, no señor, que ella era una mujer decente y no una lujuriosa libertina, él empezó a llegar tarde a casa por la noche. Fue entonces –ella, erróneamente, pensaba que andaba con prostitutas– cuando él empezó a meterse en política, y no al viejo estilo, quiá, el señor Cerebrino tenía que unirse a los mismos diablos, al partido comunista nada menos, a pesar de todos sus principios; porque eran unos demonios, sí, mucho peores que las prostitutas. Y por esos juegos con la clandestinidad, ella había tenido que liar bártulos a toda prisa y embarcarse para Inglaterra con dos niñas pequeñas; por esas brujerías ideológicas ella había tenido que padecer todas las privaciones y humillaciones del proceso de la inmigración; y, por aquel diabolismo de su marido, ella estaba condenada a vivir para siempre en esta Inglaterra y a no volver a ver su pueblo. «Inglaterra –le dijo una vez– es tu venganza contra mí por haberte impedido hacer obscenidades con mi cuerpo.» Él no respondió, y ya se sabe que quien calla otorga.

¿Y qué era lo que les permitía subsistir en esta Vilayet de su exilio, esta Yuké de la venganza de su libidinoso marido? ¿Qué? ¿Sus libros? Su *Gitanjali*, sus *Églogas* o esa comedia, *Othello*, que, según él, en realidad era Attallah o Attaullah, pero el autor no sabía ortografía, y por cierto, ¿qué autor podía ser ése?

Pues era: sus guisos. «Shaandaar –elogiaba la gente–. Extraordinario, exquisito, delicioso.» De todo Londres iban los clientes a comer sus *samosas*, su *chaat* de Bombay y sus *gulab jamans* llegados directamente del Paraíso. ¿Y qué tenía que hacer Sufyan? Cobrar, servir el té, correr de un lado al otro y comportarse como un criado, a pesar de todo su saber. Oh, sí, claro, a los clientes les gustaba su personalidad, él siempre tuvo un carácter muy agradable, pero en una casa de comidas lo que se paga no es la conversación. *Jalebis, barfi*, Especial del Día. ¡Qué vueltas da la vida! Ahora ella era el ama.

¡Victoria!

Y, no obstante, también era indiscutible que ella, cocinera y mantenedora de la familia, artífice del éxito del Shaandaar Café que les había permitido comprar todo el edificio de cuatro pisos y alquilar sus habitaciones; *ella* era además quien se sentía envuelta, como en un mal aliento, en el miasma del fracaso. Mientras Sufyan refulgía, ella estaba apagada como una bombilla con el filamento roto, como una estrella o como una llama extinguida. –¿Por qué?– ¿Por qué, mientras Sufyan, que se había visto privado de vocación, alumnos y respeto, brincaba como un corderito e, incluso, empezaba a aumentar de peso y en el Mismo Londres engordaba todo lo que no había engordado en su tierra; por qué, cuando a ella se le había otorgado el poder que le había sido arrebatado a él, ella era –como decía su marido– la «mustia», la «penas», la «suspiros»? Simple: no era «a pesar de», sino «a causa de». Todo lo que ella reverenciaba había sido trastocado; en este proceso de traslación, se había perdido.

El idioma: obligada como ahora se veía a emitir esos sonidos extraños que le cansaban la lengua, ¿no tenía derecho a lamentarse? El hogar: ¿qué importaba que, en Dhaka, vivieran en el modesto piso de un maestro y ahora, gracias a su espíritu emprendedor, amor al ahorro y habilidad con las especias ocuparan un edificio de cuatro pisos con terrazas? ¿Dónde estaba ahora la ciudad que ella conociera? ¿Dónde, el pueblo de su juventud y las verdes riberas de su tierra? Las costumbres en torno a las que ella había construido toda su vida, también se habían perdido o, por lo menos, costaba mucho trabajo encontrarlas. En esta Vilayet nadie tenía tiempo para la pausada cortesía de la vida de allá, ni para la práctica de la religión. Además: ¿no estaba obligada a aguantar a un donnadie de marido cuando antes podía ufanarse de su digno cargo? ¿Qué sentido tenía la satisfacción de trabajar para vivir, para mantener a toda la familia, cuando antes ella podía quedarse en su casa, rodeada de una pompa halagüeña? Y ella sabía, y cómo no iba a saber, que bajo la jovialidad de su marido había tristeza, y esto también era una derrota; nunca se había sentido una esposa tan inútil, porque, ¿qué clase de mujer es la que no puede alegrar a su marido y tiene que ver su falsa alegría y resignarse como si eso fuera lo bueno? Además: habían venido a un demonio de ciudad en la que podía ocurrir cualquier cosa; las ventanas se te hacían pedazos a medianoche sin causa aparente; cuando ibas por la calle, unas manos invisibles te derribaban; en las tiendas oías unas palabrotas que te parecían que se te caían las orejas, y cuando volvías la mirada hacia el lugar de donde venían las palabras no había más que aire y caras risueñas; y no había día en que no te enterases de que tal chico, o chica, había sido golpeada por los espíritus. Sí, una tierra de fantasmas y diablos, cómo explicarlo; lo mejor era quedarse en casa, no salir ni para echar una carta al correo, quedarse en casa, correr el cerrojo, rezar las oraciones, y así los duendes (quizá) se mantendrían alejados. ¿Razones del fracaso? *Baba,* ¿y quién podría contarlas? No sólo era la mujer de un hostelero y una esclava de la cocina, sino que no podía fiarse ni de su propia gente; hombres que ella siempre consideró respetables, *sharif,* se divorciaban por teléfono de la mujer que había quedado en su tierra y se iban con cualquier *haramzadi* femenino, y muchachas muertas por la dote (hay cosas que pasan fronteras sin pagar aduana); y, lo peor de todo, el veneno de esta isla diabólica había contaminado a sus niñas, que se negaban a hablar su lengua materna, a pesar de que entendían hasta la última palabra; lo hacían sólo por mortificar; por qué si no Mishal se había cortado el pelo y se había puesto en él un arco iris; y todos los días gritos, disputas, desobediencia. Y, lo más triste, que en sus quejas no había novedad alguna, que así era la vida de las mujeres como ella, por lo que ya no era sólo una, sólo ella, sólo Hind, esposa del maestro Sufyan; se había hundido en el anonimato, en la pluralidad uniforme, había pasado a ser una-de-tantas-como-ella. Ésta era la lección de la historia: las-como-ella no podían hacer nada más que sufrir, recordar y morir.

Lo que ella hacía: para no reconocer la debilidad de su marido, lo trataba, casi siempre, como a un gran señor, como a un monarca, porque en su mundo perdido su gloria era la de él: para no reconocer a los espíritus que acechaban fuera del café, ella se quedaba dentro, enviando a otras personas a comprar las provisiones, y también a alquilar las películas de vídeo bengalí e hindi gracias a las cuales (y a su creciente colección de revistas de cine indias) podía mantenerse en contacto con los sucesos del «mundo real», como la extraña desaparición del incomparable Gibreel Farishta y el posterior anuncio de su trágica muerte en una catástrofe aérea; y ella, para desahogar sus sentimientos de desesperación, derrota y fatiga, gritaba a sus hijas. La mayor de las cuales, para vengarse, se cortó el pelo y hacía que los pezones se le transparentaran a través de unas camisas que se ceñía provocativamente al cuerpo.

La llegada de un demonio en regla, un macho cabrío con sus cuernos, fue, después de todo, algo así como la última gota que hace derramar el vaso o, por lo menos, la penúltima.

Los residentes del Shaandaar se citaron de noche en la cocina para una improvisada reunión de emergencia en la cumbre. Mientras Hind echaba imprecaciones al caldo de pollo, Sufyan instaló a Chamcha en una mesa, acercándole, para que el infeliz se sentara, una silla de aluminio con asiento de plástico azul, e inició la sesión. Me place señalar que el exiliado maestro de escuela citó, con su mejor tono didáctico, las teorías de Lamarck. Cuando Jumpy hubo narrado la fantástica historia de la caída del cielo de Chamcha –el protagonista estaba muy inmerso en el caldo de pollo y en su dolor para hablar por sí mismo–, Sufyan, aspirando el aire por entre los dientes, aludió a la última edición de *El origen de las especies.* «Ahí hasta el propio gran Charles aceptaba la noción de la mutación *in extremis*, para asegurar la supervivencia de la especie; y si sus discípulos –siempre más darwinianos que él mismo– repudiaron, póstumamente, tal herejía lamarckiana, insistiendo en la selección natural y nada más, no obstante, yo debo reconocer que esta teoría no se extiende a la supervivencia de un ejemplar individual, sino únicamente al conjunto de la especie; además, por lo que respecta a la naturaleza de la mutación, el problema consiste en comprender la verdadera utilidad del cambio.»

«Pa-páa –Anahita Sufyan, levantando la mirada al techo y apoyando cansinamente la mejilla en la palma de la mano, interrumpió estas reflexiones–, corta ya. Lo que importa es cómo ha podido convertirse en semejante, semejante (con admiración) alucinación.»

A lo que el propio diablo, levantando la cara del caldo de pollo, exclamó: «De alucinación, nada. Oh, no, eso sí que no.» Su voz, que parecía surgir de un insondable abismo de dolor, conmovió y alarmó a la menor de las niñas, que, impulsivamente, se acercó y acarició el hombro de la infortunada bestia, diciendo, en un intento de arreglarlo: «Claro que no lo eres, lo siento. Yo no creo que seas una alucinación; es sólo que lo pareces.»

Saladin Chamcha se echó a llorar.

Entretanto, Mrs. Sufyan horrorizada al ver a su hija menor poner las manos encima de la criatura, se volvió hacia la galería de huéspedes en prendas de dormir, y agitó el cucharón en demanda de apoyo. «¿Cómo puede tolerarse...? El honor, la seguridad de las niñas no está a salvo. ¡Que, en mi propia casa, semejante cosa...!»

Mishal Sufyan perdió la paciencia. «Hostia, mamá.»

«¿Hostia?»

«¿Os parece que puede ser temporal? –Mishal, dando la espalda a la escandalizada Hind, preguntó a Sufyan y Jumpy–: Una especie de posesión. A lo mejor, hasta podríamos hacerlo... *¿exorcizar?*» En los ojos le brillaban presagios, lémures, espectros, cuentos de terror. Y su padre, tan aficionado al vídeo como cualquier adolescente, pareció considerar seriamente la posibilidad. «En *Der Steppenwolf*», empezó. Pero Jumpy, harto del tema, planteó: «Lo que se necesita es un planteamiento ideológico.»

Esto les dejó en silencio.

«Objetivamente –dijo con una tímida sonrisa–, ¿qué es lo que ha pasado aquí? *A:* arresto indebido, intimidación y violencia. *B:* detención ilegal, desconocidos experimentos médicos en hospital –aquí, murmullos de asentimientos en recuerdos de exámenes intravaginales, escándalos Depo-Provera, esterilizaciones posparto no autorizadas y, más atrás, la introducción masiva de drogas en los Países del Tercer Mundo, a los ojos de los presentes daban crédito a las insinuaciones del que hablaba; porque lo que crees depende de lo que has visto, no sólo lo que es visible sino aquello que estás dispuesto a suponer, y, de todos modos, alguna explicación había que dar a los cuernos y las pezuñas; en aquellas bien vigiladas salas de hospital podía ocurrir cualquier cosa–. Y en tercer lugar –prosiguió Jumpy–, derrumbamiento psicológico, pérdida del sentido de identidad, imposibilidad de reacción. No es el primer caso.»

Nadie discutió, ni siquiera Hind; hay verdades de las que es imposible disentir. «Ideológicamente –dijo Jumpy–, me niego a aceptar la posición de víctima. Desde luego, él ha sido victim*izado*, pero nosotros sabemos que todo abuso de poder es, en parte, responsabilidad del abusado; nuestra pasividad es cómplice de tales crímenes.» Y a continuación, una vez hubo impuesto en los circunstantes una abochornada sumisión con su rapapolvo, pidió a Sufyan la pequeña buhardilla que momentáneamente estaba desocupada, y Sufyan, a su vez, contrito y solidario, fue incapaz de pedir ni un céntimo por el alquiler. Hind, ciertamente, murmuró: «Ahora sé que el mundo está loco, ahora tengo al diablo de huésped en mi casa», pero lo dijo entre dientes, y nadie excepto Mishal, su hija mayor, oyó lo que decía.

Sufyan, imitando la actitud de su hija menor, se acercó hasta donde Chamcha, acurrucado dentro de su manta, consumía enormes cantidades del incomparable *yakhni* de pollo que preparaba Hind, se agachó y pasó un brazo alrededor del desventurado, que seguía tiritando. «No encontrarás mejor sitio que éste –dijo como si hablara a un débil mental o a un niño pequeño–. ¿Dónde más que aquí podrías curar tu desfiguramiento y recuperar la salud? ¿Dónde más que aquí, entre nosotros, tu gente, los tuyos?»

Pero cuando Saladin Chamcha se quedó solo en la buhardilla, al límite de sus fuerzas, contestó la retórica pregunta de Sufyan: «Yo no soy de los vuestros –dijo categóricamente a la noche–. Vosotros no sois mi gente. He pasado media vida tratando de huir de vosotros.»

Empezó a desmandársele el corazón, a cocear y brincar como si también él fuera a experimentar una metamorfosis diabólica y sustituir su antiguo latido metronómico por complejas e impredecibles improvisaciones. Despierto en una cama estrecha, enganchándose los cuernos en las sábanas y las almohadas cada vez que daba la vuelta, Chamcha sufría aquella excentricidad coronaria con fatalista resignación: ¿y por qué no esto, después de todo lo demás? *Badumbum*, hacía el corazón, y el pecho le temblaba. *Ten cuidado o te vas a enterar de lo que soy capaz. Dumbumbadum.* Sí; esto era el infierno, ni más ni menos. La ciudad de Londres transformada en Jahannum, Gehenna, Muspellheim.

¿Sufren los demonios en el infierno? ¿No son ellos los que manejan el tenedor?

El agua goteaba con regularidad por la ventana de la buhardilla. Fuera, en la ciudad traidora, empezaba el deshielo, dando a las calles la engañosa consistencia de la cartulina mojada. Lentas masas de blancura se deslizaban por tejados inclinados de pizarra gris. Los neumáticos de las camionetas de reparto ondulaban la nieve a medio derretir. Con las primeras luces empezó el coro del amanecer, tableteo de perforadoras de las obras públicas, trinos de alarma antirrobo, trompeteo de criaturas con ruedas que chocaban en las esquinas, el profundo zumbido de un gran traga-basuras verde aceituna, chillonas voces de radio que sonaban en el andamio de un pintor colgado de un último piso, rugido de los primeros mastodontes que se precipitaban escalofriantemente por aquella calle larga pero estrecha. Del subsuelo llegaban los temblores que señalaban el paso de enormes gusanos subterráneos que devoraban y escupían seres humanos, y de los cielos, el jadeo de helicópteros y el alarido de relucientes aves de más alto vuelo.

Salió el sol y la brumosa ciudad se desplegó como un regalo. Saladin Chamcha dormía.

Pero el sueño no le deparaba descanso, sino que le había hecho volver a aquella otra calle nocturna por la que había huido hacia su destino en compañía de Hyacinth Phillips, la fisioterapeuta, clip-clop, sobre pezuñas inseguras; y le había recordado que, a medida que el cautiverio se alejaba y la ciudad se aproximaba, la cara y el cuerpo de Hyacinth se habían transformado. Él vio abrirse y ensancharse un hueco en el centro de sus incisivos superiores y encresparse y trenzarse sus cabellos a lo medusa, y advirtió la extraña triangularidad de su perfil, que descendía en línea continua desde el nacimiento del pelo hasta la punta de la nariz, describía un ángulo y retrocedía hasta el cuello. A la luz amarilla, vio que la piel de Hyacinth se oscurecía por momentos y sus dientes se proyectaban hacia fuera, y su cuerpo se alargaba como el de una figura de alambre dibujada por un niño. Al mismo tiempo, ella le lanzaba miradas provocativas y le asía las manos con unos dedos tan duros y tan fuertes que era como si un esqueleto le hubiera cogido para arrastrarlo hacia una tumba; le parecía oler la tierra removida, el tufo dulzón en el aliento, en los labios de ella... y sintió repugnancia. ¿Cómo había podido encontrarla atractiva, haberla deseado, incluso haber fantaseado mientras ella, a horcajadas, le extraía fluido de los pulmones, que eran una pareja de amantes en las violentas convulsiones del acto sexual...? La ciudad se cerraba a su alrededor como un bosque; los edificios se entrelazaban y encrespaban como el pelo de Hyacint. «Aquí no entra la luz –le susurró ella–. Está negro, muy negro.» Hizo como si fuera a echarse al suelo y tiraba de él hacia ella, hacia la tierra, pero él gritó: «Pronto, a la iglesia», y se precipitó en un modesto edificio en forma de cajón, buscando algo más que una especie de santuario. Pero, dentro, los bancos estaban llenos de Hyacinths, jóvenes y viejas, Hyacinths que llevaban deformados trajes chaqueta azules, perlas falsas y sombreritos de botones con velo, Hyacinths con virginales camisones blancos, Hyacinths de todas las formas imaginables que cantaban a voz en cuello: *Socórreme, Jesús;* hasta que vieron a Chamcha, porque entonces abandonaron sus cánticos espirituales y empezaron a bramar de la más carnal de las maneras: *Satanás, el Macho cabrío, el Macho cabrío,* y cosas por el estilo. Ahora era evidente que la Hyacinth con la que había entrado le miraba con ojos nuevos, de la misma forma en que él la mirara a ella en la calle; que también ella había empezado a ver algo repugnante; y cuando él vio la repugnancia en aquella asquerosa cara puntiaguda y oscura, estalló: «*Hubshess* –las insultó, a saber por qué, en su descartada lengua materna. Liantes y salvajes, las llamó–. Me dais lástima –espetó–. Cada mañana, al miraros al espejo, tenéis que veros delante de la oscuridad, de la mancha, el reflejo de lo más vil.» Entonces ellas le rodearon, una congregación de Hyacinths, entre las que ahora se había perdido su propia Hyacinth, indistinguible, que ya no era una persona, sino una-de-tantas, y él recibía sus golpes emitiendo un lastimero balido, corriendo en círculo, buscando la salida; hasta que se dio cuenta de que el miedo de sus atacantes era mayor que su cólera, y entonces se irguió en toda su estatura, abrió los brazos y les lanzó diabólicos gritos, y ellas se dispersaron buscando refugio y agachándose detrás de los bancos mientras él salía del campo de batalla ensangrentado pero con la frente alta.

Los sueños presentan las cosas a su manera; pero Chamcha, al despertarse brevemente cuando su corazón se lanzó a un nuevo arrebato sincopado, comprendió con amargura que la pesadilla no estaba muy lejos de la realidad: por lo menos el sentido era exacto. «Adiós, Hyacinth», pensó, quedándose dormido otra vez. Para encontrarse en el vestíbulo de su propia casa mientras, en un plano más alto, Jumpy Joshi discutía acaloradamente con Pamela. *Con mi esposa.*

Y cuando la Pamela del sueño, imitando a la real palabra por palabra, hubo renegado de su marido ciento y una veces, *él no existe, esto no puede ser,* fue él, Jamshed, el virtuoso, quien, dejando a un lado el amor y el deseo, le ayudó. Atrás quedó una Pamela que sollozaba. «*No se te ocurra volver con eso*», le gritó desde el último piso, el estudio de Saladin. Jumpy, después de envolver a Chamcha en piel de cordero y manta, lo llevó por calles tenebrosas hasta el Shaandaar Café, prometiéndole con injustificado optimismo: «Ya verás cómo todo se arregla, ya lo verás. Todo se arreglará.»

Cuando Saladin Chamcha despertó, el recuerdo de esas palabras le llenó de amarga irritación. ¿Dónde estará Farishta?, se preguntó. Ese bastardo: apuesto a que a él todo le va bien. Pensamiento al que volvería más adelante, con resultados extraordinarios; pero, por el momento, tenía otras cosas en que pensar.

Yo soy la encarnación del mal, pensaba. Tenía que afrontarlo. Comoquiera que hubiera sucedido, era innegable. Ya no soy *yo,* o no soy sólo yo. Yo soy la encarnación del mal, de lo más odioso, del pecado.

¿Por qué? ¿Por qué yo?

¿Qué mal había hecho él? ¿En qué abominación había podido incurrir?

¿Por qué se le castigaba?, no podía por menos de pensar. Y, puesto a ello, *¿quién* le castigaba? (Yo mantuve la boca cerrada.)

¿Acaso él no había perseguido su propia idea del bien, tratando de convertirse en aquello que más admiraba, dedicándose con una voluntad rayana en la obsesión a la conquista de lo Inglés? ¿No había trabajado con ahínco, evitando problemas, tratando de convertirse en un hombre nuevo? La perseverancia, la meticulosidad, la moderación, la sobriedad, la confianza en sí mismo, la integridad, la vida familiar: ¿qué suponía todo ello sino un código moral? ¿Era culpa suya que Pamela y él no hubieran tenido hijos? ¿Era responsabilidad suya la genética? ¿Podía ser, en esta época desquiciada y contradictoria, que él estuviera siendo víctima de... los hados –así dio en llamar al agente que le perseguía– precisamente *por* su empeño en perseguir «el bien»?, ¿que hoy en día semejante anhelo se considerase un error, peor, una aberración? Entonces, ¡cuán crueles esos hados al instigar su rechazo por el mismo mundo que con tanto fervor había tratado de conquistar!; ¡qué desolador verse arrojado por las puertas de la ciudad que uno creía haber tomado hace tiempo!; ¡qué vil ruindad era arrojarlo otra vez al seno de los suyos, de los que tan lejos se sintiera durante tanto tiempo! Entonces brotaron en su pensamiento recuerdos de Zeeny Vakil que él, abrumado y nervioso, rechazó.

El corazón le coceaba violentamente, y él se sentó e inclinó el cuerpo hacia adelante, buscando aire. *Cálmate, o estás acabado. No hay lugar para cavilaciones mortificantes; ya no.* Aspiró profundamente; se tendió y vació su mente. El traidor de su pecho reanudó el servicio normal.

Basta, Saladin Chamcha, se dijo con firmeza. Basta de creerte el mal. Las apariencias engañan; no hay que juzgar el libro por las tapas. ¿Demonio, Macho cabrío, Shaitan? Yo, no.

Yo, no: otro.

¿Quién?

Mishal y Anahita entraron con el desayuno en una bandeja y la excitación en la cara. Chamcha empezó a devorar los copos de avena y Nescafé, mientras las niñas, después de unos momentos de timidez, empezaron a preguntarle al mismo tiempo, sin parar: «Bueno, menudo jaleo has traído a esta casa.» «¿No habrás vuelto a cambiar durante la noche, verdad?» «Oye, ¿no será un truco, verdad? Quiero decir, maquillaje o cosa de teatro. Quiero decir que como Jumpy dice que eres actor, yo pensé, bueno...» Y aquí la joven Anahita quedó cortada, porque Chamcha, escupiendo copos de avena, aulló con indignación: ¿Maquillaje? ¿Teatro? ¿*Truco*?

«No ha querido ofenderte –dijo Mishal ansiosamente hablando por su hermana–. Es que hemos pensado, verás, bueno, que sería terrible que no fueras... pero lo eres, claro que sí, de manera que no hay que preocuparse», terminó rápidamente al ver que Chamcha la miraba otra vez con ojos llameantes. «El caso es –prosiguió Anahita, pero enseguida empezó a balbucear–, bueno, quiero decir que nos parece de fábula.» «Se refiere a ti –puntualizó Mishal–. Creemos que eres fabuloso.» «Brillante –dijo Anahita, deslumbrando al perplejo Chamcha con una sonrisa–. Mágico. Bueno, *definitivo.*»

«No hemos dormido en toda la noche –dijo Mishal–. Tenemos varias ideas.»

«Lo que hemos pensado –Anahita estaba temblando de emoción– es que ya que tú te has convertido en, en eso, bueno, quizá, es decir, probablemente, aunque no lo hayas probado, podría ser que pudieras...» Y su hermana terminó por ella: «Que hubieras desarrollado, en fin, *poderes.*»

«Bueno, es lo que pensamos –añadió Anahita tímidamente al ver que en la frente de Chamcha se fraguaba una tormenta. Y, retrocediendo hacia la puerta, agregó–: Pero probablemente nos equivocábamos. Sí, era una equivocación. Que te aproveche.» Mishal, antes de escapar, sacó un frasquito de un líquido verde de un bolsillo de su chaquetón a cuadros rojos y negros, lo dejó en el suelo al lado de la puerta y lanzó la siguiente despedida: «Perdona, pero dice mamá que te enjuagues. Es un elixir para el aliento.»

Que Mishal y Anahita adorasen la desfiguración que él aborrecía con toda su alma le convenció de que «los suyos» estaban tan desequilibrados como él sospechaba hacía tiempo. Tampoco arregló las cosas el hecho de que las dos niñas respondieran a su mal humor –cuando, a la segunda mañana, le subieron a la buhardilla *masala dosa* en lugar de cereal de paquete, con sus pequeños astronautas plateados y él les gritó: «¿Y ahora tengo que comer esta inmundicia extranjera?»: «Engrudo indecente –convino Mishal–. Aquí no hay salchichas, qué se le va a hacer.» Arrepentido de su ingratitud, él trató de explicarles que ahora se consideraba, en fin, británico... «¿Y nosotras? –preguntó Anahita–. ¿Qué crees que somos nosotras?» Y Mishal confió: «Bangladesh no significa nada para mí. Sólo un lugar con el que papá y mamá dan constantemente la lata.» Y Anahita, terminante: «*Bungleditch*[1] –moviendo la cabeza con énfasis–. Así lo llamo yo, en cualquier caso.»

Pero ellas no eran británicas, quería decirles él: no *realmente,* no de un modo que él pudiera admitir. Y, sin

1. Zanja chapucera. *(N. del T.)*

embargo, sus viejas certidumbres se le escapaban por momentos, junto con su antigua vida... «¿Dónde está el teléfono? –preguntó–. Tengo que hacer varias llamadas.»

Estaba en el vestíbulo; Anahita le prestó monedas de sus ahorros. Con la cabeza envuelta en un turbante ajeno y el cuerpo escondido en unos pantalones de Jumpy y unos zapatos de Mishal, Chamcha marcó el número del pasado.

«Chamcha –dijo la voz de Mimi Mamoulian–, estás muerto.»

Mientras él estaba fuera sucedió esto: Mimi se desmayó y perdió los dientes. «Una bajada de tensión, eso fue –explicó, hablando con más aspereza de la habitual, a causa de ciertas dificultades con la mandíbula–. ¿La razón? No preguntes. ¿Quién puede pedir razones en estos tiempos? ¿Qué número tienes? –preguntó cuando empezó a sonar la señal–. Enseguida te llamo.» Pero tardó sus buenos cinco minutos. «He tenido que desaguar. ¿Tienes una razón para estar vivo? ¿Por qué las aguas se abrieron para ti y para el otro y se cerraron sobre los demás? No me digas que valíais más la pena. Hoy en día eso ya no se lo traga nadie, ni siquiera tú, Chamcha. Yo bajaba por Oxford Street buscando zapatos de cocodrilo cuando ocurrió: yo iba andando, estaba a mitad de un paso cuando caí de bruces como un árbol, dando con la barbilla en el suelo, y todos los dientes se desparramaron por la acera, a los pies de un hombre que andaba ligando. La gente a veces es muy considerada, Chamcha. Cuando volví en mí tenía los dientes bien amontonaditos al lado de la cara. Al abrir los ojos y verlos tan monos allí colocados, me dije ¿no es todo un detalle? Lo primero que pensé fue: gracias a Dios que tengo el dinero. Me lo había hecho coser ahí detrás, con discreción, desde luego un buen trabajo, mejor que antes. En fin, que me he tomado unas vacaciones. La cosa de las voces anda fatal, entre tú que te mueres y yo que pierdo los dientes, nos hemos quedado sin sentido de la responsabilidad. Se ha perdido mucha calidad, Chamcha. Si pones la tele o escuchas la radio oirás qué bodrio los anuncios de pizza, y la publicidad de cervezas, con un acento alemán falso como él sólo, y los marcianos que comen puré de patata suenan como si hubieran venido de la luna. Nos han despedido de *El Show de los Aliens.* Que te alivies. Por cierto, lo mismo podrías desearme.»

De manera que había perdido el trabajo, además de la esposa, la casa y la razón de vivir. «No son sólo los sonidos dentales los que me fallan –añadió Mimi–. Las jodidas oclusivas me vuelven loca. No hago más que pensar que otra vez voy a echar toda la osamenta por la calle. Los años, Chamcha, son humillantes. Vienes al mundo, te sacuden llenándote de cardenales y luego la cascas y te meten en una urna. De todos modos, aunque no vuelva a trabajar, no ha de faltarme nada hasta el día en que me muera. ¿Sabías que ahora ando con Billy Battuta? Claro, ¿cómo ibas a saberlo si estabas nadando? Pues sí, cuando me cansé de esperarte, me ligué a un jovencito paisano tuyo. Puedes considerarlo un cumplido. Bueno, tengo prisa. Encantada de hablar con los muertos, Chamcha. Otra vez tírate de la cubierta de abajo. Hasta luego.»

Por naturaleza, yo soy hombre introvertido, dijo él silenciosamente al teléfono desconectado. A mi manera, he procurado la elevación espiritual y, modestamente, adquirir cierta elegancia. En los buenos tiempos supuse que la había conseguido, que la tenía en mi interior, en algún lugar de dentro. Pero me eludía. Me he enredado en las cosas materiales, en el mundo y sus follones, y no puedo soportarlo. Lo grotesco se ha apoderado de mí como antes me dominó lo cotidiano. El mar me arrojó; la tierra me arrastra.

Chamcha resbalaba por una pendiente gris, y el agua negra le azotaba el corazón. ¿Por qué el renacimiento, la segunda oportunidad que les había sido otorgada a Gibreel Farishta y a él, parecía en su caso un final perpetuo? Él había vuelto a nacer al conocimiento de la muerte; y lo inescapable del cambio, las cosas-que-no-volverán, el sin-retorno, le asustaba. Cuando pierdes el pasado te quedas desnudo ante el despectivo Azraeel, el ángel de la muerte. Aguanta, si puedes, se decía. Aférrate al ayer. Deja las marcas de las uñas en la pendiente gris mientras resbalas.

Billy Battuta: aquel pedazo de mierda. Playboy pakistaní que convirtió una de tantas agencias de viajes –*Battuta's Travels*– en una flota de superpetroleros. En el fondo, un gángster, famoso por sus idilios con estrellas de la pantalla hindi y, según las malas lenguas, por su debilidad por las mujeres blancas de enormes pechos y anca generosa, a las que «trataba de mala manera», dicho sea eufemísticamente, y «recompensaba con largueza». ¿Qué buscaba Mimi en Billy el malo, su instrumento sexual y su Maserati Biturbo? Para los chicos como Battuta, las mujeres blancas –aunque sean gordas, judías y mandonas– eran para follar y tirar. Lo que uno odia en los blancos –la afición a la piel canela– tienes que odiarlo también cuando se da a la inversa, en los negros. La intolerancia no es sólo una cuestión de poder.

Mimi llamó por teléfono a la noche siguiente desde Nueva York. Anahita lo avisó con su mejor acento de maldita yanky y Chamcha se puso trabajosamente el disfraz. Cuando llegó al aparato, Mimi había colgado, pero volvió a llamar. «No paga una la tarifa transatlántica para quedarse esperando.» «Mimi –dijo él con patente desesperación en la voz–, no me dijiste que te ibas.» «Y tú ni siquiera me diste tu dirección. Así pues, cada cual con su secreto.» Él quería decir: Mimi, vuelve a casa, vas a recibir muchos palos. «Le he presentado a la familia –dijo ella en tono excesivamente festivo–. Imagina, algo así como Yassir Arafat saluda a los Begin. Pero no importa. Saldremos adelante.» Él quería decir: Mimi, tú eres todo lo que tengo. Pero sólo conseguiría irritarla. «Quería prevenirte contra Billy», fue lo que le dijo.

Ella respondió con frialdad: «Chamcha, escucha. Un día hablaremos de esto, porque, a pesar de todas tus majaderías, me aprecias. De manera que hazme el favor de tener en cuenta que soy una mujer inteligente. He leído *Finnegans Wake* y estoy al corriente de las críticas posmodernas de Occidente, es decir, que aquí tenemos una sociedad que sólo es capaz de la imitación: un mundo "romo". Cuando yo me convierto en la voz de un frasco de sales para baño, entro en "Romolandia" con los ojos abiertos, sabiendo lo que hago y por qué. A saber: que gano dinero y, como mujer inteligente y capaz de hablar durante quince minutos sobre el estoicismo, y más de quince sobre cine japonés, por eso te digo, Chamcha, que conozco perfectamente la reputación de Billy Boy. Tú de explotación no puedes enseñarme nada. Nosotros ya teníamos explotación cuando todos vosotros aún andabais envueltos en pieles. Prueba a ser mujer, judía y fea. Pedirás a gritos ser negro. Perdón por mi francés: moreno.»

«Entonces reconoces que él te explota», interpuso Chamcha, pero el torrente lo arrastró. «¿Y puedes decirme cuál es la jodida diferencia? –gorjeó ella con su voz de "Tartas Tuti"–. Billy es un chico divertido, con un talento natural para el arte del fraude, uno de los grandes. ¿Quién sabe cuánto ha de durar esto? Voy a decirte algunas de las ideas de las que no quiero saber nada: patriotismo, Dios y amor. Ni puñetera falta para el viaje. Billy me gusta porque se las sabe todas.»

«Mimi –dijo él–, me ha ocurrido algo», pero ella seguía enfrascada en sus protestas y no le oyó. Él colgó sin darle la dirección.

Ella volvió a llamarle semanas después, y para aquel entonces ya se habían fijado implícitamente las condiciones: ella no preguntó ni él dio sus señas, y era evidente para los dos que una etapa había terminado, que sus caminos se habían separado, que había llegado el momento de decir adiós. Mimi seguía entusiasmada con Billy: él tenía planes para hacer películas hindi en Inglaterra y América, importando a estrellas como Vinod Khanna o Sridevi, para que hicieran travesuras delante del ayuntamiento de Bradford o del Golden Gate –«desde luego, se trata de una fórmula para desgravar», cascabeleó Mimi–. En realidad, las cosas se estaban poniendo bastante feas para Billy; Chamcha había visto su nombre en los periódicos relacionado con términos tales como «patrulla antifraude» y «evasión de impuestos»; pero el que nace para el fraude no tiene remedio, dijo Mimi. «Y un día va y me dice: ¿Quieres un visón? Y yo: Billy, no me compres cosas. ¿Y quién habla de comprar?, dice él. Tendrás un visón. Es una transacción.» Habían ido a Nueva York y Billy había alquilado un Mercedes negro limusine, «con un chófer no menos largo». Cuando entraron en la peletería parecían un jeque petrolero y su fulana. Mimi se probó modelos caros, esperando una señal de Billy. Por fin, él dijo: ¿Éste te gusta? Es bonito. Billy, susurró ella, son *cuarenta mil*, pero él ya estaba liando a la dependienta: era viernes por la tarde, los bancos estaban cerrados, ¿le aceptarían un cheque? «Ahora ya les consta que es un jeque del petróleo, y le dicen que sí y nos vamos con el abrigo. Entonces me lleva a otra tienda, a la vuelta de la esquina, les enseña el abrigo y les dice: Acabo de comprar esto por cuarenta mil dólares, aquí está el recibo; ¿me da treinta por él? Necesito el dinero, tengo un fabuloso fin de semana en perspectiva.» Les hicieron esperar mientras los de la segunda peletería llamaban por teléfono a la primera. En el cerebro del encargado se dispararon todos los timbres de alarma y, al cabo de cinco minutos, llegaba la policía para arrestar a Billy por pasar un cheque falso, y él y Mimi estuvieron en la cárcel todo el fin de semana. El lunes por la mañana, cuando abrieron los bancos, resultó que la cuenta de Billy tenía un saldo acreedor de cuarenta y dos mil ciento diecisiete dólares, de manera que el cheque era bueno. Él informó a los peleteros de su intención de demandarlos por dos millones de dólares de indemnización, por difamación. Caso abierto y cerrado, y antes de cuarenta y ocho horas concertaban un acuerdo privado por el que Billy retiraba la demanda a cambio de doscientos cincuenta mil a tocateja. «¿No es un encanto? –preguntó Mimi a Chamcha–. El chico es un genio. Quiero decir que eso es *clase*.»

Yo soy un hombre que no se las sabe todas, descubrió Chamcha, y vivo en un mundo amoral, de aprovechados y sálvese-quien-pueda. Mishal y Anahita Sufyan, que todavía y sin que él pudiera explicárselo, le trataban como a una especie de alma gemela, a pesar de todo lo que él hacía para desanimarlas, eran seres que, evidentemente, admiraban a criaturas tales como trabajadores clandestinos, rateros y timadores, o sea, a los artistas del escamoteo. Él se rectificó: no; admirarlos, no. Ninguna de las dos robaría ni un alfiler. Pero consideraban a esas personas como representantes de la tónica general, de la época. Para ver qué pasaba, les contó el caso de Billy Battuta y el abrigo de visión. A las niñas les brillaban los ojos y al final aplaudieron y rieron encantadas: la alevosía impune las entusiasmaba. Así, reflexionó Chamcha, debía de aplaudir la gente ante los actos de los bandidos de antaño: Dick Turpin, Ned Kelly, Phoolan Devi y, naturalmente, aquel otro Billy: William Bonney, también un Niño.

«Juventud Podrida, Ídolos de Barro –Mishal le leyó el pensamiento y luego, riendo ante su mirada de desaprobación, tradujo sus pensamientos a titulares de prensa amarilla, al tiempo que adoptaba con su espigado y, según advirtió Chamcha, sorprendente cuerpo, posturas provocativas. Con un exagerado mohín, segura de haberle excitado, añadió con coquetería–: ¿Besito, besito?»

Su hermana menor, para no ser menos, trató de imitar a Mishal, pero con resultados menos efectivos. Abandonando el intento con cierta impaciencia, dijo, enfurruñada: «Lo malo es que nosotras tenemos el futuro asegurado. Negocio familiar, sin hermanos varones, ¿qué más se puede pedir? El negocio rinde, ¿sabes? Estupendo.» La pensión Shaandaar estaba catalogada como «Residencia para Dormir y Desayuno» del tipo que los consejos de distrito utilizaban cada vez más debido a la escasez de viviendas estatales, alojando a familias de cinco personas en una sola habitación, cerrando los ojos a las disposiciones sobre higiene y seguridad y reclamando al Gobierno central subvenciones por «alojamiento provisional». «Diez libras por noche por persona –informó Anahita Chamcha en la buhardilla–. Trescientas cincuenta libras por habitación a la semana, es lo que se saca casi siempre. Seis habitaciones ocupadas, echa la cuenta. Ahora mismo perdemos trescientas libras al mes por esta buhardilla, por lo que espero que te sientas francamente mal.» Chamcha se dijo que por esa cantidad se podía alquilar, en el sector privado, un apartamento digno para una sola familia. Pero eso no estaría clasificado como «alojamiento provisional». Para esas soluciones no había subvenciones. Y éstas tampoco tendrían la aprobación de los políticos locales, comprometidos en combatir los «cortes». *La lutte continue;* mientras Hind y sus hijas cobraban los alquileres, el místico Sufyan se iba de peregrinación a La Meca y regresaba repartiendo buenos consejos y sonrisas. Y detrás de seis puertas que se abrían una rendija cada vez que Chamcha iba al teléfono o al aseo, vivían tal vez hasta treinta seres humanos provisionales, con escasas esperanzas de que se les declarara permanentes.

El mundo real.

«No tienes por qué mirarme con esa cara tan agria y virtuosa –dijo Mishal Sufyan–. Mira dónde te han traído tus buenas costumbres.»

«Tu universo se encoge.» Hal Valance, creador y único propietario de *El Show de los Aliens,* era un hombre ocupado, e invirtió exactamente diecisiete segundos en felicitar a Chamcha por estar vivo, antes de empezar a explicarle por qué semejante circunstancia no afectaba la decisión de la dirección del programa de prescindir de sus servicios. Valance había empezado en el mundo de la publicidad, y su vocabulario se resentía de ello. Pero Chamcha no se quedaba atrás. Tantos años en el ramo del doblaje te enseñan a hablar mal. En la jerga del márketing, un *universo* es el mercado potencial para un producto o servicio determinado: el universo del chocolate, el universo de la dietética. El universo dental era todo el que tenía dientes; los otros eran el cosmos de la dentadura postiza. «Yo me refiero –musitó Valance al micro con su mejor voz de Garganta Profunda– al universo de las razas orientales.»

Otra vez mi gente: Chamcha, disfrazado con el turbante y el resto de su atuendo prestado, estaba agarrado a un teléfono en el pasillo, mientras los ojos de mujeres y niños no permanentes brillaban detrás de puertas entornadas, preguntándose qué mala pasada le habrían hecho ahora los suyos. «No capisco» dijo, recordando la debilidad de Valance por el argot italoamericano: al fin y al cabo, era el autor del eslogan de los platos preparados: *Saboree la pizza dalla marcha.* Pero esta vez Valance no le siguió la corriente. «El control de audiencia indica que los orientales no siguen programas orientales. No les gustan, Chamcha. Ellos están por la jodida *Dinastía,* como todo el mundo. Tú no das el tipo, no sé si me entiendes: contigo el programa resulta excesivamente racial. *El Show de los Aliens* es una idea muy grande para condicionarla por la dimensión racial. No hay más que pensar en las posibilidades de comercialización, pero esto no hace falta que yo te lo diga.»

Chamcha se miraba en el espejito roto que colgaba encima del teléfono. Parecía un genio extraviado en busca de la lámpara maravillosa. «Es una opinión», respondió a Valance, comprendiendo que sería inútil discutir. Con Hal, todas las explicaciones eran racionalización del hecho consumado. Hal era un hombre puramente intuitivo que había hecho lema del consejo que, cuando lo del Watergate, diera Garganta Profunda, el informante, a Bob Woodward, el periodista: *Persigue el dinero.* Mandó imprimir la frase en grandes caracteres y la puso en la pared de su despacho, encima de un fotograma de *Todos los hombres del Presidente:* Hal Holbrook (¡otro Hal!) estaba en el aparcamiento, en las sombras. Persigue el dinero: ello explicaba, como él gustaba de repetir, que se hubiera casado cinco veces, siempre con mujeres ricas, de cada una de las cuales hubiera recibido una generosa suma al divorciarse. Actualmente estaba casado con una jovencita desvalida a la que le triplicaba la edad, con pelo caoba hasta la cintura y una mirada espectral que un cuarto de siglo antes hubiera hecho de ella una gran belleza. «Ésta no tiene un céntimo; está conmigo por todo lo que tengo y cuando me lo haya quitado se largará –dijo Valance a Chamcha en días más felices–. Qué carajo, yo también soy humano. Esta vez es amor.» Otro al que le tiraba lo joven. Era lo que privaba. Chamcha, al teléfono, no podía recordar el nombre de la jovencita. «Tú ya conoces mi lema», decía Valance. «Sí –respondió Chamcha en tono neutro–. La frase justa para el producto.» Y el producto, pedazo de animal, eres tú.

Cuando Chamcha conoció a Hal Valance (¿cuántos años ya? Cinco o seis), mientras almorzaba en el White Tower, aquel hombre ya era un monstruo: una imagen pura, creada por él mismo, una serie de atributos emplastados muy juntos sobre un cuerpo que, en palabras del propio Hal, «iba para Orson Welles». Fumaba unos puros absurdos, de chiste, aunque rechazaba todas las marcas de habanos, llevado de su ideología inflexiblemente capitalista. Poseía un chaleco con la Union Jack y se empeñaba en izar la bandera sobre su agencia y también sobre la puerta de su casa de Highgate; tenía tendencia a vestir a lo Maurice Chevalier y, en las presentaciones de campaña importantes, cantaba ante sus asombrados clientes con su *canotier* y su bastón con puño de plata; pretendía ser el dueño del primer castillo del Loira que tuvo télex y fax; y se ufanaba de su «íntima» asociación con la Primera Ministra, a la que llamaba afectuosamente «Mrs. Tortura». Hal, con su habla campechana, personificación del triunfalismo materialista, estaba considerado una de las glorias de la época, la mitad creativa de la agencia más lanzada de la ciudad, la Valance & Lang. Al igual que Billy Battuta, era amante de los coches grandes con chófer grande. Se decía que un día, mientras viajaba a gran velocidad por una carretera de Cornualles, para «calentar» a una modelo finlandesa de metro noventa especialmente glacial, se produjo un accidente: nadie resultó herido, pero cuando el otro conductor salió, furioso, de su destrozado vehículo, resultó ser todavía más grande que el mecánico de Hal. Cuando el coloso se acercaba, Hal bajó el cristal de su ventanilla con mando eléctrico y, con dulce sonrisa, dijo: «Le recomiendo dar media vuelta y salir por piernas; porque, señor mío, si no se ha ido antes de quince segundos voy a hacer que le maten.» Otros genios de la publicidad eran famosos por su trabajo: Mary Wells, por sus aviones Braniff de color rosa; David Ogilvy, por el parche del ojo; Jerry della Femina, por su «De parte de esa gente maravillosa que les deparó Pearl Harbor». Valance, cuya agencia se especializaba en la vulgaridad alegre y barata, a base de parrandeo y cachondeo, era conocido en el ramo por ese (probablemente apócrifo) «voy a hacer que le maten», expresión que, a los iniciados, demostraba que el tío era un genio de verdad. Chamcha siempre sospechó que Hal había inventado la historia, con sus perfectos ingredientes del país de la publicidad –la nórdica reina de los hielos, los dos matones, los coches caros, Valance en el papel de mafioso y 007 brillando por su ausencia–, y la había hecho correr porque sabía que era buena para el negocio.

Aquel almuerzo era en agradecimiento a Chamcha por su intervención en una reciente campaña de éxito fulgurante de los productos de régimen Slimbix. Saladin era la voz de un muñequito en forma de grumo que decía: *Hola, soy Cal, una pobre caloría que está muy triste.* Cuatro platos y champán a discreción en recompensa por convencer a la gente de que se muriera de hambre. *¿Y cómo quieren que se gane la vida una pobre caloría? Gracias a Slimbix estoy sin trabajo.* Chamcha no sabía qué podía esperar de Valance. Lo que recibió fue, por lo menos, la verdad lisa y llana. «Has estado bien –le felicitó Hal–, para ser persona de persuasión pigmentada. –Y, sin apartar la mirada de la cara de Chamcha, prosiguió–: Voy a especificar unos cuantos hechos. Durante los tres últimos meses rehicimos un anuncio de una manteca de cacao porque del estudio del mercado se deducía que tenía mejor aceptación sin el negrito del fondo. Volvimos a grabar la canción de una inmobiliaria porque al presidente le pareció que el cantante sonaba a negro, a pesar de que era más blanco que una puta sábana, y a pesar de que un año antes habíamos puesto a un negro que, afortunadamente para él, no sonaba demasiado *soul.* Una importante Compañía de Aviación nos dijo que no usáramos negros en sus anuncios, ni aunque fueran empleados suyos. Un actor negro que vino a darme una audición llevaba en la solapa un botón de Igualdad Racial: una mano negra estrechando una mano blanca. Y yo le dije: No creas que yo voy a darte un trato especial amigo. ¿Me entiendes? ¿Entiendes lo que quiero decirte?» Esto es una prueba, comprendió Saladin. «Yo nunca sentí que perteneciera a una raza», respondió. Y tal vez por ello cuando Hal Valance formó su propia productora Chamcha estaba en la lista preferente; y tal vez por ello se le dio el papel de Maxim Alien.

Cuando *El Show de los Aliens* empezó a recibir palos de los radicales negros, pusieron un mote a Chamcha. Por su educación en un colegio privado y su cercanía al odiado Valance lo llamaron «El Tío Tom Moreno».

Era evidente que durante la ausencia de Chamcha la presión política había aumentado, orquestada por un tal Dr. Uhuru Simba. «Doctor en qué, quisiera yo saber –dijo Valance por teléfono con su voz de garganta profunda–. Nuestros investigadores todavía no lo han averiguado.» Piquetes masivos, una presencia realmente violenta en *Con derecho a réplica.* «El sujeto es un jodido tanque.» Chamcha los imaginaba, Valance y Simba, como extremos opuestos. Al parecer, las protestas dieron resultado: Valance «despolitizaba» el programa echando a Chamcha y poniendo en su lugar a un enorme teutón rubio, de mucho torso y tupé, entre las figuras de maquillaje protésico movidas por ordenador. Un Schwarzenegger de látex y Quantel, una versión sintética, con lenguaje hippie, de Rutger Hauer en *Blade Runner.* Los judíos también habían quedado fuera. En lugar de Mimi, el nuevo programa tendría a una voluptuosa muñeca *shiksa.* «Escribí una carta al doctor Simba: puedes meterte tu jodido doctorado por el culo. No ha habido respuesta. Le va a costar mucho más que eso apoderarse de este pequeño país. Yo –anunció Hal Valance–, yo quiero a este jodido país. Por eso pienso venderlo a todo el condenado mundo, Japón, América y la jodida Argentina. Voy a venderlo de puta madre. Es lo que he vendido toda mi jodida vida: la jodida nación. La *bandera.*» Él no se oía. Cuando se soltaba el pelo con ese asunto, se ponía como la grana y hasta lloraba. Así lo hizo aquel primer día en el White Tower, mientras se atracaba de comida griega. Ahora Chamcha recordó la fecha: fue inmediatamente después de la guerra de las Falkland. Por aquel entonces, la gente tenía tendencia a hacer juramentos de fidelidad y a tararear himnos en el autobús. De manera que cuando Valance, con una gran copa de Armagnac delante, empezó con el tema –«Yo te diré por qué amo a este país»–, Chamcha, que también estaba a favor de la campaña de las Falkland, pensó que ya sabía lo que venía después. Pero Valance empezó a describir el programa de investigación de una compañía británica aerospacial, cliente suyo, que acababa de revolucionar la construcción de los sistemas de guía de misiles investigando el esquema de vuelo de la mosca común. «Rectificación del rumbo durante el vuelo –susurró dramáticamente–. Tradicionalmente realizado en la línea del vuelo: ajustar el ángulo una pizca hacia arriba, un poco hacia abajo, un puntito hacia la izquierda o la derecha. Ahora bien, los científicos que estudiaban la película ultrarrápida de la humilde mosca descubrieron que esas pequeñeces siempre, lo que se dice siempre, corrigen *en ángulo recto.* –Hizo una demostración, extendiendo la mano con la palma plana y los dedos juntos–. ¡Bzzzt! ¡Bzzzt! Las muy putas suben y bajan en línea vertical o, si no, hacia los lados. Mucho más exacto. Y con menos gasto de combustible. Ahora bien, trata de hacer eso con un motor que depende de un flujo de aire de morro a cola; ¿qué sucede? El desgraciado no puede respirar, se para, baja en picado y va a caer encima de tus jodidos aliados. Mal karma. Me sigues, ¿eh?, tú sigues lo que te digo. Y entonces esos tipos van e inventan un motor con flujo de aire en tres direcciones: de morro a cola, de arriba abajo y de lado a lado. Y ¡bingo!: ya tenemos un cohete que vuela como una mosca y puede tocar una moneda de cincuenta peniques que vaya a una velocidad de ciento cincuenta kilómetros por hora, a una distancia de cinco kilómetros. Lo que me encanta de este país es esto: su genio. Los más grandes inventores del mundo. Es una preciosidad. ¿No tengo razón?» Hablaba completamente en serio. Chamcha respondió: «Tienes razón.» «Tienes toda la razón en que tengo razón», confirmó él.

Se vieron por última vez poco antes de que Chamcha se fuera a Bombay: almuerzo dominical en la mansión de Highgate, con la bandera desplegada. Arrimaderos de palo de rosa, terraza con urnas de piedra, vista panorámica de una colina cubierta de bosque. Valance despotricaba de una urbanización que iba a estropear el paisaje. El almuerzo, como era de esperar, fue patriotero: *rosbif, boudin Yorkshire, choux de Bruxelles.* Baby, la diminuta esposa de Hal, no almorzó con ellos, sino que comió pastrami caliente sobre pan de centeno mientras jugaba al billar en una habitación contigua. Criados, un borgoña suntuoso, más Armagnac, puros. El paraíso del hombre que se ha hecho a sí mismo, pensó Chamcha, y notó que había envidia en ese pensamiento.

Después del almuerzo, sorpresa. Valance lo llevó a una habitación en la que había dos clavicordios de gran finura y delicadeza. «Los hago yo –confesó el anfitrión–. Para relajarme. Baby quiere que le haga una guitarra. –La habilidad de Hal Valance para la ebanistería era indiscutible y, en cierto modo, incongruente con el resto de su personalidad–. Mi padre era del oficio», reconoció, a preguntas de Chamcha, y Saladin comprendió que se le había otorgado el privilegio de atisbar la única parte que quedaba del Valance original, el Harold derivado de la historia y de la sangre y no de su cerebro frenético.

Cuando salieron de la cámara secreta de los clavicordios, enseguida reapareció el Hal Valance de siempre. Apoyado en la balaustrada de su terraza, confió: «Lo más asombroso de esa mujer es la envergadura de lo que trata de hacer.» ¿Mujer? ¿Baby? Chamcha estaba perplejo. «Me refiero a quien tú ya sabes –explicó Valance–. Torture. Maggie la Zorra. Es una radical, no te lo discuto. Lo que ella pretende, lo que ella realmente cree que puede *conseguir,* es ni más ni menos que inventar una nueva recondenada clase media en este país. Librarse de esos gilipollas incompetentes del jodido Surrey y Yorkshire y traer gente nueva. Gente sin abolengo, sin historia. Gente hambrienta. Gente que *busca* y que sabe que, con ella, *encontrará.* Nadie había intentado cambiar toda una jodida clase hasta ahora, y lo asombroso es que ella podría conseguirlo, si antes no la derriban. La clase vieja. Los muertos. ¿Me sigues?» «Creo que sí», mintió Chamcha. «Y no me refiero sólo a los empresarios –dijo Valance arrastrando las sílabas–. Los intelectuales también. Fuera con toda esa cuadrilla trasnochada. Adelante los chicos hambrientos con su mala educación. Nuevos profesores, nuevos pintores, todo nuevo. Una jodida revolución. La novedad irrumpiendo en este país repleto de jodidos *cadáveres.* Será digno de ver. Ya lo es.»

Baby entró a saludar con gesto de aburrimiento. «Es hora de que te marches, Chamcha –comentó su marido–. El domingo por la tarde nos acostamos y vemos vídeos pornográficos. Es un mundo nuevo, Saladin. Todos se apuntarán a él algún día.»

No hay vuelta de hoja. O estás dentro o estás muerto. No era ésa la creencia de Chamcha; ni de Chamcha ni de la Inglaterra que él idolatraba y que había ido a conquistar. Entonces hubiera debido comprender: le estaban avisando.

Y, ahora, el tiro de gracia. «Sin mala voluntad –murmuraba Valance a su oído–. Ya nos veremos, ¿eh? De acuerdo.»

«Hal –se obligó a objetar–, tengo un contrato.»

Como un carnero al sacrificio. Ahora la voz sonó en su oído francamente divertida. «No seas estúpido –le dijo–. Tú no tienes nada. Lee la letra pequeña. Dásela a leer a un abogado. Llévame a los tribunales. Haz lo que tengas que hacer. A mí no me importa. ¿No lo entiendes? Tú ya eres historia.»

Mr. Saladin Chamcha, abandonado por una Inglaterra extraña y embarrancado en otra, recibió, en su gran tribulación, noticias de un antiguo compañero que, evidentemente, gozaba de mejor suerte. El grito de su patrona –*¡Tini bénché achén!*– le previno de que ocurría algo. Hind avanzaba en tromba por los pasillos del Shaandaar Dormir y Desayuno agitando lo que resultó ser un número reciente de la revista india importada *Ciné-Blitz*. Se abrieron puertas y asomaron los temporales, perplejos y alarmados. Mishal Sufyan salió de su habitación con entre el sujetador y el pantalón vaquero varios palmos de tronco al descubierto. Del despacho que ocupaba al otro lado del vestíbulo salió Hanif Johnson, con un incongruente terno de severo corte, fue agredido por el tronco desnudo y se tapó la cara con las manos. «Señor, ten piedad», rogó. Mishal, haciendo caso omiso, gritó detrás de su madre: «¿Qué sucede? ¿Quién está vivo?»

«Desvergonzada de qué sé yo dónde –gritó Hind desde el fondo del pasillo–. Cubre tu desnudez.»

«Que te jodan –murmuró Mishal entre dientes, mirando a Hanif Johnson con ojos rebeldes–. ¿Y los michelines que a ella le asoman entre el sari y el choli? Ya me dirás...» Al otro extremo del oscuro corredor, Hind agitaba *Ciné-Blitz* delante de los huéspedes y gritaba: vive. Con el mismo fervor de aquellos griegos que, tras la desaparición del político Lambrakis, pintaron con cal por todo el país la letra Z. *Zi: vive.*

«¿Quién?», preguntó Mishal de nuevo.

«Gibreel –gritaron los niños provisionales–. *Farishta hénché achén.*» Hind, que desapareció escaleras abajo, no vio cómo volvía a la habitación su hija mayor –dejando la puerta entornada–, ni cómo tras ella entraba, después de comprobar que el horizonte estaba despejado, el prestigioso abogado Hanif Johnson, vestido y calzado a la europea, que conservaba un despacho en el edificio para no renegar de sus raíces, pero tenía también un próspero bufete en un barrio residencial, estaba muy bien relacionado con el partido laboralista local y había sido acusado por el actual diputado de conspirar para arrebatarle el escaño en las próximas elecciones.

¿Cuándo cumplía Mishal Sufyan los dieciocho años? Aún le faltaban varias semanas. ¿Y dónde estaba su hermana, compañera de cuarto, compinche, sombra, eco y contrapunto? ¿Dónde estaba la carabina en potencia? No estaba.

Pero continuemos:

La noticia de *Ciné-Blitz* era que una nueva productora cinematográfica con sede en Londres, dirigida por el joven fenómeno de las finanzas Billy Battuta, cuyo interés por el cine era bien conocido, se había asociado con el famoso productor independiente indio Mr. S. S. Sisodia, con el propósito de producir un medio para el regreso a las pantallas del legendario Gibreel, sobre quien se informaba, en exclusiva, que por segunda vez había escapado de las fauces de la muerte. «Es cierto que yo figuraba en la lista de pasajeros con el nombre de Najmuddin –manifestaba la estrella–. Sé que, cuando los investigadores descubrieron que con este nombre, que por cierto es el verdadero, la noticia protegía mi incógnito, causó gran dolor en mi país, por lo que pido sinceramente perdón a mi público. Como pueden ver, Dios dispuso que perdiera aquel avión, y, puesto que deseaba desaparecer durante una temporada, omití desmentir la noticia de mi muerte y tomé un vuelo posterior. Fue una suerte; verdaderamente, un ángel debió de velar por mí.» Pero, después de reflexionar, había comprendido que no tenía derecho a ocultar a su público de un modo tan poco deportivo y cruel la verdad de los hechos ni privarle de su presencia en la pantalla. «Por lo tanto, he aceptado con todo entusiasmo este proyecto.» La película sería teológica –¿y cómo no?–, pero diferente a las anteriores. La acción se desarrollaría en una imaginaria y fabulosa ciudad de arena y narraría el encuentro entre un profeta y un arcángel; también la tentación del profeta y su elección del camino de la pureza y no el de la claudicación. «Es una película que trata de la forma en que lo nuevo entra en el mundo», explicó Sisodia, el productor, a *Ciné-Blitz.* Pero ¿no podría considerarse una irreverencia, una profanación?... «De ninguna manera –respondió Billy Battuta–. La ficción es la ficción; los hechos son los hechos. No es nuestra intención hacer un bodrio como esa película *El Mensaje,* en la que cada vez que se oía hablar al profeta Muhammad (¡paz a su nombre!) sólo se veía la cabeza de su camello moviendo la boca. Eso, ustedes perdonen, no tenía clase. Nosotros haremos una película de calidad y buen gusto. Un relato moral como... ¿cómo los llaman ustedes...?, las fábulas.»

«Como un sueño», dijo Mr. Sisodia.

Cuando, aquella tarde, Anahita y Mishal Sufyan llevaron la noticia a la buhardilla, Chamcha tuvo el más violento de los accesos de furor que ellas habían presenciado, una cólera terrible que le hizo levantar la voz hasta una nota tan alta que le desgarraba, como si le hubieran crecido cuchillos en la garganta que hicieran trizas sus gritos; su aliento pestilente casi las hizo salir despedidas de la habitación, y con los brazos levantados y agitando sus pezuñas de carnero, parecía, por fin, el diablo, y no sólo por el aspecto. «¡Mentiroso! –gritó al ausente Gibreel–. Traidor, desertor, escoria. ¿Que perdiste el avión? Entonces, ¿de quién era la cabeza que... en mis rodillas, con mis propias manos...? ¿Quién recibió caricias, habló de pesadillas y al fin cayó del cielo cantando?» «Calma, calma –suplicó Mishal, aterrorizada–. Tranquilízate o tendremos aquí a mi madre antes de un minuto.»

Saladin se serenó y volvió a ser una patética masa caprina completamente inofensiva. «No es verdad –gimió–. Lo que pasó nos pasó a los dos.»

«Pues claro –le consoló Anahita–. De todos modos, nadie se cree lo que cuentan esas revistas de cine. Publican cualquier cosa.»

Las hermanas salieron de la habitación andando de espaldas y conteniendo la respiración, y dejaron a Chamcha con su dolor, sin observar algo muy curioso. Pero no hay que reprochárselo: el berrinche de Chamcha hubiera distraído al más perspicaz. También hay que señalar, en justicia, que el cambio no lo notó ni el propio Saladin.

¿Qué sucedió? Esto: durante el breve pero violento arranque de Chamcha contra Gibreel, los cuernos de su cabeza (que por cierto habían crecido varios centímetros mientras languidecía en la buhardilla del Shaandaar D y D) se habían *acortado* claramente y sin lugar a dudas unos dos centímetros.

Para ser exactos, debemos señalar que, en una región más baja de su transformado cuerpo –dentro de unas calzas prestadas (la delicadeza nos impide imprimir detalles explícitos)–, otra cosa, dejémoslo así, también se acortó un poco.

De todos modos, la información de la revista cinematográfica resultó excesivamente optimista y precipitada, pues a los pocos días de su aparición, los periódicos locales daban la noticia del arresto de Billy Battuta en un bar japonés de Nueva York, junto con su acompañante femenina, Mildred Mamoulian, de profesión actriz y con cuarenta años de edad. Al parecer, él se había dirigido a numerosas damas preeminentes, «dedicadas a actividades sociales», para pedirles «muy considerables» sumas de dinero que él decía necesitar para comprar su libertad a una secta de adoradores del diablo. Y es que de timador no te sales: sin duda Mimi Mamoulian habría calificado la operación de «hermoso dolo». Apuntando al corazón de la religiosidad americana, suplicando la salvación –«cuando se vende el alma, cuesta muy caro recuperarla»–, Billy había recaudado, alegaban los investigadores, «sumas de seis cifras». Hacia el final de los años ochenta, las congregaciones mundiales de fieles anhelaban el *contacto directo con lo sobrenatural* y Billy, al pretender el conjuro de los poderes infernales (y, por consiguiente, precisar ser rescatado de ellos), ofrecía la mercancía más apreciada, sobre todo porque el diablo que él presentaba era democráticamente susceptible a los dictados del Todopoderoso Dólar. Lo que Billy ponía al alcance de las señoras de Nueva York a cambio de sus generosos cheques era la ratificación: sí, el diablo existe, yo lo he visto con mis propios ojos –¡Ay, Dios, qué horror!– y si existía Lucifer, tenía que existir Gabriel; si se habían visto las llamas del infierno, entonces, en algún sitio, más allá del arco iris, tenía que resplandecer el Paraíso. Por lo visto, Mimi Mamoulian había desempeñado un papel crucial en el engaño, llorando y suplicando con todo su fervor. Los perdió el exceso de confianza, cuando fueron vistos en el bar Takesushi (carcajeándose y haciendo chistes con el chef) por una tal Mrs. Aileen Struwelpeter, que la tarde anterior había entregado un cheque de cinco mil dólares a la entonces atribulada y llorosa pareja. Mrs. Struwelpeter tenía influencia en el Departamento de Policía de Nueva York y, antes de que Mimi terminara su ensalada de marisco, ya estaban allí los azules. No se resistieron al arresto. En las fotos del periódico, Mimi llevaba un abrigo que Chamcha dedujo sería de visión de cuarenta mil dólares, y tenía en la cara una expresión que sólo admitía una lectura.

Que os follen.

Durante algún tiempo, no volvió a hablarse de la película de Farishta.

Tal vez sí y tal vez no, a medida que la reclusión de Saladin Chamcha en el cuerpo de un demonio y en la buhardilla del Shaandaar D y D se prolongaba durante semanas y meses, se hacía obvio que su condición iba de mal en peor. Sus cuernos (no obstante su única, momentánea e inadvertida disminución) se habían hecho más gruesos y más largos, enroscándose en artísticos arabescos, tocándolo con un turbante de asta cada vez más oscura. Tenía una barba cerrada y larga, incongruente en una persona cuya cara de luna siempre había sido lampiña; pero ahora le salía más y más pelo en todo el cuerpo e, incluso, en la base de la espina dorsal le había crecido una fina cola que se alargaba día a día y que ya le hacía imposible el uso de pantalones; ahora se metía el nuevo miembro dentro de unos amplios bombachos requisados por Anahita Suvyan del vasto surtido de su madre. Se imaginará fácilmente el sufrimiento que le ocasionaba su continua metamorfosis en una especie de *djinn* embotellado. Incluso el apetito le cambió. Saladin fue siempre muy exigente con la comida, y ahora advertía con horror que su paladar se hacía más y más tosco, de manera que todos los alimentos tenían casi el mismo sabor y, en cuanto se descuidaba, empezaba a mordisquear las sábanas o el periódico. Al percatarse de ello se sobresaltaba, abochornado por esa nueva prueba de su alejamiento de la condición humana y de su degeneración en –sí– lo caprino. Por lo demás, cada vez necesitaba más elixir bucal para mantener el aliento dentro de unos límites aceptables. Algo muy difícil de aguantar.

Su presencia en la casa era una espina clavada en el costado de Hind, en quien al dolor por el alquiler que dejaba de ingresar se sumaban residuos de su terror inicial, aunque es cierto que el proceso de la habituación había obrado en ella su embrujo, induciéndola a considerar el estado de Saladin como una especie de enfermedad de Hombre Elefante, algo que repele pero que no da miedo. «Que no se ponga en mi camino y yo no me pondré en el suyo –dijo a sus hijas–. Y vosotras, que vais a ser la causa de mi desesperación, ¿por qué pasáis el tiempo ahí metidas con una persona enferma mientras vuela vuestra juventud? Yo no sé, pero en esta Vilayet parece que todo aquello que yo creía es mentira, como la idea de que las muchachas tienen que ayudar a su madre, pensar en el matrimonio, aplicarse en sus estudios y no sentarse por ahí con machos cabríos a los que nosotros solemos degollar en Big Eid.»

Su marido seguía mostrándose, sin embargo, solícito, incluso después del extraño incidente que tuvo lugar cuando subió a la buhardilla y sugirió a Saladin que quizá las niñas no estuvieran descaminadas, quizá la, cómo decirlo, la posesión de su cuerpo podría terminar por la intercesión de un *mullah*. Al oír mencionar al sacerdote, Chamcha se puso en pie, levantó los brazos sobre la cabeza y, por alguna razón, la habitación se llenó de un humo sulfuroso, y un trompeteo agudo y desgarrador perforó el tímpano de Sufyan como una lanza. El humo se desvaneció relativamente deprisa, porque Chamcha abrió una ventana y lo ahuyentó, al tiempo que pedía disculpas a Sufyan, violento y sofocado. «Realmente, no sé lo que me pasa, pero hay momentos en los que temo estar convirtiéndome en algo, algo realmente *malo.*»

Sufyan, alma compasiva, se acercó a Chamcha, que estaba sentado con las manos en los cuernos, le dio palmadas en el hombro y trató de animarlo. «La cuestión de la mutabilidad de la esencia del ser ha sido objeto de profundo debate –dijo con azoramiento–. Por ejemplo, el gran Lucrecio, en *De rerum natura* nos dice: *quodcumque suis mutatum finibus exit, continuo hoc mors est illius quod fuid ante.* Que, traducido, y disculpe la torpeza, quiere decir: "Aquello que, por la mutación, sale de su demarcación", que se sale de madre, vaya (o, quizá, que traspasa sus límites), que, por así decir, desobedece sus propias leyes, aunque es una traducción excesivamente libre, yo pienso... "esa cosa", en cualquier caso, dice Lucrecio "produce de tal modo la muerte inmediata de su ser anterior". Ahora bien –y el ex maestro de escuela levantó el dedo–, el poeta Ovidio, en las *Metamorfosis,* sustenta una opinión diametralmente opuesta. Él afirma: "Como la cera dúctil", o sea, caliente, de la que se usa para sellar un documento o cosa por el estilo, "puede ser marcada con nuevos signos y cambia de forma y no parece la misma y sin embargo es la misma, así también nuestra alma" (¿oye usted esto, señor mío? ¡Nuestro espíritu! ¡Nuestra esencia inmortal!) "sigue siendo siempre la misma, pero adopta en sus migraciones formas cambiantes".»

Sufyan descansaba el cuerpo ora en un pie, ora en

el otro, lleno del hechizo de las viejas palabras. «Para mí no hay más que Ovidio y Lucrecio –declaró–. Su alma, mi pobre y querido señor, es la misma. Es sólo que, en su migración, ha adoptado esta forma diferente.»

«Flaco consuelo. –Chamcha consiguió imprimir a sus palabras un vestigio de su vieja causticidad–. O bien acepto a Lucrecio y deduzco que en lo más hondo de mí se opera una mutación demoníaca e irreversible, o me quedo con Ovidio y asumo que todo lo que ahora emerge de mí no es sino una manifestación de lo que ya había antes.»

«He expuesto torpemente mi argumento –se disculpó Sufyan tristemente–. Yo sólo quería consolarle.»

«¿Qué consuelo puede haber para un hombre cuyo viejo amigo y salvador es también el amante de su esposa –respondió Chamcha con amarga retórica, mientras su ironía se aplastaba bajo el peso de su dolor–, con lo que favorece, como sus viejos libros confirmarán sin duda, el desarrollo de los cuernos?»

Jumpy Joshi, el viejo amigo, era incapaz de olvidar ni durante un momento de sus horas de vigilia que, por primera vez desde que tenía uso de razón, le faltaba la fuerza de voluntad para organizar su vida según sus normas de moral. En el centro deportivo en el que enseñaba técnicas de artes marciales a un número siempre creciente de alumnos, haciendo hincapié en el aspecto espiritual de las disciplinas, con gran regocijo del alumnado («Ah, sí, mi pequeño saltamontes –se burlaba Mishal Sufyan, su alumna estrella–, cuando honolable celdo fascista salta soble ti en osculo callejón, enséñale doctlina de Buda antes de pateal honolables huevos»), empezó a manifestar tan *apasionada intensidad* que los alumnos, comprendiendo que con ello manifestaba cierta angustia interior, se alarmaron. Cuando Mishal le interrogó al final de una sesión que los había dejado a los dos magullados y jadeantes, durante la cual maestro y alumna aventajada se habían lanzado uno contra otro como enamorados anhelantes, él, con insólita falta de franqueza, respondió a sus preguntas con evasivas. «Mira tú quién habla –dijo él–. La paja y la viga.» Estaban al lado de las máquinas automáticas de bebidas. Ella se encogió de hombros. «Está bien –dijo–. Confieso, pero guárdame el secreto.» Él alargó el brazo hacia su Coke. «¿Qué secreto?» El inocente de Jumpy. Mishal le susurró al oído: «Tengo un amante y es tu amigo Mister Hanif Johnson, abogado.»

Él se escandalizó y esto la irritó. «Anda *ya.* Que no tengo *quince años.*» Él respondió débilmente: «Si tu madre llegara...», y nuevamente ella se impacientó: «Si quieres que te diga la verdad, la que me preocupa es Anahita, que siempre quiere hacer todo lo que yo hago. Y ella, por cierto, sí que tiene quince años.» Jumpy observó que había volcado su vaso de papel y tenía Coke en las zapatillas. «Ahora te toca a ti –insistió Mishal–. Yo ya he sido franca. Ahora, tú.» Pero Jumpy no podía; todavía sacudía la cabeza por lo de Hanif. «Esto sería su ruina», dijo. Esto fue la guinda. Mishal levantó la barbilla. «Ya te entiendo –dijo–. Soy muy poca cosa para él, ¿verdad? –y, por encima del hombro, mientras se alejaba–: Dime, Saltamontes: ¿los hombres santos no follan?»

No tan santo. Él no tenía más madera de santo que el David Carradine de *Kung Fu:* Jumpy era como el Saltamontes. Todos los días se agotaba tratando de mantenerse alejado del caserón de Notting Hill, y todas las noches terminaba delante de la puerta de Pamela, con el pulgar en la boca, mordiéndose los padrastros ahuyentando al perro y sus propios remordimientos y entrando directamente en el dormitorio. Y allí se arrojaban el uno sobre el otro, buscando con la boca el sitio por el que habían optado, o aprendido, a empezar: los labios de él, en los pezones de ella y los de ella, en el otro pulgar que él tenía más abajo.

Ella había llegado a adorar esa impaciencia, porque era seguida por una paciencia como no había conocido en su vida, la paciencia del hombre que nunca ha sido «atractivo» y, por lo tanto, agradece todo lo que se le ofrece, o así lo creía ella al principio; pero luego aprendió a valorar la consideración y atención que él dedicaba a las tensiones internas de ella, porque comprendía la dificultad que su cuerpo fino, huesudo, de pechos pequeños, tenía para descubrir un ritmo, acompasarse y, finalmente, rendirse a él: su sentido del tiempo. Ella le quería también por su abnegación; amaba en él, aunque comprendía que no era una buena razón, la prontitud con que vencía sus escrúpulos para estar con ella; amaba en él el deseo que había arrollado todos sus imperativos anteriores. Lo amaba sin querer ver, en este amor, el principio del fin.

Hacia el final del acto del amor, ella se agitaba: «¡Youu! –gritaba, con toda la aristocracia de su acento concentrada en las sílabas incoherentes de su abandono–. ¡Buaa! ¡Jai! *Hah.*»

Todavía bebía copiosamente, bourbon escocés, y una franja roja le atravesaba la cara. Bajo el efecto del alcohol, su ojo derecho se reducía a la mitad del tamaño del izquierdo, y él advirtió con horror que empezaba a repugnarle. Pero no se podía hablar de su afición a la bebida: la única vez que lo intentó, se encontró en la calle con los zapatos en la mano derecha y el abrigo sobre el brazo izquierdo. Después de aquello él volvió: y ella le abrió la puerta, y subió directamente al dormitorio, como si nada hubiera ocurrido. Los tabúes de Pamela: chistes sobre su ascendencia, mención de las «víctimas» de la botella de whisky y toda insinuación de que su difunto esposo, el actor Saladin Chamcha, vivía y habitaba al otro lado de la ciudad en una casa de huéspedes, bajo la forma de una bestia sobrenatural.

Ahora, Jumpy –que en un principio la atosigaba con el tema de Saladin, diciendo que lo que ella tenía que hacer era divorciarse, que aquella pretensión de viudez era intolerable: ¿y los bienes de él, su derecho a una parte de la propiedad y demás? Ella no querría dejarlo en la miseria, ¿verdad?–, ahora, Jumpy ya no le reprochaba su conducta poco razonable. «Me ha sido confirmada su muerte –le dijo ella la única vez que accedió a decir algo sobre el tema». ¿Y qué tienes tú? Un macho cabrío, un fenómeno de circo, eso no tiene nada que ver conmigo» Y también esto, al igual que la bebida, empezaba a distanciarlos. Las clases de artes marciales de Jumpy se hacían más vehementes a medida que estos problemas se agigantaban en su espíritu.

Paradójicamente, mientras Pamela se negaba rotundamente a afrontar los hechos relacionados con su marido ausente, se vio involucrada, a causa de sus actividades en el comité de relaciones de la comunidad del barrio, en la investigación de presuntos casos de brujería entre los agentes de policía de la comisaría del distrito. De vez en cuando se hablaba de ciertas «irregularidades» en determinadas comisarías –Nothing Hill, Kentish Town, Islington–, pero ¿brujería? Jumpy se mostraba escéptico. «Tu problema –le dijo Pamela con su voz altanera y displicente– es que aún tienes la idea de que la normalidad es lo normal. Dios mío, mira lo que pasa en este país. Un puñado de policías pirados que se quitan la ropa y beben orina en los cascos no es algo insólito. Si quieres, puedes llamarlo francmasonería de la clase trabajadora. Todos los días vienen a verme negros locos de miedo hablando que si el *obeah,* que si la tripa del pollo, qué sé yo. Los muy bastardos *disfrutan* con eso: asustan a los pobres diablos con sus propios abracadabras y, al mismo tiempo, pasan una noche movidita. ¿Que no? ¡Despierta, carajo!» Al parecer, la persecución de brujas era cosa de familia: de Matthew Hopkins a Pamela Lovelace. En la voz de Pamela, cuando hablaba en las reuniones públicas, en la radio e, incluso, en los programas regionales de la televisión, vibraba todo el celo y autoridad del viejo Inquisidor General, y sólo gracias a su voz de Gloriana siglo veinte su campaña no se extinguió de forma fulminante entre el regocijo general. *Se necesita escoba para barrer a las brujas.* Se hablaba de una investigación oficial. Pero lo que indignaba a Jumpy era la negativa de Pamela a relacionar sus argumentos acerca de los policías ocultistas con el caso de su propio marido: porque, al fin y al cabo, la transformación de Saladin Chamcha tenía que ver precisamente con la idea de que la normalidad ya no dependía (si alguna vez dependió) de banales elementos «normales». «No tiene nada que ver», dijo ella categóricamente cuando él apuntó esa posibilidad; autoritaria como el juez de la horca, pensó él.

Después de que Mishal Sufyan le revelara sus ilegales relaciones sexuales con Hanif Johnson, Jumpy, camino de casa de Pamela Chamcha, hubo de refrenar unos cuantos pensamientos fanáticos, tales como *de no ser hijo de padre blanco, él no habría hecho eso*; Hanif, pensaba con rabia, aquel imbécil que, probablemente, se hacía muescas en el pito para llevar la cuenta de las conquistas, aquel Johnson que aspiraba a representar a su gente y que no podía esperar a que fueran mayores de edad para empezar a joderlos..., ¿no se daba cuenta de que Mishal, a pesar de aquel cuerpo omnisciente era sólo, sólo, ¿una niña? *–No; no era una niña–.* Pues maldito sea, maldito sea (y aquí Jumpy se escandalizó a sí mismo) por haber sido el primero.

Jumpy, *en route* hacia la casa de su amante, trataba

de convencerse a sí mismo de que su resentimiento hacia Hanif, *su amigo Hanif*, era básicamente –¿cómo expresarlo?– *lingüístico*. Hanif dominaba a la perfección los lenguajes que importaban: sociológico, socialista, negro radical, anti-anti-antirracista, demagógico, retórico y sermoneante: los léxicos del poder. Pero tú, imbécil, tú revuelves en mis cajones y te ríes de mis estúpidas poesías. *El verdadero problema del lenguaje, cómo doblegarlo y moldearlo, cómo hacer de él nuestra libertad, cómo reconquistar sus pozos envenenados, cómo dominar el río de palabras de tiempo de sangre: de todo esto no tienes ni idea.* Cuán dura la lucha, cuán inevitable la derrota. *A mí nadie va a elegirme para nada. Ni base de poder, ni distrito electoral, sólo la batalla con las palabras.* Pero él, Jumpy, también había de reconocer que su envidia de Hanif se basaba también en el mayor dominio del lenguaje del deseo que ejercía el otro. Mishal Sufyan era algo serio, una belleza alargada y tubular, pero él, aunque se le hubiera ocurrido, nunca habría sabido cómo, jamás habría osado. El lenguaje es valor: es la habilidad para concebir un pensamiento, decirlo y, al decirlo, hacerlo realidad.

Cuando Pamela Chamcha le abrió la puerta, él descubrió que el pelo se le había vuelto blanco durante la noche y que su reacción a esa inexplicable calamidad había sido afeitarse la cabeza y esconderla en un absurdo turbante color burdeos del que no quería desprenderse.

«Ocurrió sin más –dijo–. No hay que descartar la posibilidad de que me hayan embrujado.»

Él no lo admitía. «Ni hay que descartar tampoco la idea de que sea una reacción, aunque retardada, a la noticia de la vuelta de tu marido, aunque en estado alterado.»

Ella se volvió a mirarle, a medio tramo de la escalera del dormitorio, y, teatralmente, señaló la puerta de la sala, que estaba abierta. «En tal caso –dijo, triunfal–, ¿por qué al perro le ha ocurrido lo mismo?»

Aquella noche tal vez le hubiera dicho que quería romper, que su conciencia ya no le permitía seguir –tal vez hubiera estado dispuesto a arrostrar su furor y asumir la paradoja de que una decisión pudiera ser a un tiempo lícita e inmoral (por cruel, unilateral y egoísta)–; pero cuando entró en el dormitorio, ella le tomó la cara entre las manos y, observándole ávidamente para ver cómo recibía la noticia, le confesó que le había mentido en lo de que tomaba precauciones. Estaba embarazada. O sea que resultaba que ella era mucho más hábil que él en tomar decisiones unilaterales y, sencillamente, se había servido de él para tener el hijo que Saladin Chamcha no pudo darle. «Yo lo deseo –gritó, en tono de desafío y a bocajarro–. Y lo tendré.»

El egoísmo de ella, al anticiparse, frustró el de él. Entonces descubrió que se sentía aliviado: absuelto de la responsabilidad de tomar decisiones morales y ponerlas en práctica –porque, ¿cómo iba a dejarla ahora?–, y ahuyentó esos pensamientos y dejó que ella, suavemente pero con inconfundible empeño, lo empujara hacia la cama.

Tanto si Saladin Chamcha, en su lenta metamorfosis, estaba convirtiéndose en una especie de mutante de cienciaficción o vídeo de horror, una criatura fruto del azar que en breve sería eliminada por la selección natural, como si estaba evolucionando en avatar del Señor del Infierno, o lo que fuera, lo cierto es (y en esta cuestión bien estará proceder con cautela, pasando de hecho demostrado a hecho demostrado, sin sacar conclusiones precipitadas hasta que nuestro camino de baldosas amarillas de las cosas incontrovertibles nos haya dejado a cuatro dedos de nuestro punto de destino), el caso es que las dos hijas de Haji Sufyan le habían tomado bajo su tutela, cuidando de la Bestia como sólo las Bellas pueden; y que, a medida que pasaban los días, él llegó a quererlas de verdad. Durante mucho tiempo, Mishal y Anahita se le antojaron inseparables, la mano y su sombra, la soga y el caldero, Anahita, la pequeña, siempre detrás de su espigada y vivaz hermana, practicando patadas de kárate y golpes de antebrazo de Wing Chun con halagador afán de emulación de la intrépida Mishal. Pero, últimamente, había advertido entre las dos hermanas una hostilidad que le entristecía. Una noche, desde la ventana de la buhardilla, Mishal señalaba algunos de los personajes habituales de la calle, el anciano sikh, al que un ataque racial había dejado mudo de la impresión; se decía que no había vuelto a hablar desde hacía siete años, antes de los cuales era uno de los pocos jueces de paz «negros» de la ciudad..., pero ya no pronunciaba sentencias, y a todas partes le acompañaba una esposa gruñona que le trataba con despectiva exasperación: *Oh, no se preocupen por él, porque nunca dice ni mu;* y ahí viene el «contable» (definición de Mishal) con su aspecto vulgar, que vuelve a casa con su cartera y un paquete de caramelos; de éste se decía en la calle que había desarrollado la extraña necesidad de cambiar de lugar los muebles de la sala durante media hora cada noche, colocando las sillas en fila, de dos en dos, con un pasillo central y fingiéndose el conductor de un autobús de un solo piso camino de Bangladesh, fantasía obsesiva en la que toda su familia tenía que tomar parte, *y, al cabo de media hora justa, se le pasa, y durante el resto del día es el tipo más aburrido que puedas imaginar;* y, al cabo de unos momentos de esta charla, Anahita, la quinceañera, interrumpió malévolamente: «Lo que quiere decir es que tú no eres la única víctima, que por aquí abundan los tipos raros, que no hay más que mirar alrededor.»

Mishal había adquirido la costumbre de hablar de la Calle como si fuera un campo de batalla mitológico y ella, en lo alto, en la ventana de la buhardilla de Chamcha, el ángel narrador y, también, exterminador. Por ella supo Chamcha las fábulas de los nuevos *kurus* y *pandavas,* los racistas blancos y las brigadas de «ayuda propia» o vigilantes que protagonizaban este moderno *Mahabharata* o, para ser exactos, *Mahavilayet.* Allá arriba debajo del puente del ferrocarril, el Frente Nacional solía batallar con los intrépidos radicales del Partido Socialista de los Trabajadores, «todos los domingos, desde la hora del cierre hasta la de apertura –rió con desdén–, y luego nosotros, toda la puta semana, arreglando el estropicio». En ese callejón fue donde la policía cazó a los Tres de Brickhall y luego les colgó el muerto; por esa bocacalle se llega al escenario del asesinato del jamaicano Ulysses E. Lee, y en ese bar la mancha de la alfombra señala el sitio en el que Jatinder Singh Mehta la espichó. «El thatcherismo deja sentir sus efectos», declamó, mientras Chamcha, que ya no tenía voluntad ni palabras para discutir con ella, de hablar de justicia y del derecho de gentes, observaba el creciente furor de Anahita. «Ahora ya no se libran grandes batallas –sentenció Mishal–. Ahora se practica la operación en pequeña escala y el culto al individuo, ¿no? En otras palabras, cinco o seis canallas blancos que nos asesinan, uno a uno.» Aquellas noches las patrullas de vigilantes rondaban la Calle buscando brega. «Es nuestro campo –dijo Mishal Sufyan de aquella calle, en la que no se veía ni una brizna de hierba–. Que venga a quitárnoslo si pueden.»

«¡Mírala! –estalló Anahita–. Ella, tan señorita, ¿verdad? Tan refinada. Imagina lo que diría mamá si lo supiera.» «¿Si supiera el qué, serp...?» Pero Anahita no se amilanaba: «Oh, sí –gritó–. Lo sabemos todo, no creas que no. Que la señorita va a los shows de beat *bhangra* del domingo por la mañana y se viste de puta pedorra en el lavabo de señoras, y con quién se contonea y con quién se enrolla en la discoteca Cera Caliente; se ha creído que estoy en las nubes, que no sé lo de aquel baile de *blues* al que se fue con el señor Ya-sabes-quién-Mamón-Fantasma..., bonita hermana. –Y, de colofón, la apoteosis–: Ésa acabará muriendo de comosellame *ignorancia.*» Se refería, como Chamcha y Mishal comprendieron inmediatamente –los anuncios del cine en los que unas lápidas funerarias expresionistas surgían de la tierra y el mar habían conseguido calar el mensaje–, al *Sida.*

Mishal se echó sobre su hermana y le tiró del pelo. Anahita, a pesar del dolor, aún pudo lanzar otra pulla: «Por lo menos, yo no llevo la cabeza como un acerico; se necesita estar pirado para prendarse de *eso»*, y las dos hermanas se fueron, dejando a Chamcha desconcertado ante la súbita y total aceptación por Anahita de la ética de la feminidad propugnada por su madre. *Se avecinan complicaciones*, se dijo.

Y las complicaciones llegaron sin tardar.

Con más y más frecuencia, cuando estaba solo, Chamcha se sentía caer en una indolente modorra que llegaba a hacerle perder el conocimiento, como el muñeco al que se le acaba la cuerda, y en aquellos paréntesis de suspensión, que siempre finalizaban inmediatamente antes de la llegada de alguna visita, su cuerpo emitía ruidos alarmantes, aullidos de infernales *wahwah pedals*, un emboscado tamborileo de huesos satánicos. Él, mientras tanto y poco a poco, crecía. Y, en la misma medida, crecían también los rumores de su presencia; no puedes tener a un demonio encerrado en la buhardilla e imaginar que vas a poder guardarlo siempre para ti solo.

Cómo trascendió la noticia (pues quienes la sabían no despegaban los labios: los Sufyan, porque temían perder la clientela; los provisionales, porque su sentimiento de evanescencia les incapacitaba, momentáneamente, para la acción; y, todos, porque temían la llegada de la policía, que no desperdiciaba oportunidad de entrar en un establecimiento como aquél, tropezar accidentalmente con unos cuantos muebles y pisar sin querer varios brazos piernas cuellos): Chamcha empezó a aparecerse en sueños a los vecinos. A los *mullahs* de la Jamme Masjid, que antes fuera la sinagoga Maczikel HaDath que, a su vez, había sustituido a la iglesia calvinista de los hugonotes; y al doctor Uhuru, el hombre-montaña africano del sombrero de botones y poncho rojo-amarillo-negro que encabezara la eficaz protesta contra *El Show de los Aliens* y al que Mishal Sufyan aborrecía más que a ningún otro negro del mundo por su manía de pegar en la boca a las mujeres decididas, a ella misma, por ejemplo, en público, en una reunión con muchos testigos, lo que no detuvo al doctor; *es un loco bastardo* dijo un día a Chamcha señalándolo desde la ventana de la buhardilla, *capaz de cualquier barbaridad; hubiera podido matarme, y todo porque dije a la gente que él no era africano, que lo conocía de cuando era Sylvester Roberts a secas, de New Cross; un jodido médico brujo, si necesitas mi opinión;* y la propia Mishal y Jumpy y Hanif y el Conductor del Autobús, todos soñaban con él, le veían alzarse en la Calle como el apocalipsis y quemar la ciudad como una tostada. Y en cada uno de los mil y un sueños, él, Saladin Chamcha, agigantado y dotado de cornamenta, cantaba, con una voz tan diabólicamente horrible y gutural que se hacía imposible identificar los versos a pesar de que los sueños resultaron tener la terrorífica propiedad de producirse en secuencia: cada uno continuaba donde había quedado la noche anterior, y así sucesivamente, noche tras noche, hasta que incluso el Hombre Silencioso –el antiguo juez de paz que no había hablado desde la noche en que, en un restaurante indio, un joven borracho le puso un cuchillo debajo de la nariz, amenazó con cortársela y luego cometió el mucho peor delito de escupir en su comida–, hasta que este pacífico caballero asombró a su esposa al sentarse en la cama, alargar el cuello hacia adelante, como una paloma, golpearse las muñecas junto a la oreja derecha y cantar con voz estentórea una canción tan extraña, acompañada de tanta electricidad estática, que la mujer no pudo entender ni una palabra.

Muy pronto, porque ya nada se retrasa mucho tiempo, la imagen del demonio soñado empezó a cundir y se hizo popular, eso sí, únicamente entre la que Hal Valance llamara *persuasión pigmentada.* Mientras los no pigmentados neogeorgianos soñaban con un enemigo sulfuroso que trituraba bajo su humeante pezuña sus perfectamente restauradas viviendas, los nocturnales morenos-y-negros aclamaban en sueños a aquel casi-negro-como-no-podía-ser-menos, quizá un poco zarandeado por el destino clase raza historia y demás, pero que alzaba el culo del asiento para repartir algo de leña.

Al principio, esos sueños fueron cuestiones privadas, pero muy pronto empezaron a invadir las horas de vigilia, en cuanto los detallistas y fabricantes asiáticos de botones camisetas carteles comprendieron la fuerza del sueño, y de la noche a la mañana aquella imagen apareció en todas partes, en el pecho de las jovencitas y en los escaparates con tela metálica a prueba de ladrillo: era un desafío y una advertencia. Simpatía por el Diablo: una vieja canción que renacía. Los chiquillos de la Calle se ponían cuernos de goma en la cabeza, como años atrás, cuando preferían imitar a los extraterrestres llevaban bolas de color rosa y verde bailando al extremo de unos alambres tiesos. El símbolo del Macho Cabrío con el puño levantado en ademán de fuerza empezó a aparecer en pancartas en las manifestaciones políticas, Salvemos a los Seis, Libertad para los Cuatro, Fuera los Cincuenta y Siete de Heinz. *Celebro conocerte,* cantaban las radios, *a ver si adivinas quién soy yo.* Los oficiales de policía encargados de las relaciones con las comunidades informaban del «creciente culto al diablo observado entre jóvenes negros y asiáticos» calificándolo de «deplorable tendencia», y utilizaban semejante «resurgimiento satanista» para combatir los alegatos de Mrs. Pamela Chamcha y del comité local de relaciones con las comunidades: «¿Quiénes son ahora las brujas?» «Chamcha –dijo Mishal, entusiasmada–, eres un héroe. Me refiero a que la gente se identifica realmente contigo. Es una imagen que la sociedad blanca ha rechazado durante tanto tiempo, que nosotros podemos adoptarla, ¿comprendes?, asumirla, reclamarla, apropiárnosla. Ya es hora de que empieces a pensar en pasar a la acción.»

«Vete de aquí –gritó Saladin, perplejo–. Esto no es lo que yo quería. Esto no es lo que yo pretendía, en absoluto.»

«Pues, de todos modos, con lo que estás creciendo, pronto no vas a caber en esta buhardilla», replicó Mishal, ofendida.

Indudablemente, las cosas se acercaban al punto crítico.

«Anoche rajaron a otra ancianita –anunció Hanif Johnson, imitando el acento de los negros de Trinidad con su estilo peculiar–. Una meno a cobrá la seguridá sosial.» Anahita Sufyan, de guardia detrás del mostrador del Shaandaar Café, hacía ruido con los platos y las tazas. «No entiendo por qué hablas así –se lamentó–. Me pone mala.» Hanif, sin hacerle caso, se sentó al lado de Jumpy, que murmuró distraído: «¿Qué se dice por ahí?» Su próxima paternidad le agobiaba, y Hanif le dio una palmada en la espalda. «La poesía anda de capa caída, hermano –se compadeció–. Es como si el río de sangre se hubiera coagulado.» Una mirada de Jumpy le hizo cambiar de tono. «Se dice lo que se dice –respondió–. Se busca a individuos de color que circulan en coche. Ahora bien, si la víctima fuera negra, dirían: "No hay motivos pala sospechal móvil lasial." Yo te aseguro –prosiguió, abandonando el acento– que, a veces, la magnitud de la agresividad que bulle bajo la piel de esta ciudad me asusta. Y no me refiero únicamente al maldito Mataviejas. Es algo que está en todas partes. Tropiezas sin querer con el periódico de un tío en el tren, en hora punta, y te expones a que te rompa la cara. Y es que todo el mundo está *que muerde.* Y también va por ti, compañero», terminó, al observar la expresión de su amigo. Jumpy se puso en pie, se excusó y salió sin una explicación. Hanif abrió los brazos y miró a Anahita con su sonrisa más encantadora: «¿Qué le he hecho yo?»

Anahita sonrió a su vez con dulzura: «¿Nunca se te ha ocurrido pensar, Hanif, que a lo mejor la gente no te aguanta?»

Cuando se supo que el Mataviejas había vuelto a actuar, comenzó a ganar cuerpo la sugerencia de que el esclarecimiento de los espantosos asesinatos de ancianas, habida cuenta de que su autor podría tener la condición de «ser diabólico» –pues invariablemente dejaba las vísceras de sus víctimas bien colocadas alrededor del cuerpo: un pulmón en cada oreja y el corazón, por razones obvias, en la boca–, se resolvería investigando el nuevo tipo de ocultismo practicado por los negros de la ciudad, que tantos motivos de preocupación estaba dando a las autoridades. Las detenciones e interrogatorios de «morenos» se intensificaron, al igual que la frecuencia de las redadas a los establecimientos «sospechosos de albergar células ocultistas clandestinas». Lo que ocurría, aunque nadie lo reconocía ni, al principio, comprendía, era que todos, negros indios blancos, empezaban a ver en la figura del sueño a un ser *real*, alguien que había cruzado la frontera eludiendo los controles normales, y ahora andaba suelto por la ciudad. Inmigrante ilegal, rey del hampa, criminal degenerado o héroe racial, Saladin Chamcha empezaba a ser verdad. Los rumores circulaban en todas direcciones: un fisioterapeuta vendió a los dominicales un cuento acerca de un perro de lanas, nadie lo creyó, pero no hay humo sin fuego, decía la gente; la situación se hacía cada vez más peligrosa y no tardaría en llegar el día en que una redada sobre el Shaandaar Café descubriera todo el asunto. La intervención de los sacerdotes agregó otro elemento volátil –la relación entre el término *negro* y el pecado de *blasfemia*– a la mezcla. En su buhardilla, Saladin Chamcha crecía lentamente.

Entre Lucrecio y Ovidio, Chamcha optó por el primero. El alma inconstante, la mutabilidad de todas las cosas, *das Ich*, la última partícula. El ser, en su paso por la vida, puede convertirse en algo distinto de sí mismo, en *otro*, separado, escindido de su historia. A veces pensaba en Zeeny Vakil, en aquel otro planeta, Bombay, en el confín más remoto de la galaxia: Zeeny, eclecticismo, hibridez. ¡El optimismo de aquellas ideas! ¡La certidumbre en la que se asentaban: libre albedrío, posibilidad de elección! Pero, Zeeny mía, la vida meramente ocurre: como un accidente. No: ocurre como resultado de tu condición. Elección, no, sino –en el mejor de los casos– proceso y, en el peor, horror, cambio total. Lo nuevo: él buscaba otra cosa y esto era lo que había conseguido.

Rencor, también, y odio, sentimientos ruines. Pues

bien, entraría en su nuevo yo: sería aquello en lo que se había convertido: soez, fétido, repelente, grotesco, inhumano, poderoso. Tenía la sensación de que alargando el dedo meñique podía derribar los campanarios de las iglesias, gracias a aquella fuerza que crecía en él, la cólera, la cólera, la cólera. *Poderes.*

Buscaba alguien a quien echar la culpa. También él soñaba y, en sus sueños, una forma, una cara, se aproximaba flotando, todavía fantasmagórica, difusa, pero un día cercano podría llamarla por su nombre.

Yo soy, admitió, *lo que soy.*

Sumisión.

Su vida de reclusión en el Shaandaar D y D terminó bruscamente la noche en que Hanif Johnson entró gritando que habían arrestado a Uhuru Simba por los asesinatos de las ancianas, y corría el rumor de que también le acusarían de la magia negra, que él sería carne de expiación sacerdote vudú *barón samadi,* y ya habían comenzado las represalias: palizas, atentados contra la propiedad, lo de siempre. «Cerrad las puertas –dijo Hanif a Sufyan y Hind–. Va a ser una mala noche.»

Hanif se había plantado en el centro del café, confiando en el efecto de la noticia que acababa de dar, por lo que cuando Hind se acercó y le abofeteó con todas sus fuerzas, el golpe le pilló tan desprevenido que se desmayó, más por la sorpresa que por el dolor. Fue reanimado por Jumpy, que le echó un vaso de agua, como había visto hacer en las películas, pero para entonces Hind ya estaba en el piso de arriba, arrojando su material de oficina a la calle: las cintas de máquina y las cintas rojas utilizadas para atar documentos legales trazaban festivos arabescos en el aire. Anahita Sufyan, acuciada por la diabólica punzada de los celos, había delatado a Hind las relaciones de Mishal con el joven abogado y político en ciernes, y a partir de eso nada pudo detener a Hind, cuyos años de humillación se desbordaron; por si fuera poco estar atrapada en este país lleno de judíos y extranjeros que la equiparaban a los negros, por si fuera poco que su marido fuera un hombre débil que hacía la peregrinación pero no se preocupaba del decoro de su propio hogar, ahora, esto: fue en busca de Mishal con un cuchillo de cocina y su hija respondió con una serie de patadas y golpes, sólo en defensa propia, pues de lo contrario aquello habría sido un matricidio. Hanif recobró el conocimiento y Haji Sufyan lo miró moviendo las manos en pequeños círculos de impotencia a cada lado del cuerpo y llorando abiertamente, incapaz de hallar consuelo en la erudición, porque mientras para la mayoría de los musulmanes el viaje a La Meca es la mayor bendición, para él resultó el comienzo de una maldición. «Márchate –dijo–. Hanif, amigo, vete», pero Hanif no estaba dispuesto a irse sin soltar lo que llevaba dentro, «demasiado tiempo he callado –gritó–, vosotros, con toda vuestra moralidad, no dudáis en enriqueceros explotando a los de vuestra propia raza», y entonces se descubrió que Haji Sufyan no sabía los precios que cobraba su esposa, que no se los decía y que se había asegurado el silencio de sus hijas con terribles juramentos, porque sospechaba que, si él llegaba a enterarse, encontraría la manera de devolver el dinero y la familia seguiría pudriéndose en la pobreza; y, después de aquello, él, el espíritu jovial del Shaandaar Café, perdió la ilusión de vivir. Mishal entró en el café; oh, la vergüenza de la intimidad familiar expuesta como un melodrama barato a la mirada de los clientes –aunque, en realidad, la última bebedora de té ya se alejaba tan deprisa como sus viejas piernas se lo permitían–. Mishal llevaba unas maletas. «Yo también me marcho –anunció–. Probad a detenerme. Sólo me faltan once días.»

Cuando Hind vio a su hija mayor a punto de salir

de su vida para siempre, comprendió el precio que hay que pagar por dar asilo bajo el propio techo al Príncipe de las Tinieblas. Suplicó a su esposo que fuera sensato, que comprendiera que su bondad y su generosidad los habían arrojado a todos al infierno, y que si echaban de la casa a aquel diablo de Chamcha, tal vez pudieran volver a ser la familia feliz y trabajadora de antaño. Pero apenas acabó de hablar, la parte alta de la casa empezó a crujir y estremecerse y se oyó el ruido de algo que bajaba por la escalera gruñendo y –o así lo parecía– cantando, con una voz tan vil y ronca que era imposible entender la letra.

Al fin fue Mishal quien subió a su encuentro, Mishal, de la mano de Hanif Johnson, mientras Anahita, la traidora, miraba desde el pie de la escalera. Chamcha había crecido hasta alcanzar los dos metros y medio de estatura, y de sus fosas nasales salía humo de dos colores, amarillo de la izquierda y negro de la derecha. Ya no usaba ropa. Le cubría el cuerpo un pelo espeso y largo, la cola se agitaba airadamente y sus ojos tenían un tono rojizo pálido y luminoso. Tenía aterrorizada hasta la incoherencia a toda la población provisional del establecimiento de dormir y desayuno. Mishal, sin embargo, no estaba tan asustada como para no poder hablar. «¿Adónde quieres ir? –le preguntó–. ¿Crees que durarías más de cinco minutos ahí fuera, con ese aspecto?» Chamcha se detuvo, se miró, observó la considerable erección que emergía de su vientre y se encogió de hombros. «Creo que voy a entrar en acción», le respondió, utilizando la frase de ella, aunque, dicha con aquella voz de lava y trueno, ya no parecía propia de Mishal. «Quiero encontrar a cierta persona.»

«Ten paciencia –le dijo Mishal–. Algo se nos ocurrirá.» ¿Qué puede encontrarse aquí, a un kilómetro y medio del Shaandaar, en el punto en el que el ritmo sale a la calle, en el club Cera Caliente, antes Blak-An-Tan?

Sigamos en esta noche fatídica sin luna las figuras que –unas contoneándose engalanadas y arrogantes, otras subrepticias y tímidas, buscando la sombra– llegan de todos los sectores del barrio y, bruscamente, se sumergen en el subsuelo por esa puerta sin nada que la distinga. ¿Qué hay dentro? Luces, fluidos, polvo, cuerpos que se agitan, individualmente, por parejas o por tríos, buscando posibilidades. Pero ¿qué son esas otras figuras, sombras opacas en el fulgor irisado del espacio que se enciende y se apaga, esas formas inmóviles entre los bailarines frenéticos? ¿Qué son esas formas que están en hop y en el pop y no se mueven un centímetro? «¡Estáis estupendos, amigos del Cera Caliente!» Ha hablado nuestro anfitrión: el marchoso, el jacarandoso, el discjockey incomparable, el Pinkwalla saltarín con su traje que lanza destellos al ritmo de la música. Es realmente excepcional, un albino de dos metros con el pelo rosa pálido al igual que el blanco de los ojos, unas facciones inconfundiblemente indias, nariz arrogante, labios finos, una cara salida de un tapiz *Hamza-nama.* Un indio que no ha visto la India, indio oriental de las Indias Occidentales, un negro blanco. Una estrella.

Las figuras inmóviles siguen bailando entre el contoneo sincopado, ondulaciones y brincos de la juventud. ¿Qué son? Pues figuras de cera, nada más. ¿Quiénes son? La Historia. Miren, aquí está Mary Seacole, que en Crimea hizo tanto como otra enfermera maravillosa pero que, por ser de piel oscura, apenas se la distinguía junto a la llama brillante de Florence; y aquí un tal Abdul Krim, alias «The Munshi», al que la reina Victoria trató de promocionar, pero que fue recusado por unos ministros con prejuicios contra el color. Aquí están todos bailando sin moverse en Cera Caliente: a la derecha, el payaso negro de Septimio Severo; a la izquierda, el barbero de Jorge IV bailando con Grace Jones, la esclava. Ukawsaw Groniosaw, el príncipe africano vendido por dos metros de tela, baila, a su antigua manera, con Ignatius Sancho, el hijo de la esclava, que en 1782 fue el primer escritor africano que publicó en Inglaterra. Los emigrantes del pasado, tan antepasados de los bailarines de carne y hueso como su propia familia, evolucionan en la inmovilidad mientras Pinkwalla se desgañita y contorsiona en el estrado. *Sentimos-indignación-cuando-hablan-de-inmigración-y-hacen-insinuación-de-que-no-somos-parte-de-la-nación-y-hacemos-proclamación-de-la-verdadera-situación-de-que-hicimos-contribución-desde-la-romana-ocupación* y, desde otra parte del abarrotado local, bañados en tétrica luz verde, villanos de cera acechan haciendo muecas: Mosley, Powell, Edward Long, todos los avatares locales de Legree. Y ahora de las entrañas del club se eleva un murmullo que se convierte en una palabra repetida a coro: «Derretir –exige el público–, derretir, derretir, derretir.»

Pinkwalla recoge el grito de la gente. *Y-la-hora-llegará-en-que-a-los-criminales-les-toque-freírse-en-el-infierno,* y a continuación se vuelve hacia el público con los brazos extendidos, llevando el ritmo con el pie, para preguntar: *¿A-quién-le-toca? ¿A-quién-queréis-ver?* Se gritan nombres que compiten entre sí y luego fraguan hasta que todos los presentes gritan el mismo nombre. Pinkwalla da una palmada. Al fondo se abren las cortinas y unas ayudantes con relucientes shorts y camisetas de color rosa sacan un siniestro armario sobre ruedas: tamaño de una persona, puerta de cristal, con iluminación interior: horno microondas, con su correspondiente Silla Caliente, que los asiduos del club llaman la cocina del infierno. «Muy *bien* –grita Pinkwalla–. A cocinar.»

Las ayudantes se acercan al grupo de los villanos y se abalanzan sobre la víctima de la noche, la que se elige con más frecuencia, tres veces a la semana por lo menos. Su pelo moldeado, sus perlas, su traje chaqueta azul. *Maggie-maggie-maggie,* bala la gente, *Al-fuego-al-fuego-al-fuego.* La muñeca –el sujeto– es atado a la Silla Caliente. Pinkwalla acciona el interruptor. Y, oh, qué bien se derrite, de dentro afuera, qué bien se deshace. Hasta que no queda más que un charco, y el público suspira de éxtasis: ya está. «Terminó el fuego», les dice Pinkwalla. La música vuelve a llenar la noche.

Cuando Pinkwalla, el disc-jockey, vio lo que, bajo el manto de la oscuridad, subía a la parte trasera de su furgoneta que, a instancias de sus amigos Hanif y Mishal, había llevado a la puerta trasera del Shaandaar, sintió que el pavor le embargaba; pero, al mismo tiempo, percibió un contrapunto de gozo al ver que el vigoroso héroe de muchos sueños era una realidad de carne y hueso. Estaba al otro lado de la calle, tiritando debajo de una farola, a pesar de que no hacía mucho frío, y allí se quedó media hora, mientras Mishal y Hanif le hablaban con vehemencia, *necesita un refugio, tenemos que pensar en su futuro.* Luego se encogió de hombros, se acercó a la furgoneta y puso en marcha el motor. Hanif se sentó a su lado en la cabina; Mishal viajaba con Saladin, escondidos los dos.

Eran casi las cuatro de la madrugada cuando acostaron a Chamcha en el club, ya vacío y cerrado. Pinkwalla –que nunca usaba su verdadero nombre, Sewsunker– había sacado de un cuarto trasero un par de sacos de dormir, que bastaron. Al despedirse de la escalofriante criatura a la que Mishal, su amante, no parecía tener ningún miedo, Hanif Johnson intentó hablarle seriamente: «Tiene que comprender lo importante que podría ser para nosotros, porque aquí está en juego algo más que sus necesidades personales», pero el mutante Saladin resopló en amarillo y negro y Hanif retrocedió rápidamente. Cuando estuvo a solas con las figuras de cera, Chamcha pudo concentrar sus pensamientos una vez más en el rostro que por fin se perfilaba ante los ojos de su mente, luminoso, irradiando luz desde un punto situado detrás de su cabeza, Mister Perfecto, espejo de dioses, el que siempre caía de pie, aquel al que se perdonaban todos los pecados, el amado, ensalzado, adorado..., el rostro que él había tratado de identificar en sus sueños, Mr. Gibreel Farishta, transformado en simulacro de ángel tan cierto como que él era la imagen del demonio.

¿A quién había de echar la culpa el diablo sino a Gibreel, el arcángel?

La criatura acostada en los sacos de dormir abrió los ojos; empezó a salirle humo por los poros. Ahora la cara de todos y cada uno de los muñecos de cera era la misma, la de Gibreel, con el pico en la frente y su cara taciturna y bien parecida. La criatura enseñó los dientes y exhaló un largo y fétido resoplido, y los muñecos de cera se disolvieron en charcos y vestidos vacíos, todos, hasta el último. La criatura se repantigó satisfecha. Y concentró sus pensamientos en su enemigo.

Entonces sintió dentro de sí las más inexplicables sensaciones de comprensión, succión y disipación; dolorosas contracciones le recorrían el cuerpo mientras emitía gritos desgarradores que nadie, ni siquiera Mishal, que estaba con Hanif en el apartamento de Pinkwalla, situado encima del club, se atrevió a investigar. Los dolores iban en aumento y la criatura se agitaba y convulsionaba por la pista de baile, gimiendo lastimosamente; hasta que, por fin, aliviada, se quedó dormida.

Horas después, cuando Mishal, Hanif y Pinkwalla se asomaron al local, contemplaron una escena de terrible devastación, mesas que habían volado por los aires, sillas partidas por la mitad y, naturalmente, todas las figuras de cera –las buenas y las malas, Topsy y Legree–, derretidas como la mantequilla; y, en el centro de la carnicería, durmiendo como un recién nacido, ni criatura mitológica ni trasgo infernal con cornamenta y aliento diabólico, sino Mr. Saladin Chamcha en persona, aparentemente retornado a su antigua forma, desnudo como vino al mundo, pero de aspecto y proporciones humanos, *humanizado* –¿acaso puede dudarse?– por la pavorosa concentración de su odio.

Abrió los ojos, que aún tenían un pálido fulgor rojizo.

2

Alleluia Cone, descendiendo del Everest, vio una ciudad de hielo al oeste del Campamento Seis, al otro lado de la franja rocosa, reluciendo al sol bajo el macizo de Cho Oyu. *Shangri-La,* pensó durante un momento; pero lo que veía no era un verde valle de inmortalidad, sino una metrópoli de gigantescas agujas de hielo, finas, agudas y frías. El sherpa Pempa distrajo un momento su atención para instarle a mantener la concentración y, cuando volvió a mirar, la ciudad había desaparecido. Ella estaba todavía a más de ocho mil metros, pero la aparición de la ciudad imposible le hizo retroceder en el espacio y el tiempo al estudio de Bayswater, de oscuros muebles y pesadas cortinas de terciopelo, en el que Otto Cone, su padre, historiador de arte y biógrafo de Picabia, le habló, en el último año de su vida, cuando ella tenía catorce, de «la más peligrosa de todas las mentiras que se nos inculcan en nuestra vida», que, en su opinión, era el concepto de continuo. «Si alguien trata de hacerte creer que éste, el más hermoso y más maligno de los planetas es, de algún modo, homogéneo, que está compuesto únicamente por elementos reconciliables, que todo *suma,* corre a un teléfono y pide una camisa de fuerza», le aconsejó, dando la impresión de que antes de sacar sus conclusiones había visitado más de un planeta. «El mundo es una disgregación, que no se te olvide: está loco. Fantasmas, nazis, santos, todos viven al mismo tiempo; aquí, la dicha idílica y, un poco más allá, el infierno. No puede haber lugar más enfollonado.» Las ciudades de hielo en el techo del mundo no habrían desconcertado a Otto. Al igual que Alicja, su esposa, la madre de Allie, él era un emigrado polaco, superviviente de un campo de concentración cuyo nombre no fue pronunciado ni una sola vez durante toda la infancia de Allie. «Él quería hacer como si aquello no hubiera ocurrido –diría después Alicja a su hija–. Era poco realista en muchos aspectos. Pero un buen hombre; el mejor que he conocido.» Sonreía para sus adentros al decirlo, tolerándolo en el recuerdo como no siempre lo toleró en vida, porque con frecuencia era terrible. Por ejemplo, el odio que había desarrollado hacia el comunismo le impulsaba a cometer excentricidades bochornosas, especialmente en Navidad, cuando aquel judío se empeñaba en celebrar, con su familia judía e invitados, lo que él describía como un «rito inglés», en señal de respeto a la «nación que le había dado asilo», y luego lo estropeaba todo (a los ojos de su esposa) al entrar en el salón en el que todos descansaban apaciblemente, al calor de la lumbre y el coñac, disfrazado de chino, con bigote caído y todo, gritando: «¡Papá Noel ha muerto! ¡Lo he matado yo! Yo soy Mao y no hay regalos para nadie. ¡Je, je, je!» Allie, en el Everest, al recordarlo, hizo una mueca, la mueca de su madre, advirtió, trasladada a su cara helada.

La disgregación de los elementos de la vida: en una tienda, en el Campamento Cuatro, a ocho mil trescientos metros, el concepto que parecía ser el demonio particular de su padre, resultaba banal, vacío de significado, de *atmósfera*, por efecto de la altitud. «El Everest te hace enmudecer –confesó a Gibreel Farishta en una cama bajo un dosel de seda de paracaídas que formaba un Himalaya hueco–. Cuando bajas nada te parece digno de ser dicho, nada. Sientes que la nada te envuelve como un sonido. Es el no ser. No dura mucho, desde luego. El mundo vuelve a ti enseguida. Lo que te hace callar es, creo yo, la imagen de la perfección que acabas de contemplar: ¿por qué hablar, si no puedes alcanzar pensamientos perfectos, frases perfectas? Te parece una traición a lo que acabas de vivir. Pero la sensación se disipa y reconoces que, si quieres seguir adelante, tienes que hacer concesiones.» Durante sus primeras semanas pasaban casi todo el tiempo en la cama: su recíproco apetito parecía inextinguible y hacían el amor seis o siete veces al día. «Tú me revelaste a mí misma –le dijo ella–. Tú, con la boca llena de jamón. Fue exactamente como si me hablaras, como si yo pudiera leerte el pensamiento. No como si –se rectificó–; te lo leí, ¿verdad? –Él asintió: era cierto–. Te leí el pensamiento y entonces de mi boca salieron las palabras justas –se admiró ella–. Como una seda. ¡Bingo!: el amor. En el principio fue el verbo.»

Su madre tenía una opinión fatalista acerca de los espectaculares acontecimientos que se habían producido en la vida de Allie: el amante que regresa de la ultratumba. «Te diré sinceramente lo que pensé cuando me diste la noticia –le dijo mientras almorzaban sopa y *kreplach* en el Bloom's de Whitechapel–. Pensé: oh, querida, es la gran pasión; ahora Allie tiene que sufrir esto, pobrecita.» Alicja era partidaria de mantener bien controladas las emociones. Era alta y exuberante y tenía labios sensuales, pero, como decía ella: yo nunca fui de las que meten ruido. Reconocía francamente ante Allie su pasividad sexual y le reveló que Otto «tenía, digamos, otras inclinaciones. Él sentía debilidad por la gran pasión y le decepcionaba que yo no hiciera grandes aspavientos». Se había cerciorado de que las mujeres con las que se relacionaba su marido, que era bajito, calvo y nervioso, se parecían a ella, y eso la tranquilizaba. Todas eran grandes y rollizas, «pero también eran desenvueltas: hacían lo que él quería, gritaban para incitarle y fingían con ganas; al parecer, respondían al entusiasmo de él, y también, quizá, a su talonario. Él era de la vieja escuela y hacía dádivas generosas».

Otto llamaba a Alleluia su «perla de valor incalculable», y soñaba con un gran futuro para ella, de concertista de piano o, si no, de Musa. «Tu hermana, francamente, es para mí una decepción –dijo tres semanas antes de su muerte en aquel estudio de grandes libros y curiosidades picabianas: un mono disecado que, según él, era un «primer borrador» del notorio *Retrato de Cézanne, Retrato de Rembrandt, Retrato de Renoir,* numerosos artefactos mecánicos, incluidos estimuladores sexuales que daban pequeñas descargas eléctricas y una primera edición del *Ubu Roi* de Jarry–. Elena tiene ansias en lugar de pensamientos.» Había hecho inglés el nombre –Ellaynah por Yelyena–, como también fue idea suya acortar «Alleluia» en Allie y contraer su propio apellido, Cohen, de Varsovia, a Cone. Los ecos del pasado le entristecían; no leía literatura polaca y volvía la espalda a Herbert, a Milosz y a «los tipos más jóvenes» como Baranczak, porque, para él, la lengua había quedado irremisiblemente mancillada por la Historia. «Ahora soy inglés», decía, orgulloso, con su marcado acento del Este de Europa, lanzando un pequeño muestrario de delicadezas anglosajonas. A pesar de sus reticencias, parecía bastante satisfecho de su papel de mimo de la pequeña burguesía inglesa. Pero, al mirar atrás, parecía percatarse de la fragilidad de su alarde, puesto que mantenía las gruesas cortinas casi permanentemente cerradas, por si la incongruencia de las cosas le hacía ver monstruos allí fuera, o un paisaje lunar, en lugar de la familiar Moscow Road.

«Era el prototipo del individuo trasplantado y naturalizado –dijo Alicja emprendiéndola con una gran ración de estofado de zanahoria–. Cuando cambió nuestro apellido, yo le dije: Otto, no es necesario, esto no es América, esto es Londres, Oeste, dos; pero él quería hacer borrón y cuenta nueva, incluso del judaísmo, perdona, pero me consta. ¡Las trifulcas que tuvo con el Consejo de Delegados de la comunidad! El lenguaje, parlamentario y civilizado, eso sí, pero con mucho hierro.» En cuanto él murió, ella recuperó el Cohen y la sinagoga, la fiesta de las luces y Bloom's, el restaurante judío. «Se acabó la imitación de la vida –masticó un poco y agitó el tenedor con vehemencia–. Por cierto, qué película. Me encantó. Lana Turner, ¿verdad? Y Mahalia Jackson cantando en la iglesia.»

Otto Cone, a sus setenta y tantos, se tiró por el hueco del ascensor y se mató. Había un tema que Alicja, sin prejuicios para hablar de casi cualquier tabú, se negaba a tocar: ¿por qué un superviviente de los campos de concentración vive cuarenta años y luego va y acaba el trabajo que no hicieron los monstruos? ¿Es que la maldad tiene que acabar ganando siempre, por muy vigorosamente que se la resista? ¿Deja una astilla de hielo en la sangre que va abriéndose camino hasta que llega al corazón? O, peor: ¿puede la muerte de un hombre ser incompatible con su vida? Allie, cuya primera reacción a la muerte de su padre fue de cólera, lanzó tales preguntas a su madre. Y ésta, imperturbable bajo un gran sombrero negro, dijo únicamente: «Tú has heredado su incapacidad de moderación, hijita.»

Después de la muerte de Otto, Alicja desterró la elegancia en el vestir y en los modales que fuera su ofrenda en el altar del afán de integración de su marido, su intento de ser su gran dama estilo Cecil Beaton. «¡Bua! –confió a Allie–. ¡Qué alivio, hija, poder ser un fardo, para variar.» Ahora llevaba su pelo gris más o menos recogido en un moño anárquico, no se pintaba, usaba unos vestidos de flores todos iguales, adquiridos en el supermercado, y una dentadura postiza que la martirizaba, y plantaba hortalizas en el jardín que Otto quería exclusivamente floral (pulcros macizos de flores alrededor del simbólico árbol central, injerto «quimérico» de laburnum y retama), y, en lugar de cenas llenas de charla cerebral, daba almuerzos –a base de indigestos estofados y un mínimo de tres monstruosos puddings– en los que poetas húngaros disidentes contaban alambicados chistes a místicos gurdjieffianos o (si la cosa no cuajaba del todo) los asistentes se quedaban sentados en almohadones por el suelo, contemplando tristemente sus platos cargados de comida, y algo parecido al silencio total reinaba durante lo que parecían semanas. Allie acabó por eludir aquel ritual del domingo por la tarde y se quedaba en su habitación, malhumorada, hasta que tuvo edad para irse de casa, a lo que Alicja se avino de buen grado, y apartarse del camino elegido para ella por aquel padre cuya traición a su propia voluntad de supervivencia tanto la había enfurecido. La joven se decantó por la acción y descubrió que había montañas que escalar.

Alicja Cohen, para la que el cambio de rumbo de Allie fue perfectamente comprensible e, incluso, encomiable, y que la alentaba en todo momento, no podía (así lo reconoció a la hora del café) entender la actitud de su hija en lo tocante a Gibreel Farishta, la retornada estrella de la pantalla india. «Por lo que me dices, querida, me parece que ese hombre no es de tu cuerda», dijo, utilizando una expresión que ella consideraba sinónimo de *no es tu tipo* y ante la que se hubiera horrorizado de entender que podía interpretarse como una alusión despectiva a la raza o la religión; y, fatalmente, así la entendió su hija. «Eso a mí no me importa –dijo Allie con vehemencia, y se puso de pie–. La verdad es que a mí *no me gusta* mi cuerda.»

Le fue imposible salir del restaurante pisando fuerte, y tuvo que alejarse cojeando porque le dolían los pies. «Gran pasión –oyó a su espalda que su madre manifestaba a todo el local–. Don de lenguas, que quiere decir que una chica puede soltarte todo lo que le pase por la cabeza.»

Inexplicablemente, se habían descuidado ciertos aspectos de la educación de Allie. Un domingo, no mucho después de la muerte de su padre, mientras compraba los periódicos en el quiosco de la esquina, oyó decir al vendedor: «Es la última semana. Veintitrés años en esta esquina y por fin los "pakis" mc han echado.» Ella, que entendió *paquis,* tuvo una extraña visión de elefantes que avanzaban por Moscow Road aplastando a los vendedores de prensa dominical. «¿Qué es un paqui?», preguntó incautamente, y la respuesta escoció: «Un judío aceitunado.» Desde aquel día, los dueños del CTP (Caramelos, Tabacos, Periódicos) fueron para ella *paquidermos,* gente diferente –e indeseable– a causa de la naturaleza de su piel. Contó el caso a Gibreel. «Oh –respondió él, despectivo–, un chiste elefante.» No era un hombre fácil.

Pero allí, en su cama, estaba ahora aquel sujeto grande y rudo que hacía que ella se abriera como nunca y que podía llegarle hasta el pecho y acariciarle el corazón. Hacía muchos años que Allie no entraba en la arena sexual con tanta celeridad, y nunca una relación tan rápida había dejado, como ésta, de producirle arrepentimiento y asco de sí misma. Su prolongado silencio (así lo interpretó ella hasta que se enteró de que su nombre estaba en la lista de pasajeros del *Bostan*) fue muy doloroso, ya que indicaba que él daba a su relación un valor diferente; pero ella no había podido equivocarse al juzgar el deseo tumultuoso y abandonado de él, ¿o sí?

Así que la noticia de su muerte provocó en ella sentimientos encontrados: por un lado, gratitud, alivio, alegría al saber que él iba volando a través de medio mundo para darle una sorpresa, que lo había dejado todo para construir una vida nueva a su lado; y, por otro, el sordo dolor de verse privada de él en el mismo instante de descubrir que lo amaba de verdad. Más adelante, descubrió una tercera reacción, menos generosa. ¿Qué se había creído, pretendía presentarse en su casa sin avisar, dando por seguro que ella estaría esperándole con los brazos abiertos, la vida resuelta y un apartamento lo bastante grande para los dos? Era lo que cabía esperar de un artista de cine mimado y convencido de que no tiene más que desear las cosas para que le caigan en la mano como fruta madura..., en suma, que se sintió invadida, o potencialmente invadida. Pero después se reprendió a sí misma arrumbando tales ideas al rincón del que no debieron salir, porque, después de todo, Gibreel había pagado muy cara su presunción, si presunción fue. Un amante muerto merece el beneficio de la duda.

Y luego allí estaba, a sus pies, inconsciente en la nieve, cortándole la respiración por lo implausible de su presencia y haciéndole preguntarse durante un momento si no podría ser otra de aquella serie de ilusiones ópticas –ella prefería esta expresión neutra a la más trascendente de *visiones*– que la perseguían desde que tomó la decisión de prescindir de las botellas de oxígeno y conquistar el Chomolungma a pulmón libre. El esfuerzo de levantarlo del suelo, rodearle los hombros con su brazo y llevarlo hasta su apartamento casi en vilo, la convenció de que no era una ilusión, sino pesada carne y huesos. Hasta llegar a casa los pies le dolían espantosamente, y el dolor volvió a despertar todo el resentimiento que ella ahogara cuando le creyó muerto. ¿Qué esperaba que hiciera ahora con él el muy capullo, atravesado en la cama? Dios, ya había olvidado cuánta cama necesitaba aquel hombre, cómo durante la noche colonizaba tu lado del colchón y te robaba las mantas. Pero también habían resurgido otros sentimientos, y éstos fueron más fuertes; porque aquí, durmiendo bajo su protección, estaba él, la esperanza abandonada: por fin el amor.

Durmió casi sin parar durante una semana, despertando sólo para satisfacer las mínimas exigencias del hambre y la higiene. Su sueño era atormentado: se revolvía en la cama y, de vez en cuando, de sus labios se escapaban palabras: *Jahilia, Al-Lat, Hind.* En sus momentos de vigilia parecía resistirse al sueño, pero el sueño lo reclamaba, arrollándolo en sus olas, ahogándolo, mientras él, casi lastimosamente, agitaba un brazo débil. Ella no adivinaba qué traumáticos sucesos podían provocar semejante comportamiento y, un poco alarmada, llamó a su madre. Alicja llegó, examinó al dormido Gibreel, frunció los labios y dictaminó: «Está poseído.» Ella había regresado a una religión supersticiosa y folklorista, y su misticismo exasperaba invariablemente a su hija, pragmática y escaladora de montañas. «Aplícale al oído una bomba de aspiración –recomendó Alicja–. Es la salida que prefieren esas criaturas.» Allie acompañó a su madre hasta la puerta. «Muchas gracias –le dijo–. Te tendré al corriente.»

Al séptimo día, él despertó por completo, los ojos se le abrieron como si fueran los de un muñeco, y al instante la buscó con la mano. Aquel gesto la hizo reír por lo crudo casi tanto como por lo inesperado, pero, una vez más, experimentó aquella sensación de naturalidad, de legitimidad. «Está bien –le sonrió–. Tú te lo has buscado.» Y se quitó el holgado pantalón marrón con elástico en la cintura y la chaqueta suelta –detestaba las prendas que revelaran el contorno de su cuerpo–, y entonces empezó aquella maratón sexual que los dejaría magullados, felices y exhaustos.

Él se lo dijo: cayó del cielo y siguió viviendo. Ella aspiró profundamente y le creyó, por la fe de su padre en las múltiples y contradictorias posibilidades de la vida, y también por todo lo que le había enseñado la montaña. «Está bien –dijo, expulsando el aire–. Lo acepto. Pero no se lo cuentes a mi madre, ¿de acuerdo?» El universo era prodigioso, y sólo el hábito, la anestesia de lo cotidiano, nos embotaba la vista. Hacía un par de días había leído que las estrellas del firmamento, en su proceso natural de combustión, comprimían el carbono en diamantes. La idea de que las estrellas lanzaran una lluvia de diamantes al vacío también parecía un milagro. Si aquello podía ocurrir, esto también. Los niños caían desde la enésima ventana y rebotaban. Había una escena así en la película de François Truffaut *L'argent de poche...* Se centró en el asunto. «A veces –decidió– a mí también me pasan cosas prodigiosas.»

Le contó lo que no había dicho a nadie: las visiones del Everest, los ángeles y la ciudad de hielo. «Y no sólo en el Everest», dijo, y, tras una vacilación, siguió hablando. Cuando regresó a Londres, fue a pasear por el Embankment para eludir su recuerdo, y también del de la montaña. Era por la mañana temprano, y una gasa de bruma y una gruesa capa de nieve desdibujaban el contorno de las cosas. Entonces llegaron los hielos.

Eran diez, y subían por el río en majestuosa hilera. La bruma era más densa a su alrededor, y hasta que los tuvo delante no distinguió su forma, la réplica miniaturizada de las diez montañas más altas del mundo en orden ascendente, cerrando la marcha *su* montaña, la montaña. Intentaba adivinar cómo habían conseguido pasar los témpanos por debajo de los puentes, cuando la niebla se espesó para disiparse por completo a los pocos instantes, llevándoselos consigo. «Pero estaban allí –insistió a Gibreel–, Nanga Parbat, Dhaulagiri, Xixabangma Feng.» Él no discutió. «Si tú lo dices, yo creo que así fue.»

Una masa de hielo es agua que quiere ser tierra; una montaña, y más un Himalaya, y más el Everest, es el intento de la tierra por metamorfosearse en cielo; es un vuelo en el suelo, es tierra convertida –casi– en aire y exaltada, en el verdadero sentido de la palabra. Mucho antes de enfrentarse a la montaña, Allie sentía en el alma su nutriente presencia. Su apartamento estaba lleno de Himalayas. Las reproducciones del Everest en corcho, plástico, cerámica, piedra, material acrílico y ladrillo se disputaban el espacio; incluso había una esculpida enteramente en hielo, una montañita que ella guardaba en el congelador y sacaba de vez en cuando para enseñarla a los amigos. ¿Por qué tantas? *Porque* –no cabía otra respuesta– *estaban ahí.* «Mira –dijo alargando el brazo y, sin levantarse de la cama, cogió de encima de la mesita de noche su última adquisición, un sencillo Everest de pino curado–, un regalo de los sherpas de Namche Bazar.» Gibreel lo tomó y lo miró dándole vueltas. Pemba se lo dio tímidamente cuando se despidieron, insistiendo en que era de parte de todo el grupo de sherpas, aunque, evidentemente, lo había tallado él. Era una reproducción detallada, con la cascada de hielo y el Escalón de Hillary, que es el último gran obstáculo antes de llegar a la cumbre, y la ruta que habían seguido ellos profundamente grabada en la madera. Al darle la vuelta, Gibreel vio que en la base había un mensaje en un inglés rudimentario. *A Ali Bibi. Nosotros mucha suerte. No probar otra vez.*

Lo que Allie no dijo a Gibreel era que la prohibición del sherpa la había asustado, convenciéndola de que, si volvía a poner los pies en la montaña-diosa, moriría, porque a los mortales no les está permitido mirar la divina faz más de una vez; pero la montaña era diabólica además de trascendente o, mejor dicho, su diabolismo y su trascendencia eran una misma cosa, de manera que la sola idea de la prohibición de Pemba le producía un anhelo tan vivo que la hacía gemir con fuerza, como en el éxtasis o la desesperación del sexo. «Los Himalaya –dijo a Gibreel, para disimular lo que estaba pensando– son cumbres sentimentales además de físicas, algo así como la ópera. Es lo que los hace tan imponentes. Sólo las mayores alturas... Es algo muy difícil.» Allie tenía la especialidad de pasar de lo concreto a lo abstracto con una pirueta tan natural que el oyente no estaba seguro de si ella advertía la diferencia entre lo uno y lo otro; ni, muchas veces, si, en definitiva, podía decirse que tal diferencia existía.

Allie se reservó la certidumbre de que debía apaciguar a la montaña o morir; de que, a pesar de sus pies planos, que le impedían pensar siquiera en el montañismo, seguía inoculada por el Everest, y de que, en el fondo de su corazón, escondía un proyecto imposible, la visión fatal de Maurice Wilson no realizada hasta hoy. A saber: la ascensión en solitario.

Lo que ella no confesaba: que, tras regresar a Londres, había visto a Maurice Wilson sentado entre los tubos de las chimeneas, un trasgo que le hacía señas, con pantalones de golf y boina escocesa. Tampoco Gibreel Farishta le dijo que a él le perseguía el espectro de Rekha Merchant. A pesar de tanta intimidad física, aún había puertas cerradas entre los dos: cada uno guardaba en secreto un peligroso fantasma. Y Gibreel, al oír hablar a Allie de sus otras visiones, ocultó una viva agitación provocada por esa nueva evidencia de que el mundo de los sueños se filtraba en el de la vigilia, que la frontera se disolvía y que los dos firmamentos podían unirse en cualquier momento, es decir, que el fin de todas las cosas estaba próximo. Una mañana, Allie, al despertar del negro sueño del agotamiento, lo encontró enfrascado en *El casamiento del cielo y el infierno* de Blake, obra que hacía mucho tiempo que no abría y en la que, con la falta de respeto hacia los libros que la caracterizó en su adolescencia, había hecho numerosas marcas: subrayados, asteriscos al margen, signos de admiración, interrogantes diversos. Al verla despierta, él, con sonrisa maliciosa, leyó una selección de los pasajes marcados. «De los Proverbios del Infierno –empezó–: *La lujuria del macho cabrío es la generosidad de Dios.* –Ella se puso colorada–. Y, lo que es más –prosiguió él–: *La antigua creencia de que el mundo será consumido por el fuego al cabo de seis mil años es cierta, como me consta.* Y, más abajo: *Esto sucederá en virtud de una mejora del placer sensual.* Dime, ¿quién es? La he encontrado entre las páginas.» Le tendía la fotografía de una muerta: su hermana Elena, allí enterrada y olvidada. Otra adicta a las visiones; y víctima del hábito. «No hablamos mucho de ella. –Estaba arrodillada en la cama, desnuda, con la cara oculta por su pálido cabello–. Ponla donde estaba.»

Yo no vi a Dios alguno, ni lo oí tampoco, con percepción orgánica finita; pero mis sentidos descubrieron el infinito de todas las cosas. Hojeó el libro y puso a Elena Cone junto a la imagen del Hombre Regenerado, que estaba sentado, desnudo y con las piernas abiertas, en lo alto de una montaña con el sol brillando en su parte posterior. *Siempre he observado que los ángeles tienen la vanidad de hablar de sí mismos como si ellos fueran los únicos sabios.* Allie se cubrió la cara con las manos. Gibreel trató de animarla. «En la solapa escribiste: "Creación del mundo, según el arzobispo Usher, 4004 a. C. Fecha aprox. de apocalipsis, 1996." O sea, que todavía queda tiempo para la mejora del placer sensual.» Ella agitó la cabeza: déjalo. Él lo dejó. «Cuéntame», dijo él dejando el libro.

Elena, a los veinte años, tomó Londres por asalto. Su cuerpo felino de metro ochenta se insinuaba a través de un modelo de cota de malla de Rabanne. Ella siempre tuvo una misteriosa seguridad en sí misma, proclamando que se sentía dueña del mundo. La ciudad era su medio, estaba en ella como el pez en el agua. Murió a los veintiuno, ahogada en una bañera de agua fría, con el cuerpo saturado de drogas psicotrópicas. ¿Puede ahogarse uno en sus elemento?, se preguntaba Allie hacía mucho tiempo. Si los peces pueden ahogarse en el agua, ¿pueden los seres asfixiarse en el aire? Por aquel entonces, Allie, a sus dieciocho y diecinueve, envidiaba las certidumbres de Elena. ¿Cuál era su propio elemento? ¿En qué tabla periódica del espíritu podía encontrarse? Ahora, con los pies planos, veterana del Himalaya, lloraba su pérdida. Una vez has conseguido el más alto horizonte, no resulta fácil volver a tu caja, a una isla estrecha, una eternidad de momentos bajos. Pero sus pies eran unos traidores y la montaña la mataría.

La mitológica Elena, la modelo, envuelta en plásticos de alta costura, estaba segura de su inmortalidad. Cuando Allie fue a visitarla a su *refugio* de World's End, rehusó el terrón de azúcar y murmuró que era malo para el cerebro, sintiéndose patosa, como de costumbre en presencia de Elena. La cara de su hermana, ojos excesivamente separados, barbilla demasiado puntiaguda, un efecto irresistible, la contemplaba burlona. «En el cerebro hay neuronas de sobra –dijo Elena–. Puedes permitirte gastar unas cuantas.» Elena derrochaba su capital de neuronas, al igual que el dinero, en busca de sus propias cumbres, tratando de volar, como se decía en el argot de la época. La muerte, como la vida, le llegó envuelta en azúcar.

Elena quiso «sacar partido» de su hermana pequeña Alleluia. «Con lo guapa que tú eres, ¿por qué te disfrazas con ese mono? Si no te falta de nada.» Una noche vistió a Allie con un modelito verde aceituna a base de volantes y carencias, que dejaba los panties al aire hasta casi la ingle: *me espolvorea de azúcar, como si fuera un dulce,* pensó Allie con mentalidad puritana, *mi propia hermana me exhibe en el escaparate, muchas gracias.* Fueron a un club de juego, lleno de extasiados magnates de medio pelo y, aprovechando que Elena estaba distraída, Allie se marchó. Una semana después, avergonzada por su cobardía, sentada en una poltrona tipo «saco de judías» en World's End, confesó a Elena que ya no era virgen. Y entonces su hermana le dio una bofetada en la boca y le llamó nombres antiguos: zorra, ramera, pájara. «Elena Cone nunca consintió que un hombre le pusiera encima ni un *dedo* –gritó, revelando su habilidad para pensar en sí misma en tercera persona–, ni una triste *uña.* Yo sé hacerme valer, niña, sé que, en cuanto ellos meten el pito, se acaba el misterio; pero debí figurarme que tú me saldrías puta. Algún comunista de mierda, seguro», concluyó. Había heredado los prejuicios de su padre. Allie, como Elena sabía, no.

Después de aquello, no se vieron mucho más. Elena sería hasta su muerte la reina virgen de la ciudad –la autopsia confirmó que había muerto *virgo intacta*–, mientras Allie dejaba de usar ropa interior, hacía trabajitos en revistas radicales de pequeña tirada y se convertía en el polo opuesto de su intocable hermana. Cada cópula le representaba una bofetada en la cara de su hermana, de expresión tempestuosa y labios pálidos. Padeció tres abortos en dos años, y descubrió, con cierto retraso, que el uso de la píldora anticonceptiva la había colocado en el grupo de mayor riesgo de cáncer.

Se enteró de la muerte de su hermana por el cartel de un quiosco de periódicos: MUERE MODELO «BAÑADA EN ÁCIDO». Su primer pensamiento fue: ni la muerte te salva de la mofa. Después, descubrió que no podía llorar.

«Seguí viéndola en las revistas durante meses –dijo a Gibreel–. Los contratos publicitarios se hacen a largo plazo.» El cadáver de Elena bailaba por desiertos marroquíes, cubierto tan sólo con velos diáfanos, o era avistado en la Luna, en el mar de las Sombras, sin más indumentaria que el casco espacial y media docena de corbatas de seda anudadas en los pechos y las caderas. Allie pintaba bigotes en las fotografías, para escándalo de los quiosqueros; arrancaba a su difunta hermana de los periódicos de su antimuerte de zombie y hacía con ella una pelota. Allie, perseguida por el fantasma periodístico de Elena, consideraba los peligros de intentar *volar;* ¡qué flamígeras caídas, qué macabros infiernos se reservaban a aquellos émulos de Ícaro! Le dio por pensar que Elena era un alma en pena, por creer que aquel cautiverio en un mundo inmóvil de descoco fotográfico en el que exhibía unos pechos negros de plástico moldeado tres tallas más grandes que los suyos, una torcida sonrisa seudoerótica y un mensaje publicitario en el ombligo, era nada menos que el infierno personal de Elena. Allie empezó a ver el grito en los ojos de su hermana, la angustia de verse atrapada para siempre en la doble plana de la moda. Elena era torturada por demonios, consumida en fuegos, y ni siquiera podía moverse... Al cabo de un tiempo, Allie evitaba las tiendas en las que su hermana miraba al vacío desde los estantes. Era incapaz de abrir una revista, y escondió todas las fotos que tenía de Elena. «Adiós, Yel –dijo a la memoria de su hermana, llamándola por su nombre de la infancia–. No puedo mirarte más.»

«Pero al fin resultó que yo era igual que ella.» Las montañas empezaron a cantar en sus oídos; y también ella sacrificó neuronas para ir en busca de la exaltación. Eminencias médicas, especializadas en los problemas del montañismo, han demostrado con frecuencia, sin lugar a una duda razonable, que los seres humanos no pueden vivir sin un aparato respiratorio por encima de los ocho mil metros. Los ojos sufren derrames devastadores y el cerebro también comienza a reventar, perdiendo neuronas por miles de millones, demasiadas y demasiado deprisa, lo que provoca el daño irreparable conocido por el nombre de Deterioro de la Altura, al que sigue rápidamente la muerte. Cadáveres ciegos, conservados en el congelador de las altas cumbres. Pero Allie y el sherpa Pemba subieron y volvieron para contarlo. Las neuronas de los fondos de depósitos del cerebro suplieron las bajas de las cuentas corrientes. Tampoco se le reventaron los ojos. ¿Por qué se equivocaron los científicos? «Por los prejuicios, sobre todo –dijo Allie, enroscada alrededor de Gibreel debajo de la seda del paracaídas–. Puesto que no pueden cuantificar la voluntad, la dejan fuera de sus cálculos. Pero es la voluntad lo que te lleva al Everest, la voluntad y la cólera, y eso puede con cualquier ley de la Naturaleza que puedas imaginar, por lo menos a corto plazo, y tomando en consideración la gravedad. Por lo menos, si no abusas de la suerte.»

Hubo ciertos daños. Ella sufría inexplicables fallos de memoria: cosas pequeñas e imprevisibles. Un día, en la pescadería, se le olvidó la palabra *pescado.* Una mañana, en el cuarto de baño, con el cepillo de los dientes en la mano, se encontró con que ignoraba para qué servía. Y otra vez, al despertar y ver a Gibreel dormido a su lado, estuvo a punto de sacudirle y preguntar: «¿Quién diablos es usted? ¿Cómo ha llegado a mi cama?», pero, en el último instante, le volvió la memoria. «Espero que sea transitorio», le dijo. Pero todavía guardaba para sí las apariciones del fantasma de Maurice Wilson en los tejados que rodeaban los Fields, agitando el brazo con ademán sugestivo.

Era una mujer competente, impresionante en muchos aspectos, la deportista profesional de los años ochenta, cliente de MacMurray, la agencia gigante de relaciones públicas, y tenía patrocinadores a montones. Ahora también ella aparecía en anuncios, exhibiendo su propia línea de prendas para deporte y tiempo libre, pensadas para los excursionistas aficionados más que para los escaladores profesionales, promoviendo lo que Hal Valance llamaría el universo. Ella era la muchacha de oro del techo del mundo, la superviviente de «mi pareja de teutonas», como Otto Cone gustaba de llamar a sus hijas. *Yel, otra vez sigo tus pasos.* Una mujer atractiva en un mundo dominado por, en fin, hombres peludos, se vendía bien, y la imagen de la «reina de los hielos» tenía garra. Aquello daba dinero, y ahora que era lo bastante vieja como para comprometer sus viejos y fieros ideales con un simple movimiento de hombros y una sonrisa, estaba dispuesta a hacerlo, dispuesta, incluso, a salir en los programas de entrevistas de la televisión para responder con evasivas e insinuaciones picantes a las consabidas preguntas acerca de la vida con los chicos a ocho mil metros. Tal exhibicionismo no casaba con la imagen de sí misma a la que aún se aferraba ferozmente: la idea de que ella era solitaria por naturaleza, la más reservada de las mujeres, y que las exigencias de su vida profesional le provocaban un conflicto que la dividía por dentro. Tal fue la causa de su primera disputa con Gibreel, que, con su habitual crudeza, dijo: «Supongo que no hay inconveniente en huir de las cámaras mientras sepas que van detrás de ti. Pero ¿y si se paran? Supongo que entonces correrías en sentido contrario.» Después, cuando hicieron las paces, ella bromeaba acerca de su fama creciente (como había sido la primera rubia atractiva que había conquistado el Everest, se armó un considerable barullo, y recibía por correo fotos de magníficos sementales, invitaciones a *soirées* de alto copete y también insultos paranoicos): «Yo podría hacer películas ahora que tú te has retirado. ¿Quién sabe? Quizá las haga.» A lo que él respondió, impresionándola con su vehemencia: «Sólo por encima de mi maldito cadáver.»

A pesar de su pragmatismo y buena disposición para meterse en las contaminadas aguas de la vida real y nadar a favor de la corriente, Allie no se libraba de la sensación de que una horrible desgracia acechaba a la vuelta de la esquina –reliquia de la trágica muerte de su padre y de su hermana–. Este presentimiento hizo de ella una escaladora precavida, «un tío que calcula porcentajes», como decían los chicos, y, a medida que admirados compañeros iban muriendo en las montañas, su precaución fue en aumento. Cuando no estaba escalando, eso le daba, en ocasiones, un aspecto tenso, inquieto; adquirió el aire defensivo y reconcentrado de una fortaleza que se prepara para un asalto ineludible. Esa actitud contribuyó a consolidar su reputación de mujer gélida; la gente se mantenía a distancia y ella, de dar crédito a lo que decía, aceptaba la soledad como precio de su independencia. Pero en todo ello empezaba a haber contradicciones pues, al fin y al cabo, había abandonado toda cautela cuando decidió el último asalto al Everest sin oxígeno: «Aparte las otras consideraciones –le manifestó la agencia en su carta de felicitación–, este gesto la humaniza, demuestra que usted tiene corazón e intrepidez, lo que le otorga una nueva dimensión muy positiva.» Ahora trabajaban en ello. Y, además, pensó Allie, sonriendo a Gibreel con expresión de estímulo y fatiga, mientras él descendía hacia sus intimidades, aquí estás tú. Casi un perfecto desconocido y te has hecho el dueño. Dios mío, si hasta te metí por la puerta casi en brazos. No se te puede reprochar que aceptaras la invitación.

Él no estaba educado para las convivencias. Acostumbrado a los criados, dejaba la ropa, las migas y las bolsitas del té dondequiera que cayeran. Peor: las *tiraba,* las dejaba caer para que otros las recogieran; con tal desconsideración, permitiéndose el lujo de no reparar en lo que hacía, para seguir demostrándose a sí mismo que él, el pobre chiquillo de la calle, no tenía que cuidarse de esas cosas. Y no era eso lo único que la enfurecía. Ella servía el vino; él vaciaba su copa rápidamente y luego, cuando ella estaba distraída, bebía de la de ella, apaciguándola con un angelical y superinocente: «Queda bastante más, ¿verdad?» Se comportaba muy mal en casa. Le gustaba tirarse pedos. Se quejaba –¡se quejaba, sí, después de que ella literalmente, lo recogiera de la nieve!– de que el apartamento era pequeño. «No puedo andar dos pasos sin darme de narices contra una pared.» Contestaba al teléfono con grosería, *auténtica* grosería, sin molestarse en preguntar quién llamaba: automáticamente, como hacen las estrellas de cine de Bombay cuando, por casualidad, no hay un lacayo a mano que les proteja de las intrusiones. Después de soportar una de aquellas andanadas de obscenidades, Alicja, cuando por fin pudo hablar con su hija, dijo: «Perdona la franqueza, querida, pero me parece que tu amigo es un caso.»

«¿Un caso, mamá?» Esto tuvo el efecto de provocar en Alicja su tono más arrogante. Todavía podía hablar con distinción, tenía esa facultad, a pesar de su decisión post-Otto de disfrazarse de pobretona. «Un caso –anunció, tomando en consideración la circunstancia de que Gibreel era importación de la India– de anacardo y mono.»

Allie no discutió con su madre, ya que no estaba segura, ni mucho menos, de poder seguir viviendo con Gibreel, aunque él hubiera atravesado medio mundo, aunque hubiera caído del cielo. Era difícil hacer previsiones a largo plazo; incluso el medio plazo parecía dudoso. Por el momento, se concentró en intentar conocer a aquel hombre que, daba por descontado que era el gran amor de su vida, con una falta de duda que hacía pensar que o estaba en lo cierto, o estaba loco. Había muchos momentos difíciles. Ella ignoraba lo que sabía él, lo que ella podía dar por supuesto: un día, ella se refirió a Luzhin, el ajedrecista maldito de Nabokov que llegó a tener la sensación de que en la vida, como en el ajedrez, se daban ciertas combinaciones que conducían inevitablemente a su derrota, para tratar de explicar, por analogía, su propio (en realidad, algo distinto) presentimiento de catástrofe inminente (que tenía que ver no con esquemas reiterativos, sino con la inevitabilidad de lo imprevisible); pero él le lanzó una mirada dolorida, evidencia de que no había oído hablar del escritor, y no digamos de *La defensa.* Pero, por otro lado, un día la sorprendió al preguntarle inopinadamente: «¿Por qué Picabia?» Y agregó que resultaba curioso que Otto Cohen, veterano de los campos de terror, se interesara por todo ese amor neofascista por la maquinaria, la fuerza bruta y la glorificación de la deshumanización. «El que haya tenido algo que ver con las máquinas –agregó–, y, muñeca, eso es decir todos nosotros, sabe muy bien que sólo hay una cosa cierta en las máquinas, ya sean ordenadores o bicicletas. Y es que se estropean.» ¿Cómo es que conoces...?, empezó ella, y se interrumpió, porque no le gustaba el tono paternalista de su voz, pero él le respondió sin vanidad. La primera vez que oyó hablar de Marinetti, le dijo, no supo interpretarlo, y pensó que el futurismo era algo relacionado con los muñecos. «Marionetas, *kathputli*; por aquel entonces yo estaba interesado en que se utilizaran autómatas en las películas, para representar, por ejemplo, demonios y otros seres sobrenaturales, y agarré un libro.» Agarré un libro: Gibreel, el autodidacta, hizo que sonara como si hubiera agarrado un garrote. A una muchacha de una familia que reverenciaba los libros –su padre les hacía besar cada tomo que caía al suelo– y que, en su rebeldía, los maltrataba, arrancando las páginas que le interesaban o que no le gustaban, marcándolos y rayándolos para demostrar quién mandaba, la irreverencia incruenta de Gibreel, que tomaba los libros por lo que ofrecían, sin genuflexiones ni afán destructor, era algo nuevo y, así lo reconoció, grato. Ella aprendía de él. Gibreel parecía, sin embargo, insensible a toda sabiduría que ella deseara impartir como, por ejemplo, el sitio donde había que dejar los calcetines sucios. Cuando ella sugirió que «ayudara un poco», él se mostró vivamente ofendido, como si considerase que tenía derecho a esperar que le hicieran todo. Y ella, contrariada, descubrió que estaba dispuesta a hacerlo; por lo menos, aquella vez.

Lo peor de él, concluyó ella provisionalmente, era su facultad para sentirse desairado, menospreciado, agredido. Era imposible hacerle casi ninguna observación, por razonable que fuera y por suavemente que se planteara. «Venga, venga, a paseo», gritaba, retirándose a los cuarteles de su orgullo herido. Y lo más seductor de él era su modo de adivinar lo que ella deseaba, de convertirse, cuando él quería, en el mago que satisfacía sus ansias secretas. De modo que sus relaciones sexuales resultaban literalmente eléctricas. Aquella primera chispa que saltó en su beso inaugural no fue casual. Seguía saltando, y a veces, en la cama, a ella le parecía que oía crepitar la electricidad a su alrededor; había momentos en los que sentía cómo se le erizaba el pelo. «Me recuerda el pene de goma eléctrico que mi padre tenía en su estudio –dijo a Gibreel, y los dos se echaron a reír–. ¿Soy el amor de tu vida?», preguntó rápidamente, y él respondió, no menos rápidamente: «Desde luego.»

Ella reconocía que los rumores sobre su frialdad, incluso su frigidez, tenían cierta base. «Cuando Yel murió, asumí también ese aspecto de ella.» Ya no necesitaba amantes que restregarle por la cara. «Además, en realidad, ya no disfrutaba con ello. Por aquel entonces, casi todos eran revolucionarios socialistas, que se lo hacían conmigo mientras soñaban con las mujeres heroicas que habían visto durante sus viajes de tres semanas a Cuba.

A *ellas,* ni tocarlas, desde luego; la ropa de campaña y la pureza ideológica les asustaban. Volvían a casa tarareando *Guantanamera* y me llamaban por teléfono.» Ella dejó de prestarles atención. «Pensé: que los mejores cerebros de mi generación diserten acerca del poder sobre el cuerpo de otra infeliz; yo, paso.» Empezó a subir montañas, decía al principio, «porque sabía que ellos no me seguirían hasta allí arriba. Pero luego pensé: y una mierda. Yo no lo hacía por ellos; lo hacía por mí.»

Todas las mañanas subía y bajaba durante una hora las escaleras corriendo, descalza, sobre las puntas de los pies, por lo de los arcos caídos. Luego se desplomaba sobre un montón de almohadones, furiosa, mientras él paseaba sin saber qué hacer, y generalmente acababa por servirle un trago fuerte: whisky irlandés, casi siempre. Ella bebía bastante desde que se hizo evidente la gravedad del problema de sus pies. («Por Dios, de los pies ni palabra –fue el surrealista consejo que le dio por teléfono una voz de la agencia de relaciones públicas–. En cuanto lo sepan, finito, telón, sayonara, se acabó lo que se daba.») En su vigesimoprimera noche, después de cinco dobles de Jameson's, ella le dijo: «Te voy a explicar por qué subí allá arriba. No te rías. Para escapar del bien y del mal.» Él no se rió. «¿Crees que las montañas están por encima de la moral?», preguntó él gravemente. «Eso es lo que aprendí en la revolución –prosiguió ella–. Esta cosa: la información quedó abolida en un momento del siglo veinte, no puedo decir cuándo exactamente; y es natural, porque eso forma parte de la información que fue abli, a-bo-li-da. Desde entonces vivimos en un cuento de hadas. ¿Me sigues? Todo sucede por arte de magia. Nosotras, las hadas, no tenemos ni puta idea de lo que pasa. Entonces, ¿cómo vamos a saber si está bien o mal? Ni siquiera sabemos de lo que se trata. Así que pensé puedes romperte el corazón intentando comprenderlo o puedes ir a sentarte en una montaña, porque es ahí a donde se ha ido toda la verdad; lo creas o no, se levantó y se fue de esas ciudades en las que hasta lo que tenemos debajo de los pies es un artificio, una mentira, y se ocultó allá arriba, en el aire transparente, hasta donde los embusteros no se atreven a perseguirla, por miedo a que les reviente el cerebro. Está allá arriba. Yo subí. Pregúntame.» Se quedó dormida; él la llevó a la cama.

Cuando le llegó la noticia de la muerte de Gibreel en la catástrofe aérea, ella se atormentaba inventándolo, es decir, especulando acerca del amante perdido. Él era el primero con el que ella dormía desde hacía cinco años, que no era cifra pequeña en su vida. Allie se alejó de la sexualidad porque su instinto le hizo entender que, de lo contrario, podía ser absorbida; que para ella ésta era y sería siempre una cuestión importante, todo un oscuro continente del que había que trazar los mapas, y ella no estaba preparada para tomar ese camino, para ser explorador, para dibujar esas costas. Pero le había resultado imposible no sentirse disminuida por su ignorancia del Amor, de lo que debía de ser sentirse totalmente poseído por aquel *djinn* típico y capitalizado, el anhelo de la indefinición de los límites del ser, el sentirse abierta desde la nuez hasta el pubis: sólo palabras, porque ella ignoraba todo eso. Supongamos que él hubiera llegado hasta mí, soñaba. Yo habría podido descubrirlo paso a paso, trepar hasta su cima. Ya que mis pies de huesos frágiles me privan de la montaña, habría buscado mi montaña en él: establecido campamentos base, trazado rutas, salvado cascadas de hielo, grietas, corredores. Habría asaltado la cumbre y visto bailar a los ángeles. Pero, ay, él está muerto y en el fondo del mar.

Y entonces dio con él. Y tal vez también él la había inventado a ella un poco, inventado a alguien cuyo amor mereciera que uno abandonase su antigua vida.

Nada tan extraordinario. Ocurre con frecuencia, y allá van los dos inventores puliendo mutuamente sus esquinas, ajustando sus inventos, amoldando la imaginación a la realidad, aprendiendo a estar juntos: o no. Unas veces resulta, y otras, no. Pero suponer que Gibreel Farishta y Alleluia Cone hubieran podido seguir un camino tan trillado es cometer el error de creer que sus relaciones eran las ordinarias. Y no lo eran. Ni por asomo.

Eran unas relaciones con graves deficiencias.

(«La ciudad moderna –Otto Cone aburría a su familia en la mesa con su tópico favorito– es el *locus classicus* de realidades incompatibles. Vidas que no tienen por qué mezclarse se sientan juntas en el autobús. Un universo, en un paso cebra, es iluminado un momento, y parpadea como un conejo ante los faros de un vehículo a motor en el que se halla un *continuum* completamente extraño y contradictorio. Y, si todo queda en eso, si sólo se cruza en la noche, se rozan en una estación del metro, se saludan quitándose el sombrero en el pasillo de un hotel, menos mal. Pero ¡ay si se mezclan! Entonces es uranio y plutonio, cada uno descompone al otro, y boom.» «De hecho, querido mío –dijo Alicja secamente–, a menudo yo misma me siento un poco incompatible.»)

Las deficiencias de la gran pasión de Alleluia Cone y Gibreel Farishta eran las siguientes: el temor secreto que ella sentía de su deseo secreto, o sea, del amor; un temor que la hacía distanciarse y hasta atacar violentamente a la misma persona cuyo afecto más deseaba; y, cuanto más profunda era la intimidad, más violento era su ataque, de manera que la otra persona, llevada a un lugar de absoluta confianza, e inducida a bajar la guardia, sentía el golpe con toda su fuerza y quedaba devastada; que es, ni más ni menos, lo que ocurrió a Gibreel Farishta cuando, después de tres semanas del más sublime éxtasis amoroso que cualquiera de los dos hubiera conocido, le fue notificado que debía buscarse alojamiento lo antes posible porque ella, Allie, necesitaba más espacio del que ahora disponía;

y el carácter celoso y absorbente de él, insospechado incluso para sí mismo, porque nunca consideró a una mujer como un tesoro que había que guardar a toda costa de las hordas piratas que, naturalmente, tratarían de arrebatárselo; y sobre lo que enseguida volveremos;

y el defecto fatal, es decir, el inminente descubrimiento de Gibreel Farishta –o, si lo prefieren, *chifladura*– de que él era en verdad nada menos que un arcángel con forma humana, y no un arcángel cualquiera, sino el Ángel de la Enumeración, el más exaltado de todos (ahora que había caído Shaitan).

Habían pasado sus días en un aislamiento tal, envueltos en las sábanas de sus deseos, que los celos furiosos e incontrolables de él, que, como advirtiera Yago, «escarnecen la carne de la que se alimentan», tardaron en aflorar. Se manifestaron por primera vez en el ridículo asunto del trío de caricaturas que Allie había colgado delante de la puerta de entrada, con *passe-partout* color crema y marco oro viejo, todas con la misma dedicatoria garabateada en el ángulo inferior derecho de la cartulina crema: *Para A., con esperanza, de Brunel.* Cuando Gibreel reparó en las inscripciones exigió una explicación, señalando las caricaturas con el brazo extendido y sujetando con la mano libre la sábana que le envolvía (se había ataviado de esta sencilla manera porque había decidido que había llegado el momento de inspeccionar los alrededores; *uno no puede pasar la vida echado sobre la espalda, ni siquiera sobre la tuya,* dijo); Allie se rió, comprensiblemente. «Te pareces a Bruto, todo muerte y dignidad –bromeó–. La estampa del hombre honorable.» Él la sobresaltó al gritar violentamente: «Dime inmediatamente quién es este bastardo.»

«No puede ser que hables en serio», dijo ella. Jack Brunel se dedicaba a los dibujos animados, tenía casi sesenta años y había conocido a su padre. Ella nunca sintió ni el menor interés por él, que se dedicaba a cortejarla por el estrangulado y mudo sistema de enviarle aquellos dibujos de vez en cuando.

«¿Y por qué no los tiras a la papelera?», rugió Gibreel. Allie, sin comprender todavía la magnitud de su cólera, mantuvo un tono humorístico. Conservaba los dibujos porque le gustaban. El primero era un viejo chiste de *Punch,* en el que se veía a Leonardo da Vinci en su estudio, rodeado de discípulos, arrojando al aire la Mona Lisa como un platillo volante. *Acordaos de lo que os digo,* se leía al pie: *un día los hombres volarán a Padua en cosas como ésta.* En el segundo marco había una página de *Toff,* una revista infantil inglesa de la época de la Segunda Guerra Mundial. En unos tiempos en los que tantos niños se convertían en evacuados, se consideró necesario crear, a modo de explicación, una versión en historieta de los sucesos del mundo de los mayores. Allí se representaba uno de los choques semanales entre el equipo local –Toff (un niño espantoso, con monóculo, chaquetilla corta y pantalón a rayas estilo Eton) y Bert, su compañero, con gorra de visera y rodillas desolladas– y el asqueroso enemigo, Hatroz Hadolf y sus asquerosos secuaces (un hatajo de matones cada cual con su asquerosidad, por ejemplo, un garfio en lugar de mano, pies con garras o unos dientes que podían atravesarte el brazo). El equipo británico salía invariablemente vencedor. Gibreel miraba el cuadrito con desdén. «Malditos chauvinistas. Ésa es vuestra mentalidad; eso fue para vosotros la guerra.» Allie optó por no hablarle de su padre, ni decir a Gibreel que uno de los dibujantes de *Toff,* un virulento antinazi natural de Berlín llamado Wolf, fue arrestado e internado con otros alemanes que vivían en Inglaterra y, según Brunel, sus compañeros no movieron ni un dedo para salvarle. «Corazón de piedra –comentó Jack–, es lo único que necesita el dibujante de historietas. ¡Qué gran artista hubiera sido Disney de haber tenido el corazón de piedra! Ése fue su gran defecto.» Brunel dirigía unos pequeños estudios de películas de dibujos animados llamados Producciones Espantapájaros, por el personaje de *El mago de Oz*.

El tercer marco contenía el último dibujo de una de las películas del gran animador japonés Yoji Kuri, cuyas líneas singularmente cínicas constituían el ejemplo perfecto de las frías ideas de Brunel sobre el arte del dibujante. En la película, un hombre se caía desde lo alto de un rascacielos; un coche de bomberos llegaba a toda velocidad y se situaba debajo del que caía. El techo del coche se abría permitiendo que del interior saliera una enorme pica de acero y, en el dibujo que estaba en la pared de Allie, el hombre llegaba cabeza abajo y la pica se le clavaba en el cerebro. «Morboso», sentenció Gibreel Farishta.

Puesto que nada conseguía con esos espléndidos regalos, Brunel se vio obligado a salir a la luz y presentarse en persona. Compareció una noche en el apartamento de Allie, sin avisar y bastante bebido, y con una cartera zarrapastrosa de la que sacó una botella de ron negro. A las tres de la madrugada se había bebido todo el ron y no daba signos de querer marcharse. Allie, ostensiblemente, se fue al cuarto de baño a lavarse los dientes y, al volver, encontró al dibujante desnudo en el centro de la alfombra de la sala, mostrando un cuerpo sorprendentemente bien formado cubierto de espeso vello gris. Al verla, abrió los brazos gritando: «¡Tómame! ¡Hazme lo que quieras!» Ella, con toda la amabilidad posible, le hizo vestirse, y los puso a él y a su cartera de patitas en la calle. Brunel no había vuelto.

Allie le contó la historia a Gibreel con una risueña

franqueza, testimonio de su despiste ante la tormenta que se le venía encima. Aunque también es posible (durante los últimos días las cosas no habían ido bien entre ellos) que aquel aire de inocencia fuera ficticio, que ella casi deseara que él empezara a portarse mal, de manera que lo que ocurriera fuera culpa suya, no de ella... El caso es que Gibreel puso el grito en el cielo y acusó a Allie de falsear el final de la historia y sugirió que el pobre Brunel debía de estar esperando al lado del teléfono y que ella pensaba llamarle en cuanto él, Farishta, diera media vuelta. Desvaríos, en suma, celos retrospectivos, los peores. Cuando este sentimiento terrible se apoderó de él, empezó a improvisar una serie de amantes, a los que situó en todas las esquinas. Ella le había contado lo de Brunel para mortificarle, gritó; era una crueldad deliberada. «Tú quieres tener a los hombres de rodillas –chilló, perdido ya el control por completo–. Yo no me arrodillo.»

«Basta –dijo ella–. Fuera.»

Su cólera se acrecentó. Ciñéndose la toga, se precipitó en el dormitorio para vestirse. Se puso las únicas prendas que poseía, incluida la gabardina de forro escarlata y el sombrero gris de don Enrique Diamond; Allie le miraba desde la puerta. «No creas que voy a volver», gritó, comprendiendo que su furor bastaba para sacarle de la casa y esperando que ella empezara a calmarle, a hablarle suavemente, a proporcionarle el medio de quedarse. Pero ella se encogió de hombros y desapareció, y entonces, en el instante de su mayor ira, se resquebrajaron los límites de la tierra, se oyó un ruido como de una presa que reventara, y como si los espíritus del mundo de los sueños fluyeran por la brecha al universo de lo cotidiano, Gibreel Farishta vio a Dios.

Para el Isaías de Blake, Dios era, simplemente, inmanente, una indignación incorpórea; pero la visión de Gibreel del Ser Supremo no tuvo nada de abstracta.

Sentado en la cama había un hombre de su misma edad poco más o menos, estatura mediana, fornido, con una barba de sal y pimienta recortada según la línea de la mandíbula. Lo más sorprendente resultó ser que la aparición tenía una calva incipiente, algo de caspa y gafas. Aquél no era el Todopoderoso que él esperaba. «¿Quién es usted?», preguntó con curiosidad. (Ahora ya no le interesaba Alleluia Cone que, al oírle hablar solo, había vuelto sobre sus pasos y le observaba con una expresión de auténtico pánico.)

«Ooparvala –dijo la aparición–. El de Arriba.»

«¿Cómo puedo estar seguro de que no es el Otro –preguntó Gibreel taimadamente–, Neechayvala, El de Abajo?»

Una pregunta atrevida que produjo una malhumorada respuesta. Aquella deidad podía tener aspecto de amanuense miope, pero desde luego era capaz de movilizar todo el aparato tradicional de la ira divina. Las nubes se agolparon frente a la ventana; el viento y el trueno hicieron que se estremeciera la habitación. En los Fields cayeron árboles. «Estamos perdiendo la paciencia contigo, Gibreel Farishta. Ya basta de dudar de Nos. –Gibreel bajó la cabeza, abrumado por la divina cólera–. No estamos obligados a explicarte Nuestra naturaleza. –El rapapolvo continuaba–. Si Nos somos multiforme y plural; si representamos la unión por hibridación de contrarios tales como Oopar y Neechay, o si somos puro, absoluto y sumo, no ha de decidirse aquí.» La revuelta cama, en la que su Visitante descansaba Su parte posterior (que, según observó Gibreel, refulgía levemente, como el resto de la Persona), fue objeto de mirada desaprobadora. «Lo que importa es que ya se han acabado las vacilaciones. ¿Tú querías una señal clara de Nuestra existencia? Nos hicimos que la Revelación llenara tus sueños, en los que se aclaraba no sólo Nuestra naturaleza, sino también la tuya. Pero tú te resistías, luchabas contra el sueño por el que Nos te despertábamos. Tu miedo a la verdad nos ha llevado al extremo de manifestarnos, con bastantes molestias, en la vivienda de esta mujer muy entrada la noche. Ya es hora de actuar. ¿Crees que Nos te rescatamos de los cielos para que te revuelques con una rubia de pies planos? (extraordinaria, sin duda). Tienes cosas que hacer.»

«Estoy dispuesto –dijo Gibreel con humildad–. De todos modos, ya me iba.»

«Atiende –le decía Allie Cone–, Gibreel, maldita sea, olvida la pelea. Escucha: yo te quiero.»

Ahora estaban los dos solos en el apartamento. «Tengo que marcharme», dijo Gibreel suavemente. Ella se colgó de su brazo. «Me parece que no estás bien.» Él insistió dignamente. «Después de exigir mi marcha, ya no posees jurisdicción en lo concerniente a mi salud.» Y escapó. Al tratar de seguirle, Alleluia sintió intensos dolores en ambos pies y, sin más opción, cayó al suelo sollozando, como una actriz en una película masala, o Rekha Merchant el día en que Gibreel la dejó por última vez. En cualquier caso, como un personaje secundario de un tipo de drama al que ella nunca hubiera imaginado pertenecer.

La turbulencia meteorológica desatada por la cólera de Dios para con su siervo había dado paso a una noche clara y tibia presidida por una luna gorda y cremosa. Sólo los árboles derribados daban testimonio del poder del Ser que ya había partido. Gibreel, con el sombrero calado, el cinturón del dinero bien ceñido al cuerpo, las manos hundidas en los bolsillos –la derecha palpaba un libro pequeño, de tapas blandas–, daba gracias en silencio por su evasión. Seguro ya de su condición arcangélica, desechó todo remordimiento por sus anteriores dudas y lo reemplazó con una firme decisión: él devolvería a esta metrópoli de impíos, esta nueva 'Ad o Thamoud, el conocimiento de Dios, para que fueran derramadas sobre ella las bendiciones de la Revelación, la Palabra sagrada. Sintió que su antiguo ser se desprendía de él y le despidió encogiéndose de hombros, pero decidió que, por ahora, conservaría la escala humana. Aún no había llegado el momento de crecer hasta llenar el firmamento de horizonte a horizonte, aunque eso tampoco tardaría mucho.

Las calles de la ciudad se retorcían a su alrededor, enroscándose como serpientes. Londres se había hecho, una vez más, inestable, revelando su verdadera naturaleza caprichosa y atormentada, su angustia de ciudad que ha perdido el sentido de sí misma y, así, se debate en la impotencia de su egoísta y airado presente de máscaras y parodias, asfixiada y oprimida por el peso insoportable de un pasado ingobernable, mientras contempla la desolación de un futuro hecho harapos. Deambuló toda la noche, y el día siguiente, y la noche siguiente, hasta que luz y oscuridad dejaron de tener importancia. Ya no parecía necesitar la comida ni el descanso; sólo sentía el afán de moverse constantemente por aquella metrópoli torturada cuya textura estaba transformándose de arriba abajo; las casas de los barrios ricos se construían ahora de miedo solidificado; los edificios del Gobierno, de vanagloria y algo de desprecio, y las viviendas de los pobres, de confusión y sueños materiales. Cuando miras con los ojos de un ángel, ves esencias en lugar de superficies, ves una decadencia espiritual que levanta ampollas y pústulas en la piel de los transeúntes, ves la generosidad de algunas personas posada en sus hombros en forma de ave. Mientras vagaba por la ciudad transformada, vio diablillos con alas de murciélago sentados en las esquinas de edificios hechos de mentiras, y vislumbró duendes que reptaban como gusanos por entre las baldosas rotas de los urinarios públicos. Al igual que el fraile alemán Richalmus en el siglo trece, sólo con cerrar los ojos veía nubes de demonios diminutos que envolvían a cada hombre y mujer del mundo, bailando como motas de polvo en los rayos de sol, ahora Gibreel, con los ojos abiertos al claro de luna y a la luz del sol, detectaba en todas partes la presencia de su adversario, de su –para devolver a la vieja palabra su significado original– *shaitan.*

Mucho antes del Diluvio, recordó –al parecer, ahora que había reasumido el papel de arcángel se le restituían, poco a poco, su memoria y sabiduría arcangélicas– que numerosos ángeles (los primeros nombres de los que se acordó fueron Semjaza y Azazel) se vieron arrojados del Cielo por *desear a las hijas de los hombres,* las cuales, a su debido tiempo, parieron una raza perversa de gigantes. Ahora empezaba a comprender la magnitud del peligro del que se había salvado al alejarse de Alleluia Cone. ¡Oh, la más falsa de las criaturas! ¡Oh, princesa de los poderes del aire! Cuando el Profeta, paz a su nombre, recibió la *wahi,* la Revelación, ¿no temió también haber perdido el juicio? ¿Y quién le tranquilizó con la certidumbre que necesitaba? Quien sino Khadija, su esposa. Ella le convenció de que no estaba loco de remate, sino que era el Mensajero de Dios. Pero Alleluia, ¿qué había hecho por él? *Tú no eres tú. Me parece que no te encuentras bien.* ¡Oh, fuente de tribulaciones, generatriz de discordia y de la amargura del corazón! ¡Sirena tentadora, diablo en forma humana! Ese cuerpo como la nieve, con su pelo pálido, pálido; ese pelo con el que le nublaba el alma, cuán duro fue para él, por la debilidad de la carne, resistirse..., prendido por ella en las redes de un amor tan complejo que, más allá de toda comprensión, le había llevado hasta el borde de la Caída final. ¡Cuán benéfico fue entonces para él el Ente Superior! Ahora veía que la elección era fácil: el amor infernal de las hijas de los hombres o la celestial adoración de Dios. Él consiguió elegir esto último, en el último instante.

Del bolsillo derecho de la gabardina sacó el libro que estaba allí desde que se fue de casa de Rosa, hacía un milenio: el libro de la ciudad que él venía a salvar, el Mismísimo Londres, capital de Vilayet, desplegado a su disposición con todo detalle, sin omitir nada. Él redimiría esta ciudad: Londres a su alcance, de la A a la Z.

En una esquina de una zona de la ciudad un día conocida por sus artistas y radicales y hombres que buscaban prostitutas, y ahora entregada al personal publicitario y productores cinematográficos de poca monta, el arcángel Gibreel descubrió un alma perdida. Era joven, del género masculino, buena estatura y una gran belleza, con la nariz singularmente aguileña, el pelo más bien largo, reluciente y peinado con raya en medio, y los dientes de oro. El alma perdida estaba de pie en el bordillo de la acera, de espaldas al arroyo, con el cuerpo ligeramente inclinado hacia adelante, y sostenía en la mano derecha un objeto que evidentemente tenía en gran estima. Su conducta era extraña: contemplaba intensamente el objeto que tenía en la mano y luego miraba alrededor, sacudiendo la cabeza de derecha a izquierda, escudriñando con ávida concentración la cara de los que pasaban a su lado. Gibreel, que no quería actuar a la ligera, observó, en primera instancia, que el objeto que asía el alma perdida era una foto tamaño pasaporte. A la segunda se plantó ante el desconocido y le ofreció su ayuda. El otro le miró con recelo y le puso la foto delante de la nariz. «Este hombre –dijo golpeando la cartulina con un largo índice–. ¿Conoces a este hombre?»

Cuando Gibreel vio que desde la foto le miraba un joven de gran belleza, con una nariz singularmente aguileña, el pelo más bien largo, reluciente y peinado con raya en medio, comprendió que su instinto no le había engañado, que allí, en una concurrida esquina, escudriñando a la gente en busca de sí mismo, había un alma en pos del cuerpo extraviado, un espectro que necesitaba desesperadamente su envoltura física perdida; porque los arcángeles saben que el alma o *ka* no puede existir (una vez se ha roto el dorado cordón de luz que la une al cuerpo) más de una noche y un día. «Yo puedo ayudarte», prometió, y el joven le miró con viva incredulidad. Gibreel se inclinó, tomó la cara del alma entre las manos y la besó con firmeza en los labios, pues el espíritu que es besado por un arcángel recupera inmediatamente el sentido de la orientación y encuentra el camino de la verdad y la virtud. Sin embargo, el alma perdida reaccionó al favor del beso arcangélico de un modo sorprendente. «¡Maricón! –gritó–. Puedo estar desesperado, colega, pero no tanto», después de lo cual, manifestando una solidez insólita en los espíritus incorpóreos, sacudió al Arcángel del Señor una soberana hostia en la nariz con el mismo puño con que sostenía su imagen, produciendo desconcierto y hemorragia.

Cuando a Gibreel se le aclaró la vista, el alma perdida se había marchado, pero ahora tenía delante, flotando en su alfombra a medio metro del suelo, a Rekha Merchant, que se burlaba de él en su perplejidad. «No ha sido un gran comienzo –comentó resoplando–. Vaya un arcángel. Gibreel *janab,* estás mal de la cabeza, te lo digo yo. Interpretaste a demasiados personajes alados y eso no podía ser bueno para ti. Yo, en tu lugar, no me fiaría de esa Deidad tuya –agregó en tono más confidencial, aunque Gibreel sospechó que su intención seguía siendo satírica–. Él mismo se delató al embarullar la respuesta a tu pregunta de si era Oopar o era Neechay. Semejante criterio de separación de funciones, la luz contra las tinieblas, el mal contra el bien, puede tener pleno sentido en el Islam *(Oh, hijos de Adán, no permitáis que el diablo os seduzca, tal cual expulsó a vuestros padres del paraíso, arrancándoles la ropa para mostrarles su vergüenza)*, pero no tienes más que remontarte un poco para ver que se trata de una invención muy reciente. Amos, en el siglo octavo a. C., pregunta: "¿Puede darse el mal en una ciudad sin que sea obra del Señor?" El mismo Yavé, citado doscientos años después en Deutero-Isaías, explica: "Yo hago la luz y creo las tinieblas; Yo hago la paz y creo el mal; Yo, el Señor, hago todas esas cosas." Y hay que esperar al siglo cuarto a. C., en el Libro de las Crónicas para que aparezca la palabra *shaitan* en designio de un ser y no de un atributo de Dios.» Este discurso, evidentemente, nunca hubiera podido pronunciarlo la Rekha «real», que descendía de una tradición politeísta y jamás manifestó el más mínimo interés por las religiones comparadas ni, mucho menos, por los Apócrifos. Pero Gibreel sabía que la Rekha que le perseguía desde que se cayó del *Bostan* no era real de una manera objetiva, psicológica o física. Entonces, ¿qué era? Sería fácil imaginarla como algo creado por él mismo, su propia cómplice-adversaria, su demonio interior. Ello explicaría su desparpajo con el arcano. Pero ¿cómo había adquirido él ese conocimiento? ¿Fue quizá suyo en tiempos y luego lo perdió, tal cual le informaba ahora su memoria? (Tenía la molesta sensación de que aquí había algo que no acababa de encajar, pero cuando trataba de concentrar sus pensamientos en su «época de tinieblas», es decir, aquel período durante el cual, inexplicablemente, dejó de creer en su condición angélica, se veía ante un espeso banco de nubes, a través del cual, por más que se esforzaba, apenas distinguía unas sombras.) ¿O podía ser que el material que ahora le llenaba el pensamiento, trasunto, por poner un ejemplo, del modo en que sus ángeles-lugartenientes Ithuriel y Zephon encontraron al adversario *agazapado como un sapo* junto al oído de Eva en el Edén, utilizando sus artes «para llegar / A los órganos que la intrigaban, y forjar con ellos / Las ilusiones de su mayor agrado, fantasmas y sueños», hubiera sido implantado en su cabeza por aquella misma ambigua Criatura, aquel De Arriba y De Abajo que le visitaba en el dormitorio de Alleluia despertándolo de su largo sueño en vela? Entonces, quizá también Rekha era emisaria de ese Dios, una divina antagonista externa y no una sombra interna, nacida de la culpa; alguien enviado para luchar contra él y restituirle de nuevo.

Le sangraba la nariz, que empezó a latirle dolorosamente. Nunca había sabido soportar el dolor. «Siempre fuiste un llorón», reía Rekha en sus barbas. Shaitan comprendía mejor:

¿Vive quien ama su dolor?
¿Quién es el que, si encontrara el camino, no escaparía
[del infierno
aunque hubiera sido condenado? Tú mismo, sin duda,
con osadía te aventurarías al lugar
más alejado del dolor, en el que pudieras esperar trocar
el tormento por solaz...

Él no habría sabido decirlo mejor. La persona que se encontrara en un infierno recurriría a todo, violación, extorsión, asesinato, *felo de se*,[1] lo que fuera, con tal de escapar... Se aplicó el pañuelo a la nariz y Rekha, presente todavía en su alfombra voladora e intuyendo su ascensión (¿o descenso?) al reino de la especulación metafísica, intentó llevar las cosas a un terreno más familiar. «Debiste seguir conmigo –opinó–. Habrías podido quererme mucho. Yo sabía querer. No todo el

1. En el Reino Unido, la persona que comete suicidio o actúa de modo que conduzca a su destrucción. *(N. de la T.)*

mundo tiene esa facultad; yo sí la tengo, quiero decir la tenía. Querer no cómo esa rubia explosiva y egoísta que no hacía más que pensar en tener un hijo y ni siquiera te lo mencionó. Ni como tu Dios, que ya no es como en los viejos tiempos en que esas Personas se tomaban un interés.»

Se imponía responder a ciertas cosas. «Tú estabas casada, de principio a fin –respondió–. Los rodamientos a bolas. Yo era tu segundo plato. Por lo que a Él atañe, yo, que durante tanto tiempo esperé que se manifestara, no voy a murmurar de Él *post facto*, después de la aparición personal. Finalmente, ¿a qué viene lo del hijo? Por lo visto, tú no respetas nada.»

«Y tú no sabes lo que es el infierno –replicó ella secamente, dejando caer la máscara de la imperturbabilidad–. Pero, descuida, campeón, lo sabrás. A una palabra tuya, yo habría dejado al pesado de los rodamientos al instante, pero tú, ni mu. Pues allá abajo nos veremos, Hotel Neechayvala.»

«¡Y qué ibas a dejar a tus hijos! –insistió él–. Los pobres, si hasta los tiraste desde la azotea antes de saltar.» Esto la puso de los nervios. «¡Cállate! ¡No te atrevas a hablar! ¡Te vas a enterar, míster! ¡Te freiré el corazón y me lo comeré con tostadas! Y, en cuanto a tu princesa Blancanieves, ella opina que los hijos son propiedad materna exclusivamente, porque los hombres vienen y se van, mientras que una permanece. Tú no eres más que la semilla, con perdón, y ella, el huerto. ¿Quién pide permiso a la semilla para plantarla? ¡Qué sabes tú, capullo de Bombay, de las ideas modernas que tienen las mamás!»

«¡Mira quién habló! –repuso él, indignado–. ¿Es que pediste permiso al papaíto para tirar a los niños desde la azotea?»

Ella desapareció, furiosa, entre humo amarillo, con una explosión que le hizo tambalearse y le tiró el sombrero (quedó boca arriba, en la acera, a sus pies), al tiempo que producía un efecto olfativo de tan nauseabunda potencia que le provocó náuseas y arcadas. En vano, ya que estaba totalmente vacío de comida y bebida por no haber tomado alimento alguno en muchos días. Ah, la inmortalidad, pensó, noble liberación de la tiranía del cuerpo. Advirtió que dos individuos lo contemplaban con curiosidad: un joven de aspecto agresivo, todo tachuelas y cuero, pelo arco iris a lo mohicano y zigzag de relámpago pintado en la nariz, y una señora de mediana edad y aspecto agradable, con un pañuelo a la cabeza. Pues muy bien: aprovecharía la oportunidad. «Arrepentíos –exclamó con vehemencia–. Yo soy el Arcángel del Señor.»

«Pobre bastardo», dijo el mohicano, que echó una moneda en el sombrero de Farishta y se fue. La señora agradable, por el contrario, se inclinó confidencialmente hacia Gibreel y le entregó un folleto. «Esto le interesará.» Él vio que se trataba de propaganda racista que exigía la «repatriación» de toda la población negra del país. Gibreel dedujo que lo había tomado por un ángel blanco. O sea, que ni los ángeles se libraban de tales diferencias, advirtió con sorpresa. «Mírelo de esta manera –decía la señora, interpretando su silencio como duda y revelando, por su manera de hablar, en voz alta y recalcando las sílabas, que se daba cuenta de que él no era del todo *pukka*, un ángel bizantino, tal vez chipriota o griego, con el que debía usar su mejor "voz para el afligido"–. Imagine que toda esa gente fuera y llenara su país de usted, cualquiera que sea. ¿Qué? ¿Le gustaría *eso*?»

Golpeando en la nariz, torturado por fantasmas, recibiendo limosnas en lugar de reverencia y advirtiendo por diversas manifestaciones lo bajo que habían caído los habitantes de la ciudad y la inexorabilidad del mal que se apoderaba de ella, Gibreel se sintió más firmemente decidido que nunca a empezar a hacer el bien, a iniciar la gran tarea de conseguir que retrocedieran las fronteras de los dominios del adversario. El atlas que llevaba en el bolsillo le serviría para trazar el plan de campaña. Redimiría la ciudad cuadrícula a cuadrícula, empezando por Hockley Farm, en el ángulo noroeste del plano, y terminando por Chance Wood, en el sudeste; después de lo cual, quizá, celebraría el fin de su tarea con un partido de golf en el campo situado en el mismo borde del mapa y llamado, con toda propiedad, Wildernesse, la selva.

Y, en algún lugar del camino, le esperaría el adversario. Shaitan, Iblis o cualquiera que fuera el nombre que hubiera adoptado –y, de hecho, el nombre lo tenía Gibreel en la punta de la lengua–, y su efigie malévola y cornuda, todavía desdibujada, no tardaría y el nombre volvería a su memoria, Gibreel estaba seguro, pues ¿acaso no crecían sus poderes de día en día, no era él aquel que, recuperada su gloria, arrojaría al adversario de nuevo a las Negras Profundidades? Ese nombre... ¿cómo era? Tch-nosecuántos. Tchu Tche Tchin Tchow. No importa. Cada cosa a su debido tiempo.

Pero la ciudad, en su corrupción, se negaba a someterse al dominio de los cartógrafos, y cambiaba de forma a su antojo y sin avisar, impidiendo a Gibreel realizar su operación de la forma sistemática que él habría preferido. Algunos días, al doblar una esquina al extremo de una grandiosa columnata construida de carne humana y cubierta de una piel que sangraba si la arañabas, se encontraba en una zona desértica e inexplorada, en cuyo lejano confín divisaba altas edificaciones familiares, la cúpula de Wren y la esbelta bujía metálica de la torre Telecom, que se desmoronaban al viento como castillos de arena. Cruzaba a trompicones parques extraños y anónimos y salía a las concurridas calles del West End, en las que, para consternación de los automovilistas, del cielo había empezado a gotear ácido que había abierto grandes agujeros en la calzada. En aquel pandemónium de espejismos oía risas con frecuencia; la ciudad se burlaba de su inoperancia, esperaba su rendición, su reconocimiento de que lo que allí existía no podía comprenderlo él y, mucho menos, cambiarlo. Gritaba maldiciones a su adversario todavía sin rostro, suplicaba a la Deidad otra señal, temía que sus energías no fueran las suficientes para la tarea. En suma, iba camino de convertirse en el más triste y aperreado de los arcángeles, con las ropas sucias, el pelo lacio y grasiento y una barba hirsuta y llena de remolinos. Con este lamentable aspecto llegó a la estación del metro de Ángel.

Debía ser a primera hora de la mañana, porque vio a los empleados de la estación abrir y descorrer los cierres metálicos nocturnos. Entró tras ellos arrastrando los pies, con la cabeza baja y las manos en los bolsillos (había prescindido de la guía hacía tiempo), y cuando por fin levantó la mirada vio ante sí una cara que estaba a punto de llorar.

«Buenos días», dijo él, y la joven taquillera respondió amargamente: «Lo que tienen de bueno quisiera yo saber», y entonces llegaron las lágrimas, gordas, globulares y abundantes. «Vamos, vamos, niña», dijo él, y la muchacha le miró con incredulidad. «Usted no es cura», opinó. Él respondió, vacilando un poco: «Yo soy el arcángel Gibreel.» Ella se echó a reír con la misma brusquedad con que empezara a llorar. «Los únicos ángeles que tenemos por aquí son los que ponen en las farolas en Navidad. Iluminaciones navideñas. Los del consejo municipal los cuelgan del cuello.» Él no se amilanó. «Yo soy Gibreel –repitió, mirándola sin pestañear–. Habla.»

Y, con un asombro de sí misma, que sería expresado con todo énfasis, *es que no me puedo creer que yo hiciera eso, contarle mi vida a un vagabundo, no es propio de mí, sabe usted,* la taquillera empezó a hablar.

Se llamaba Orphia Phillips, veinte años, padres vivos y a su cargo, y más ahora que la idiota de Hyacinth, su hermana, había perdido su empleo de fisioterapeuta por «andarse con tonterías». Él –porque, desde luego, había un él– se llamaba Uriah Moseley. Últimamente se habían instalado en la estación dos relucientes ascensores, y Orphia y Uriah eran los encargados de su manejo. En horas punta, cuando funcionaban los dos ascensores, había poco tiempo para conversación; pero durante el resto del día sólo se usaba uno. Orphia se situaba en la taquilla, mismamente enfrente, y Uri pasaba muchos ratos con ella, apoyado en la puerta de su reluciente ascensor y hurgándose en la boca con un mondadientes de plata que su bisabuelo había liberado de algún antiguo plantador. Aquello era el verdadero amor. «Pero yo me dejo llevar del sentimiento –sollozó Orphia–. Demasiado impulsiva, poco seso.» Una tarde, durante un período de calma, ella abandonó su puesto y se puso delante de él, que estaba apoyado en el ascensor hurgándose los dientes y, al ver cómo ella le miraba, guardó el mondadientes. Después de aquello, él iba a trabajar con un paso más vivo y elástico; también ella estaba en la gloria mientras descendía a las entrañas de la tierra día tras día. Sus besos eran cada vez más largos y apasionados. A veces ella no se soltaba ni cuando sonaba el zumbador de llamada, y Uriah, tenía que desasirse al grito de: «Venga, niña, el público.» Uriah tenía verdadera vocación por su trabajo. Solía hablarle de lo orgulloso que estaba de su uniforme, de la satisfacción que le producía estar en un servicio público, dedicar su vida a la sociedad. A ella esto le parecía un poco pedante y de buena gana le hubiera dicho: «¡Chico, Uri, que no eres más que un ascensorista!», pero, intuyendo que semejante realismo no sería bien recibido, se mordió su descarada lengua, mejor dicho, se la guardó.

Sus abrazos en el túnel se convirtieron en guerras. Él trataba de zafarse, estirándose la chaqueta, pero ella le mordía la oreja y le metía la mano por el pantalón. «Estás loca», decía él, pero ella seguía y preguntaba: «¿Sí? ¿Te molesta?»

Fueron sorprendidos, como era de esperar: una señora de aspecto amable con pañuelo a la cabeza y chaqueta de cheviot presentó una queja. Tuvieron suerte de no perder el empleo. Orphia fue «apeada» de los ascensores y encerrada en la taquilla. Y, lo que era peor, su lugar fue ocupado por Rochelle Watkins, la beldad de la estación. «Yo sé muy bien lo que está pasando –exclamó, furiosa–. Veo la cara de Rochelle cuando pasa por aquí, arreglándose el pelo y demás.» Ahora Uriah rehuía la mirada de Orphia.

«No sé qué ha hecho usted para que le cuente mis cosas –terminó, desconcertada–. Usted no es un ángel. Eso, seguro.» Pero, por más que se esforzaba, no conseguía sustraerse al influjo de su hipnótica mirada. «Yo sé lo que hay en tu corazón», dijo él.

Por la taquilla le tomó una mano que se le abandonó. Sí, eso era, la fuerza del deseo que había en ella llegaba hasta él, permitiéndole comunicársela nuevamente a la muchacha, estimulándola a la acción, permitiéndole decir y hacer lo que más necesitaba; esto era lo que él recordaba, esa facultad para unirse a la persona a la que se aparecía, de modo que lo que sucedía a continuación era producto de esta comunión. Al fin, pensó, vuelven las funciones arcangélicas. Dentro de la taquilla, la empleada del metro Orphia Phillips había cerrado los ojos, tenía el cuerpo relajado en la silla, pesado y aletargado, y sus labios se movían. Y los de él también, al unísono. Así. Ya estaba.

En aquel momento, el jefe de estación, un hombrecillo colérico con nueve largos pelos pegados sobre la calva de oreja a oreja, salió por su puertecita como el cuco de un reloj. «Usted, ¿a qué juega –gritó a Gibreel–. Fuera de aquí o llamo a la policía. –Gibreel se quedó donde estaba. El jefe de estación, al ver a Orphia salir del trance, empezó a chillar–: Usted, Phillips. Vamos es que no he visto cosa igual. Cualquier cosa que lleve pantalones: es ridículo. Vamos, en mi vida. Y durmiendo en el puesto de trabajo, pero vamos. –Orphia se levantó, se puso el impermeable, recogió el paraguas plegable y salió de la taquilla–. Y abandonar un servicio público. Entre ahí inmediatamente si no quiere verse en la calle, puede estar bien segura. –Orphia se fue hacia la escalera de caracol y desapareció a niveles inferiores. Privado de su empleada, el jefe de estación se encaró con Gibreel–: Fuera de aquí. Ahueca. Anda, anda a tu agujero.»

«Yo espero el ascensor», respondió Gibreel dignamente.

Cuando llegó abajo, Orphia Phillips dobló una esquina y vio a Uriah Moseley apoyado en la otra taquilla de recogida de billetes de aquel modo tan suyo, y a Rochelle Watkins mirándole con una sonrisa bobalicona. Pero Orphia sabía lo que tenía que hacer. «¿Has dejado a Chelle tocar el palillo, Uri? –dijo con una cantinela–. Seguro que le encantaría.»

Los dos se irguieron bruscamente. Uriah empezó a defenderse con bravuconería: «No seas ordinaria, Orphia.» Pero la mirada de ella le dejó parado en seco. Luego, Uriah empezó a andar hacia ella, como en sueños, dejando plantada a Rochelle. «Muy bien, Uri –dijo ella con suavidad, sin apartar de él la mirada ni un instante–. Ven aquí. Ven con mamá.» *Ahora vuelves al ascensor, se la chupas y luego arriba y adiós.* Pero algo fallaba. Él ya no andaba. Rochelle Watkins estaba a su lado, demasiado cerca la condenada, y él se había detenido. «Díselo, Uriah –dijo Rochelle–. Dile que aquí abajo no funciona su estúpido hechizo.» Uriah tenía el brazo alrededor de Rochelle Watkins. No era así como ella lo había soñado, como ella estaba rematadamente segura que sería, una vez que el tal Gibreel le tomara la mano, así, ni más ni menos que si estuvieran *destinados*; farsante, pensó. Pero ¿qué le estaba pasando? Se adelantó. «Quítamela de encima, Uriah –gritó Rochelle–. Me destroza el uniforme y todo.» Ahora, Uriah, agarrando a la frenética taquillera por las muñecas, le comunicó la noticia: «¡Me caso con ella! –Y Orphia se quedó sin ánimo de luchar. Las trencitas dejaron de saltar haciendo tintinear los abalorios–. O sea que estás fuera de servicio, Orphia Phillips –prosiguió Uriah, resoplando un poco–. Y, como ha dicho la señorita, el hechizo no cambiará nada.» Orphia, también respirando fatigosamente, con la ropa desordenada, se dejó caer al suelo y se quedó sentada, apoyada en la pared curva del túnel. Hasta ellos subió el ruido de un tren que se acercaba; los prometidos para casarse corrieron a sus puestos, arreglándose la ropa y dejando a Orphia sentada en el suelo. «Muchacha –dijo Uriah Moseley a modo de despedida–, tú eras demasiado lanzada para mí.» Rochelle Watkins envió un beso a Uriah desde su taquilla de recogida de billetes; él, apoyado en su ascensor, se hurgaba los dientes. «Cocina casera –le había prometido Rochelle–. Y sin sorpresas.»

«¡Cochino golfo! –gritó Orphia Phillips a Gibreel después de subir por la escalera de caracol los doscientos cuarenta y siete escalones del desengaño–. Tú no eres un diablo decente. ¿Quién te pedía que me fastidiaras la vida?»

Hasta la aureola se ha apagado, como bombilla fundida, y no sé dónde está la tienda. Gibreel, sentado en un banco de los jardincillos cercanos a la estación, cavilaba sobre la futilidad de su empeño. Y observó que, una vez más, afloraban blasfemias: si el *dabba* llevaba una marca equivocada y, por lo tanto, era puesto en un recipiente incorrecto, ¿era del *dabbawalla* la culpa? Si los efectos especiales –alfombra voladora o similar– no funcionaban y veías tremolar la orla azul en el contorno del viajero, ¿había que reprocharlo al actor? Por lo mismo, si su angélica tarea dejaba algo que desear, ¿de quién era la culpa, por favor? ¿Suya o de algún otro Personaje? Los niños jugaban en el jardín de sus dudas, entre nubes de mosquitos, rosales y desesperación. Al escondite, a los cazafantasmas, al marro. Eleoenedeerreeese, Londres. Gibreel se decía que la caída de los ángeles no era lo mismo que el Resbalón de la Mujer y el Hombre. En el caso de las personas humanas, la cuestión era de índole moral. No comerás el fruto del árbol de la ciencia del bien y del mal, y comieron. La mujer primero y, a instancias suyas, el hombre, adquirieron las normas éticas *verboten*, con dulce sabor a manzana: la serpiente les proporcionó un sistema de valores. Permitiéndoles, entre otras cosas, juzgar a la propia Deidad, haciendo posibles, con el tiempo, las inquietantes preguntas: ¿Por qué el mal? ¿Por qué el sufrimiento? ¿Por qué la muerte? Y tuvieron que marcharse. La Cosa no quería que Sus lindas criaturas se pasaran de la raya. Los niños se reían en su cara: *hay algo extraaaño en el vecindaaario.* Le encañonaban con sus desintegradoras como si de un fantasma de medio pelo se tratase. ¡Fuera de ahí!, ordenó una mujer, muy pulcra, blanca, pelirroja, con una ancha franja de pecas atravesada en la cara; había repugnancia en su voz. *¿Me habéis oído? ¡Ya!* Mientras que el batacazo de los ángeles fue una mera cuestión de poder: un caso clarísimo de celestial labor de policía, castigo a la rebelión, un buen escarmiento, no fuera a cundir el ejemplo. Y qué poca confianza en Sí misma tenía esa Deidad, Que no quería que Sus mejores creaciones distinguieran el bien del mal; y Que reinaba por el terror, exigiendo la sumisión incondicional incluso a Sus más íntimos colaboradores, despachando a los disidentes a Sus ardientes Siberias, a los gulags del infierno... Gibreel se controló. Padecía pensamientos satánicos que le ponía en la cabeza Iblis-Beelzebub-Shaitan. Si la entidad le seguía castigando por su temprano desfallecimiento en la fe, éste no era el modo de conseguir el perdón. Debía perseverar hasta que, purificado, sintiera que se le había restituido toda su fuerza. Intentó dejar la mente en blanco, mientras, sentado en su banco, miraba, a la luz del atardecer, a los niños que jugaban (ahora a cierta distancia). *Quien está en el cielo azul-tú no porque estás sucio-tú no porque estás limpio,* y aquí le pareció que uno de los niños, muy serio, de unos once años, de enormes ojos, le miraba fijamente: *mi madre dice que eres la reina de las hadas.*

Se le apareció Rekha Merchant, toda alhajas y sedas. «Los *bachchas* te toman el pelo con sus canciones, Ángel del Señor –le dijo, burlona–. Ni esa pobre taquillera sacó una gran impresión de ti. Mal te veo, *baba.*»

Pero esta vez el espíritu de Rekha Merchant, la suicida, no llegaba únicamente a burlarse. Él, atónito, le oyó afirmar que la causa de todos sus sinsabores era ella: «¿Imaginas que sólo manda tu Cosa Una? –le gritó–. Mira, tesoro, deja que te ilustre.» Sus modismos jactanciosos, típicos del habla de Bombay, le hicieron sentir una punzada de nostalgia por la ciudad perdida, pero ella prosiguió, sin darle tiempo a reponerse: «Recuerda que yo morí de amor por ti, sabandija; ello me da ciertos derechos. En particular el de vengarme de ti arruinándote la vida. El hombre que hace dar el salto a la mujer que lo ama tiene que pagar, ¿no te parece? En cualquier caso, es la regla. Pero hace ya mucho tiempo que llevo sacándote de quicio y empiezo a estar harta. ¡No olvides que yo era muy buena perdonando! Y cómo te gustaba mi perdón, ¿eh? Por lo tanto, he venido para decirte que siempre podemos llegar a un compromiso. ¿Quieres que hablemos o prefieres seguir extraviado en esta locura y convertirte no en un ángel, sino en un harapiento vagabundo, un desgraciado?»

Gibreel preguntó: «¿Qué compromiso?»

«¿Qué compromiso va a ser? –repuso ella, transfigurada, toda dulzura, con los ojos brillantes–. Mi *farishta,* es tan poca cosa...»

Sólo que él dijera que la amaba;

Sólo que él lo dijera y, una vez a la semana, cuando ella viniera a acostarse con él, le demostrara su amor;

Sólo que la noche que él quisiera, todo fuera de nuevo como durante los viajes de negocios del hombre de los rodamientos;

«Entonces yo pondré fin a las locuras de la ciudad con las que ahora te obsesiono; dejarás de estar poseído por esa idea insensata de cambiar, de *redimir* la ciudad, como si fuera un objeto dejado en la tienda de empeños; todo será paz-paz; hasta podrás vivir con tu bruja rostropálido y ser la mayor estrella de cine del mundo; ¿cómo voy a tener celos, Gibreel, si estoy muerta? No quiero que digas que soy tan importante como ella, no; yo me conformo con un amor de segunda, un segundo plato, un sucedáneo. ¿Qué te parece, Gibreel? Sólo dos palabras: ¿qué dices?»

Dame tiempo.

«Ni siquiera te pido algo nuevo, algo que no hubieras aceptado, hecho, gozado. No es tan malo acostarse con un fantasma. ¿Qué me dices de aquella noche en casa de la vieja Mrs. Diamond, en el cobertizo de la playa? Una verdadera *tamasha,* ¿no crees? ¿Y quién te lo preparó? Mira, yo puedo tomar la forma que prefieras; es una de las ventajas de mi condición. ¿Deseas otra vez a la bruja de la edad de piedra que estaba en el cobertizo? Pues está hecho. ¿Quieres la viva imagen helada de tu escaladora, esa marimacho sudorosa? Pues allakazu, allakazam. ¿Quién crees que estaba allí esperándote cuando murió la vieja?»

Pasó toda la noche recorriendo las calles de la ciudad, que ahora estaban quietas, normales, como si hubieran sido devueltas a la hegemonía de las leyes naturales; mientras Rekha –que flotaba en su alfombra delante de él, un poco más arriba de su cabeza, como una artista en un escenario– le daba la más dulce de las serenatas acompañándose con un viejo armonio con cantos de marfil, cantando de todo, desde los *gazals* de Faiz Ahmed Faiz hasta la mejor música de las viejas películas, como la intrépida canción que entona la danzarina Anarkali en presencia del gran mogol Akbar en el clásico de los años cincuenta *Mughal-e-Azam,* para proclamar gozosamente su amor imposible y prohibido por el príncipe Salim, «Pyaar kiya to darna kya?». Es decir, poco más o menos, *¿por qué temer al amor?* Y Gibreel, a quien ella había tendido en el jardín de la duda, sentía que la música le ataba el corazón con unos hilos que lo llevaban hacia ella, porque lo que Rekha le pedía era, como decía ella, tan poca cosa, al fin y al cabo.

Llegó al río, y a otro banco, camellos de hierro forjado sostenían unos maderos debajo del obelisco de Cleopatra. Se sentó y cerró los ojos. Rekha cantaba unos versos de Faiz:

No me pidas, mi amor,
aquel amor que te tuve...
Qué hermosa eres aún, mi amor,
mas yo también estoy inerme;
porque el mundo tiene otras penas además del amor,
y otros placeres también.

No me pidas, mi amor,
aquel amor que te tuve.

Gibreel vio a un hombre dentro de sus ojos cerrados; no Faiz, sino otro poeta, ya muy pasado de época, un tipo decrépito. Sí, así se llamaba: Baal. ¿Qué estaba haciendo ahí? ¿Qué tenía que decir? Porque, desde luego, trataba de decir algo; pero su voz ronca y su manera de arrastrar las sílabas hacían difícil entenderle... *A toda idea nueva, Mahound, se le hacen dos preguntas. La primera, cuando aún es débil, ¿*QUÉ CLASE DE IDEA ERES TÚ*? ¿Eres de la clase que transige, pacta, se amolda a la sociedad, busca una buena posición y procura sobrevivir; o eres el tipo de recondenada y bestia noción atravesada, intratable y rígida que prefiere partirse antes que doblegarse al viento? ¿La clase de idea que casi indefectiblemente, noventa y nueve veces de cada cien, queda triturada; pero, a la que hace cien, te cambia el mundo?*

«¿Cuál es la segunda pregunta?», preguntó Gibreel en voz alta.

Antes contesta la primera.

Gibreel, cuando abrió los ojos al amanecer, encontró a Rekha incapaz de cantar, silenciada por la expectación y la incertidumbre. Él se lo soltó sin más tardar: «Es una trampa. No hay más Dios que Dios. Tú no eres ni la Entidad ni Su adversario, sino sólo una niebla que maúlla. No hay trato; yo no pacto con las nieblas.» Entonces vio cómo las esmeraldas y los brocados se desprendían de su cuerpo seguidos de la carne, hasta que sólo quedó el esqueleto que también se deshizo; finalmente, se oyó un grito lastimoso y penetrante cuando lo que quedaba de Rekha voló hacia el sol con el furor del vencido.

Y no volvió, salvo al –o cerca del– final.

Gibreel, convencido de haber pasado una prueba, descubrió que se había liberado de un gran peso; sentía cómo, por segundos, iba invadiéndole la alegría, hasta que, cuando acabó de salir el sol, deliraba de júbilo. Ahora podía empezar su labor: la tiranía de sus enemigas, de Rekha y Alleluia Cone y de todas las mujeres que deseaban encadenarlo con deseos y canciones, había sido derrotada para siempre; ahora sentía que, de un punto situado detrás de su cabeza, volvía a brotar la luz, y, también, que su peso disminuía. Sí, perdía los últimos vestigios de su humanidad, se le devolvía la facultad de volar, ahora se hacía etéreo tejido de aire iluminado. Ahora mismo podía alzarse desde aquel parapeto ennegrecido y planear sobre el viejo río gris, o saltar desde cualquiera de sus puentes para jamás volver a tocar tierra. Sí; había llegado el momento de mostrar un portento a la ciudad, y cuando sus gentes, amedrentadas, divisaran al arcángel Gibreel levantándose sobre el horizonte occidental con toda su majestad, bañado por los primeros rayos del sol, se arrepentirían de sus pecados.

Su persona comenzó a crecer.

¡Qué curioso que de todos los conductores que bajaban torrenciales por el Embankment –al fin y al cabo, era hora punta–, ni uno solo mirase en su dirección o se fijase en él! En verdad aquella gente había perdido el sentido de la vista. Y, puesto que las relaciones entre hombres y ángeles son ambiguas –los ángeles o *mala'ikah* son a un tiempo custodios de la naturaleza e intermediarios entre la Deidad y la raza humana; pero, al mismo tiempo, como dice claramente el Quran, *Nos dijimos a los ángeles, sed sumisos con Adán,* simbolizan la capacidad del hombre para dominar, mediante el conocimiento, las fuerzas de la naturaleza que los ángeles representan–, poco podía hacer el desconocido y contrariado *malak* Gibreel. Los arcángeles sólo pueden hablar cuando a los hombres les da la gana de escuchar. ¡Vaya tropa! ¿No había él advertido desde el principio a la Super-Entidad sobre esa partida de criminales y pecadores? «¿Vas a poner en la tierra a gentes que causan daño y derraman sangre?», había preguntado él, y el Ser, como siempre, respondió que tenía sus razones. Pues allí los tenía, a los amos de la tierra, enlatados como atún sobre ruedas y más ciegos que murciélagos, con la cabeza llena de malas ideas, y el periódico, de sangre. Realmente, era increíble. Se les aparecía un ser celestial, todo luz, fulgor y bondad, más grande que el Big Ben, un coloso capaz de abrirse de piernas sobre el Támesis, y aquellas hormigas seguían inmersas en el programa de radiomotor y en sus peleas con los otros automovilistas. «Yo soy Gibreel», dijo con una voz que hizo que se estremecieran todos los edificios de las orillas: nadie se enteró. Ni un sola persona salió corriendo de los edificios que se tambaleaban, para escapar del terremoto. Ciegos, sordos y dormidos.

Decidió forzar las cosas.

El río del tráfico fluía ante sus narices. Aspiró profundamente, levantó un pie gigantesco y salió a enfrentarse a los coches.

Gibreel Farishta fue devuelto al umbral de Allie, maltrecho, con magulladuras en la cara y los brazos, y a la cordura, por un señor bajito, de calva reluciente y muy tartamudo que, con bastante dificultad, se presentó como el productor cinematográfico S. S. Sisodia, «también llamado Whi-whisky, por mi afi-fi-afición a las co-co-copas, se-señora, mi ta-ta-tarjeta». (Después, cuando se conocieron mejor, Sisodia hacía desternillarse de risa a Allie subiéndose la pernera derecha del pantalón por encima de la rodilla y colocando sus enormes gafas de hombre de cine en la espinilla diciendo: «Autorretra-tra-trato.» Tenía buena vista para según qué cosas. «No necesito gafas para las peee-películas, pero la realidad está demasiado cerca.») La *limousine* alquilada por Sisodia atropelló a Gibreel, un atropello a cámara lenta, por fortuna, debido a lo congestionado del tráfico; el actor acabó en el capó, pronunciando la frase más antigua del cine: *¿Dónde estoy?* Sisodia, al ver las legendarias facciones del desaparecido semidiós aplastadas contra el parabrisas, estuvo a punto de gritar: *Has vuelto a casa.* «No hay fra-fra-fracturas –dijo Sisodia a Allie–. Un mi-mi-milagro. Se pu-pu-puso delante de mi ve-ve-vehículo.»

Así que has vuelto, saludó Allie a Gibreel en silencio. *Aquí aterrizas cada vez que te caes.*

«O también whisky-y-Sisodia. –El productor volvió sobre el tema de sus apodos–. Razones hu-hu-humorísticas. Mi ve-ve-veneno fa-favorito.»

«Muchas gracias por traer a casa a Gibreel. Ha sido muy amable. –Allie reaccionó con retraso–. Permítanos ofrecerle una copa.»

«¡Pues no faltaba más! –Sisodia hasta batió palmas–. Para mí y para to-to-todo el cine hi-hi-hindi hoy es un día glo-glo-glorioso.»

«¿Conoces el caso del esquizofrénico paranoico que, convencido de que era Napoleón Bonaparte, se avino a someterse a la prueba del detector de mentiras? –Alicja Cohen, que comía con buen apetito una ración de pescado relleno, movió el tenedor de Bloom's debajo de la nariz de su hija–. Le preguntaron: ¿Es usted Napoleón? Y la respuesta que da, seguramente con una sonrisa de malicia: *No.* Entonces consultan a la máquina que, con toda la agudeza de la ciencia moderna, dice que el loco miente.» Blake de nuevo, pensó Allie: *Entonces pregunté: ¿la firme convicción de que una cosa es así, la hace así? Él –es decir, Isaías– respondió. Todos los poetas lo creen así. Y, en la época de la imaginación, esa firme convicción movía montañas; pero muchos no son capaces de tener una firme convicción de nada.* «¿Me escuchas, señorita? Te hablo en serio. Lo que necesita ese caballero que tienes en tu cama, y perdona la franqueza pero es indispensable, no es tu atención nocturna, sino una celda con las paredes acolchadas.»

«Tú lo encerrarías, ¿verdad? –replicó Allie–. Y tirarías la llave. Incluso le pondrías enchufes. Para quemarle los demonios del cerebro. Es curioso como los prejuicios no cambian nunca.»

«Hummm –meditó Alicja adoptando su expresión de máximo despiste e inocencia, a fin de enfurecer a su hija–. ¿Qué daño puede hacerle? Un poco de corriente eléctrica y alguna inyección...»

«Lo que necesita es lo que ahora tiene, mamá. Vigilancia médica, mucho descanso y algo que quizá ya se te haya olvidado. –Se interrumpió bruscamente, con un nudo en la lengua, y con voz muy diferente, mirando su ensalada intacta, pronunció la última palabra–: Amor.»

«Ah, la fuerza del amor. –Alicja palmeó la mano de su hija (que fue retirada inmediatamente)–. No es lo que yo he olvidado, Alleluia. Es lo que tú, por primera vez en tu hermosa vida, empiezas a conocer. ¿Y a quién eliges? –Volvió a la carga–. ¡A un pirado! ¡A un tocado de la azotea! ¡A un cabeza de chorlito! Los *ángeles,* querida, vete tú a saber... Los hombres siempre reclaman privilegios especiales, pero lo de éste se pasa de la raya.»

«Mamá...», empezó Allie, pero Alicja volvió a cambiar de tono y, cuando habló, Allie, más que escuchar las palabras, oyó el dolor que revelaban y ocultaban a la vez, el dolor de una mujer a quien la historia se había manifestado con la mayor brutalidad, que ya había perdido al marido y visto cómo una hija la precedía a lo que ella misma, un día, con inolvidable humor negro, llamó (debió de abrir el periódico por las páginas de deportes para tropezar con la expresión) *el baño definitivo.* «Allie, tesoro –dijo Alicja Cohen–, vamos a tener que cuidarte mucho.»

La razón por la cual Allie pudo identificar el pánico y la angustia en la cara de su madre era que recientemente había visto la misma combinación en las facciones de Gibreel Farishta. Cuando Sisodia lo devolvió a su cuidado, se hizo evidente que Gibreel había sido conmovido hasta la médula, y tenía una expresión embrujada, una mirada herida que atravesaba el corazón. Afrontaba el hecho de su enfermedad mental con valor, negándose a restarle importancia y a utilizar eufemismos, pero, comprensiblemente, al reconocer el mal se sentía acobardado. Ya no era (por lo menos, momentáneamente) el tipo exuberante y basto que le había inspirado su «gran pasión» y, en esta nueva y vulnerable encarnación, le aparecía más enternecedor que nunca. Ella estaba firmemente decidida a ayudarle a recuperar la razón, a resistir a su lado; a capear el temporal y conquistar la cumbre. Y él era, por el momento, el más sensato y dócil de los pacientes, algo dopado por los medicamentos de gran calibre que le administraban los especialistas del Maudsley Hospital; dormía muchas horas y, despierto, obedecía todas sus indicaciones sin la más leve protesta. En sus ratos de vigilia, él le contó los primeros síntomas de la enfermedad: la extraña secuencia de sueños y, antes, aquella depresión casi fatal que sufriera en la India. «Ya no le tengo miedo al sueño –le dijo–. Porque es mucho peor lo que me ha sucedido estando despierto.» Su mayor temor le recordaba el pavor que sentía Carlos II, después de la restauración, a ser enviado otra vez «de viaje»: «Daría cualquier cosa por tener la seguridad de que no volverá a ocurrir», le dijo, manso como un cordero.

¿Hay en el mundo quien ame su dolor? «No volverá a ocurrir –le tranquilizaba ella–. No puedes estar en

mejores manos.» Él le preguntó cuánto costaba el tratamiento y, cuando ella trató de rehuir la respuesta, él insistió en que sacara de la pequeña fortuna ajustada en su cinturón lo necesario para pagar a los psiquiatras. Estaba deprimido. «Por más que digas –murmuraba en respuesta a sus palabras de optimismo–, la locura está aquí dentro y me aterra pensar que pueda despertar en cualquier momento, ahora mismo, y que *él* vuelva a mandar en mí.» Había empezado a referirse a su yo «poseído», a su «ángel» como si fuera otra persona, según la fórmula beckettiana: *Yo, no. Él.* Su Mr. Hyde particular. Allie cuestionaba estas descripciones. «No es *él*, sino tú, y cuando tú estés bien ya no será tú.»

Era inútil. Pero, durante un tiempo, pareció que el tratamiento daba resultado. Gibreel estaba más sosegado, más seguro; los sueños persistían –él aún hablaba en sueños, por la noche, recitaba versos en árabe, lengua que no conocía: *tilk al-gharaniq al'ula wa inna shafa'ata-hunna laturtaja*, que quería decir (Allie, despertada por sus palabras, las escribió fonéticamente y llevó el papel a la mezquita de Brickhall, en la que su lectura hizo que al *mullah* se le erizara el pelo bajo el turbante): «Existen mujeres de alto rango cuya intercesión es de desear»–, pero él parecía pensar que aquellos espectáculos nocturnos no tenían nada que ver con él, lo cual daba la impresión tanto a Allie como a los psiquiatras del Maudsley, de que Gibreel, poco a poco, reconstruía el muro fronterizo entre el sueño y la realidad, y que llevaba camino de curarse; cuando, en realidad, resultó que esta separación era fenómeno asociado al desdoblamiento de su personalidad en dos entidades, una de las cuales trataba de suprimir heroicamente pero, al considerarla diferente de sí mismo, la preservaba, nutría y, secretamente, robustecía.

Allie, a su vez, durante un tiempo, se vio libre de aquella sensación mortificante y *negativa* de inadaptación, de ser ajena al medio en el que se encontraba atrapada; mientras cuidaba a Gibreel, mientras invertía en su cerebro, como se decía a sí misma, luchando por recuperarlo, a fin de poder reanudar la lucha espléndida y emocionante de su amor –porque, probablemente, seguirían peleando hasta la tumba, pensaba con tolerancia, serían dos carcamales que, sentados en el porche del ocaso de su vida, se golpearían débilmente con periódicos enrollados–, se sentía cada día más unida a él; arraigada, por así decirlo, en su misma tierra. Había transcurrido mucho tiempo desde que viera a Maurice Wilson, sentado entre las chimeneas, llamándola a la muerte.

Mr. «Whisky» Sisodia, aquella reluciente y simpática rodilla con gafas, se convirtió en asidua visita de la casa –iba a verles tres o cuatro veces a la semana– durante la convalecencia de Gibreel, y siempre llevaba alguna cajita de manjar delicado. Gibreel, literalmente, se había matado de hambre durante su «período de ángel», y la opinión de los médicos era que la debilidad había contribuido no poco a sus alucinaciones. «Ahora vamos a en-go-go-engordarlo», dijo Sisodia frotándose las palmas de las manos, y tan pronto como el estómago del enfermo pudo tolerarlos, «Whisky» se lo llenaba de bocados exquisitos: maíz dulce y caldo de pollo chino, *bhelpury* estilo Bombay del nuevo restaurante de moda «Pagal Khana», nombre poco afortunado, «Comida Loca» (aunque el nombre también podía traducirse por *Manicomio*), cuyas especialidades se habían hecho famosas, especialmente entre los jóvenes angloasiáticos, de tal modo que rivalizaba con el antiguo y prestigioso Shaandaar Café, del que Sisodia, deseando mostrar la mayor equidad posible, también llevaba platos –postres, *samosa,* patés de pollo– al cada día más voraz Gibreel. También le obsequiaba con platos preparados por él mismo, curry de pescado, *raitas, sivayyan, khir,* y acompañaba el ágape con relatos de cenas aderezados de nombres famosos: cómo Pavarotti adoraba el *lassi* de whisky, y el pobre James Mason se pirraba por sus langostinos picantes. Vanessa, Amitabh, Dustin, Sridevi, Christopher Reeves, todos eran invocados. «Una su-su-superestrella debe conocer los gustos de sus co-co-colegas.» El propio Sisodia era una especie de leyenda, según Allie supo por Gibreel. Era el tipo más sagaz y persuasivo de la industria. Había hecho una serie de películas de «calidad» con presupuestos microscópicos y, durante más de veinte años, se había mantenido a flote gracias tan sólo a su simpatía y labia. Los que trabajaban en las producciones de Sisodia tenían muchas dificultades para cobrar, pero, al parecer, eso no importaba. Una vez abortó un motín del equipo –por cuestión de dinero, naturalmente– llevándoselos a todos a merendar a uno de los más fabulosos palacios de la India, lugar habitualmente vedado a todo el mundo, salvo a la flor y nata de la aristocracia, los Gwalior, y Jaípur, y Kashmir. Nadie logró saber cómo lo consiguió, pero la mayoría de miembros de aquel equipo volvieron a firmar para otras producciones de Sisodia, pues esos grandes gestos conseguían que el dinero pareciera secundario. «Y, si lo necesitas, siempre puedes contar con él –agregó Gibreel–. Cuando Charulata, una actriz bailarina maravillosa que había trabajado para él muchas veces, necesitó tratamiento contra el cáncer, de la noche a la mañana se materializaron años de sueldos atrasados.»

Ahora, y gracias a una serie de inesperados éxitos comerciales conseguidos con películas basadas en antiguas fábulas de la colección *Katha-Sarit-Sagar* –el «Océano de las Corrientes de la Historia», más larga que *Las mil y una noches* y no menos fantástica–, Sisodia ya no se limitaba a sus pequeñas oficinas de la Readymoney Terrace de Bombay, sino que tenía apartamentos en Londres y Nueva York, y Oscars en los cuartos de baño. Se rumoreaba que llevaba en la cartera la foto del productor kung-funiano Run Run Shaw, su ídolo, cuyo nombre era totalmente incapaz de pronunciar. «Unas veces, cuatro Runs, y otras, hasta seis –dijo Gibreel a Allie que estaba encantada de verle reír–. Pero no podría jurarlo. Son rumores de la prensa.»

Allie estaba agradecida a Sisodia por sus atenciones. El famoso productor parecía disponer de tiempo ilimitado precisamente cuando la agenda de Allie estaba más llena que nunca. Había firmado un contrato con una cadena de distribución de alimentos congelados, cuyo agente, Mr. Hal Valance, dijo a Allie, durante un desayuno de trabajo –pomelo, biscotes y descafeinado, todo a precios del Dorchester–, que su *imagen*, «en la que se combinan los parámetros positivos (para el cliente) de "frialdad" y "frío", es perfectamente apropiada. Hay estrellas que acaban siendo una especie de vampiros, que chupan la atención, que eclipsan la marca, ya me entiende, pero en este caso se produce una auténtica sinergia». Y había cintas que cortar en inauguraciones de tiendas de congelados, y conferencias de ventas, y fotos publicitarias con bañeras llenas de cremoso helado, además de las reuniones periódicas con los diseñadores y fabricantes de la línea de prendas de deporte y de ocio que llevaban su firma, y, desde luego, su programa de cultura física. Se había matriculado en el curso de artes marciales de Mr. Joshi en el centro deportivo del barrio, que le había sido muy recomendado, y por si no bastara, seguía obligando a sus piernas a correr ocho kilómetros al día alrededor de los Fields, a pesar de que los pies le dolían como si pisara astillas de vidrio. «No se apu-pu-apure –decía Sisodia despidiéndola con un alegre ademán–. Yo me que-que-quedaré hasta que regrese. Estar con Gibreel es un pri-pri-privilegio.» Ella se iba y él se quedaba obsequiando a Farishta con inagotables anécdotas opiniones y cotilleos, y cuando ella volvía él aún tenía cuerda para rato. Ella identificaba varios de sus temas principales, concretamente, sus aseveraciones sobre Lo Malo de los Ingleses. «Lo malo de los ingleses es que su his-his-historia se desarrolló en ultramar, por lo que no sa-sa-saben lo que significa.» «El se-secreto para que una cena sea un éxito en Londres es dejar a los ingleses en mi-mi-minoría. Cuando son pocos se portan bien; si no, estás perdido.» «Ve a la Ca-Ca-Cámara de los Horrores y verás cuál es el problema de los ingleses. Eso es lo que les gusta, ca-cadáveres en ba-ba-baños de sangre, barberos locos, et-etcétera, etcétera. Sus pe-periódicos están llenos de aberraciones sexuales y crímenes. Pero dicen al mundo que son flemáticos y re-re-reservados, y nosotros somos tan estúpidos que nos lo creemos.» Gibreel escuchaba esa sarta de tópicos con aparente complacencia, lo que irritaba vivamente a Allie. ¿Eran aquellas generalizaciones realmente todo lo que ellos veían en Inglaterra? «No –reconoció Sisodia con una sonrisa cínica–. Pero da mucho gusto soltar estas cosas.»

Cuando el personal del Maudsley consideró oportuno reducir sustancialmente las dosis de medicamentos, Sisodia se había convertido en un elemento tan habitual en la cabecera de la cama de Gibreel, una especie de primo honorario, excéntrico y divertido, que pudo cerrar la trampa pillando completamente desprevenidos a Gibreel y Allie.

Había estado en contacto con sus colegas de Bombay: los siete productores a los que Gibreel dejó en la estacada cuando embarcó en el *Bostan*, vuelo Air India 420. «Todos están encantados de que esté vivo –informó a Gibreel–. Des-des-desgraciadamente, queda la cuestión de la ruptura de contrato.» Otros varios querían demandar al renaciente Farishta por mucho dinero, en particular cierta *starlet* llamada Pimple Billimoria, que alegaba pérdida de honorarios y perjuicio profesional. «El total po-po-podría llegar a mi-mi-millones de rupias», dijo Sisodia lúgubremente. Allie se indignó. «Usted levantó la liebre –le dijo–. Debí figurármelo: era demasiado bueno para ser real.»

Sisodia estaba muy agitado. «Jo-jo-joder.»

«Hay señoras delante», advirtió Gibreel, todavía un poco atontado por las drogas; pero Sisodia hacía molinetes con los brazos, para indicar que, entre sus frenéticos dientes, no le salían las palabras. Por fin: «Reducir el daño. Mi intención. No traicionar, eso nnnunca.»

Según Sisodia, en Bombay nadie quería, en realidad, demandar a Gibreel, matar en los tribunales a la gallina de los huevos de oro. Todos los afectados reconocían que los antiguos proyectos ya no eran realizables: actores, directores, técnicos y hasta escenarios estaban comprometidos con otras películas. Reconocían también que el regreso de Gibreel de entre los muertos era un hecho que encerraba más valor comercial que cualquiera de las nonatas películas; la cuestión era cómo sacar el mayor partido en provecho de todos. Su aparición en Londres brindaba también la posibilidad de una participación internacional, quizá capital extranjero, el empleo de exteriores no indios, participación de estrellas «foráneas»; etcétera: en suma, que había llegado el momento de que Gibreel saliera de su retiro y se pusiera de nuevo ante la cámara. «No hay alte-ternativa –explicó Sisodia a Gibreel, que, sentado en la cama, trataba de despejar la cabeza–. Si te niegas, te demandarán en bloque, y ni toda tu for-for-fortuna bastará. Será la ruina, la ca-ca-cárcel, el fin.»

Sisodia, con su verborrea, había conseguido plenos poderes de los principales interesados y tenía unos proyectos impresionantes. Billy Battuta, el financiero afincado en Inglaterra, quería invertir, tanto en esterlinas como en «rupias bloqueadas», los beneficios no repatriables obtenidos por varios distribuidores británicos en el subcontinente indio, y adquiridos por Battuta mediante el pago en efectivo en monedas negociables (un descuento de 37 puntos). Todos los productores indios intervendrían en el proyecto, y Miss Pimple Billimoria recibiría, a cambio de su silencio, la oferta de una colaboración especial, con dos números de danza por lo menos. El rodaje se extendería por tres continentes: Europa, India y la costa del norte de África. El nombre de Gibreel iría sobre el título. Recibiría un tres por ciento de los beneficios netos... «El diez –interrumpió Gibreel–, contra dos del bruto.» Era evidente que se le despejaba la cabeza. Sisodia no pestañeó. «Diez contra dos –convino–. La precampaña pu-publicitaria será...»

«Pero ¿en qué consiste el proyecto?», preguntó Allie Cone. Mr. «Whisky» Sisodia sonrió de oreja a oreja. «Mi buena señora –dijo–, él hará de arcángel Gibreel.»

El proyecto consistía en una serie de películas, históricas y contemporáneas, cada una de las cuales se concentraría en un incidente de la larga e ilustre carrera del ángel: por lo menos, una trilogía. «No siga –dijo Allie, haciendo burla del pequeño y reluciente magnate–: *Gibreel en Jahilia, Gibreel y el Imán, Gibreel y la muchacha de las mariposas.*» Sisodia, sin asomo de turbación, asintió muy ufano. «Los aaargumentos, el guión y el proyecto de re-reparto ya están en ma-ma-marcha.» Esto fue demasiado para Allie. «¡Qué asco! –le gritó, furiosa, y él retrocedió, convertido en una rodilla temblorosa y apaciguadora, pero ella le siguió para pasar a perseguirle por todo el apartamento, tropezando con los muebles y dando portazos–. Se aprovecha de su enfermedad, no tiene en cuenta sus necesidades actuales y muestra un absoluto desprecio por sus deseos. Está retirado. ¿Es que no pueden ustedes aceptarlo? Él no quiere ser una estrella. Y haga el favor de estarse quieto, que no voy a comérmelo.»

Él dejó de correr, pero, prudentemente, puso un sofá entre los dos. «Comprenda que es imp-imp-imp –gritó, tartamudeando más que nunca a causa de la angustia–. ¿Puede retirarse la lu-luna? Y luego, perdón, están las siete fir-fir-fir. *Firmas.* Que le comprometen absolutamente. Eso, a no ser que usted decida internarlo en un pa-pa-pa», se dio por vencido, sudando profusamente.

«¿Un qué?»

«Pagal Khana. Clínica Mental. Ésa sería otra ssssalida.»

Allie cogió un pesado tintero de latón en forma de monte Everest y se dispuso a lanzarlo. «Es usted un verdadero canalla», empezó; pero Gibreel estaba en la puerta, todavía pálido, flaco y con los ojos hundidos. «Alleluia –dijo–, he pensado que quizá esto sea lo que necesito. Volver al trabajo.»

«¡Gibreel sahib! No sabe cuánto me alegro. Ha renacido una estrella.» Billy Battuta fue una sorpresa: ya no era el rey de la prensa frívola, de pelo brillante y dedos cargados de anillos, sino un joven que llevaba sobrio *blazer* con botones dorados y pantalón vaquero y, en lugar de la arrogancia sexual que Allie esperaba, mostraba una discreción muy agradable, casi deferente. Se había dejado una perilla bien recortada que le daba un notable parecido a la imagen del Cristo del Sudario de Turín. Al recibir a los tres (Sisodia había ido a recogerlos en su *limousine* y Nigel, el chófer, un tipo de St. Lucia que vestía con afectado esmero, estuvo todo el trayecto enumerando a Gibreel todos los casos en los que sus rápidos reflejos habían salvado a otros peatones de daños graves o de la muerte, reminiscencias que alternaba con conversaciones por el teléfono del coche en las que discutía misteriosas transacciones que comprendían asombrosas sumas de dinero), Billy estrechó cordialmente la mano de Allie y después dio a Gibreel un sincero abrazo de contagiosa alegría. Su acompañante, Mimi Mamoulian, estuvo menos circunspecta. «Está todo dispuesto –anunció–. Frutas, *starlets, paparazzi*, entrevistas en televisión, rumores, pequeñas insinuaciones de escándalo: todo lo que necesita una figura de fama mundial. Flores, guardaespaldas, contratos por millones de libras. Estás en tu casa.»

Lo de siempre, pensó Allie. En un principio, se había opuesto a todo aquel tinglado, pero Gibreel venció su oposición con un entusiasmo que indujo a los médicos a apoyar la idea, pensando que su vuelta al entorno familiar –su regreso a la patria, en cierto modo– podía resultar beneficiosa. Y la aprobación por Sisodia de las narraciones de los sueños que había oído a la cabecera de la cama de Gibreel, también podía considerarse un azar de afortunada coincidencia, ya que, una vez aquellas historias se trasladaran al mundo artificial y ficticio del cine, al propio Gibreel le resultaría más fácil verlas también como fantasías. Gracias a ello se reconstruiría con mayor rapidez el Muro de Berlín entre los estados del sueño y la vigilia. Al cabo, valía la pena intentarlo.

Las cosas (al ser cosas) no salieron como se esperaba. Allie se dolía de la forma en que Sisodia, Battuta y Mimi se habían instalado en la vida de Gibreel, haciéndose cargo de su vestuario y su programa diario y sacándolo del apartamento de Allie bajo la excusa de que aún no era oportuno para su «imagen» tener una relación «estable». Después de una breve estancia en el Ritz, la estrella de cine se instaló en tres habitaciones del espacioso y elegante apartamento de Sisodia, situado en un viejo bloque residencial próximo a Grosvenor Square, todo Art Déco, suelos de mármol y veladuras en las paredes. Lo que más encolerizaba a Allie era la pasividad con que Gibreel aceptaba esos cambios, y entonces empezó a comprender la magnitud del paso que él había dado al dejar atrás lo que, evidentemente, era su mundo, para ir en busca de ella. Ahora que él volvía a sumirse en aquel universo de guardaespaldas armados y camareras con bandeja de desayuno y risa tonta, ¿la abandonaría con la misma brusquedad con que había entrado en su vida? ¿Había ella ayudado a organizar una migración revertida que la dejaría compuesta y sin novio? Gibreel aparecía en periódicos, revistas y estudios de televisión con distintas mujeres colgadas del brazo y una necia sonrisa en los labios. Ella se indignaba, pero él no le daba importancia. «¿Qué te inquieta? –preguntaba, hundiéndose en un sofá de piel del tamaño de una camioneta–. Eso es publicidad, trabajo, nada más.»

Y, lo peor: *él* tenía celos. Cuando dejó de tomar los fuertes medicamentos y su trabajo (al igual que el de ella) empezó a imponerles separaciones, volvió a dominarle aquella suspicacia irracional e incontrolable que había provocado la ridícula pelea por los dibujos de Brunel. Cada vez que se veían, él insistía en interrogarla rigurosamente: dónde había estado, a quién había visto, a qué se dedicaba él, de qué modo se había insinuado ella. Allie tenía una sensación de ahogo. Primero, la enfermedad mental; después, las nuevas influencias que condicionaban su vida, y ahora, todas las noches, un interrogatorio de tercer grado: era como si su verdadera vida, la vida que ella deseaba, la vida por la que ella seguía luchando, quedara sepultada bajo una avalancha de contrasentidos. *¿Y qué hay de lo que yo necesito?*, hubiera gritado de buena gana. *¿Cuándo me tocará a mí poner las condiciones?* A punto de estallar, acudió a su madre como último recurso. En el viejo estudio de su padre, en la casa de Moscow Road –que Alicja conservaba exactamente tal como le gustaba a Otto, salvo que ahora las cortinas estaban descorridas, para que entrara toda la luz que Inglaterra podía buenamente ofrecer, y había flores en puntos estratégicos–, Alicja le ofreció en un principio poco más que fatalismo. «O sea, que los planes de una mujer son desbaratados por los de un hombre –dijo no sin ternura–. Bien venida a tu condición. Me extraña verte perder la serenidad.» Y Allie confesó: ella quería abandonarlo, pero le resultaba imposible. No sólo por el escrúpulo de abandonar a una persona gravemente enferma; también a causa de su «gran pasión» por aquella palabra que aún le secaba la lengua cada vez que trataba de decirla. «Tú quieres un hijo suyo», Alicja puso el dedo en la llaga. En un principio, Allie se sulfuró: «Yo quiero un hijo *mío*», pero después, rectificando bruscamente, se sonó y movió afirmativamente la cabeza, casi llorando.

«Lo que tú necesites es que te examinen la cabeza –la consoló Alicja. ¿Cuánto tiempo hacía que no estaban así abrazadas? Demasiado. Y quizá ésta fuera la última vez... Alicja estrechó con más fuerza a su hija y dijo–: Seca esas lágrimas; tengo que darte una buena noticia. Si tus asuntos van de capa caída, los de tu anciana madre marchan viento en popa.»

Se trataba de cierto profesor de universidad americano, un tal Boniek, una eminencia de la ingeniería genética. «No empieces, hija, tú no sabes nada. No todo es Frankenstein y engendros; también tiene buenas aplicaciones», dijo Alicja con evidente nerviosismo, y Allie, una vez superada la sorpresa, consiguió vencer su infelicidad sexual y prorrumpió en liberadores sollozos de risa convulsa, a los que se sumó su madre. «A tus años –lloró Allie–. Vergüenza debería darte.» «Pues no me la da –respondió la futura Mrs. Boniek–. Un profesor de universidad, y de Stanford, California, o sea que además me brinda el sol. Pienso pasar muchas horas trabajando en mi bronceado.»

Cuando Allie descubrió (por un informe hallado casualmente en un cajón del escritorio, en el *palazzo* Sisodia) que Gibreel la hacía seguir, tomó la decisión final de romper. Escribió una nota *–Esto me mata–*, la puso dentro del informe y lo dejó todo encima del escritorio; y se fue sin despedirse. Gibreel no la llamó. Por aquel entonces ensayaba su gran reaparición en público, en la última de una serie de revistas interpretadas por estrellas de cine indias, puesta en escena por una de las compañías de Billy Battuta en Earls Court. Él sería la sorpresa bomba de la noche, y hacía semanas que ensayaba pasos de baile con el conjunto de la revista y aprendía a vocalizar con *playback.* Los agentes de Billy Battuta hacían circular con oportuno cuentagotas rumores acerca de la identidad del Hombre Misterioso o Estrella Oculta, y se había contratado a la agencia publicitaria Valance para que diseñara una serie de cuñas radiofónicas destinadas a alimentar la intriga y distribuyera cuarenta y ocho carteles por el barrio. La aparición de Gibreel en el escenario del Earls Court –descendería de las bambalinas rodeado por nubes de cartón y humo– era el punto culminante de su vuelta al superestrellato en el ámbito inglés; siguiente estación: Bombay. Abandonado, como decía él, por Alleluia Cone, una vez más se «negaba a arrastrarse» y se sumía en el trabajo.

El siguiente contratiempo fue el arresto de Billy Battuta en Nueva York, a causa de sus satánicos sablazos. Allie, al leer la noticia en el periódico dominical, se tragó el orgullo y llamó a Gibreel a la sala de ensayos, para convencerle de que abandonara el trato con elementos tan obviamente criminales. «Battuta es un estafador –insistió–. Su discreción era falsa, un engaño. Quería estar seguro de poder engañar a las millonarias de Manhattan y ensayó el número con nosotros. ¡Esa perilla! Y un *blazer* universitario... ¿Cómo pudimos dejarnos engañar?» Pero Gibreel se mostró frío y distante: ella le había plantado, según él, y no estaba dispuesto a aceptar consejos de una desertora. Además, Sisodia y el equipo de promoción de Battuta le habían asegurado –y bien que él les había apretado las tuercas– que los problemas de Billy nada tenían que ver con la gala extraordinaria (Filmmela se llamaba) pues el aspecto financiero estaba perfectamente resuelto, las sumas destinadas a honorarios y garantías ya habían sido asignadas, todas las estrellas de Bombay habían confirmado su asistencia y actuarían según lo previsto. «Los planes siguen adelante –prometió Sisodia–. La fu-función debe continuar.»

La cosa que falló a continuación estaba dentro de Gibreel.

El deseo de Sisodia de no revelar la personalidad de esta Estrella Oculta obligó a Gibreel a entrar por la puerta del escenario de Earls Court envuelto en una *burqa*. De modo que hasta su sexo fuera una incógnita. Le dieron el camerino más grande –con una estrella negra de cinco puntas pegada en la puerta– en el que fue encerrado sin miramientos por el productor de las gafas y cabeza de rodilla. En el camerino encontró Gibreel su traje de ángel, con un aparato que, una vez ceñido a la frente, hacía que detrás de él se encendieran unas bombillas, creando la ilusión de una aureola; y un televisor por el que, en circuito cerrado, podría seguir el espectáculo –Mithun y Kimi con su algarabía discotequera; Jayapradha y Rekha (no era de la familia: ésta era la superestrella, no una quimera en una alfombra) se sometieron a entrevistas suntuosas en el escenario, en las que Jaya aireó sus opiniones sobre la poligamia y Rekha fantaseó sobre vidas alternativas: «Si hubiera nacido fuera de la India, habría sido pintora en París»; números muy varoniles a cargo de Vinod y Dharmendra; Sridevi, que se mojaba el sari– hasta que llegara el momento de subir a una «cuádriga» accionada por un torno que le esperaba en lo alto del escenario. Había también un teléfono inalámbrico a través del cual Sisodia le comunicó que el teatro estaba lleno. «Han venido de todas partes –dijo, y procedió a descubrir a Gibreel su técnica de análisis de una multitud–: a los pakistaníes se les reconoce por lo peripuestos; a los indios, por lo sobrios, y a los bangladeshíes, por lo mal que visten, todo pu-púrpura y ado-dornos de ooooro, y por lo callados.» Por último, había una gran caja con envoltorio de regalo, obsequio de su atento productor, que resultó contener a Miss Pimple Billimoria, que lucía una expresión cautivadora y cierta cantidad de cinta de oro. El cine había llegado a la ciudad.

La extraña sensación empezó –es decir, volvió– cuando se encontraba en la «cuádriga», esperando el descenso. Se veía a sí mismo avanzar por una ruta en la que, de un momento a otro, se le presentaría una alternativa, una elección –el pensamiento se formuló espontáneamente en su cabeza, sin ayuda– entre dos realidades, este mundo y otro que también estaba aquí, visible aunque no visto. Se sentía lento, pesado, alejado de su propio yo, y comprendió que no tenía ni la más remota idea de qué camino elegiría, en qué mundo entraría. Ahora comprendía que los médicos se habían equivocado al tratarle una esquizofrenia; la división no estaba en él, sino en el universo. Cuando la cuádriga empezó a bajar hacia el inmenso rugido oceánico que empezaba a hincharse a sus pies, él ensayó sus primeras frases *–Me llamo Gibreel Farishta y he vuelto–* y entonces las oyó, por así decir, en estéreo, porque aquellas frases encajaban en ambos mundos, con un significado diferente en cada uno; y en aquel momento las luces lo iluminaron. Él levantó los brazos; volvía envuelto en nubes, y la multitud lo reconocía y sus compañeros también; y la gente se levantaba de las butacas, todos los hombres, mujeres y niños de la sala corrían hacia el escenario, imparables, como un mar. El primer hombre que llegó a él tuvo tiempo de exclamar: *¿Te acuerdas de mí, Gibreel? ¿El de los seis dedos? Maslama, señor, John Maslama. Yo he guardado en secreto tu presencia entre nosotros; pero, sí, he hablado de la venida del Señor, he ido delante de ti, la voz del que clama en el desierto, lo torcido será enderezado y el terreno quebrado será allanado;* se lo llevaron, y los guardias de seguridad rodearon a Gibreel, *están descontrolados, es un tumulto, tendrá usted que...*; pero él no quería marcharse, porque había visto que por lo menos la mitad de la gente llevaban extraños tocados, unos a modo de cuernos de goma que les daban aspecto de demonios, especie de emblemas de acatamiento y desafío; y al ver la señal del adversario, sintió que el universo se bifurcaba y tomó por el camino de la izquierda.

Según la versión oficial de lo que siguió, aceptada por todos los medios de comunicación, Gibreel Farishta fue rescatado de la zona de peligro en la misma cuádriga maniobrada por torno en la que había descendido, y de la que no llegó a salir; y agregaban que, por consiguiente, escapar debió ser fácil para él, desde aquel punto aislado y elevado muy por encima del follón. Esta versión resultó lo bastante sólida como para resistir la «revelación» hecha a *Voice* según la cual el ayudante del director escénico encargado del torno no había, repetimos, no había puesto en marcha el mecanismo después del aterrizaje; que, en realidad, la cuádriga permaneció en tierra durante el tumulto de los entusiastas admiradores; y que considerables sumas de dinero habían sido distribuidas entre los tramoyistas para convencerlos de que colaboraran en la invención de una historia que, por ser totalmente falsa, era lo bastante verosímil como para que la creyeran los lectores. No obstante, entre la población asiática de la ciudad cundió rápidamente el rumor de que Gibreel Farishta se fue del escenario del Earls Court levitando y se desvaneció en el aire por su propia virtud, rumor alimentado por numerosas descripciones de la aureola que, según se había observado, partía de un punto situado detrás de su cabeza. A los pocos días de la segunda desaparición de Gibreel Farishta, las tiendas de novedades de Brickhall, Wembley y Brixton vendían tantas aureolas de juguete (las más solicitadas eran los aros fluorescentes verdes) como diademas con cuernos de goma incorporados.

¡Planeaba a gran altura sobre Londres! ¡Ajá, ahora ya no podrían alcanzarle todos aquellos demonios que se le echaban encima en aquel zafarrancho! Miró hacia abajo, a la ciudad, y vio a los ingleses. Lo malo de los ingleses era que eran ingleses: ¡fríos como peces, los condenados! ¡La mayor parte del año bajo el agua, con unos días del color de la noche! Bien: aquí estaba él, el gran Transformador, y esta vez cambiaría algunas cosas; las leyes de la naturaleza son las leyes de su transformación, ¡y él era la persona indicada para manejarlas! Sí, señor: esta vez, claridad.

Él les enseñaría –¡sí!–, les enseñaría su *poder.* ¡Porque aquellos ingleses no tenían poder! ¡Pues no creían que su historia volvería para perseguirlos! «El nativo es una persona oprimida cuyo sueño permanente es convertirse en opresor» (Fanon). Las mujeres inglesas ya no le ataban; ¡se había descubierto la conspiración! Pues fuera con todas las nieblas. Él transformaría esta tierra. Él era el Arcángel, Gibreel. *¡Y ya he vuelto!*

La faz del adversario se le apareció otra vez, nítida, clarificadora. Taciturna, con un gesto sardónico en los labios: pero el nombre aún se le escapaba..., *tcha,* ¿cómo té? *Sha,* ¿un rey? O como un baile (¿baile real? ¿té-baile?): Shatchacha. Casi, casi. Y la naturaleza del adversario: se odia a sí mismo, construye una falsa personalidad, autodestructivo. Otra vez Fanon: «De este modo, el individuo –el *nativo* fanoniano– acepta la desintegración ordenada por Dios, se inclina ante el colonizador y su suerte y, mediante una especie de estabilización interna, adquiere una calma estoica.» *¡Ya le iba a dar él calma estoica!* Nativo y colonizador, la vieja controversia se prolonga ahora en estas calles empapadas con los términos invertidos. Entonces se le ocurrió que él estaba unido al adversario para siempre, los brazos ceñidos en torno al cuerpo del otro, boca con boca, cabeza con pie, como cuando cayeron a la tierra: cuando se *posaron.* Tal como empiezan las cosas así continúan. Sí, ya casi lo tenía. ¿Chichi? ¿Sasa? *Mi otra mitad, mi amor...*

... ¡No! Estaba flotando sobre un parque y su grito asustó a los pájaros. ¡Basta de esas ambigüedades inspiradas por Inglaterra, esas confusiones bíblico-satánicas! Claridad, claridad, claridad a toda costa. Este Shaitan no era un ángel caído. Olvida esas fábulas del hijo descarriado; éste no era un buen chico que se había apartado del camino recto, sino pura maldad. ¡La verdad es que no tenía nada de ángel! «Él pertenecía al *djinn*, por eso infringió.» Quran 18:50, más claro que la luz del día. ¡Cuánto más evidente era esa versión! ¡Cuán práctica, natural y comprensible! Iblis/Shaitan representan las tinieblas; Gibreel, la luz. Basta, basta de sentimentalismos tales como unión, compenetración, amor. Perseguir y destruir: a eso se reducía todo.

¡... Oh, la más resbaladiza, la más diabólica de las ciudades! En la que tales oposiciones escuetas e imperativas se ahogaban bajo una interminable llovizna de grises. Cuán acertado estuvo él, por ejemplo, al desterrar aquellas dudas suyas satánico-bíblicas, las concernientes a la negativa de Dios a permitir la disidencia entre sus oficiales, porque, dado que Iblis/Shaitan no era ángel, no se dio una disidencia angélica que la Divinidad se viera obligada a reprimir; y en cuanto a lo que concernía a la fruta prohibida, y a la supuesta negativa de Dios a permitir a sus criaturas la elección moral; pues en ningún pasaje de la Revelación aparecía ese Árbol llamado (según la Biblia) la raíz de la ciencia del bien y del mal. *¡Sencillamente, se trataba de un Árbol diferente!* Shaitan, al tentar a la pareja del Edén, lo llamó simplemente «Árbol de la Inmortalidad», y como él era un embustero, la verdad (descubierta por inversión) era que la fruta prohibida (no se especificaba si eran manzanas) colgaba nada menos que del Árbol de la Muerte, el asesino de las almas de los hombres. ¿Qué quedaba ahora del Dios temeroso de la moral? ¿Dónde había de encontrarse? Sólo ahí abajo, en los corazones ingleses. Los que él, Gibreel, venía a transformar.

¡Abracadabra!

¡Hocus Pocus!

Pero ¿por dónde debía empezar? Bueno, veamos, lo malo de los ingleses era su:

Su:

En una palabra, pronunció Gibreel solemnemente, *su meteorología.*

Gibreel Farishta, flotando en su nube, llegó a la conclusión de que el embrollo mental de los ingleses tenía causas meteorológicas. Cuando el día no es más cálido que la noche –razonó–, cuando la luz no es más clara que la oscuridad, cuando la tierra no es más seca que el mar, la gente, naturalmente, ha de perder la facultad de distinguir y ha de empezar a considerarlo todo –desde los partidos políticos hasta las creencias religiosas pasando por la pareja sexual– poco-más-o-menos, viene-a-ser-lo-mismo, qué-más-da. ¡Qué locura! Porque, la verdad es extrema, es *así* y no *asá*, es *él* y no *ella;* cuestión de convicciones, no un deporte espectáculo. Es, en suma, *acaloramiento.* «Ciudad –gritó, y su voz retumbó como el trueno sobre la metrópoli–, he venido a tropicalizarte.»

Gibreel enumeró las ventajas de la propuesta metamorfosis de Londres en ciudad tropical: mayor definición moral, instauración de la siesta nacional, desarrollo de vívidos y expansivos esquemas de conducta entre la plebe, música popular de mayor calidad, nuevas especies de pájaros en los árboles (araraunas, pavos reales, cacatúas), nuevos árboles bajo los pájaros (cocoteros, tamarindos, banianos de largas barbas colgantes). Mejora de la vida callejera, flores de colores chillones (magenta, bermellón, verde neón), monos-araña en los robles. Nuevo y amplio mercado de aparatos de acondicionamiento de aire doméstico, ventiladores de techo y espirales y aerosoles antimosquitos. Una industria de la fibra de coco y de la copra. Mayor atractivo de Londres para sede de conferencias, etc.; mejores jugadores de críquet; mejor control del balón por los futbolistas profesionales al haber sido desterrado por el calor el tradicional e insulso juego «batallador» de los ingleses. Fervor religioso, fermento político, renovado interés por la intelectualidad. Fin de la reserva británica; las bolsas de agua caliente desterradas para siempre, sustituidas en las fétidas noches por lentos y perfumados actos del amor. Aparición de nuevos valores sociales: los amigos empezarán a visitarse sin cita previa, clausura de las residencias de ancianos. Fomento de la familia numerosa. Comida más picante; utilización de agua, además de papel, en los aseos; la dicha de correr completamente vestido bajo las primeras lluvias del monzón.

Inconvenientes: cólera, tifus, salmonela, cucarachas, polvo, ruido, una cultura de excesos.

Gibreel, de pie en el horizonte, abrió los brazos abarcando el cielo y gritó: «Sea.»

Ocurrieron rápidamente tres cosas.

La primera, que cuando de su cuerpo salieron las fuerzas elementales, inconcebiblemente colosales, del proceso de transformación (porque ¿acaso no era él su *encarnación*?), temporalmente se sintió vencido por una cálida gravidez, un vahído, un ardor soporífero (nada desagradable) que le hizo cerrar los ojos tan sólo un instante.

La segunda, que en el momento en que cerró los ojos, aparecieron en la pantalla de su pensamiento, con toda la nitidez posible, las facciones caprinas y astadas de Mr. Saladin Chamcha acompañadas, como si fuera un subtítulo, del nombre del adversario.

Y la tercera cosa fue que Gibreel Farishta abrió los ojos y se encontró, una vez más, caído delante de la puerta de Alleluia Cone, pidiendo perdón y sollozando. *Ay, Dios, ha vuelto a ocurrir, ha vuelto a ocurrir realmente.*

Ella lo acostó; él se sintió escapar al sueño, zambulléndose de cabeza, huyendo del Mismísimo Londres, camino de Jahilia, porque el verdadero terror había cruzado el muro fronterizo y lo perseguía en su vigilia.

«La querencia: el loco que busca al loco –dijo Alicja

cuando su hija la llamó por teléfono para darle la noticia–. Tú debes de lanzar alguna señal, una especie de vibración. –Como de costumbre, ocultaba la preocupación con sus bromas. Finalmente, lo dijo–: Esta vez sé sensata, Alleluia, ¿de acuerdo? Esta vez, al sanatorio.»

«Veremos, mamá. Por el momento, duerme.»

«¿Es que no va a despertar? –protestó Alicja, y se contuvo–. De acuerdo, ya lo sé, es tu vida. Oye, ¿y qué te parece este tiempo? Dicen que puede durar meses: "situación estacionaria", lo he oído por la tele, lluvia en Moscú y, aquí, una ola de calor tropical. Cuando llamé a Boniek a Stanford le dije: ahora en Londres también podemos presumir de tiempo.»

VI

REGRESO A JAHILIA

Cuando Baal, el poeta, vio una lágrima color sangre brotar del ángulo del ojo izquierdo de la imagen de Al-Lat en la Casa de la Piedra Negra, comprendió que Mahound, el profeta, regresaba a Jahilia después de un cuarto de siglo de exilio. Eructó violentamente –mal de la vejez éste, cuya ordinariez parecía casar con el espesor general producido por los años, tanto de la lengua como del cuerpo, lenta congelación de la sangre que había hecho de Baal, a los cincuenta años, una figura muy distinta de la de aquel joven vivaz que había sido–. A veces le parecía que hasta el aire era más denso y se le resistía, y un corto paseo podía dejarlo jadeante, con un dolor en el brazo y una arritmia en el pecho... y también Mahound tenía que haber cambiado, porque ahora regresaba con esplendor y omnipotencia al lugar del que escapó con las manos vacías, sin esposa siquiera. Mahound, a sus sesenta y cinco años. Nuestros nombres se encuentran, se separan y vuelven a encontrarse, pensó Baal, pero la persona que acompaña al nombre no es la misma. Dejó a Al-Lat, se volvió hacia la luz del sol, y a su espalda oyó una risa burlona. Se volvió pesadamente; no se veía a nadie. La orla de un manto que desaparecía por una esquina. Ahora, el desastrado Baal hacía reír por la calle a los forasteros.

«¡Bastardo!», gritó, escandalizando a los fieles de la Casa. Baal, el poeta decrépito, volvía a comportarse mal. Él se encogió de hombros y se dirigió a su casa.

La ciudad de Jahilia ya no estaba hecha de arena. Es decir, el paso de los años, el embrujo de los vientos del desierto, la luna petrificadora, el olvido de la gente y la inevitabilidad del progreso habían endurecido la ciudad haciéndole perder su antigua cualidad mutable y provisional de espejismo en el que podían vivir los hombres, y convertirse en un lugar prosaico, cotidiano y (al igual que sus poetas) pobre. El brazo de Mahound se había hecho largo; su poder había rodeado Jahilia cortando su savia vital, sus peregrinos y sus caravanas. Las ferias de Jahilia, en estos días, daba pena verlas.

Hasta el Grande estaba un poco raído, su cabello blanco tenía tantos huecos como su dentadura. Sus concubinas se morían de viejas, y a él le faltaba la energía –o, según se rumoreaba en los tortuosos callejones de la ciudad, el deseo– de sustituirlas. Algunos días olvidaba afeitarse, lo que acentuaba su aspecto de ruina y derrota. Sólo Hind era la misma de siempre.

Ella tuvo siempre cierta reputación de bruja, una bruja que podía hacerte enfermar si no te inclinabas al paso de su litera, una ocultista que poseía el poder de convertir a los hombres en serpientes del desierto cuando se cansaba de ellos y luego los agarraba por la cola y se los hacía guisar con piel para la cena. Ahora que había llegado a los sesenta años, la leyenda de su necromancia se veía renovada gracias a su extraordinaria y antinatural facultad de no envejecer. Mientras a su alrededor todo decaía y se marchitaba, mientras los miembros de las antiguas bandas de *sharks* se convertían en hombres maduros que se dedicaban a jugar a las cartas y a los dados por las esquinas, mientras las viejas brujas de los nudos y las contorsionistas se morían de hambre por las barrancas, mientras crecía una generación cuyo conservadurismo y ciega adoración del mundo material nacía de su conocimiento de la probabilidad del desempleo y la penuria, mientras la gran ciudad perdía su sentido de identidad y hasta el culto a los muertos se abandonaba, con gran alivio de los camellos de Jahilia, cuya aversión a ser desjarretados sobre las tumbas humanas resulta comprensible..., en suma, mientras Jahilia decaía, Hind se mantenía tersa, con un cuerpo tan firme como el de una muchacha, el pelo tan negro como las plumas del cuervo, unos ojos brillantes como cuchillos, un aire altivo y una voz que no admitía oposición. Hind, no Simbel, era quien ahora gobernaba la ciudad; o así lo creía ella, indiscutiblemente.

Mientras el Grande se convertía en un anciano fofo y asmático, Hind se dedicó a escribir una serie de admonitorias y edificantes epístolas o *bulas* dirigidas a los habitantes de la ciudad. Tales exhortos se pegaban por todas las calles de la ciudad. De modo que los jahilianos llegaron a ver en Hind y no en Abu Simbel la representación de su ciudad, su avatar viviente, porque en su inmutabilidad física y en la inquebrantable energía de sus exhortos percibían un reflejo de sí mismos mucho más llevadero que la imagen de la cara macerada de Simbel que veían en el espejo del rostro desmoronado de Simbel. Los carteles de Hind eran más efectivos que los versos de los poetas. Sexualmente todavía era voraz y había dormido con todos los escritores de la ciudad (aunque hacía mucho tiempo que Baal no tenía acceso a su cama); ahora los escritores estaban gastados, desechados y ella seguía exuberante. Tanto con la espada como con la pluma. Ella era Hind, la que, disfrazada de hombre, se unió al ejército jahiliano y, gracias a su brujería desvió todas las lanzas y espadas mientras buscaba al asesino de sus hermanos en la tempestad de la guerra. Hind, que había degollado al tío del Profeta y que se había comido el hígado y el corazón del viejo Hamza.

¿Quién podria resistírsele? Por su eterna juventud, que era también la de ellos; por su ferocidad, que les daba la ilusión de ser invencibles, y por sus bulas, que eran la negación del tiempo, de la historia, de la edad, que cantaban la magnificencia esplendorosa de la ciudad y desmentían la inmundicia y la decrepitud de las calles, que insistían en la grandeza, en la autoridad, en la inmortalidad, en la condición de custodios de lo divino de todos los jahilianos..., por esos escritos el pueblo le perdonaba su promiscuidad, hacía oídos sordos a los rumores de que Hind era pesada en esmeraldas el día de su cumpleaños, cerraba los ojos a las orgías, se reían cuando les hablaban de las dimensiones de su vestuario, de los quinientos ochenta y un camisones hechos de hoja de oro y de los cuatrocientos veinte pares de zapatillas de rubíes. Los ciudadanos de Jahilia se arrastraban por sus calles cada día más peligrosas, en las que resultaba cada vez más frecuente el asesinato por mera calderilla, en las que las ancianas eran violadas y sacrificadas ritualmente, en las que las protestas de los hambrientos eran brutalmente sofocadas por la guardia personal de Hind, los «Manticorps»; y, a pesar de lo que les gritaban los ojos, el estómago y la bolsa, ellos creían lo que Hind les susurraba al oído: Arriba, Jahilia, gloria del mundo.

Todos, no, desde luego. Por ejemplo, Baal, no. Él se desentendía de los asuntos públicos y escribía poesías de amor no correspondido.

Masticando un rábano blanco, llegó a su casa y cruzó bajo un arco mugriento abierto en una pared agrietada. Entró en un patio pequeño que olía a orina, con plumas, restos de verdura y sangre por el suelo. No había ni rastro de vida humana: sólo moscas, sombras, miedo. En aquellos días había que estar en guardia. Una secta de criminales *hashashin* rondaba por la ciudad. Se recomendaba a los ricos que se acercaran a sus casas por el lado contrario de la calle, para comprobar si había alguien espiando; si no se advertía nada sospechoso, el dueño de la casa cruzaba la calle corriendo y cerraba la puerta tras de sí antes de que el criminal que estuviera al acecho pudiera deslizarse. Pero Baal no se molestaba en tomar tales precauciones. Fue rico una vez, pero de eso hacía un cuarto de siglo. Ahora no había demanda de sátiras: el miedo de todos a Mahound había destruido el mercado de los insultos y el ingenio. Y con la decadencia del culto a los muertos habían disminuido vertiginosamente los encargos de epitafios y triunfales odas de venganza. Eran malos tiempos para todos.

Soñando con los perdidos banquetes de hacía tanto tiempo, Baal subió a su habitación por una insegura escalera de madera. ¿Qué podían robarle a él? Él no era alguien que mereciera la pena. Al abrir la puerta y empezar a entrar, un empujón lo envió dando traspiés a la pared del fondo, contra la que se golpeó la nariz, que empezó a sangrarle. «¡No me mates! –chilló a ciegas–. Ay, Dios, no me mates, ten compasión, oh.»

La otra mano cerró la puerta. Baal sabía que por mucho que gritara, permanecerían solos, aislados del mundo en aquella habitación indiferente. Nadie acudiría; él mismo, de haber oído gritar a un vecino, habría arrimado el catre contra la puerta.

La capucha de la capa del intruso le cubría la cara por completo. Baal, de rodillas y temblando incontroladamente, se enjugó la sangre de la nariz. «No tengo dinero –imploró–. No tengo nada.» Entonces habló el desconocido: «Cuando el perro hambriento busca comida no va a la perrera. –Y, tras una pausa, agregó–: Baal, no queda mucho de ti. Esperaba algo más.»

Entonces Baal se sintió extrañamente ofendido, además de aterrado. ¿Sería una especie de admirador demente dispuesto a matarle por no estar a la altura de su fama? Sin dejar de temblar, dijo con modestia: «El escritor, cara a cara, siempre decepciona.» El otro hizo caso omiso de la observación. «Mahound está aquí», dijo.

Esta lacónica frase aterrorizó a Baal. «¿Y eso a mí, qué? –gritó–. ¿Qué quiere? De aquello hace mucho tiempo, una vida, más de una vida. ¿Qué quiere? ¿Vienes de su parte? ¿Te envía él?»

«Su memoria es tanta como su rostro –dijo el intruso, quitándose la capucha–. No; no soy su mensajero. Tú y yo tenemos algo en común: los dos le tememos.»

«Yo te conozco», dijo Baal.

«Sí.»

«La manera que tienes de hablar. Eres extranjero.»

«"Una revolución de aguadores, inmigrantes y esclavos" –citó el desconocido–. Son tus palabras.»

«Tú eres el inmigrante –recordó Baal–. Sulaiman, el persa.» El persa sonrió aviesamente. «Salman –rectificó–. No sabio, sino pacífico.»

«Eras uno de sus más íntimos», dijo Baal, perplejo.

«Cuanto más cerca estás de un mago –dijo Salman con amargura–, más fácil resulta ver el truco.»

Y Gibreel soñó esto:

En el oasis de Yathrib, los seguidores de la nueva doctrina de la Sumisión se encontraron sin tierras y, por lo tanto, pobres. Durante muchos años vivieron del bandidaje, atacando las ricas caravanas de camellos que iban o volvían de Jahilia. Mahound no tenía tiempo para escrúpulos, dijo Salman a Baal, ni inquietudes acerca de fines y medios. Los fieles vivían de la delincuencia, pero durante aquellos años, Mahound –¿o tendríamos que decir el arcángel Gibreel?, ¿o tendríamos que decir Al-Lah?– se obsesionó por la ley. Gibreel se aparecía al Profeta entre las palmeras del oasis y se encontraba dictando preceptos, preceptos y más preceptos, hasta que los fieles llegaron a no poder soportar la idea de más revelación, dijo Salman; preceptos para cada maldita cosa; si un hombre se tira un pedo, ha de volver la cara al viento; un precepto sobre la mano que había que usar para limpiarse el trasero. Era como si no pudiera dejarse sin reglamento ningún aspecto de la existencia humana. La revelación –la *recitación*– decía a los fieles cuánto debían comer, cuán profundo había de ser su sueño y qué posturas sexuales tenían la divina sanción, y así aprendieron que la sodomía y la postura del misionero tenían la aprobación del arcángel, mientras que entre las posturas prohibidas estaban todas en las que la mujer quedaba encima. Gibreel especificó también los temas de conversación permitidos y prohibidos y señaló las partes del cuerpo que no podían rascarse por mucho que picaran. Vetó el consumo de langostinos, esas raras criaturas de otro mundo que ningún fiel había visto jamás, y mandó que los animales se sacrificaran lentamente, desangrándolos de manera que, viviendo plenamente su muerte, pudieran alcanzar un conocimiento del significado de la vida, porque sólo en el momento de la muerte comprenden las criaturas que la vida ha sido real y no una especie de sueño. Y Gibreel, el arcángel, especificó la manera en que debía ser enterrado un hombre y dividida su propiedad, por lo que Salman, el persa, empezó a pensar qué clase de Dios era aquel que hablaba como un negociante. Fue entonces cuando tuvo la idea que destruyó su fe, al recordar que, en efecto, el propio Mahound había sido negociante, y jodidamente próspero por cierto, una persona con dotes de organización y reglamentación, y qué oportuno resultaba disponer de un arcángel tan escrupuloso en la comunicación de decisiones administrativas de aquel Dios eminentemente corporativo aunque incorpóreo.

Salman empezó a advertir lo útiles y oportunas que solían ser las revelaciones del ángel, de manera que cuando los fieles discutían cualquier opinión de Mahound, ya fuera la viabilidad de los viajes espaciales o la eternidad del infierno, aparecía el ángel con una respuesta que siempre otorgaba la razón a Mahound, poniendo fuera de toda duda la imposibilidad de que un hombre pudiera caminar por la luna, o se mostraba no menos contundente en afirmar la naturaleza transitoria de la condenación: hasta los más grandes pecadores acabarían purificados por el fuego del infierno y tendrían acceso a los jardines perfumados de Gulistan y Bostan. Otra cosa habría sido, se lamentaba Salman a Baal, que Mahound hubiera expuesto su criterio después de recibir la revelación de Gibreel; pero no, él dictaba la ley y luego venía el ángel y la confirmaba; de manera que aquello empezó a olerme mal, y pensé: éste debe de ser el olor de esas criaturas fabulosas y legendariamente sucias, cómo se llaman, langostinos.

El olor a pescado empezó a obsesionar a Salman, que era el más instruido de los íntimos de Mahound, gracias al óptimo sistema educativo que en aquel entonces ofrecía Persia. A causa de su superior instrucción, Salman pasó a ser el escriba oficial de Mahound, en quien recaía la tarea de redactar la inacabable retahíla de preceptos. Revelaciones de conveniencia, dijo a Baal, y cuanto más odioso se me hacía el trabajo. Sin embargo y por el momento, tuvo que reservarse sus sospechas, porque los ejércitos de Jahilia marchaban sobre Yathrib, decididos a espantar aquellas moscas que incordiaban a sus caravanas de camellos y entorpecían el comercio. Lo que pasó después es sabido, no necesito repetirlo, dijo Salman, pero su vanidad se impuso y le hizo relatar a Baal cómo él personalmente había salvado a Yathrib de una destrucción segura y preservado el cuello de Mahound con su idea de la zanja. Salman persuadió al Profeta para que mandara cavar una gran trinchera alrededor del oasis sin murallas, lo bastante ancha como para que los legendarios caballos de la famosa caballería jahiliana no pudieran atravesarla de un salto. Una zanja con puntiagudas estacas en el fondo. Cuando los jahilianos vieron aquel mezquino ingenio antideportivo, su sentido del honor y de la caballerosidad les hizo comportarse como si la zanja no existiera y cargar con sus caballos a galope tendido. La flor y nata del ejército de Jahilia, tanto humana como equina, acabó empalada en las agudas estacas de la perfidia persa de Salman. No hay como un emigrante para saltarse las reglas. ¿Y después de la derrota de Jahilia?, se lamentó Salman a Baal: era de esperar que se me considerara un héroe, no es que yo sea vanidoso, pero ¿dónde quedaron los honores públicos, dónde la gratitud de Mahound, por qué el arcángel no me mencionó a *mí* en la orden del día? Nada, ni una sílaba, fue como si los fieles vieran en mi zanja un truco barato, una añagaza deshonrosa, desleal; un insulto para su hombría; como si al salvarles la piel hubiera herido su orgullo. Cerré la boca y no dije nada, pero perdí muchos amigos después de aquello; puedes estar seguro de que a la gente le molesta que les hagas un favor.

A pesar de la zanja de Yathrib, los fieles tuvieron muchas bajas en su guerra contra Jahilia. En sus incursiones perdían tantas vidas como las que cobraban. Y al final de la guerra ahí estaba el arcángel Gibreel para ordenar a los supervivientes que se casaran con las viudas, no fueran a casarse de nuevo con infieles y sustraerse a la Sumisión. Oh, qué ángel tan previsor, dijo Salman sarcásticamente. Ahora había sacado de los pliegues de la capa una botella de *toddy* de la que los dos hombres bebían sin prisa pero sin pausa, a la luz del crepúsculo. Cuanto más bajaba el líquido amarillo de la botella, más locuaz se ponía Salman; que Baal recordara, nunca había oído a un hombre despotricar de aquella manera. Ay, aquellas revelaciones tan obvias, exclamó Salman; si llegó a decírsenos que no importaba que estuviéramos casados, que podíamos tener hasta cuatro esposas si podíamos mantenerlas, lo que los chicos no se hicieron repetir, te puedes imaginar.

El motivo de la ruptura entre Salman y Mahound: la cuestión de las mujeres; y la de los versos satánicos. Mira, yo no soy un chismoso, confió Salman con la dicción beoda, pero después de la muerte de su esposa, Mahound dejó de ser precisamente un ángel, tú ya me entiendes. Ahora bien, en Yathrib no lo tenía fácil. Aquellas mujeres: en un año le volvieron la barba medio blanca. Lo singular de nuestro Profeta, mi querido Baal, es que no le gustan las mujeres respondonas; a él le tiran las madres y las hijas; no tienes más que pensar en su primera esposa y en Ayesha, sus dos amores: una muy vieja y la otra muy joven. No las buscaba de su talla. Pero en Yathrib las mujeres son diferentes, no lo sabéis bien; aquí, en Jahilia, estáis acostumbrados a mandar a las mujeres, pero las de allí no lo consentirían. ¡Allí el marido va a vivir con la familia de su esposa! ¡Imagina! ¡Qué escándalo!, ¿no? Y la esposa tiene su propia tienda. Si quiere librarse del marido, gira la tienda hacia el otro lado, de manera que cuando él llega encuentra tela donde debía haber puerta, y se acabó, está divorciado, nada que hacer. El caso es que a nuestras chicas les gustó y empezaron a soliviantarse, y entonces, de pronto, bang, sale el libro de los preceptos, el ángel empieza a especificar lo que deben hacer las mujeres y les obliga a volver a las actitudes que prefiere el Profeta, a ser sumisas o maternales, a andar tres pasos más atrás, o a quedarse encerradas en casa, dóciles y calladas. Cómo se reían de los fieles las mujeres de Yathrib, te lo juro; pero ese hombre es un mago, nada puede resistirse a su encanto: las fieles hicieron lo que él les ordenaba. Y se Sometieron: al fin y al cabo, él ofrecía el Paraíso.

«En cualquier caso –dijo Salman llegando ya al fondo de la botella–, al fin decidí ponerlo a prueba.»

Una noche el escriba persa tuvo un sueño en el que

él planeaba sobre la figura de Mohound, en la cueva del Profeta en el monte Cone. Al principio, Salman lo tomó simplemente como un ensueño nostálgico de los viejos tiempos de Jahilia, pero luego cayó en que, en el sueño, su punto de vista era el del arcángel, y en aquel momento volvió a él el recuerdo del incidente de los versos satánicos, tan nítido como si hubiera ocurrido la víspera. «Quizá yo no soñé que era Gibreel –dijo Salman–. Quizá yo era Shaitan.» Al vislumbrar esta posibilidad, se le ocurrió una idea diabólica. A partir de entonces, cuando se sentaba a los pies del Profeta a escribir preceptos preceptos preceptos, cambiaba subrepticiamente algunas cosas.

Cosas pequeñas al principio. Si Mahound recitaba un verso en lo que se decía de Dios que *todo lo oye y todo lo sabe,* yo escribía *todo lo sabe y es omnisciente.* Pero, y esto es lo importante, Mahound no se daba cuenta de los cambios. De manera que era yo el que escribía realmente el Libro, o volvía a escribirlo, profanando la palabra de Dios con mi profano lenguaje. Pero, válgame el cielo, si mis pobres palabras no podían ser distinguidas de la Revelación por el propio Mensajero de Dios, ¿qué quería eso decir? ¿Qué decir de la esencia de la divina poesía? Mira, te juro que yo estaba angustiado. Una cosa es ser un pequeño bastardo que sospecha de ciertas cuestiones de poca monta y otra, muy distinta, encontrar que tienes razón. Escucha: por ese hombre yo cambié mi vida. Dejé mi país, crucé el mundo, me instalé entre gentes que me consideraban un asqueroso cobarde extranjero porque les salvé la vida y que nunca me agradecieron lo que yo..., pero eso no importa. La verdad es que lo que pretendía cuando hice aquel primer cambio insignificante *todo lo sabe* en lugar de *todo lo oye,* lo que yo *quería* era que cuando el Profeta leyera lo escrito me dijera: ¿Qué te pasa, Salman, estás sordo? Y yo respondería: Ay, Dios mío, qué torpeza, no sé cómo he podido, y rectificaría. Pero no fue así; de modo que la Revelación la escribía yo y nadie lo advertía, y a mí me faltaba valor para reconocerlo. Estaba muerto de miedo, te lo aseguro. Y también estaba más triste que nunca en la vida. Pero tenía que seguir. Quizá esta vez se le haya escapado, pensaba; todos podemos equivocarnos. Y al otro día cambié algo de mayor enjundia. Él dijo *cristiano* y yo escribí *judío*. Él se daría cuenta, sin duda; ¿cómo no iba a dársela? Pero cuando le leí el capítulo él asintió y me dio las gracias cortésmente, y yo salí de su tienda con lágrimas en los ojos. Después de aquello, comprendí que mis días en Yathrib estaban contados; pero tenía que seguir. No podía hacer otra cosa. No hay cosa más amarga para el hombre que descubrir que ha estado creyendo en un fantasma. Yo caería, lo sabía, pero él caería conmigo. Así que mantuve mi infidelidad y cambié versos hasta que un día, al leerle lo escrito, vi que fruncía el entrecejo y sacudía la cabeza, como para aclarar las ideas, y luego asentía lentamente, pero con cierta duda. Comprendí que había llegado al límite y que la próxima vez que yo cambiara algo del Libro, él lo descubriría todo. Aquella noche permanecí despierto, con su suerte y la mía en mis manos. Si me resignaba a ser destruido podría destruirlo a él también. Aquella noche terrible tuve que elegir entre la muerte con venganza y la vida sin nada. Como puedes ver, elegí la vida. Antes del amanecer: salí de Yathrib en mi camello y regresé a Jahilia, padeciendo numerosas desventuras que prefiero no relatar. Y ahora Mahound viene en triunfo; de manera que, después de todo, también perderé la vida. Y su poder ha aumentado tanto que ya no me es posible desacreditarlo.»

Baal preguntó: «¿Por qué estás seguro de que te matará?»

Salman, el persa, respondió: «Es su Palabra contra la mía.»

Cuando Salman se quedó dormido en el suelo, Baal se dejó caer en su áspero jergón de paja, con un anillo de acero que le ceñía dolorosamente la frente y un aleteo admonitorio en el corazón. Muchas veces su cansancio de la vida le había llevado al deseo de no llegar a viejo, pero, como decía Salman, una cosa es soñar y otra muy distinta afrontar el sueño hecho realidad. Hacía ya tiempo que sentía que el mundo se cerraba. Ya no podía pretender que sus ojos eran lo que deberían ser, y su miopía hacía su vida aún más sombría, más difícil de comprender. Aquellas imágenes borrosas, aquella pérdida de detalle: no era de extrañar que su poesía se hubiera ido por el sumidero. También sus oídos habían dejado de ser fiables. A este paso pronto estaría aislado de todo por la pérdida de los sentidos..., pero tal vez ni a eso llegara. Venía Mahound. Quizá nunca besara a otra mujer. Mahound, Mahound. ¿Por qué ha venido este borracho charlatán?, pensó irritado. ¿Qué me importa a mí su traición? Todo el mundo sabe por qué escribí aquellas sátiras hace años; él tiene que saberlo también. Cómo me amenazó y maltrató el Grande. No puede hacerme responsable. Y, de todos modos, ¿dónde está ese joven prodigio del Baal, presumido y jactancioso, de lengua afilada? No lo conozco. Mírame: pesado, abúlico, miope y, pronto, sordo. ¿A quién amenazo? Ni a un alma. Empezó a sacudir a Salman: despierta, no quiero que me relacionen contigo, vas a traerme disgustos.

El persa seguía roncando, despatarrado en el suelo, con la espalda apoyada en la pared y la cabeza colgando de lado, como un muñeco; Baal, martirizado por la jaqueca, volvió a caer en el catre. Aquellos versos suyos, pensaba, ¿cómo eran? *Qué clase de idea,* maldita sea, ni se acordaba ya, *parece hoy la Sumisión,* sí, algo así, al cabo de tanto tiempo, no era de extrañar, *una idea que escapa,* así era el final, desde luego. Mahound, a toda nueva idea se le hacen dos preguntas. Cuando es débil: ¿aceptará el compromiso? Esta respuesta ya la conoces. Y ahora, Mahound, a tu regreso a Jahilia, llega la hora de la segunda pregunta: ¿Cómo te portas cuando vences? Cuando tus enemigos están a tu merced y tu poder se ha hecho absoluto, ¿qué sucede? Todos hemos cambiado; todos excepto Hind. Y, a juzgar por lo que dice este borracho, más parece una mujer de Yathrib que de Jahilia. No es de extrañar que lo vuestro no prosperara: ella no quiso ser ni tu madre ni tu hija. Mientras se deslizaba hacia el sueño, Baal repasaba su propia inutilidad, su arte fallido. Ahora que se había retirado de todos los escenarios públicos, sus versos estaban llenos de nostalgia: de la juventud, la belleza, el amor, la salud, la inocencia, la ilusión, la energía, la seguridad, la esperanza, de todo lo perdido. Pérdida de conocimiento. Pérdida de dinero. La pérdida de Hind. En sus odas, las figuras se alejaban de él, y cuanto más apasionadamente las llamaba, más rápidamente huían. El paisaje de su poesía seguía siendo el desierto, las dunas viajeras con penachos de arena blanca levantados por el viento. Montañas blandas, efímeras, con la impermanencia de las tiendas. ¿Cómo trazar el mapa de un país que cada día cambia de forma por obra del viento? Estas preguntas hacían que su lenguaje pecase de abstracto, sus imágenes, de fluidas, y su metro, de inconstante. Le hacían crear quimeras de la forma, imposibilidades con cabeza de león, cuerpo de cabra y cola de serpiente cuyas formas cambiaban apenas se fijaban, de manera que lo demótico irrumpía por la fuerza en líneas de pureza clásica, y las imágenes del amor eran degradadas constantemente por la intrusión de elementos de la farsa. Estas cosas no interesan a nadie, pensó por milésima y una vez, y, cuando llegaba la inconsciencia del sueño, concluyó, reconfortado: nadie se acuerda de mí. El olvido es seguridad. Entonces le dio un vuelco el corazón y se despabiló, asustado, frío. Mahound, quizá yo pueda escamotearte tu venganza. Pasó la noche despierto, escuchando los ronquidos vagabundos y oceánicos de Salman.

Gibreel soñó con fuegos de campamento.

Una figura famosa e inesperada camina una noche entre las hogueras del campamento del ejército de Mahound. Quizá a causa de la oscuridad –o acaso por lo improbable de su presencia aquí–, parece que el Grande de Jahilia ha recuperado, en este momento final de su poder, una parte de su vigor de antaño. Ha llegado solo; y es conducido por Khalid, el otrora aguador, y Bilal, que fuera esclavo, a la tienda de Mahound.

Después, Gibreel soñó la vuelta a casa del Grande.

La ciudad bulle de rumores y hay una multitud delante de la casa. Al cabo de un tiempo se oye la voz de Hind que grita clara y furiosa. Después, la propia Hind sale a un elevado balcón y exige a la multitud que despedace a su marido. El Grande aparece a su lado; y recibe de su amante esposa sonoras y humillantes bofetadas en ambas mejillas. Hind ha descubierto que, pese a sus esfuerzos, no ha podido impedir que el Grande rinda la ciudad a Mahound.

Además: Abu Simbel ha abrazado la fe.

Simbel, en su derrota, ha perdido buena parte de su fragilidad de los últimos tiempos. Deja que Hind le abofetee y después habla sosegadamente a la multitud. Dice: «Mahound ha prometido que a todos los que se encuentren dentro de las murallas del Grande les será perdonada la vida. Venid, pues, todos vosotros y traed a vuestras familias.»

Hind responde por la enfurecida multitud. «Viejo idiota. ¿Cuántos ciudadanos caben dentro de una sola casa, aunque sea ésta? Has hecho un trato para salvar el cuello. Que te abran en canal para que seas pasto de las hormigas.»

El Grande sigue mostrándose manso. « Mahound promete también que todos los que se queden en su casa, con la puerta cerrada, estarán a salvo. Si no queréis venir a mi casa, id a la vuestra; y esperad.»

Por tercera vez, su esposa trata de volver al pueblo contra él; esta escena del balcón es de odio en lugar de amor. No se puede pactar con Mahound, grita, no es de confianza, el pueblo debe repudiar a Abu Simbel y prepararse para la lucha, hasta el último hombre, hasta la última mujer. Ella está dispuesta a pelear a su lado y morir por la libertad de Jahilia. «¿Queréis rendiros a ese falso profeta, este Dajjal? ¿Se puede esperar honor de un hombre que se dispone a atacar la ciudad que lo vio nacer? ¿Se puede pactar con quien no pacta, se puede pedir piedad a quien carece de ella? Nosotros somos la fuerza de Jahilia, y nuestras diosas, gloriosas guerreras, vencerán.» Les ordenó pelear en el nombre de Al-Lat. Pero la gente ya se marchaba.

Marido y mujer están en su balcón, y el pueblo los ve claramente. Hacía mucho tiempo que la ciudad se miraba en esta pareja; y dado que, últimamente, los jahilianos preferían las imágenes de Hind a las del canoso Grande, ahora sufren un violento trauma. Un pueblo que se ha mantenido convencido de su grandeza y su invulnerabilidad, que ha optado por creer en tal mito, a despecho de la evidencia, es un pueblo que está sumido en el sueño, o en la locura. Ahora el Grande los ha despertado y están desorientados, frotándose los ojos, incrédulos al principio –si tan poderosos somos, ¿cómo hemos caído tan pronto y tan estrepitosamente?–, y entonces llega la comprensión y ven que su confianza estaba edificada sobre las nubes, sobre la pasión de los exhortos de Hind y poco más. Ahora la abandonan y, con ella, abandonan también la esperanza. Presa de la desesperación, los habitantes de Jahilia se van a sus casas, a cerrar las puertas.

Ella grita, suplica, se tira de los pelos. «¡Venid a la Casa de la Piedra Negra! ¡Venid a hacer sacrificios a Lat!» Pero ya se han ido, y Hind y el Grande se quedan solos en su balcón, mientras en toda Jahilia se hace un gran silencio, cunde una gran calma, y Hind se apoya en la pared de su palacio y cierra los ojos.

Es el fin. El Grande murmuraba suavemente: «No somos muchos los que tenemos tantos motivos para temer a Mahound como tú. Si tú te comes crudas, sin aderezarlas siquiera con sal ni ajo, las vísceras del tío favorito de un hombre, no te sorprendas si él, a su vez, te trata como a una res.» Y la deja sola y baja a las calles, de las que hasta los perros han desaparecido, para ir a abrir las puertas de la ciudad.

Gibreel soñó con un templo:

Junto a las puertas abiertas de Jahilia estaba el templo de Uzza. Y Mahound dijo a Khalid, que antes fuera aguador y que ahora llevaba mayores pesos: «Ve y limpia el lugar.» Y Khalid tomó a sus hombres y se lanzó sobre el templo, porque Mahound no deseaba entrar en la ciudad mientras en sus puertas existieran tales abominaciones.

Cuando el guardián del templo, que era de la tribu de los sharks, vio acercarse a Khalid a la cabeza de una tropa de guerreros, tomó la espada y fue a la diosa. Después de rezar sus últimas oraciones, colgó su espada del cuello de la imagen diciendo: «Si de verdad eres diosa, Uzza, defiéndete a ti y a tu siervo del ataque de Mahound.» Entonces Khalid entró en el templo y, al ver que la diosa no se movía, el guardián dio: «Ahora veo que el Dios de Mahound es el verdadero Dios, y esta piedra, sólo piedra.» Y Khalid destruyó el templo y el ídolo, y volvió a la tienda de Mahound. Y el Profeta preguntó: «¿Qué has visto?» Khalid extendió los brazos. «Nada», dijo. «Entonces no la has destruido –exclamó el Profeta–. Vuelve y termina el trabajo.» Y Khalid volvió al templo destruido, y allí una mujer enorme, toda negra salvo su larga lengua escarlata, corrió hacia él, desnuda de la cabeza a los pies, con una cabellera negra que le rozaba los tobillos. Al acercarse a él, se detuvo y recitó con su voz terrible de azufre y fuego infernal: «¿Has oído hablar de Lat, y de Manat, y de Uzza, la Tercera, la Otra? Ellas son las Aves Exaltadas...» Pero Khalid la interrumpió diciendo: «Uzza, ésos son los versos del diablo, y tú eres la hija del diablo, una criatura a la que no se debe adorar, sino denostar.» Y desenvainó la espada y de un tajo la mató.

Y volvió a la tienda de Mahound y le dijo lo que había visto. Y el Profeta dijo: «Ahora podemos entrar en Jahilia», y se levantaron, y entraron en la ciudad, y tomaron posesión de ella en el Nombre del Altísimo, Destructor de Hombres.

¿Cuántos ídolos en la Casa de la Piedra Negra? No lo olviden: trescientos sesenta. Dios-sol, águila, arco iris. El coloso de Hubal. Trescientos sesenta que esperan a Mahound y saben que no se salvarán. Y no se salvan. Pero no perdamos el tiempo con esto. Las imágenes caen; la piedra se rompe; lo que se ha de hacer, se hace. Mahound, después de limpiar la Casa, planta la tienda en los antiguos campos de la feria. La gente se agolpa alrededor de la tienda, abrazando la fe victoriosa. La Sumisión de Jahilia: también esto es inevitable y huelga detenerse en ello.

Mientras los jahilianos se inclinan ante él, murmurando las frases salvavidas, *no hay más Dios que Al-Lah,* Mahound susurra unas palabras a Khalid. Cierta persona no ha venido a arrodillarse ante él; cierta persona esperada desde hace tiempo. «Salman –dijo el Profeta–, ¿ha sido hallado?»

«Todavía no. Se esconde, pero ya no puede tardar.» Hay un incidente. Una mujer cubierta con el velo se arrodilla delante de él y le besa los pies. «Déjalo –le exhorta él–. Sólo a Dios hay que adorar.» ¡Pero qué besapiés! Dedo a dedo, falange a falange, la mujer lame, besa, chupa. Y Mahound, exasperado, repite: «Basta. Es indecente.» Pero ahora la mujer ha empezado con la planta de los pies, sosteniendo el talón con las dos manos... Él, violento, le da un puntapié que la alcanza en la garganta. Ella cae, tose y luego se postra ante él y dice con firmeza: «No hay más Dios que Al-Lah y Mahound es su Profeta.» Mahound se calma, pide disculpas y extiende la mano. «No se te hará ningún daño –le dice–. Todo el que se somete se salva.» Pero hay en él una extraña confusión y ahora comprende por qué, advierte la cólera, la amarga ironía de aquella adoración de sus pies, avasalladora, excesiva y sensual. La mujer se arranca el velo: Hind.

«La esposa de Abu Simbel», proclama claramente, y se hace el silencio. «Hind –dice Mahound–, no te había olvidado.» Y, tras un largo instante, mueve afirmativamente la cabeza. «Tú te has Sometido. Sé bienvenida a mis tiendas.»

Al día siguiente, entre las conversiones que no cesan, Salman el persa es conducido ante el Profeta. Khalid lleva hasta el *takht* al inmigrante, que llora y gimotea, agarrado de una oreja y arrimándole un cuchillo a la garganta. «Lo encontré, cómo no, con una prostituta que le chillaba porque no tenía dinero para pagarle. Apesta a alcohol.»

«Salman Farsi», el Profeta empieza a pronunciar la

sentencia de muerte, pero el prisionero se pone a gritar el *qalmah: «¡La ilaha ilallah! ¡La ilaha!»*

Mahound mueve la cabeza. «Tu blasfemia, Salman, no tiene perdón. ¿Pensabas que no lo descubriría? Sustituir con tus palabras las Palabras de Dios.»

Escriba, zapador, condenado: sin ápice de dignidad, babea gime suplica se golpea el pecho se humilla se arrepiente. Khalid dice: «Este ruido es insoportable, Mensajero. ¿No podría cortarle la cabeza?» A lo que el ruido aumenta considerablemente. Salman jura renovada lealtad, suplica un poco más y entonces, con un destello de desesperada esperanza, hace una oferta: «Yo puedo mostrarte dónde están tus verdaderos enemigos.» Esto le otorga unos segundos. El Profeta se inclina. Khalid levanta la cabeza del arrodillado Salman tirándole del pelo. «¿Qué enemigos?» Y Salman da un nombre. Mahound se hunde en sus almohadones, mientras retorna la memoria.

«Baal –dice, y repite dos veces–: Baal, Baal.»

Para disgusto de Khalid, Salman el persa no es condenado a muerte. Bilal intercede por él, y el Profeta, distraído con otros pensamientos, le concede la gracia: sí, sí, que viva el desgraciado. ¡Oh, generosidad de la Sumisión! Hind ha sido perdonada; y Salman; y en toda Jahilia no se ha echado abajo ni una sola puerta, ni un solo antiguo enemigo ha sido sacado a la calle para cortarle el cuello en el polvo, como a un pollo. Ésta es la respuesta de Mahound a la segunda pregunta: *¿Cómo te comportas cuando vences?* Pero un nombre obsesiona a Mahound, salta a su alrededor, joven, agudo, señalando con un dedo largo, cantando versos cuya crueldad y brillantez siempre hiere. Aquella noche, cuando los suplicantes se han ido, Khalid pregunta a Mahound: «¿Aún piensas en él?» El Mensajero asiente, pero no quiere hablar. Khalid dice: «Hice que Salman me llevara a la habitación en la que vive, un agujero, pero no está, se ha escondido.» Otra vez el movimiento de cabeza, pero sin palabras. Khalid insiste: «¿Quieres que lo saque de su escondite? No costaría mucho. ¿Qué quieres que le haga? ¿Esto? ¿Esto?» Khalid se atraviesa con los dedos el cuello y luego se los clava en el ombligo. Mahound se impacienta. «Eres un necio –grita al antiguo aguador, que ahora es su jefe de estado mayor–. ¿Es que no eres capaz de disponer las cosas sin mi ayuda?»

Khalid se inclina y se va. Mahound se queda dormido: su antiguo don, su manera de luchar contra el mal humor.

Pero Khalid, el general de Mahound, no pudo encontrar a Baal. A pesar de los registros casa por casa, los bandos y las piedras removidas, no se pudo atrapar al poeta. Y los labios de Mahound seguían cerrados, no se abrían para que emergieran sus deseos. Finalmente, no sin irritación, Khalid abandonó la búsqueda. «Que asome la cabeza ese bastardo una sola vez, en cualquier momento –juró en la tienda del Profeta, toda suavidad y penumbra–, y lo cortaré a rodajas tan finas que podrás ver a través de cada una.»

A Khalid le pareció que Mahound estaba decepcionado; pero en la penumbra de la tienda era imposible estar seguro.

Jahilia se acomodó a su nueva vida: llamada a la oración cinco veces al día, nada de alcohol y las esposas encerradas en casa. Hasta la misma Hind se retiró a sus aposentos..., pero ¿dónde estaba Baal?

Gibreel soñó con una cortina.

La Cortina, *Hijab*, era el nombre del burdel más famoso de Jahilia, un enorme palacio con patios en los que crecían las datileras y cantaba el agua, rodeados de habitaciones que se entrelazaban en desconcertantes dibujos de mosaico, atravesadas por laberínticos corredores decorados de un modo deliberadamente idéntico, todos con las mismas invocaciones caligráficas al Amor, todos adornados con alfombras de igual dibujo, todos con una gran urna de piedra colocada contra una pared. Los clientes de La Cortina no podían encontrar sin ayuda el camino de la habitación de su cortesana predilecta ni el de la calle. Así se protegía de indeseables a las mujeres y se impedía que los clientes se marcharan sin pagar. Corpulentos eunucos circasianos, con la pintoresca indumentaria del genio de la lámpara, acompañaban a los clientes hasta su destino y, después, hasta la puerta de la calle, sirviéndose, en algunos casos, de ovillos de cordel. Era un blando universo con profusión de cortinajes y ninguna ventana, gobernado por una anciana sin nombre, la Madam de La Cortina, cuyas guturales expresiones, emitidas desde el ámbito recóndito de un sillón envuelto en velos negros, habían adquirido con los años un aire oracular. Ni el personal de la casa ni los clientes podían desobedecer aquella voz sibilina que, en cierto modo, era la antítesis profana de las manifestaciones sagradas de Mahound proferidas en una tienda más grande y accesible, situada no muy lejos de allí. De modo que cuando Baal, el atribulado poeta, se postró ante ella para suplicarle ayuda y ella decidió esconderlo y salvarle la vida, como un acto de nostalgia por aquel mozo apuesto, alegre y perverso que había sido en tiempos, su decisión fue acatada sin protestas; y cuando los guardias de Khalid fueron a registrar el establecimiento, los eunucos los condujeron en un viaje desconcertante por aquella supraterránea catacumba de contradicciones y dudas irreconciliables, hasta que a los soldados les dio vueltas la cabeza y, después de mirar al interior de treinta y nueve urnas de piedra sin encontrar nada más que ungüentos y encurtidos, se marcharon jurando groseramente, sin sospechar que existía un cuadragésimo corredor al que no habían sido conducidos, con una cuadragésima urna, dentro de la cual, como un ladrón, se escondía, temblando y mojando el pijama, el poeta que buscaban.

Después de aquello, la Madam ordenó a los eunucos que tiñeran la piel del poeta hasta dejarla de un negro azulado, y el pelo también, y lo vistieran con los bombachos y el turbante de *djinn,* y le ordenó que empezara un curso de cultura física, ya que su falta de agilidad podría infundir sospechas, y había de ponerse rápidamente en forma.

Durante su estancia «tras La Cortina» Baal no carecía de noticias acerca de los acontecimientos del exterior, sino todo lo contrario, ya que, por sus tareas como eunuco, montaba guardia en la puerta de las cámaras del placer y oía los chismorreos de los clientes. La indiscreción de sus lenguas, estimulada por el alegre abandono inducido por las caricias de las prostitutas y por el convencimiento de que allí se les guardaría el secreto, hacía que el poeta, aunque miope y duro de oído, recogiera más información sobre los acontecimientos cotidianos de la que hubiera podido obtener vagabundeando por las ahora puritanas calles de la ciudad. En ocasiones la sordera era un inconveniente que producía huecos en su conocimiento, cuando los clientes bajaban la voz y cuchicheaban; pero también eliminaba de lo que oía el elemento salaz, pues le era imposible escuchar los murmullos que acompañaban la fornicación, salvo, naturalmente, en aquellos momentos en los que el extasiado cliente o la simuladora obrera alzaban la voz en gritos de gozo auténtico o compuesto.

Lo que Baal escuchó en La Cortina:

Por el malhumorado Ibrahim, el carnicero, tuvo noticias de que a pesar de la reciente prohibición de comer carne de cerdo, los fingidos conversos de Jahilia se agolpaban en su puerta trasera para comprar en secreto la carne prohibida; «las ventas crecen –murmuró, montando a su dama favorita–; los precios del cerdo negro suben; pero, maldita sea, los nuevos preceptos me han complicado la vida. No es fácil matar un cerdo en secreto, sin hacer ruido», y entonces empezó a chillar él, aunque cabe suponer que de gusto más que de dolor. Y Musa, el mantequero, confesó a otro de los miembros del personal horizontal de La Cortina que era difícil romper los viejos hábitos y, cuando estaba seguro de que nadie le oía, aún rezaba alguna que otra oración a «mi favorita de toda la vida, Manat, y, a veces, qué se le va a hacer, también a Al-Lat; y es que no hay como una diosa, porque ellas tienen atributos de los que los chicos carecen, dicho lo cual también él se lanzó ardorosamente sobre las réplicas terrenales de semejantes atributos. Así se enteró el emboscado Baal, con gran amargura, de que no hay imperio absoluto ni victoria completa. Y, lentamente, empezaron las críticas contra Mahound.

Baal comenzaba a cambiar. La noticia de la destrucción del gran templo de Al-Lat en Taif, que llegó a sus oídos entre los gemidos de Ibrahim, el matacerdos clandestino, le había sumido en una profunda tristeza, porque, incluso en sus días supremos de joven cínico, su amor por la diosa había sido genuino, quizá su única emoción genuina, y su destrucción le reveló la futilidad de una vida cuyo único amor verdadero estuvo inspirado por un trozo de piedra indefensa. Cuando se mitigó aquella pena lacerante, Baal se convenció de que la caída de Al-Lat anunciaba que su propio fin no estaba lejos. Entonces perdió aquella sensación de seguridad que la vida en La Cortina le proporcionaba fugazmente; pero ahora la sensación de su impermanencia, de su seguro descubrimiento, seguido de su no menos cierta muerte, dejó de asustarle, lo que le pareció muy interesante. Después de una vida de afanosa cobardía, advertía para su sorpresa que la proximidad de la muerte le daba la oportunidad de saborear mejor la dulzura de la vida, y se maravillaba de la paradoja de que se le hubieran abierto los ojos a esa verdad en aquella casa de onerosas mentiras. ¿Y cuál era la verdad? La verdad era que Al-Lat había muerto –que nunca vivió–, pero esto no hacía de Mahound un profeta. En suma, Baal había alcanzado el ateísmo. Empezó a moverse tambaleante por un más allá de la idea de dioses y gobernantes y preceptos, y descubrió que su vida estaba tan ligada a la de Mahound que se imponía alguna gran resolución. Que esta resolución significara probablemente su muerte no le impresionaba ni preocupaba en exceso; y cuando Musa, el mantequero, habló un día de las doce esposas del Profeta, *un precepto para él y otro para nosotros*, Baal comprendió la forma que tendría que tomar su enfrentamiento final con la Sumisión.

Las chicas de La Cortina –llamadas «chicas» con eufemismo, ya que la más vieja pasaba del medio siglo y la más joven, a los quince años, tenía más experiencia que muchas mujeres de cincuenta– se habían encariñado con el desgarbado Baal, y en realidad les gustaba disponer de un eunuco de pega, por lo que en horas inhábiles le gastaban bromas deliciosas, exhibiéndose provocativamente ante él, colocándole los pechos delante de los labios, rodeándole el cuerpo con las piernas o besándose apasionadamente a dos dedos de su cara, hasta que el triste escritor se excitaba sin esperanza y entonces ellas se reían de su turgencia provocándole una abochornada y temblorosa flaccidez y, muy de tarde en tarde, inopinadamente, delegaban a una de ellas para satisfacer gratuitamente la concupiscencia que habían despertado. Así, cual un toro domesticado, miope y parpadeante, el poeta pasaba los días con la cabeza apoyada en regazos femeninos, meditando sobre la muerte y la venganza, incapaz de decidir si era el más satisfecho o el más desdichado de los mortales.

Durante una de aquellas alegres sesiones celebradas al término de la jornada de trabajo, en las que las chicas se quedaban a solas con sus eunucos y su vino, Baal oyó a la más joven hablar de su cliente, Musa, el mantequero. «¡Ése –exclamó–. La tiene tomada con las esposas del Profeta. Se indigna de tal manera, que sólo con pronunciar sus nombres se excita. Dice que yo soy idéntica a la misma Ayesha, que, como todo el mundo sabe, es la favorita. Lo que son las cosas.»

La cortesana cincuentona terció: «Escuchad, esas mujeres del harén, los hombres no saben hablar de otra cosa. Es natural que Mahound las encerrara, pero con eso no ha hecho otra cosa que empeorar las cosas. La gente fantasea más de lo que no ve.»

Especialmente en esta ciudad, pensó Baal; sobre todo en nuestra Jahilia de costumbres licenciosas, donde hasta que llegó Mahound las mujeres vestían de colores vivos y no se hablaba más que de follar y de dinero, dinero y sexo, y se hacía algo más que hablar.

Baal dijo a la más joven de las prostitutas: «¿Por qué no finges con él?»

«¿Con quién?»

«Con Musa. Si tanto le excita Ayesha, ¿por qué no te conviertes en su Ayesha particular?»

«Dios –dijo la muchacha–. Si te oyeran, te freirían los huevos en manteca.»

¿Cuántas esposas? Doce, más una anciana muerta hacía tiempo. ¿Cuántas prostitutas detrás de La Cortina? Doce también; y, escondida en su trono de la tienda negra, la vieja Madam seguía desafiando a la muerte. Donde no hay credo no hay blasfemia. Baal expuso su idea a la Madam; ella manifestó su decisión con su voz de rana con laringitis. «Es muy peligroso –dictaminó–, pero podría ser excelente para el negocio. Iremos con cuidado. Pero iremos.»

La quinceañera cuchicheó unas palabras al oído del mantequero, en cuyos ojos brilló una luz. «Cuéntamelo todo –suplicó–. Háblame de tu infancia, de tus juguetes predilectos, tus caballos de madera y demás, cuéntame cómo te miraba el Profeta cuando tocabas la pandereta.» Ella se lo contó y entonces él le preguntó cómo había sido desflorada, a los doce años, y ella se lo contó, y después él pagó el doble de la tarifa normal, porque «nunca lo había pasado tan bien». «Habrá que tener cuidado con los corazones débiles», dijo la Madam a Baal.

Cuando corrió por Jahilia la noticia de que cada una de las prostitutas de La Cortina había adoptado la identidad de una de las esposas de Mahound, la excitación clandestina de los hombres fue tremenda; pero era tan grande el miedo a ser descubiertos, tanto porque si Mahound o sus lugartenientes se enteraban de que habían intervenido en tamañas irreverencias perderían la vida, como por el deseo de que el nuevo servicio de La Cortina se mantuviera, que el secreto no llegó a oídos de las autoridades. Por aquel entonces, Mahound había regresado a Yathrib con sus esposas, por preferir el clima fresco del oasis del Norte al calor de Jahilia, dejando la ciudad bajo el mando del general Khalid, a quien era muy fácil ocultar las cosas. Durante un tiempo, Mahound pensó en ordenar a Khalid que cerrara todos los burdeles de Jahilia, pero Abu Simbel le disuadió de acto tan precipitado. «Los jahilianos son conversos recientes –señaló–. Tómate las cosas con calma.» Mahound, el más pragmático de los Profetas, se avino a conceder un período de transición. Y en ausencia del Profeta los hombres de Jahilia iban en manadas a La Cortina, que triplicó sus ingresos. Por razones obvias, no era prudente hacer cola en la calle, y muchos días, en el patio interior del burdel, había una hilera de hombres que daba la vuelta a la Fuente del Amor, situada en el centro, del mismo modo que los peregrinos, por otras razones, daban la vuelta a la antigua Piedra Negra. Todos los clientes de La Cortina llevaban una máscara, y Baal, al ver desde un balcón cómo los enmascarados daban vueltas, se sentía íntimamente satisfecho. Había más de una forma de no Someterse.

Durante los meses siguientes, el personal de La Cortina se entregó con ardor. «Ayesha», la prostituta de quince años, era la favorita del público de pago, como su homónima lo era de Mahound, y, al igual que la Ayesha que vivía recatadamente recluida en el harén de la gran mezquita de Yathrib, esta Ayesha jahiliana comenzó a envanecerse de su condición de Predilecta. Le molestaba que alguna de sus «hermanas» tuviera más clientes o recibieran propinas excepcionalmente generosas. La más vieja y más gorda de las prostitutas, que había adoptado el nombre de «Sawdah», contaba a sus visitantes –y los tenía en cantidad, porque muchos de los hombres de Jahilia la elegían por su encanto maternal y agradecido– cómo Mahound se había casado con ella y con Ayesha el mismo día, cuando Ayesha era todavía una niña. «En nosotras dos encontró las dos mitades de su primera esposa muerta: la niña y también la madre», les decía. La prostituta «Hafsah» se volvió tan irascible como su tocaya, y cuando las doce se impusieron de sus papeles, las alianzas que se constituían en el burdel reflejaban las facciones políticas de la mezquita de Yathrib: «Ayesha» y «Hafsah», por ejemplo, mantenían nimias y constantes rivalidades con las dos prostitutas más altaneras, siempre consideradas un poco cursis por sus compañeras, y que eligieron para sí las identidades más aristocráticas, convirtiéndose en «Umm Salamah la makhzumita» y, la más repelente de todas, «Ramlah», cuya homónima, la undécima esposa de Mahound, era hija de Abu Simbel y Hind. Y había también una «Zainab bint Jahsh», y una «Juwairiyah», que llevaba el nombre de la esposa capturada en una expedición militar, y una «Rehana la Judía», una «Safia» y una «Maimunah», y la más erótica de todas las prostitutas, que sabía trucos que no quería enseñar a la rival «Ayesha»: la hechicera egipcia «Mary la Copta». La más extraña de todas era la prostituta que adoptó el nombre de «Zainab bint Khuzaimah» sabiendo que esta esposa de Mahound había muerto recientemente. La necrofilia de sus amantes, que le prohibían hacer cualquier movimiento, era uno de los perversos aspectos del nuevo régimen de La Cortina. Pero el negocio es el negocio, y esto era algo que también sabían resolver las cortesanas.

Al final del primer año, las doce se habían hecho tan diestras en sus funciones que sus personalidades anteriores empezaron a difuminarse. Baal, más miope y más sordo a cada mes que pasaba, veía las sombras de las chicas moverse a su lado, con los perfiles diluidos, las imágenes duplicadas, como sombras sobre sombras. Las chicas, a su vez, empezaron a mirar a Baal de otro modo. En aquella época era costumbre que, al iniciarse en el oficio, la prostituta tomara un esposo que no le creara dificultades –por ejemplo, una montaña, una fuente, un arbusto– con el propósito de que, para salvar las apariencias, pudiera adoptar un nombre de casada. En La Cortina, la norma era que todas las chicas se casaran con el Surtidor del Amor del patio central, pero comenzó a brotar la rebeldía, y un día todas las prostitutas se presentaron ante la Madam para comunicarle que, ahora que empezaban a considerarse esposas del Profeta, necesitaban un marido de más categoría que el surtidor de piedra, cosa que, al fin y al cabo, era casi idolatría, y decirle que habían decidido que todas serían esposas del zángano de Baal. La Madam trató de disuadirlas, pero, al verlas tan decididas, cedió y les dijo que le trajeran al poeta. Entre risitas y codazos, las doce cortesanas escoltaron al vacilante poeta al salón del trono. Cuando Baal oyó el plan, el corazón se le agitó hasta tal punto que perdió el equilibrio y cayó al suelo, y «Ayesha» exclamó con espanto: «Ay, Dios, antes que sus esposas vamos a ser sus viudas.»

Pero él se recuperó: su corazón recobró la compostura. Y, como no había otra opción, aceptó las doce proposiciones. La Madam los casó personalmente, y en aquel antro de degeneración, antimezquita, laberinto de profanación, Baal se convirtió en el marido de las esposas de Mahound, el antiguo negociante.

Sus esposas le dijeron claramente que esperaban que cumpliera con sus deberes matrimoniales en todos los aspectos, y diseñaron un sistema de rotación por el cual pasaba un día con cada una de las chicas (en La Cortina, el día y la noche habían cambiado los papeles: la noche para descansar y el día para negocios). Apenas iniciado un programa tan arduo para él, sus mujeres convocaron una reunión en la que se le hizo saber que debía portarse como el marido «auténtico», es decir, como Mahound. «¿Por qué no te cambias el nombre como nosotras?», preguntó la enfadadiza «Hafsah», pero Baal dejó muy claro el límite. «Tal vez no sea un nombre para sentirse orgulloso –insistió–, pero es el mío. Además, yo no trabajo con los clientes. No hay razones comerciales para el cambio.» «Bueno; de todos modos –dijo la voluptuosa "Mary la Copta", encogiéndose de hombros–, te llames como te llames, queremos que empieces a comportarte como él.»

«Yo no sé mucho de...», protestó Baal, pero «Ayesha», que era la más atractiva de todas, o así comenzaba a parecérselo últimamente, hizo una mueca deliciosa. «Vamos, esposo –le dijo, zalamera–. No es tan difícil. Nosotras sólo queremos, ya sabes... Que seas el jefe.»

Las prostitutas de La Cortina resultaron ser las mujeres más anticuadas y convencionales de Jahilia. Su trabajo, en vez de convertirlas en unas cínicas desengañadas (aunque, naturalmente, eran capaces de verdaderas atrocidades con sus clientes), había hecho de ellas unas soñadoras. Alejadas del mundo exterior, habían concebido una fantástica «vida corriente» en la que no deseaban otra cosa que ser las compañeras obedientes y, sí, sumisas de un hombre que fuera sabio, cariñoso y fuerte. Es decir: los años de encarnar las fantasías de los hombres habían llegado a corromper sus sueños de tal modo que incluso en lo más hondo de sus corazones deseaban convertirse en la más antigua de todas las ilusiones masculinas. El estímulo añadido de representar la vida doméstica del Profeta las excitaba sumamente, y el aturdido Baal descubrió lo que era tener compitiendo por sus favores, por la gracia de una sonrisa, a doce mujeres que le lavaban los pies y se los secaban con sus cabellos y le perfumaban el cuerpo y danzaban para él representando de mil maneras el matrimonio soñado que nunca creyeron conocer.

Era irresistible. Él empezó a tener el valor de darles órdenes, de decidir entre ellas, de castigarlas cuando se enfadaba. Una vez que le irritaron con sus peleas, las repudió a todas durante un mes. Cuando, transcurridas veintinueve noches, fue a ver a «Ayesha», ella se burló porque él no había podido esperar más. «Era un mes de veintinueve días», respondió él. Una vez fue sorprendido con «Mary la Copta» en la habitación de «Hafsah» el día de «Ayesha». Suplicó a «Hafsah» que no se lo dijera a «Ayesha», de la que estaba enamorado; pero ella se lo dijo y Baal tuvo que mantenerse durante mucho tiempo alejado de «Mary», la de piel blanca y pelo rizado. Resumiendo, se dejó seducir por la ilusión de convertirse en espejo secreto y profano de Mahound, y de nuevo empezó a escribir.

Le salió una poesía que era la más dulce que nunca escribiera. A veces, cuando estaba con Ayesah, sentía que una dejadez le embargaba, el cuerpo le pesaba, y tenía que tumbarse. «Qué raro –le dijo–. Es como si me viera a mí mismo de pie a mi lado. Y puedo hacer hablar a ese que está de pie; luego, me levanto y escribo sus versos.» Esa dejadez artística de Baal era muy admirada por sus esposas. Una vez, cansado, se quedó adormilado en un sillón de la cámara de «Umm Salamah la makhzumita». Cuando despertó horas después, le dolía todo el cuerpo y tenía el cuello y los hombros agarrotados, así que reprendió a Umm Salamah: «¿Por qué no me despertaste?» Ella respondió: «No me atreví; pensé que quizá te vinieran los versos.» Él movió la cabeza. «No te preocupes por eso. La única mujer en cuya compañía me vienen los versos es "Ayesha", no tú.»

Dos años y un día después de que Baal empezara su vida en La Cortina, uno de los clientes de «Ayesha» lo reconoció, a pesar de la piel teñida, los bombachos y la cultura física. Baal estaba en la puerta de la habitación de «Ayesha» cuando salió el cliente que, señalándole con el dedo, gritó: «¡Conque aquí te habías metido!» Acudió corriendo «Ayesha», con los ojos brillantes por miedo. Pero Baal dijo: «No temas; él no nos causará problemas.» Invitó a Salman el persa a su propia habitación y destapó una botella del vino dulce hecho de uva no prensada que los hahilianos elaboraban desde que descubrieron que no estaba prohibido por lo que, con evidente falta de respeto, empezaban a llamar el Reglamento.

«He venido porque por fin me voy de esta ciudad infernal –dijo Salman– y quería pasar un momento de placer al cabo de tantos años de mierda.» Después de que Bilal intercediera por él ante Mahound en el nombre de su vieja amistad, el inmigrante se había dedicado al trabajo de amanuese, y pasaba el día sentado en el suelo, con las piernas cruzadas, junto a la calzada de la calle principal del distrito financiero, aguardando a los clientes. Su cinismo y su desesperación se habían inflamado por el sol. «La gente escribe muchas mentiras –dijo, bebiendo rápidamente–. Por lo tanto, un embustero profesional se gana estupendamente la vida. Mis cartas de amor y mi correspondencia comercial se hicieron famosas y estaban consideradas las mejores de la ciudad, gracias a mi destreza en inventar hermosas falacias con una mínima deformación de los hechos. De manera que en apenas dos años he podido ahorrar lo suficiente para volver a casa. ¡A casa! ¡A mi tierra! Me marcho mañana, y sin perder un minuto.»

Según vaciaba la botella, Salman empezó a hablar otra vez, como Baal sabía que lo haría, de la causa de todos sus males, el Mensajero y su mensaje. Habló a Baal de una disputa entre Mahound y Ayesha, repitiendo el rumor como si fuera un hecho incontrovertible. «Esa muchacha no traga que su marido necesite tantas esposas –dijo–. Él hablaba de conveniencias, alianzas políticas, etcétera, pero eso no la convencía. ¿Y quién había de reprochárselo? Al fin, él entró en uno de sus trances –¿cómo no?– del que salió con un mensaje del arcángel. Gibreel le había recitado unos versos que le aseguraban pleno apoyo divino. Permiso del propio Dios para joder con cuantas mujeres le apeteciera. Y ¿qué podía decir la pobre Ayesha contra los versos de Dios? ¿Sabes lo que dijo? Dijo esto: "Tu Dios no se hace de rogar cuando necesitas que te resuelva las cosas." ¡Bueno! De no ser Ayesha, quién sabe lo que él habría hecho, aunque ninguna de las otras habría osado, desde luego.» Baal le dejaba desahogarse sin interrumpir. Los aspectos sexuales de la Sumisión preocupaban mucho al persa: «Es insano –dictaminó–. Toda esta segregación. No traerá nada bueno.»

Al fin Baal comenzó a discutir, y Salman se quedó atónito al oír que el poeta defendía a Mahound: «Hay que ver las cosas desde su punto de vista –argumentó Baal–. Si las familias le ofrecen esposas y él las rechaza, se crea enemigos. Además, él es un hombre especial y hay razones para dispensas especiales. En cuanto a lo que se refiere a encerrarlas, ¡qué deshonra si algo malo le ocurriera a alguna de ellas! Mira, si vivieras aquí, no pensarías que un poco menos de libertad sexual era tan mala cosa, para el común de la gente, quiero decir.»

«Has perdido el seso –dijo Salman de forma tajante–. Llevas demasiado tiempo sin ver el sol. O quizá la ropa que llevas puesta es lo que te hace hablar como un payaso.»

Baal estaba bastante achispado a esas alturas y empezó una réplica acalorada, pero Salman levantó una mano no muy firme. «No quiero pelear –dijo–. Pero déjame contarte algo. El mejor chisme que corre por la ciudad. Jooo-jooo. Y tiene relación con, con lo que tú dices.»

La historia de Salman: Ayesha y el Profeta hicieron una visita a una aldea apartada y, a su regreso a Yathrib, la expedición acampó en las dunas para pernoctar. Levantaron el campo antes del amanecer, todavía en tinieblas. En el último momento, Ayesha, obligada por una necesidad de la naturaleza, tuvo que perderse de vista en una hondonada. Mientras estaba ausente, los mozos de litera tomaron el palanquín y emprendieron la marcha. Ayesha era mujer muy ligera y ellos, al no notar gran diferencia en el peso del palanquín, supusieron que ella estaba dentro. Cuando Ayesha volvió de hacer sus necesidades, se encontró sola, y quién sabe lo que hubiera podido sucederle de no haber pasado por allí un joven, un tal Safwan, montado en su camello. Safwan llevó a Ayesha sana y salva a Yathrib; pero entonces empezaron a trabajar las malas lenguas, especialmente en el harén, donde sus rivales no perdían ocasión de reducir el poder de Ayesha. Los dos jóvenes habían estado solos en el desierto durante muchas horas, y se sugirió con creciente malicia que Safwan era un joven verdaderamente guapo y que, al fin y al cabo, el Profeta era mucho mayor que ella, así que ¿no sería natural que Ayesha se hubiera sentido atraída por alguien de edad más cercana a la suya? «Menudo escándalo», comentó Salman con fruicción.

«¿Qué hará ahora Mahound?», preguntó Baal.

«Oh, ya lo ha hecho –respondió Salman–. Lo de siempre. Vio a su amigo, el arcángel, y luego comunicó a todo el mundo que Gibreel había exonerado a Ayesha. –Salman abrió los brazos en ademán de mundana resignación–. Pero esta vez, caballero, la dama no hizo comentarios acerca de lo oportuno de los versos.»

Salman el persa se marchó a la mañana siguiente con una caravana de camellos que iba hacia el Norte. Al despedirse de Baal en La Cortina, abrazó al poeta, le besó en ambas mejillas y dijo: «Quizá tengas razón. Quizá sea mejor guardarse de la luz del día. Espero que te vaya bien.» Y Baal respondió: «Y yo espero que tú encuentres tu casa y que allí haya algo que puedas amar.» La cara de Salman perdió toda expresión. Abrió la boca, la cerró y se marchó.

«Ayesha» fue a la habitación de Baal en busca de sosiego para su inquietud. «¿No irá por ahí contando nuestro secreto cuando esté borracho? –preguntó, acariciando el pelo de Baal–. Ese hombre bebe mucho.»

Baal dijo: «Ya nada será como antes.» La visita de Salman le había hecho despertar del sueño en el que, poco a poco, se había sumido durante los años pasados en La Cortina, y no podía volver a dormirse.

«Claro que sí –dijo "Ayesha" con énfasis–. Lo será, ya lo verás.»

Baal movió la cabeza e hizo la única profecía de su vida. «Va a ocurrir algo enorme –predijo–. Un hombre no puede vivir siempre escondido detrás de unas faldas.»

Al día siguiente Mahound volvió a Jahilia, y unos soldados fueron a comunicar a la Madam de La Cortina que el período de transición había terminado. Los burdeles iban a ser cerrados inmediatamente. Todo tenía un límite. Desde detrás de sus cortinajes, la Madam pidió a los soldados que se retiraran durante una hora, en nombre de la decencia, para permitir la salida de los clientes, y el oficial al mando del destacamento era tan cándido que accedió. La Madam envió a sus eunucos a avisar a las chicas y acompañar a los clientes a la puerta trasera. «Haced el favor de pedirles perdón por la interrupción –dijo a los eunucos– y decidles que, dadas las circunstancias, no se les cobrará nada.»

Fueron sus últimas palabras. Cuando las chicas, alarmadas, hablando todas a la vez, se precipitaron a la habitación del trono, para cerciorarse de si lo peor era verdad, ella no dio respuesta a sus aterrorizadas preguntas, es que estamos sin trabajo, y ahora de qué vamos a comer, iremos a la cárcel, qué será de nosotras, hasta que «Ayesha», con todo el coraje de que era capaz, hizo lo que ninguna de ellas se había atrevido jamás a hacer. Cuando apartó las negras colgaduras, vieron a una mujer muerta que podía tener cincuenta o ciento veinticinco años, de no más de un metro de estatura, que parecía una muñeca grande encogida en un sillón de mimbre con muchos almohadones, apretando en la mano un frasco de veneno.

«Ya que habéis empezado –dijo Baal que entraba en la habitación–, echad abajo todas las cortinas. Ya no tiene objeto impedir que entre el sol.»

Umar, el joven oficial que mandaba el destacamento, se permitió hacer gala de un petulante mal humor cuando descubrió el suicidio del ama del burdel. «Bien, si no podemos colgar a la jefa, tendremos que contentarnos con las obreras», gritó, y ordenó a sus hombres que arrestaran a las «pécoras», misión que los hombres realizaron con rigor. Las mujeres chillaban y pataleaban, y los eunucos observaban la escena sin mover ni un músculo, porque Umar les había dicho: «Quieren juzgar a las pájaras, pero no tengo instrucciones en cuanto a vosotros. De modo que, si no queréis perder la cabeza además de los huevos, no os metáis en esto.» Los eunucos no defendieron a las mujeres de La Cortina en su lucha con los soldados que las apresaban; y entre los eunucos estaba Baal, el poeta de la cara pintada. Antes de que la amordazaran, la más joven de las «pájaras» o «zorras» gritó: «Esposo, por Dios, ayúdanos si eres hombre.» El oficial se rió, divertido. «¿Cuál de vosotros es el esposo? –preguntó mirando atentamente debajo de cada turbante–. Venga, que salga. ¿Cómo se ve el mundo al lado de una esposa?»

Baal se quedó mirando al vacío, para rehuir tanto la mirada de «Ayesha» como los ojos entornados de Umar. El oficial se detuvo ante él. «¿Eres tú?»

«Señor, haceros cargo, es sólo una manera de hablar –mintió Baal–. A las chicas les gusta bromear. Nos llaman esposos porque nosotros, nosotros...»

De pronto, Umar lo agarró por los genitales, apretando. «Porque vosotros no podéis serlo –dijo–. Maridos, ¿eh? Cualquier cosa.»

Cuando se le calmó el dolor, Baal vio que las mujeres habían desaparecido. Umar dio un consejo a los eunucos antes de irse. «Perdeos –sugirió–. Mañana quizá tenga órdenes que cumplir con vosotros. No son muchos los que tienen suerte dos días seguidos.»

Cuando se llevaron a las chicas de La Cortina, los eunucos se sentaron a llorar desconsoladamente junto a la Fuente del Amor. Pero Baal, avergonzado, no lloró.

Gibreel soñó la muerte de Baal:

Poco después de su arresto, las doce prostitutas descubrieron que se habían acostumbrado de tal manera a sus nuevos nombres que no podían acordarse de los viejos. Tenían miedo de dar a sus carceleros sus nombres adoptados y, en consecuencia, no pudieron dar nombre alguno. Después de mucho gritar y amenazar, los carceleros se rindieron y las registraron por números: Cortina 1, Cortina 2, etcétera. Sus antiguos clientes, temerosos de las consecuencias que pudiera tener revelar el secreto de lo que hacían las prostitutas, también guardaron silencio, de modo que la cosa hubiera quedado así, de no haber empezado Baal, el poeta, a pegar versos en los muros de la cárcel de la ciudad.

Dos días después de los arrestos, la cárcel estaba llena a rebosar de prostitutas y proxenetas, cuyo número había aumentado considerablemente durante los dos años en los que la Sumisión había introducido en Jahilia la segregación sexual. Se observó que muchos jahilianos, arrostrando las burlas de la chusma y no digamos la persecución bajo las nuevas leyes contra la inmoralidad, se apostaban bajo las ventanas de la cárcel para dar serenatas a aquellas damas pintadas a las que habían llegado a amar. Las mujeres de dentro se quedaban absolutamente frías ante esa devoción y no prestaban la menor atención a los admiradores que se acercaban a las rejas. Pero el tercer día apareció entre aquellos suspirantes de amor un individuo peculiarmente abrumado con un turbante y bombachos, con la piel oscura y con ronchas descoloridas. Muchos transeúntes se reían de su aspecto, pero cuando él empezó a cantar sus versos las risas cesaron inmediatamente. Los jahilianos tuvieron siempre buen gusto por el arte de la poesía, y la belleza de las odas que recitaba el estrafalario individuo los dejó pasmados. Baal cantaba sus poemas de amor, y el dolor que había en ellos silenciaba a los otros versificadores, que permitieron a Baal hablar por todos ellos. En las ventanas de la cárcel se vieron por primera vez las caras de las prostitutas, atraídas por la magia de su verso. Terminado el recital, Baal se adelantó y clavó sus versos en la pared. Los centinelas de las puertas, con los ojos llenos de lágrimas, no hicieron nada para impedírselo.

A partir de entonces, todas las tardes reaparecía el extraño individuo y recitaba una nueva poesía, y cada una de ellas parecía más bella que la anterior. Fue quizá aquella plétora de belleza lo que impidió que alguien advirtiera antes de la duodécima noche, cuando él terminó la duodécima y última de sus odas, cada una de las cuales estaba dedicada a una mujer diferente, que los nombres de sus doce «esposas» eran los mismos que los de otras doce.

Pero al duodécimo día se advirtió, y, de inmediato, la gran multitud que solía congregarse para escuchar la lectura de Baal cambió de actitud. La sublime exaltación dio paso al escándalo, y Baal se vio rodeado por hombres furiosos que exigían que les explicara la razón de aquel oblicuo y casi bizantino insulto. Entonces Baal se quitó el absurdo turbante y dijo: «Yo soy Baal. No reconozco más autoridad que la de mi Musa; o, para ser exactos, mi docena de Musas.»

Los guardianes lo prendieron.

Khalid, el general, quería ejecutar a Baal inmediatamente, pero Mahound ordenó que fuera juzgado inmediatamente después de las prostitutas. Una vez las doce esposas de Baal, que se habían divorciado de la piedra para casarse con él, fueron sentenciadas a ser lapidadas en castigo por la inmoralidad de su vida, quedaron frente a frente Baal y el Profeta, espejo e imagen, la contraluz y la sombra. Khalid, sentado a la derecha de Mahound, dio a Baal una última oportunidad de explicar sus viles hechos. El poeta contó la historia de su estancia en La Cortina, utilizando el lenguaje más simple, sin ocultar nada, ni siquiera su cobardía final, que después había intentado reparar con todo lo que había hecho. Pero entonces ocurrió algo extraordinario. La multitud apiñada en la tienda del juicio, sabedora de que aquél era, al fin y al cabo, el famoso satírico Baal, en tiempos poseedor de la lengua más afilada y del ingenio más agudo de Jahilia, empezó (por más que intentaba contenerse) a reírse. Cuanto más se esforzaba Baal en describir su matrimonio con las doce «esposas del Profeta» con la mayor sencillez y naturalidad, más incontrolable se hacía la horrorizada hilaridad del auditorio. Al finalizar su discurso, las buenas gentes de Jahilia lloraban literalmente de risa, sin poder contenerse a pesar de que los soldados con látigos y cimitarras los amenazaban con la muerte instantánea.

«¡Hablo en serio! –gritó Baal a la multitud que se retorcía y golpeaba los muslos con grandes risotadas–. ¡No es un chiste!» Ja ja ja. Hasta que, por fin, se acallaron las risas: el Profeta se había puesto en pie.

«En otros tiempos te burlabas de la Revelación –dijo Mahound en medio del silencio–. También entonces estas gentes gozaron con tus chanzas. Ahora has vuelto para deshonrar mi casa y, al parecer, una vez más, consigues sacar de la gente lo peor que hay en ella.»

Baal dijo: «He terminado. Haz lo que quieras.»

Fue sentenciado a morir decapitado antes de una hora, y cuando los soldados se lo llevaban de la tienda hacia el lugar de la ejecución, él gritó por encima de su hombro: «Las prostitutas y los escritores, Mahound, somos la gente a la que no perdonas.»

Mahound respondió: «Escritores y prostitutas. No veo la diferencia.»

Había una vez una mujer que no cambiaba.

Después de que la traición de Abu Simbel entregara Jahilia a Mahound en bandeja y sustituyera la idea de la grandeza de la ciudad por la realidad de la grandeza de Mahound, Hind besó y chupó pies, recitó la La-ilaha y luego se retiró a una alta torre de su palacio, adonde le llevaron la noticia de la destrucción del templo de Al-Lat en Taif y de todas las imágenes de la diosa de cuya existencia se tenía idea. Ella se encerró en su aposento de la torre con una colección de libros antiguos escritos en lenguas que ningún otro ser humano de Jahilia podía descifrar; y durante dos años y dos meses permaneció allí, estudiando en secreto sus textos ocultos, después de ordenar que una vez al día se le dejara en la puerta una bandeja de comida sencilla y que, al mismo tiempo, se le vaciara el orinal. Durante dos años y dos meses no vio a otro ser humano. Y un día, al amanecer, entró en la habitación de su esposo, con sus mejores galas y alhajas en las muñecas, los tobillos, los dedos de los pies, las orejas y la garganta. «Despierta –ordenó abriendo las cortinas–. Hoy tenemos cosas que celebrar.» Él observó que su esposa no había envejecido ni un solo día desde la última vez que la viera; si acaso, estaba más joven que nunca, lo cual confirmaba los rumores que sugerían que con su hechicería había convencido al tiempo para que corriera hacia atrás en el interior del aposento de la torre. «¿Qué tenemos que celebrar?», preguntó el Grande de Jahilia, tosiendo su habitual sangre matutina. Hind respondió: «Tal vez yo no pueda invertir la marcha de la historia, pero la venganza, al fin, es dulce.»

Antes de que pasara una hora llegó la noticia de que el Profeta, Mahound, estaba mortalmente enfermo, que yacía en la cama de Ayesha con fuertes dolores de cabeza, como si la tuviera repleta de demonios. Hind siguió preparando serenamente un banquete, enviando a los criados por toda la ciudad para convocar a los invitados. Por la noche, Hind, sola en el gran salón de su casa, entre los platos de oro y las copas de cristal de su venganza, comía un sencillo plato de cuscús rodeada de manjares brillantes, humeantes y aromáticos de todas clases. Abu Simbel no quiso sentarse a la mesa con ella y calificó aquella cena de obscenidad. «Te comiste el corazón de su tío –gritó Simbel– y ahora te comerías el suyo.» Ella se rió en su cara. Cuando los criados empezaron a llorar, los despidió también y se quedó sola con su alegría mientras las velas proyectaban extrañas sombras en su cara absoluta e implacable.

Gibreel soñó la muerte de Mahound.

Porque cuando la cabeza del Mensajero empezó a dolerle como jamás le doliera, él comprendió que había llegado la hora en que le sería ofrecida la Elección:

Puesto que un Profeta no puede morir sin haber visto el Paraíso, y sin que después se le pida que escoja entre ese mundo y el siguiente.

O sea que mientras tenía la cabeza apoyada en el regazo de su amada Ayesha, cerró los ojos, y pareció que la vida lo abandonaba, pero al cabo de un tiempo regresó.

Y dijo a Ayesha: «Me han dado a elegir y he hecho mi Elección, y he elegido el reino de Dios.»

Entonces ella lloró al comprender que él hablaba de la muerte; y él desvió la mirada como si contemplara a otra persona, mas cuando ella, Ayesha, se volvió para mirar, sólo vio una lámpara que ardía sobre su tallo.

«¿Quién está ahí? –gritó él–. ¿Eres Tú, Azraeel?»

Pero Ayesha oyó responder a una voz terrible y dulce de mujer: «No, Mensajero de Al-Lat, no soy Azraeel»

Y la lámpara se apagó; y en la oscuridad Mahound preguntó: «¿Esta enfermedad es obra tuya, oh Al-Lat?»

Y ella dijo: «Es mi venganza, y estoy satisfecha. Que desjarreten un camello y lo pongan en tu tumba.»

Ella se fue, y la lámpara que se había apagado volvió a arder con una luz suave y brillante, y el Mensajero murmuró: «A pesar de todo, te doy las gracias, Al-Lat, por este regalo.»

No tardó en morir. Ayesha salió a la habitación contigua, en la que las otras esposas y los discípulos esperaban con angustia, y empezaron a lamentarse con vehemencia.

Pero Ayesha se secó las lágrimas y dijo: «Si hay aquí personas que adoraban al Mensajero, que lloren, porque Mahound ha muerto; pero si hay aquí personas que adoren a Dios, que se regocijen, porque Él vive sin duda.»

Fue el fin del sueño.

VII

EL ÁNGEL AZRAEEL

1

Todo se reducía al amor, reflexionaba Saladin Chamcha en su cubil: amor, el pájaro refractario del libreto de Meilhac y Halévy para *Carmen* –uno de los especímenes campeones, éste, del Aviario Alegórico que él había coleccionado en días más felices, y que comprendía, entre sus aladas metáforas, el Dulce (de juventud), el Amarillo (más afortunado que yo), el Pájaro del Tiempo de Khayyáam-Fitzgerald sin adjetivo (al que poco le queda por volar y, ¡ay!, está ya en Alas), y el Obsceno; este último, de una carta escrita por Henry James padre a sus hijos... «Todo hombre que haya alcanzado aunque no sea más que su adolescencia intelectual, empieza a sospechar que la vida no es una farsa; ni siquiera una comedia; que, por el contrario, florece y fructifica a partir de las más trágicas profundidades de la penuria esencial en la que se hunden las raíces de su sujeto. La herencia natural de toda persona capaz de vida espiritual es una selva indómita en la que aúlla el lobo y parlotea el obsceno pájaro de la noche.» Ahí va *eso,* hijitos–. Y, en vitrina aparte, pero próxima, de la fantasía de aquel Chamcha más joven y más feliz, aleteaba el cautivo de una pieza de música burbujeante a la cabeza de la lista de éxitos, la Alegre Mariposa Huidiza que compartía *l'amour* con el *oiseau rebelle.*

El amor, una zona en la que nadie que desee almacenar un conjunto humano (lo contrario del androide robótico skinneriano) de experiencias puede permitirse suspender operaciones, el amor, decía, te estafa, no cabe duda, y, probablemente, te mata. Incluso te avisa de antemano. «El amor es un pequeño bohemio –canta Carmen, que es Paradigma de la Amada, su modelo, eterno y divino–, y, si te amo, ten cuidado.» No se puede pedir más sinceridad. El propio Saladin, en sus tiempos, había amado a muchas, y ahora (así había llegado a creerlo) sufría como amante necio la venganza del Amor. De las cosas de la mente, lo que más había amado era la cultura proteica e inagotable de los pueblos de habla inglesa; cuando cortejaba a Pamela, dijo que *Otelo,* «esa obra por sí sola», valía tanto como toda la producción de cualquier otro dramaturgo de cualquier otra lengua, y aunque era consciente de que la definición tenía su hipérbole, no creía exagerar mucho. (Pamela, desde luego, hacía esfuerzos constantes para traicionar a su clase y a su raza y, como era de esperar, se mostró horrorizada, comparó a Otelo con Shylock y luego la emprendió con el racista de Shakespeare, creador de semejante pareja). Él había luchado, al igual que el escritor benbalí Nirad Chaudhuri antes que él –aunque sin aquel pícaro afán de dárselas de *enfant terrible*– para merecer el reto que encerraba la frase *Civis Britannicus sum.* El Imperio ya no existía, pero él sabía que «todo lo bueno y vivo que tenía dentro» había sido «creado, modelado y estimulado» por su encuentro con este islote de sensibilidad, rodeado por el frío juicio del mar. En cuanto a lo material, había entregado su amor a esta ciudad, Londres, prefiriéndola a su ciudad natal y a cualquier otra; se había deslizado sigilosamente sobre ella, con creciente emoción, quedándose quieto como una estatua cuando ella miraba hacia él, soñando con ser el que llegara a poseerla para, así, *convertirse* en ella, como en ese juego de los niños ingleses que se llama «los pasos de la abuela», en el que el niño que toca al que «se queda» asume la deseada identidad; o como en el mito de la Rama Dorada. Londres, su naturaleza apelmazada refleja la suya propia, y su reticencia, también; sus gárgolas, las fantasmales huellas de pisadas romanas en sus calles, los graznidos de los gansos que emigran. Su hospitalidad –¡sí!– a pesar de las leyes de inmigración, y de su propia experiencia reciente, en cuya verdad él aún creía: una bienvenida imperfecta, cierto, capaz de intolerancia, pero real, como quedaba demostrado por la existencia, en un barrio de Londres Sur, de una taberna en la que no se oía más que ucraniano, y por la reunión anual, celebrada en Wembley, a tiro de piedra del gran estadio rodeado de ecos imperiales –Empire Way, Empire Pool– de más de un centenar de delegados, todos descendientes de una única aldea de Goa. «Nosotros, los londinenses, podemos enorgullecernos de nuestra hospitalidad», dijo a Pamela, y ella, sin poder contener la risa, lo llevó a ver la película de Buster Keaton que lleva este mismo título, en la que el cómico, al llegar al final de una absurda línea de ferrocarril, es objeto de un recibimiento brutal. En aquel entonces gozaban con aquellas discrepancias y, tras acaloradas disputas, acababan en la cama... Él volvió a concentrar su errabundo pensamiento en la cuestión de la metrópoli. Su –se repetía con terquedad– prolongada tradición de amparo, condición que mantenía a pesar de la recalcitrante ingratitud de los hijos de los refugiados; y sin la retórica, virtuosa y autosuficiente alusión a «los afligidos y perseguidos» que utilizaba la «nación de inmigrantes» del otro lado del océano, a la que no es que se le diera muy bien eso de abrir los brazos. ¿Acaso Estados Unidos, con todos sus es-en-la-actualidad-o-ha-sido-alguna-vez hubieran permitido a Ho Chi Minh cocinar en sus hoteles? ¿Qué diría su ley

McCarran-Walter acerca de un Karl Marx actual, que con su barba florida pretendiera cruzar la línea amarilla de sus fronteras? ¡Oh, Londres! Hay que tener el alma petrificada para no preferir tus esplendores marchitos, tus nuevas vacilaciones, a las calientes certidumbres de la Nueva Roma transatlántica con su gigantismo arquitectónico nazificado que utiliza la opresión del tamaño para que sus ocupantes humanos se sientan como gusanos... Londres, a pesar de un aumento de protuberancias tales como la NatWest Tower –un logotipo corporativo extrudido en la tercera dimensión–, conservaba su escala humana. *¡Viva! ¡Zindabad!*

Pamela siempre reaccionaba con causticidad a tales raptos. «Son valores de museo –solía decirle–. Canonizados, colgados en marcos dorados de paredes honoríficas.» ¡Todo lo que pervivía la impacientaba! ¡Cambiarlo todo! ¡Destriparlo! Él dijo: «Si lo consigues, harás imposible que, dentro de una o dos generaciones, aparezca alguien como tú.» Ella celebraba esta visión de su propia obsolescencia. Si acababa como el dodó –convertida en una reliquia disecada, *Traidora a su Clase, 1980*–, ello indicaría sin duda que el mundo mejoraba. Él se permitía disentir, pero para entonces, estaban ya abrazados: lo que, evidentemente, era una mejora, reconocía él.

(Un año, el Gobierno implantó el pago a la entrada de los museos, y grupos de airados amantes del arte se manifestaban delante de los templos de la cultura. Chamcha quiso alzar su propia pancarta y plantear la contraprotesta de un hombre solo. ¿Sabía aquella gente lo que *valían* las cosas que había allí dentro? Ahí estaban, destrozándose los pulmones con unos cigarrillos que costaban, el paquete, más que las entradas por las que protestaban; lo que esa gente manifestaba al mundo era el poco valor que daba a su patrimonio cultural... Pamela golpeó el suelo con el pie. «No te atrevas», le dijo. Ella tenía la opinión vigente en aquel entonces: la de que los museos eran *demasiado valiosos* como para cobrar por su visita. Dijo: «No te atrevas», y él descubrió para su sorpresa que no se atrevía. Él no quería decir lo que hubiera podido parecer que había querido decir. Él quería decir que, quizá, en determinadas circunstancias, hubiera dado la *vida* por lo que había en aquellos museos. Por lo tanto, él no podía tomar en serio las objeciones al pago de unos peniques. Ahora bien, advertía que la suya era una posición oscura y vulnerable.)

Y entre todos los seres humanos, Pamela, yo te quería a ti.

Cultura, ciudad, esposa, y un cuarto y último amor del que no había hablado a nadie: el amor a un sueño. En los viejos tiempos el sueño se repetía aproximadamente una vez al mes; era un sueño sencillo que tenía lugar en un parque de la ciudad, por una avenida de viejos olmos cuyas ramas se unían formando un túnel verde en el que el cielo y el sol penetraban aquí y allá por las perfectas imperfecciones de la bóveda de hojas. En aquel reducto silvestre, Saladin se veía acompañado de un niño de unos cinco años al que enseñaba a montar en bicicleta. El niño, que al principio hacía unas eses alarmantes, se esforzaba heroicamente por lograr y guardar el equilibrio, con la ferocidad del que quiere que su padre esté orgulloso de él. El Chamcha del sueño corría detrás de su hijo imaginario sujetando la bicicleta por el portapaquetes situado sobre la rueda trasera. Luego lo soltaba y el niño (sin saber que ya no lo sostenía nadie) seguía avanzando: el equilibrio se adquiría como el don del vuelo, y los dos se deslizaban por la avenida, Chamcha corriendo y el niño pedaleando cada vez con más fuerza. «¡Lo lograste!», gritaba Saladin con alegría, y el niño, no menos jubiloso, gritaba a su vez: «¡Mira, papá! ¡Mira qué pronto he aprendido! ¿No estás contento de mí? ¿No estás contento?» Era un sueño que hacía llorar, porque, al despertar no había bicicleta ni había niño.

«¿Qué vas a hacer ahora?», le preguntó Mishal entre los destrozos de la discoteca Cera Caliente, y él contestó, con demasiada ligereza: «¿Yo? Creo que volveré a la vida.» Se dice pronto; al fin y al cabo, era la vida la que había recompensado su amor a un niño soñado con la falta de hijos: su amor a una mujer, con el distanciamiento de ella y su inseminación por el viejo compañero de estudios del marido; su amor a una ciudad, despeñándolo desde la cumbre de un Himalaya, y su amor a una civilización, haciéndole objeto de tormento, de humillación, de suplicio en el potro. Pero no estaba del todo destruido, se dijo; estaba otra vez entero y podía inspirarse en el ejemplo de Niccolò Machiavelli (un hombre tratado injustamente, cuyo nombre, al igual que el de Muhammad-Mahoma-Mahound, se había convertido en sinónimo del mal; cuando, en realidad, su firme republicanismo lo envió a la tortura, de la que sobrevivió, ¿fueron tres sesiones en el potro?, lo suficiente, en cualquier caso, para que la mayoría de los hombres confesara haber violado a su abuela, o lo que fuera con tal de poner fin al dolor; pero él no confesó nada, ya que no cometió delito alguno mientras sirvió a la república florentina, aquel breve intermedio en el dominio de la familia Medici); si Niccolò había podido sobrevivir a semejante tortura y escribir esa quizá amarga o quizá sardónica parodia de la literatura sicofántica al estilo del espejo-de-príncipes tan en boga en aquel entonces, titulada *Il Principe,* seguida de los magistrales *Discorsi,* entonces él, Chamcha, no podía permitirse el lujo de la derrota. Así que, resurrección: a retirar la peña de la oscura boca del sepulcro y al diablo los problemas jurídicos.

Mishal, Hanif Johnson y Pinkwalla –a cuyos ojos las metamorfosis de Chamcha habían hecho del actor un héroe a través del cual la magia de las películas fantásticas con efectos especiales *(Laberinto, Leyenda, Roger Rabbit)* llegaba al Mundo Real– llevaron a Saladin a casa de Pamela en la furgoneta del disc-jockey; pero esta vez él se comprimió en la cabina, con los otros tres. Era a primera hora de la tarde; Jumpy estaría aún en el centro deportivo. «Buena suerte», dijo Mishal dándole un beso, y Pinkwalla preguntó si quería que le esperasen. «No, gracias –respondió Saladin–. Cuando has caído del cielo, has sido abandonado por tu amigo, sufrido la brutalidad de la policía, te has convertido en macho cabrío, has perdido el trabajo además de la esposa, descubierto el poder del odio y recuperado la apariencia humana, ¿qué te queda sino, como diríais sin duda vosotros, hacer valer tus derechos?» Les dijo adiós con la mano. «Bien dicho», respondió Mishal, y arrancaron. En la esquina, los consabidos niños del barrio, con los que nunca mantuvo buenas relaciones, lanzaban una pelota contra un farol. Uno de ellos, un diablejo con ojos de cerdo de unos nueve o diez años, apuntó a Chamcha con un imaginario control remoto de vídeo gritando: «¡Avance rápido!» La suya era una generación que trataba de saltarse los trozos aburridos, molestos y desagradables, pulsando la tecla de «avance rápido» para pasar de un momento de acción y emoción empaquetada al siguiente. *Bienvenido al hogar,* pensó Saladin, y tocó el timbre.

Pamela, al verlo, se echó realmente la mano a la garganta. «Creí que eso ya no lo hacía nadie –dijo él–. Por lo menos, desde *Dr. Strangelove.*» Todavía no se le notaba el embarazo; él se interesó y ella se sonrojó, pero confirmó que iba bien. «Por ahora, bien.» Naturalmente, estaba violenta; el ofrecimiento de una taza de café en la cocina llegó con varios segundos de retraso (ella «siguió» con el whisky, bebiendo rápidamente, a pesar del niño); pero en realidad Chamcha se sintió en desventaja durante toda la entrevista. Era obvio que Pamela comprendía que había de ser ella la contrita. Ella era la que quería acabar con el matrimonio, la que le había negado por lo menos tres veces; pero él estaba tan desmañado y tan abatido como ella, de manera que los dos parecían competir por el papel de lerdo. La causa de la confusión de Chamcha –recordemos que no llegó con esta actitud pusilánime, sino con el ánimo firme y agresivo– fue que, al ver a Pamela, con aquella vivacidad exagerada, aquella cara que era como una máscara de santidad detrás de la que a saber qué gusanos se regalaban con carne putrefacta (le alarmó la hostilidad de las imágenes que le enviaba el subconsciente), la cabeza afeitada bajo el absurdo turbante, el aliento de whisky y el gesto duro labrado en las pequeñas arrugas de sus labios, fue que, sencillamente, se había desenamorado y comprendía que no deseaba volver a vivir con ella ni en el caso (improbable pero no inconcebible) de que ella lo quisiera. En cuanto se dio cuenta de ello, sin saber por qué, empezó a sentirse culpable y, por lo tanto, en desventaja. El perro de pelo blanco también le gruñía. Entonces recordó que, de hecho, no le gustaban los animales.

«Supongo que lo que hice es imperdonable, ¿euh?», dijo ella como si hablara con el vaso, sentada a la vieja mesa de pino de la espaciosa cocina.

Aquel *¿euh?* americanizante era nuevo. ¿Otro de los muchos atentados contra su linaje? ¿O se le había contagiado de Jumpy o de cualquier hippy amigo suyo, como una enfermedad? (Otra vez aquel ensañamiento: basta ya. Ahora que había dejado de quererla, resultaba inapropiado). «No creo poder decir que soy capaz de perdonar –respondió él–. Al parecer, es una reacción que no depende de mi voluntad; es algo que se da o no se da, y yo no me entero hasta que ocurre. Digamos, por el momento, que el jurado está deliberando.» A ella no le gustó aquello; ella quería que él resolviera la situación para que pudieran tomar el maldito café en paz. Pamela siempre hacía un café detestable; pero eso no era el problema en aquel momento. «Pienso instalarme aquí –dijo Chamcha–. La casa es grande y hay espacio de sobra. Me reservaré el estudio y las habitaciones del piso de abajo, con el baño de los invitados, para estar completamente independiente. Pienso usar muy poco la cocina. Supongo que, puesto que no se encontró mi cadáver, oficialmente todavía estoy desaparecido-presumiblemente-muerto, y que tú no habrás ido al juzgado a borrarme del mapa. Por lo tanto, no creo que se tarde mucho en resucitarme, una vez avise a Bentine, Milligan y Sellers.» (Respectivamente, abogado, gestor y agente de Chamcha.) Pamela escuchaba en silencio, dando a entender con su postura que no pensaba discutir aquellas decisiones, que no tenía inconveniente: hacía penitencia mediante el lenguaje corporal. «Después, venderemos esto y podrás conseguir tu divorcio.» Él salió de la cocina rápidamente, haciendo mutis antes de que le diera la temblorina, que le acometió nada más llegar al cubil. Abajo, Pamela estaría llorando; él no lloraba con facilidad, pero a temblar nadie le ganaba. Y ahora empezaba también el corazón: bum, badum, dududum.

Para volver a nacer, antes tienes que morir.

Cuando se quedó solo, Saladin recordó de pronto que, en cierta ocasión, él y Pamela habían discutido, como discutían de todo, sobre un cuento que habían leído que trataba precisamente de la naturaleza de lo imperdonable. El título y el autor se le habían olvidado, pero el tema lo recordaba bien. Un hombre y una mujer habían sido amigos íntimos (nunca amantes) durante toda la vida. El día en que él cumplía veintiún años (entonces los dos eran pobres) ella le regaló, para bromear, el jarrón de cristal más horrible y vulgar que encontró, con unos colores que eran una parodia chillona de la alegría del cristal de Venecia. Veinte años después, cuando los dos habían triunfado y empezaban a peinar canas, ella fue a verle a su casa y se peleó con él por algo que él había hecho a un amigo de ambos. Durante la disputa, ella vio el viejo jarrón, que él conservaba en un lugar de honor sobre la repisa de su estudio, y ella, sin interrumpir sus reproches, lo barrió de un golpe y el jarrón se estrelló contra el suelo rompiéndose en mil pedazos. Y él no volvió a dirigirle la palabra; cuando ella se estaba muriendo, medio siglo después, él se negó a visitarla en su lecho de muerte y no asistió al entierro, a pesar de que fueron a verle emisarios para decirle que tales eran los mayores deseos de ella. «Decidle que ella nunca supo lo mucho que yo valoraba lo que ella rompió.» Los emisarios argumentaron, suplicaron, reprocharon. Si ella ignoraba el enorme significado que él daba a la baratija, ¿cómo podía reprochársele nada? ¿Y durante aquellos años, no había hecho ella infinidad de intentos pidiendo perdón y ofreciendo reparación? Y ahora se estaba muriendo, por Dios; ¿no podía olvidar al fin aquella pelea infantil? Habían malogrado una vida de amistad, ¿no iban ni a poder decirse adiós? «No», respondió el inmisericorde. «¿Es por el jarrón, u ocultas algún otro motivo más grave y tenebroso?» «Es por el jarrón –respondió él–. El jarrón y nada más.» Pamela decía que el hombre era mezquino y cruel, pero Chamcha ya entonces advirtió la extraña privacía, la inexplicable intimidad del asunto. «No se puede juzgar una herida interna –dijo– por el tamaño de la herida, por la brecha.»

Sunt lacrimae rerum, como habría dicho el ex maestro Sufyan, y Saladin tendría amplia ocasión durante los días siguientes de contemplar las lágrimas en las cosas.

Al principio, permaneció sin salir de su cubil, dejando que creciera a su alrededor, a la espera de que recuperara algo de aquella solidez reconfortante de antaño, previa a la alteración del universo. Veía mucha televisión con mirada medio ida, cambiando de canal compulsivamente, porque pertenecía a la cultura del mando a distancia tanto como el puerco chaval de la esquina; también él podía comprender, o, por lo menos, hacerse la ilusión de que comprendía, el híbrido videomonstruo que se anima apretando el botón... Qué gran igualador era aquel chisme del control remoto, un lecho de Procrustes siglo veinte; trivializaba lo trascendente y daba trascendencia a lo trivial hasta que todos los programas, anuncios, asesinatos, concursos, las mil y una alegría y horrores de lo real y lo imaginario adquirían un peso igual; y si el Procrustes original, ciudadano de una cultura que ahora llamaríamos «artesana», había tenido que ejercitar tanto el cerebro como el músculo, él, Chamcha, podía permanecer recostado en su butaca Parker-Knoll dejando que sus dedos hicieran los cortes. Mientras recorría canales tenía la impresión de que la caja estaba llena de monstruos: había mutantes –«Mutts»– en *Dr. Who,* criaturas extrañas que parecían cruces de diferentes tipos de maquinaria pesada: cosechadoras de heno, cucharas mecánicas, carretillas, prensas y sierras, al mando de unos crueles jefes-sacerdotes llamados *Mutilasians*; la televisión infantil parecía estar poblada únicamente de robots humanoides y criaturas de cuerpos metamórficos, mientras que los programas para adultos ofrecían un desfile interminable de deformes subproductos humanos de las más avanzadas ideas de la medicina moderna, y de sus cómplices, las enfermedades modernas y la guerra. Al parecer un hospital de la Guayana conservaba el cuerpo de un tritón perfectamente formado, con sus aletas y sus escamas. En los Highlands de Escocia estaba en auge la licantropía. Se discutía seriamente la viabilidad genética del centauro. Se mostraba una operación de cambio de sexo. Aquello le recordó una detestable poesía que Jumpy Joshi le había enseñado tímidamente en el Shaandaar D y D. Se llamaba «Canto al Cuerpo Ecléctico» y era representativa del conjunto. Pero, de todos modos, él tiene un cuerpo entero, pensó Saladin amargamente. Le ha hecho un niño a Pamela sin el menor esfuerzo; en sus malditos cromosomas no debe de haber palitos rotos... Hasta se vio a sí mismo en la reposición de un viejo «clásico» de *El Show de los Aliens* (en la cultura del «avance rápido», la categoría de clásico se consigue en no más de seis meses, e incluso de un día para otro). El efecto de toda aquella contemplación de la caja fue un buen golpe en lo que aún le quedaba de su concepto de la calidad media normal de lo real; pero también trabajaban fuerzas de signo contrario.

En *El mundo del jardinero* le enseñaron a hacer un injerto llamado «de quimera» (casualmente, el mismo que era el orgullo del jardín de Otto Cone); y aunque su falta de atención le hizo perderse el nombre de los dos árboles que se habían fundido en uno –¿Morera? ¿Laurel? ¿Retama?–, el árbol en sí le produjo un sobresalto que le hizo erguirse en su asiento. Allí la tenía, una quimera palpable, con raíces, firmemente plantada y desarrollándose vigorosamente en suelo inglés: un árbol, pensó, que podía ocupar el lugar metafórico de aquel otro árbol que su padre había talado en un lejano jardín en otro mundo, distante e incompatible. Si tal árbol era posible, él también podía serlo; también él podía ser coherente, echar raíces, sobrevivir. Entre todas las imágenes televisuales de las tragedias híbridas –la inutilidad de los tritones, los fracasos de la cirugía plástica, la vaciedad de buena parte del arte moderno, tan insípido como el esperanto, la Coca-Colonización del planeta– se le ofrecía este regalo. Bastaba. Apagó el televisor.

Gradualmente, su rencor hacía Gibreel fue disminuyendo. Tampoco los cuernos, pezuñas, etcétera volvían a aparecer. Evidentemente, se había iniciado un proceso de curación. En realidad, a medida que pasaban los días, no ya Gibreel, sino todas las experiencias vividas últimamente por Saladin, llegaron a parecerle incoherentes, como ocurre incluso con la más pertinaz de las pesadillas una vez que te has lavado la cara, cepillado los dientes y tomado una taza de algo fuerte y caliente. Empezó a hacer expediciones al mundo exterior, a los asesores profesionales, abogado gestor agente, a los que Pamela solía llamar «los gorilas», y cuando estaba sentado entre los paneles, libros y carpetas de aquellos serios despachos, en los que, evidentemente, nunca sucederían milagros, él solía aludir a su «enfermedad», «el trauma del accidente», etcétera, explicando su desaparición como si nunca hubiera caído del cielo cantando «Rule Britannia» mientras Gibreel aullaba una canción de la película *Shree 420.* Se esforzó en recuperar su antigua actividad cultural yendo a conciertos, galerías de arte y teatros, y, si su reacción era un tanto abúlica, si tales empeños no conseguían que regresara a casa en el estado de exaltación que era el efecto que él esperaba de todo el arte puro, entonces él se repetía que la emoción no tardaría en volver; él había tenido «una mala experiencia» y necesitaba un poco de tiempo.

En su cubil, sentado en la butaca Parker-Knoll, rodeado de sus cosas –los pierrots de porcelana, el espejo en forma de corazón de caricatura, Eros sosteniendo en alto el globo de una lámpara antigua–, Saladin se felicitaba de ser el tipo de persona incapaz de odiar durante mucho tiempo. Quizá, al fin y al cabo, el amor fuera más duradero que el odio; aunque el amor cambiara, siempre quedaba una sombra, una forma perdurable. Por ejemplo, hacia Pamela estaba seguro de no sentir sino el afecto más altruista. Quizá el odio era como una huella dactilar en el cristal del alma sensible; una simple mancha de grasa que se borraba sola. ¿Gibreel? Bah, ya estaba olvidado; ya no existía. Así, renunciar al rencor era alcanzar la libertad.

El optimismo de Saladin iba en aumento, pero el papeleo de su regreso a la vida estaba resultando más lento de lo que había esperado. Los bancos no tenían prisa en desbloquear sus cuentas y él se veía obligado a pedir prestado a Pamela. Tampoco le era fácil encontrar trabajo. Charlie Sellers, su agente, se lo explicó por teléfono: «Los clientes sienten escrúpulos. Empiezan a hablar de zombies, y todo esto les parece poco limpio, como robar una tumba.» Charlie, que a sus cincuenta y tantos años conservaba la voz de niña pava de la aristocracia rural, daba la impresión de que compartía el punto de vista de los clientes. «Ten paciencia –le aconsejó–. Ya se les pasará. Al fin y al cabo, tú no eres Drácula, por Dios.» Gracias, Charlie.

Sí: su odio obsesivo hacia Gibreel, su sueño de alcanzar una venganza cruel y oportuna, todo eso eran cosas del pasado, aspectos de una realidad incompatible con su apasionado deseo de restablecer la vida normal. Ni siquiera la imaginería sediciosa y disolvente de la televisión podía apartarle de su camino. Lo que rechazaba era una imagen de sí mismo y de Gibreel como *monstruos.* Monstruos, vaya por Dios: una idea absolutamente absurda. En el mundo había verdaderos monstruos: dictadores genocidas, violadores de niños, el Destripador de Abuelas. (Aquí no tenía más remedio que reconocer que, a pesar del excelente concepto que antaño le mereciera la policía metropolitana, el arresto de Uhuru Simba resultaba demasiado oportuno. No tenías más que abrir un periódico amarillo cualquier día de la semana para encontrar a homosexuales irlandeses lunáticos que llenaban la boca de tierra a los niños. Pamela, naturalmente, opinaba que el término de «monstruo» era excesivamente –¿cómo diría?– *unilateral*; la caridad, exigía considerar a esas personas como víctimas de la época. La caridad, respondía él, exigía consideración hacia sus víctimas. «Eres un caso perdido –dijo ella con su voz más patricia–. Sólo sabes pensar en términos mediocres.»

Y había otros monstruos, no menos reales que los demonios de la prensa amarilla: el dinero, el poder, el sexo, la muerte, el amor. Ángeles y demonios, ¿qué falta hacían? «¿Por qué los demonios, si el hombre es ya un demonio?», preguntaba desde su buhardilla de Tishevitz el «último demonio» de Singer, el laureado con el Nobel. A lo que Chamcha, con su ecuanimidad y su reflejo de todos-tenemos-nuestras-virtudes-y-nuestros-defectos, quería añadir: «¿Y por qué ángeles, si también el hombre es angelical?» (¿Cómo explicar, si no, la pintura de Leonardo? ¿Y era Mozart en realidad un Belcebú con peluca empolvada?) Pero había que reconocer, y éste era su punto de vista original, que las circunstancias de la época no requerían explicaciones diabólicas.

Yo no digo nada. No me pidan que aclare las cosas en un sentido o en otro; la época de las revelaciones ya pasó. Las reglas de la Creación están bastante claras: tú haces unos planes, creas las cosas así o asá y luego las dejas a su aire. ¿Dónde estaría la gracia, si tuvieras que estar siempre interviniendo, apuntando, cambiando las reglas, arbitrando en las peleas? Bien, hasta ahora me he mantenido bastante controlado y no tengo intención de cambiar de táctica. No crean que no he sentido el deseo de meter baza; sí que lo he sentido, muchas veces. Y, en una ocasión, hasta entré en escena, es verdad. Aparecí en la cama de Alleluia Cone y hablé con Gibreel superstar. *Ooparvala o Neechayvala*, preguntaba él, pero yo no le saqué de dudas; y tampoco pienso contarle nada al desconcertado Chamcha.

Ahora me marcho. Él va a acostarse.

Por la noche era cuando más le costaba mantener su nuevo, tímido y todavía frágil optimismo, porque por la noche no era tan fácil negar ese otro mundo de cuernos y pezuñas. Y estaba también el asunto de las dos mujeres que habían empezado a frecuentar sus sueños. La primera –costaba trabajo reconocerlo, incluso a sí mismo– no era otra que la mujer-niña del Shaandaar, su fiel aliada de sus tiempos de pesadilla que él tanto se empeñaba ahora en ocultar tras trivialidades y brumas, la aficionada a las artes marciales, la amante de Hanif Johnson: Mishal Sufyan.

La otra mujer –a la que dejara en Bombay con el puñal de su marcha clavado en el corazón, y que aún debía de creerle muerto– Era Zeeny Vakil.

El nerviosismo de Jumpy Joshi cuando se enteró de que Saladin Chamcha había vuelto bajo su forma humana y ocupaba los últimos pisos de la casa de Notting Hill, constituyó un espectáculo penoso que indignó a Pamela más de lo que habría estado dispuesta a reconocer. La primera noche –había decidido no decírselo hasta que lo tuviera seguro entre las sábanas–, al oír la noticia, él dio un salto que le hizo ir a parar a un metro de la cama, y se quedó de pie en la alfombra azul celeste, en cueros, temblando y con el pulgar en la boca.

«Vuelve a la cama y no hagas el capullo», ordenó ella, pero él movió furiosamente la cabeza y se sacó el dedo de la boca el tiempo justo para tartamudear: «¡Pero si él está *aquí*! ¡En esta *casa*! ¿Cómo quieres que *yo*...?» Hizo un lío con la ropa y huyó de la habitación.

Ella oyó unos golpes que indicaban que los zapatos, y quizá también su persona, habían rodado por la escalera. «Bien –le gritó–. Así te rompas el cuello, gallina.»

Pero, momentos después, Saladin recibió la visita de su separada esposa, con la cara colorada y la cabeza desnuda, hablando con voz sorda y apretando los dientes. «J. J. está ahí fuera, en la calle. El muy idiota dice que no entra si tú no le das permiso.» Como de costumbre, ella había bebido. Chamcha, vivamente asombrado, preguntó impulsivamente: «¿Y tú? ¿Tú quieres que entre?» Lo cual fue interpretado por Pamela como un intento de echar sal en la herida. Poniéndose aún más colorada, asintió con feroz humillación. *Sí.*

Por lo tanto, en su primera noche en casa, Saladin Chamcha salió a la calle –«¡Eh, hombre! ¡No pasa *nada*!» Jumpy, aterrorizado, le saludó juntando las manos para disimular el miedo– y convenció al amante de su esposa de que se acostara con ella. Luego volvió al piso de arriba, porque Jumpy, confuso, no quería entrar en la casa mientras Chamcha estuviera a la vista.

«¡Qué hombre! –sollozó Jumpy a Pamela–. ¡Es un *príncipe, un santo*!»

«Si no te callas, te echo al jodido perro», advirtió Pamela Chamcha, al borde de la apoplejía.

Jumpy siguió considerando perturbadora la presencia de Chamcha, que le parecía (a juzgar por su conducta) una sombra amenazadora a la que había que apaciguar constantemente. Cuando preparaba algún guiso para Pamela (con gran sorpresa y alivio de ella, Jumpy había resultado todo un chef de la cocina *mughlai*) insistía en invitar a Chamcha a comer con ellos y, cuando Saladin se excusaba, le subía una bandeja, explicando a Pamela que lo contrario sería una grosería y hasta una provocación. «¡Fíjate lo que consiente bajo su propio techo! Este hombre es un *gigante;* lo menos que podemos hacer con él es tener buenos modales.» Pamela, cada vez más encolerizada, tenía que soportar una serie de actos de aquella índole con las homilías correspondientes. «Nunca hubiera creído que fueras tan convencional», rezongaba, y Jumpy respondía: «Es, simplemente, cuestión de respeto.» En nombre del respeto, Jumpy llevaba a Chamcha tazas de té, periódicos y correo: cada vez que llegaba a la enorme casa no dejaba de subir a hacerle una visita de veinte minutos por lo menos, el tiempo mínimo que su sentido de la cortesía consideraba adecuado, mientras Pamela paseaba y se servía bourbon tres pisos más abajo. Llevaba a Saladin pequeños obsequios: ofrendas propiciatorias de libros, viejos programas de teatro y máscaras. Cuando Pamela protestaba, él argumentaba con un apasionamiento inocente y testarudo: «No podemos hacer como si él fuera invisible. Está aquí, ¿no? Pues tenemos que implicarle en nuestras vidas.» Pamela respondía agriamente: «¿Por qué no le invitas a que se acueste con nosotros?» A lo que Jumpy respondía completamente en serio: «Pensé que no lo aprobarías.»

Pese a su incapacidad para relajarse y aceptar con naturalidad la presencia de Chamcha en el piso de arriba, en el interior de Jumpy Joshi algo se había apaciguado al recibir de un modo tan poco usual el beneplácito de su antecesor. Ahora que podía reconciliar los imperativos del amor y de la amistad, estaba mucho más alegre y sentía que en su interior arraigaba la idea de la paternidad. Una noche tuvo un sueño que por la mañana le hizo llorar de ilusionada esperanza: un simple sueño, en el que él corría por una avenida arbolada, ayudando a un niño a montar en bicicleta. «¿No estás contento de mí? –gritaba el niño, jubiloso–. Mira, ¿no estás contento?»

Pamela y Jumpy intervenían en la campaña organizada para protestar por la detención del doctor Uhuru Simba por los asesinatos del Destripador de Abuelas. También esto lo discutió Jumpy con Saladin en el último piso. «Todo está amañado, a base de pruebas circunstanciales e insinuaciones. Hanif dice que por los huecos de la acusación podría pasar un camión. Es, sencillamente, un amaño; lo que está por ver es hasta dónde piensan llegar. Que lo procesan, es seguro. Incluso quizá tengan testigos que declaren que le vieron destripar a las ancianas. Depende de las ganas que tengan de cazarlo. Yo diría que bastantes. Hace tiempo que daba mucho que hablar en esta ciudad.» Chamcha aconsejó prudencia. Recordando el odio de Mishal Sufyan hacia Simba, dijo: «Ese hombre tiene antecedentes de malos tratos a las mujeres, ¿no?» Jumpy volvió las palmas de las manos hacia fuera. «En su vida personal –reconoció–, ese hombre es pura mierda. Pero eso no quiere decir que vaya por ahí destripando a ciudadanas de la tercera edad; no hay que ser un ángel para ser inocente. A menos que seas negro, naturalmente. –Chamcha dejó pasar la observación sin hacer comentarios–. Aquí la cuestión no es personal, sino política –subrayó Jumpy, y añadió al levantarse para salir–: Hummm, mañana hay una reunión para tratar de eso. Pamela y yo tenemos que ir; por favor, quiero decir si quieres, si te interesa, claro, podrías ir con nosotros.»

«¿Le has pedido que vaya con nosotros? –Pamela no podía creerlo. Ahora tenía náuseas casi constantemente, lo cual no contribuía a ponerla de buen humor–. ¿Le has invitado sin consultarme? –Jumpy estaba cabizbajo–. De todos modos, no importa –le absolvió–. No es fácil pillarle en un acto de *ésos.*»

Pero por la mañana Saladin se presentó en el vestíbulo con un elegante traje marrón, abrigo de piel de camello, bufanda de seda y sombrero marrón de copa hendida tirando a lechuguino. «¿Adónde vas? –preguntó Pamela con turbante, chaqueta de cuero excedente militar y pantalones de chándal que revelaban el incipiente ensanchamiento de su cintura–. ¿Al maldito Ascot?» «Tenía entendido que se me había invitado a una reunión», respondió Saladin con su acento menos combativo, y Pamela hizo una mueca. «Ten mucho cuidado –le advirtió–. Con esa pinta lo más probable es que te atraquen.»

¿Qué le atraía al otro mundo, a la subciudad cuya existencia había negado tan insistentemente? ¿Qué o, mejor dicho, quién le obligaba, por el mero hecho de su existencia, a salir del capullo-cubil en el que, poco a poco –por lo menos eso creía él–, iba recuperando su antigua personalidad, y zambullirse en las peligrosas (por ignotas) aguas del mundo y de sí mismo? «Tengo el tiempo justo de ir a la reunión antes de la clase de kárate», dijo Jumpy Joshi a Saladin. La clase de kárate donde esperaba su alumna estrella: alta, con el arco iris en el pelo y, agregó Jumpy, dieciocho años recién cumplidos. Saladin, ignorando que también Jumpy sufría las mismas inconfesables ansias, cruzó la ciudad para aproximarse a Mishal Sufyan.

Él pensaba que sería una reunión pequeña, y había imaginado una trastienda llena de tipos sospechosos con el aspecto y la oratoria de Malcolm X (Chamcha recordaba que le había divertido cierto chiste de un cómico de la televisión –«Está aquel negro que se cambió el nombre adoptando el de Mr. X y luego demandó a *News of the World* por libelo»–, con lo que provocó una de las peores peleas de su matrimonio), y alguna que otra mujer indignada; él esperaba mucho puño cerrado y mucha rectitud moral. Lo que encontró fue una sala grande, la Casa de los Amigos de Brickhall, atestada de todos los tipos imaginables: mujeres viejas y anchas y colegiales uniformados, rastas y trabajadores de hostelería, el personal del pequeño supermercado chino de Plassey Street, caballeros sobriamente vestidos y chicos turbulentos, blancos y negros. El ánimo de la multitud distaba mucho de ser la especie de histerismo evangélico que él había imaginado; era tranquilo, preocupado, deseoso de saber lo que se podía hacer. Una joven negra se colocó a su lado y miró su atuendo con expresión de regocijo; él la miró a su vez y ella se echó a reír: «Oh, perdón, no quería molestar.» Llevaba una insignia lenticular de las que cambian el mensaje cuando te mueves. Según el ángulo, se leía: *Uhuru por el Simba* o *Libertad para el León.* «Es por el significado del nombre que ha elegido –explicó ella innecesariamente–. En africano.» ¿Qué lengua?, preguntó Saladin. Ella se encogió de hombros y se volvió hacia los oradores. Africano: nacido, según ella, en Lewisham o Depford o New Cross, era todo lo que ella necesitaba saber... Pamela le siseó al oído. «Veo que por fin has encontrado a alguien que te hace sentirte superior» Todavía podía leer en él como en un libro abierto.

Una mujer pequeñita de unos setenta y cinco años fue conducida al estrado que se levantaba a un extremo de la sala por un hombre huesudo que, según observó Chamcha casi con alivio, parecía realmente un dirigente del Poder Negro americano, concretamente el joven Stokely Carmichael –las mismas gafas violentas–, y que hacía las veces de una especie de presentador. Resultó ser Walcott Roberts, hermano menor del doctor Simba, y la ancianita, Antoinette, su madre. «Sabe Dios cómo saldría de esa mujer algo tan grande como Simba», susurró Jumpy, y Pamela frunció el entrecejo con severidad por un sentimiento nuevo de solidaridad con todas las embarazadas, del pasado tanto como del presente. Pero cuando Antoinette Roberts empezó a hablar, su voz era lo bastante potente para llenar la sala sólo por capacidad pulmonar. Ella quería hablar del comportamiento de su hijo en la vista preliminar, y la señora era elocuente. La suya era lo que Chamcha consideraba una voz educada; hablaba con el acento de la BBC del que ha aprendido la pronunciación inglesa por la radio, pero también había evangelio en sus palabras, y un sermoneante fuego infernal. «Mi hijo llenó esa sala –dijo al silencioso auditorio–. Señor, y cómo la llenó. Sylvester (me perdonaréis que use el nombre que yo le puse, sin menospreciar el nombre de guerrero que él eligió para sí; es sólo por la costumbre), Sylvester se alzó en aquella sala como Leviatán entre las olas. Quiero que sepáis cómo habló: habló alto y habló claro. Habló mirando al adversario a los ojos, y ¿creéis que el fiscal le hizo bajar la mirada? Ni en un mes de domingos. Y quiero que sepáis lo que dijo: "Yo comparezco aquí", declaró mi hijo, "porque he optado por desempeñar el viejo y honorable papel del negro arrogante. Estoy aquí porque no estuve dispuesto a parecer razonable. Estoy aquí por mi ingratitud." Era un coloso entre enanos. "Que nadie se equivoque", dijo en ese tribunal, "estamos aquí, hemos venido a cambiar las cosas. Yo reconozco, desde luego, que nosotros también sufriremos transformaciones; africanos, caribeños, indios, pakistaníes, bangladeshíes, chipriotas, chinos, somos diferentes de cómo seríamos si no hubiéramos cruzado el océano, si nuestras madres y nuestros padres no hubieran cruzado los cielos en busca de trabajo y dignidad y de una vida mejor para sus hijos. Hemos sido hechos de nuevo; pero digo que también nosotros reharemos esta sociedad, la reformaremos de arriba abajo. Nosotros seremos los leñadores que cortarán la madera muerta y los jardineros de la madera nueva. Ahora nos toca a nosotros". Quiero que penséis en lo que mi hijo, Sylvester Roberts, el doctor Uhuru Simba, ha dicho en la sala de justicia. Pensad en ello mientras decidimos lo que hay que hacer.»

Su hijo Walcott la ayudó a bajar del estrado entre los vítores y cantos; ella inclinó la cabeza sobriamente en dirección al ruido. Siguieron discursos menos carismáticos. Hanif Johnson, abogado de Simba, hizo una serie de sugerencias: la galería de visitantes debía estar llena a rebosar; los jueces debían darse cuenta de que eran observados; habría piquetes en la puerta de la audiencia, y se organizarían turnos; se necesitaba recaudar fondos. Chamcha murmuró a Jumpy: «Nadie habla de sus antecedentes de agresión sexual.» Jumpy se encogió de hombros. «Algunas de las mujeres a las que atacó están en esta sala. Mishal, por ejemplo, está ahí, fíjate, en el rincón, al lado del estrado. Pero no es el momento ni el lugar para hablar de eso. La conducta sexual de Simba es, digamos, un problema familiar. Mientras que aquí se trata de los problemas del Hombre.» En otras circunstancias, Saladin habría tenido mucho que decir en respuesta a semejante afirmación. Por ejemplo, habría argumentado que los antecedentes de violencia de un hombre no podían descartarse tan fácilmente ante una acusación de asesinato. También, que no le gustaba el empleo de términos americanos tales como «el Hombre» en el peculiar contexto británico, porque aquí no había un pasado de esclavitud; parecía un intento de robar atributos a otras luchas más peligrosas, como tampoco podía aplaudir la decisión de los organizadores de alternar los discursos con canciones tan significativas como *We Shall Overcome* e, incluso, por todos los santos del cielo, *Nkosi Sikelel' iAfrika.* Como si todas las causas fueran una, y todas las historias, intercambiables. Pero no dijo nada de eso, porque empezaba a darle vueltas la cabeza y a flaquearle el sentido, ya que, por primera vez en su vida, había tenido una portentosa premonición de su muerte.

Hanif Johnson terminaba su discurso. *Como ha escrito el doctor Simba, lo nuevo entrará en esta sociedad por los actos colectivos, no por los individuales.* Citaba, según observó Chamcha, uno de los más populares eslóganes de Camus. *El paso de la palabra a la acción moral,* decía Hanif, *tiene un nombre: humanización.* Y ahora una bonita joven angloasiática, con una nariz un poquito bulbosa y una voz de *blues* grave y ligeramente cascada, se entregó a la canción de Bob Dylan *I Pity the Poor Immigrant.* Otra nota falsa e importada, porque aquella canción parecía un poco hostil hacia los inmigrantes, aunque había frases que te hacían vibrar, como la de las visiones del inmigrante que se rompen como el cristal, y lo de que está obligado a «construir su ciudad con sangre». A Jumpy, empeñado en resucitar con su poesía la vieja imagen racista de los ríos de sangre, debía de gustarle aquello. Estas cosas las experimentaba y pensaba Saladin como desde una considerable distancia. ¿Qué había sucedido? Esto: cuando Jumpy Joshi le señaló la presencia de Mishal en la sala, Saladin Chamcha, al mirarla, vio arder un fuego en el centro de la frente de la muchacha; y en ese mismo instante sintió el batir y la sombra fría de un par de alas gigantescas. Se le nubló la vista, fenómeno que suele acompañar a la visión doble, porque le parecía que miraba a dos mundos a la vez; uno, la sala de actos, brillantemente iluminada, prohibido fumar, y el otro, un mundo de fantasmas en el que Azraeel, el ángel exterminador, descendía en picado hacia él, y en el que la frente de una muchacha podía desprender llamas amenazadoras. *Ella es la muerte para mí, eso es lo que significa,* pensó Chamcha en uno de los dos mundos, mientras en el otro se decía que no fuera idiota; muchos de los que estaban en la sala llevaban esos estúpidos adornos tribales que se habían puesto de moda recientemente: aureolas de neón verde o cuernos de diablo pintados con fósforo; lo que Mishal llevaba no era, probablemente, otra cosa que alguna pieza de bisutería de la Era espacial. Pero su otro yo volvió a la carga: *esa chica te está vedada,* le decía, *no se nos ofrecen todas las posibilidades. El mundo es finito; nuestras ilusiones lo desbordan.* Y en aquel momento entró en escena su corazón patapum, pumba, badabam.

Estaba fuera, Jumpy le atendía solícito y hasta la propia Pamela parecía preocupada. «La que está embarazada soy yo», le dijo con cierto rudo afecto. «¿Y quién te mandó desmayarte? –insistía Jumpy–. Más te vale venirte conmigo a mi clase; descansas un rato y después te acompaño a casa.» Pero Pamela quería llamar a un médico. *No, no, iré con Jumpy. No pasa nada. Es que ahí dentro hacía calor. Faltaba el aire. La ropa era de mucho abrigo. Una tontería. Nada.*

Había un cine de arte y ensayo al lado de la sala de actos, y Saladin estaba apoyado en el cartel de una película. La película era *Mefisto,* la historia de un actor que es seducido por el nazismo. En el cartel, el actor –el alemán Klaus Maria Brandauer– estaba vestido de Mefistófeles, con la cara blanca, una capa negra y los brazos levantados. Sobre su cabeza había unas líneas de *Fausto*:

¿Quién eres pues?
Parte de ese Poder, no comprendido,
Que siempre quiere el Mal, y siempre hace el Bien.

En el centro deportivo casi no se atrevió a mirar a Mishal (que también había salido de la reunión de Simba con tiempo para ir a clase). Aunque ella le saludó efusivamente, has vuelto, apuesto que porque querías verme, qué bien, él apenas consiguió decirle dos palabras con un mínimo de cortesía, y mucho menos preguntar llevabas un no sé qué luminoso en medio de la, porque ahora no lo llevaba, mientras levantaba las piernas y flexionaba su cuerpo largo, magnífico con sus leotardos negros. Hasta que, al advertir su frialdad, ella se retrajo, confusa y dolida.

«Nuestra otra estrella no ha venido hoy –dijo Jumpy a Saladin en un descanso–. Miss Alleluia Cone, la mujer que subió al Everest. Me hubiera gustado presentártela. Ella conoce, bueno, al parecer, vive con Gibreel. Gibreel Farishta, el actor, el otro superviviente de la catástrofe.»

El cerco se está cerrando. Gibreel derivaba hacia él, al igual que la India cuando, después de desgajarse del protocontinente de Gondwanaland, flotó hacia Laurasia. (Distraídamente, advirtió que sus procesos mentales producían extrañas asociaciones.) Cuando colisionaran, la fuerza del choque levantaría Himalayas. ¿Qué es una montaña? Un obstáculo; una trascendencia; sobre todo, un *efecto.*

«¿Adónde vas? –le gritó Jumpy–. Habíamos quedado en que yo te llevaría. ¿Te encuentras bien?»

Perfectamente. Necesito andar un poco, y basta.

«De acuerdo, pero sólo si estás seguro.»

Seguro. Salir deprisa, sin mirar hacia la resentida Mishal... La calle. Deprisa, hay que marcharse cuanto antes de este sitio funesto, de este submundo. Dios: no hay escape. Unos escaparates, una tienda de instrumentos musicales, trompetas saxofones oboes, ¿cómo se llama?, «Buen Viento», y aquí, en el escaparate, un cartel barato. Que anuncia el regreso inminente de, justo, el arcángel Gibreel. Su regreso y la salvación del mundo. *Camina. Vete pronto.*

... Para ese taxi. (Sus ropas inspiran deferencia al taxista.) Suba, caballero; ¿le molesta la radio? Un científico que estaba en aquel secuestro aéreo y perdió media lengua. Americano. Se la reconstruyeron, dice, con carne que le sacaron del trasero, con perdón. A mí no me haría ninguna gracia que me metieran un cacho de posadera en la boca, pero el pobre tío no tenía elección. Un tipo raro. Y con unas ideas curiosas.

En la radio, Eugene Dumsday, con su nalguda lengua, hablaba de los huecos en la secuencia de restos fósiles. *El diablo quería silenciarme, pero el buen Dios y la técnica quirúrgica americana se lo impidieron.* Tales huecos eran el caballo de batalla del creacionista: si lo de la selección natural era verdad, ¿dónde estaban las mutaciones casuales descartadas? ¿Dónde estaban los niños monstruos, las crías deformes de la evolución? Los fósiles no soltaban prenda. Ni un solo caballo de tres patas. «Es inútil discutir con esa gente –dijo el taxista–. Yo personalmente no paso por eso de Dios.» Inútil, una pequeña parte de la razón de Chamcha estaba de acuerdo. Inútil sugerir que «los restos fósiles» fueran una especie de archivo. Además, desde Darwin la teoría de la evolución había recorrido un largo camino. Ahora se argumentaba que en las especies se producían cambios importantes, no del modo ciego y casual que se creía al principio, sino a grandes saltos. La historia de la vida no era el avance desordenado –al estilo tan inglés de la clase media– que la filosofía victoriana quiso que fuera, sino algo violento, un proceso de transformaciones dramáticas y acumulativas: según la vieja fórmula, más revolución que evolución. Ya tengo bastante, dijo el taxista. Eugene Dumsday se desvaneció del éter siendo sustituido por música disco. *Ave arque vale.*

Aquel día Saladin Chamcha comprendió que había estado viviendo en un estado de paz falsa, que el cambio en él era irreversible. Un mundo nuevo y sombrío se había abierto ante él (o dentro de él) cuando cayó del cielo; por más que tratara de recrear su vieja existencia, aquello, ahora lo veía claro, era un hecho imposible de rehacer. Creía ver ante él una carretera que se bifurcaba hacia derecha e izquierda. Cerró los ojos, se arrellanó en el asiento del taxi y escogió el camino de la izquierda.

2

La temperatura siguió subiendo; la ola de calor llegó a su punto álgido y se mantuvo en él durante tanto tiempo que toda la ciudad, sus edificios, sus ríos y canales y sus habitantes se aproximaron peligrosamente al punto de ebullición; entonces Mr. Billy Battuta y su compañera, Mimi Mamoulian, recién llegados a la metrópoli después de ser huéspedes de la autoridad penal de Nueva York, anunciaron una gran fiesta para celebrar su «salida». Los socios de Billy consiguieron que su causa fuera vista por un juez bien dispuesto; la simpatía personal del acusado hizo que todas y cada una de las ricas «primas» a las que había extraído generosas sumas para la recompra de su alma al diablo (incluida Mrs. Struwelpeter) firmaran una petición de clemencia, en la que las señoras manifestaban su convicción de que Mr. Battuta se había arrepentido sinceramente de su error, y solicitaban, considerando su promesa de concentrarse en lo sucesivo en su brillante carrera empresarial (cuya utilidad social en términos de creación de riqueza y de puestos de trabajo, apuntaban, debía ser tomada en consideración por el tribunal como atenuante de sus delitos), y su propósito de someterse a tratamiento psiquiátrico para vencer su debilidad por las travesuras ilegales, que Su Señoría le impusiera una pena más leve que la cárcel, «la finalidad disuasoria que entraña semejante encarcelamiento quedaría mejor servida, en este caso –en opinión de las señoras–, por una condena de naturaleza más cristiana». A Mimi, considerada mero instrumento de Billy, cegada por el amor, se le suspendió la sentencia; para Billy, la pena fue la deportación y una fuerte multa, pena considerablemente aligerada al otorgar el juez la petición del abogado de Billy de que se concediera a su cliente la oportunidad de salir del país voluntariamente, sin el estigma de la orden de deportación estampado en el pasaporte, lo que ocasionaría grave daño a sus múltiples intereses comerciales. Veinticuatro horas después del juicio, Billy y Mimi estaban otra vez en Londres, carcajeándose de todo ello en el Crockford's y enviando artísticas invitaciones para la que prometía ser la fiesta de las fiestas de aquella temporada excepcionalmente calurosa. Una de las invitaciones, gracias a Mr. S. S. Sisodia, llegó a la residencia de Alleluia Cone y Gibreel Farishta; otra fue a parar, con cierto retraso, al cubil de Saladin Chamcha, deslizada por debajo de la puerta por el solícito Jumpy. (Mimi llamó a Pamela para invitarla, agregando, con su rudeza habitual: «¿Tienes idea de dónde puede estar tu marido?» A lo que Pamela respondió con un balbuceo muy inglés, *sí, este... pero*. Mimi le sacó toda la historia en menos de media hora, lo que no está mal, y concluyó en tono triunfal: «Parece que se te arreglan las cosas, Pam. Tráetelos a los dos; trae a todo el mundo. Esto va a ser un circo.»)

El escenario de la fiesta fue otro de los inexplicables triunfos de Sisodia: consiguió, al parecer de balde, el gigantesco escenario de los estudios cinematográficos Shepperton, por lo que los invitados tendrían a su disposición la enorme reproducción del Londres dickensiano que se había erigido allí. Una adaptación musical de la última novela del gran escritor, rebautizada *¡Ami-*

go!, con libreto y música del célebre genio de la revista Mr. Jeremy Bentham, había alcanzado un éxito colosal en el West End y en Broadway, a pesar de la macabra naturaleza de algunas de sus escenas; de modo que, *Los camaradas*, como era conocida en el medio, recibía los honores de una producción cinematográfica de gran presupuesto. «Los de re-re-relaciones pu-públicas –dijo Sisodia a Gibreel por teléfono– piensan que una fi-fiesta con tanto fa-fa-famoso será un buen co-co-comienzo de ca-ca-campaña.»

Llegó la noche señalada; una noche de calor espantoso.

¡Shepperton! Pamela y Jumpy ya han llegado, transportados en alas del MG de Pamela, cuando Chamcha, que ha rehusado su compañía, se apea de uno de los coches de la flota que los anfitriones han puesto a disposición de los invitados que prefieren ser conducidos a conducir. Y también ha venido otra persona; aquel con el que nuestro Saladin cayó a tierra, ha venido; está paseando por el interior. Chamcha entra en la arena, y se asombra. Aquí Londres ha sido alterado, no, *condensado*, según los imperativos de la película. Caramba, si la Stucconia de los Veneering, gente flamante, está tocando a Portman Square, con el tétrico rincón en el que habitan varios Podsnap. Y peor aún: fíjate, los montones de basuras de Boffin Bower que se supone tienen que estar en las inmediaciones de Holloway, en esta metrópoli reducida quedan al lado de las habitaciones de Fascination Fledgeby, en el Albany, el corazón del West End. Pero los invitados no parecen dispuestos a protestar; aquella ciudad renacida, incluso revuelta, te corta la respiración; especialmente la zona del inmenso estudio por la que serpentea el río, el río con sus nieblas y el bote de Gaffer Hexam, el Támesis en marea baja pasa por debajo de dos puentes, uno de hierro y otro de piedra. En sus muelles adoquinados suenan las alegres pisadas de los invitados, y también sordas pisadas siniestras. Un puré de guisantes artificial se cierne sobre el escenario.

Personajes del gran mundo, maniquíes de alta costura, estrellas de cine, magnates de la industria, miembros menores de la familia real, políticos útiles y gentecilla por el estilo sudan y se codean en esas calles de imitación con hombres y mujeres tan sudorosos como los invitados «auténticos» y tan artificiales como las calles: son los extras vestidos con trajes de época y una selección de los principales intérpretes de la película. Chamcha, que en el instante mismo de verlo cae en la cuenta de que ese encuentro ha sido la verdadera finalidad de su viaje –hecho del que ha conseguido permanecer ignorante hasta este momento–, descubre a Gibreel entre la cada vez más bulliciosa muchedumbre.

Sí: allí, en el Puente de Londres Hecho De Piedra, sin lugar a duda, ¡Gibreel! Y ésa debe de ser su Alleluia, su Reina de las Nieves ¡Cone! ¡Qué expresión tan distante parece haber asumido, cómo escora varios grados a la izquierda, y cómo le adora ella! Cómo le quiere todo el mundo: es uno de los más principales de la fiesta, con Battuta a su izquierda, Sisodia a la derecha de Allie, y rodeados por una serie de rostros que, de Perú a Tombctú, reconocería cualquiera. Chamcha se abre paso a duras penas entre la multitud, que se hace más densa a medida que se acerca al puente; pero está decidido –¡Gibreel, llegará hasta Gibreel!–, cuando, con estrépito de címbalos, empieza una música potente, una de las piezas inmortales de Mr. Bentham de las que paralizan la función, y la multitud se divide como el mar Rojo ante los hijos de Israel. Chamcha pierde el equilibrio, retrocede dando un traspié y la multitud lo aplasta contra un falso edificio con armazón de madera que simula –¿y qué si no?– un anticuario; y él se resguarda en su interior mientras una muchedumbre de señoras de pecho generoso, tocas de encaje y blusitas vaporosas, acompañadas por una superabundancia de caballeros con chistera, bajan por la margen del río, bailando y cantando todo lo alto que pueden:

¿Qué clase de persona es Nuestro Común Amigo?
¿Qué pretende?
¿Es la clase de persona de la que puedes fiarte?
etcétera, etcétera, etcétera.

«Tiene gracia –dice una voz de mujer a su espalda–, pero cuando hacíamos la función en el teatro C... la compañía estaba cachonda a tope; nunca había visto cosa igual. Se les olvidaban los papeles por todos los líos que había entre bastidores.»

La que habla, observa Saladin, es joven, pequeña, bien formada y bastante atractiva, tiene la piel brillante de sudor, está sofocada por el vino y, evidentemente, se encuentra aquejada de la misma fiebre libidonosa de la que habla. En la «tienda» hay poca luz, pero él distingue el brillo de sus ojos. «Tenemos tiempo –prosigue ella con naturalidad–. Cuando termine toda esa gente viene el solo de Mr. Podsnap.» Y, adoptando una postura que es una experta imitación del gesto grandilocuente del agente de los Seguros Marítimos, se lanza a una versión personal del número de Podsnappery:

La nuestra es una Lengua Caudalosa,
Una Lengua Ardua para Extranjeros:
La nuestra es la Nación Afortunada,
Bendita y a Salvo de Peligros...

A continuación, en un recitado a lo Rex Harrison, dice a un Extranjero invisible: «¿Le Gusta Londres?

¿Eynormemung rico? Enormemente Rico, decimos nosotros. Nuestros adverbios No terminan en Mung. ¿Y Encuentra Usted, Caballero, Muchos Rasgos de nuestra Constitución Británica en las Calles de la Metrópoli Mundial, Londres, London, Londres? Yo diría –agrega, sin abandonar el tono de Podsnappery– que se dan cita en el inglés una combinación de cualidades, una modestia, una independencia, una responsabilidad, un reposo que en vano buscaríamos entre las Naciones de la Tierra.»

La criatura ha ido acercándose a Chamcha mientras recitaba, al tiempo que se desabrochaba la blusa, y él, como una mangosta ante una cobra, se ha quedado pasmado; ella descubre su bien formado seno derecho y se lo ofrece, señalando el dibujo que ha trazado en él –como acto de orgullo cívico– del plano de Londres nada menos, con rotulador rojo, y el río en azul. La metrópoli le llama; pero él, profiriendo un grito absolutamente dickensiano, sale del anticuario y, a empujones, se zambulle en el barullo de la calle.

Gibreel le mira fijamente desde el Puente de Londres; sus miradas se encuentran, o así lo cree Chamcha. Sí: Gibreel levanta y agita un brazo fláccido.

Lo que sigue es tragedia. O, por lo menos, un eco de tragedia, ya que la tragedia auténtica y cabal ya no resulta apropiada para los hombres y las mujeres actuales, o eso dicen. Una imitación burlesca para nuestra época degradada y mimética, en la que los payasos repiten lo que antes hicieron héroes y reyes. Bueno, pues así sea. Pero la pregunta que aquí se plantea sigue siendo tan grande como siempre, y es ésta: la naturaleza del mal, cómo nace, por qué se desarrolla, cómo toma posesión, unilateralmente, de la multilateral alma humana. O, dicho de otro modo: el enigma de Yago.

No es insólito que los exégetas literario-teatrales, derrotados por el personaje, atribuyan sus actos a la «maldad gratuita». El mal es mal y tiene que hacer mal, y punto; el veneno de la serpiente es su definición misma. Pues bien, aquí no vale encogerse de hombros. Mi Chamcha quizá no sea un Anciano de Venecia, ni mi Allie una Desdémona estrangulada, ni Farishta una réplica del Moro, pero, por lo menos, estarán caracterizados por las explicaciones que mi entendimiento ampare. Decíamos que Gibreel saluda agitando una mano; Chamcha se acerca; el telón se levanta ante un escenario que se oscurece.

Observemos, ante todo, cuán solo está este Saladin; su única compañía voluntaria, una desconocida achispada de pecho cartográfico. Él avanza solo, así pues, entre aquella muchedumbre festiva en la que todos parecen (pero no son) amigos de todos; mientras que en el Puente de Londres está Farishta, rodeado de admiradores, en el centro mismo de la multitud;

y, después, apreciemos el efecto que ejerce en Chamcha, que amaba a Inglaterra en la imagen de su perdida esposa inglesa, la presencia rubia, pálida y glacial de Alleluia Cone al lado de Farishta; pesca una copa de la bandeja de un camarero que pasa por su lado, bebe deprisa, toma otra copa; y cree ver, en la distante Allie, la magnitud de su pérdida;

y también en otros aspectos Gibreel se convierte rápidamente en la suma de las derrotas de Saladin; porque allí, con él, ahora, en este momento, está otra traidora; una oveja con piel de cordera, pasa de los cincuenta y parpadea como si tuviera dieciocho, la agente de Chamcha, la temible Charlie Sellers; *a él* no lo compararías con un chupasangre de Transylvania, ¿eh, Charlie?, grita interiormente el airado observador; y agarra otra copa; y, en el fondo de la copa, ve su propio anonimato, la celebridad del otro y la gran injusticia de la diferencia;

especialmente –cavila amargamente– porque Gibreel, el conquistador de Londres, no concede ningún valor al mundo que ahora tiene a sus pies –pero si el muy bastardo siempre se burlaba, el Mismo Londres, Vilayet, los ingleses, Bobito, son fríos como peces, palabra–; Chamcha, a medida que avanza inexorablemente hacia él a través de la muchedumbre, cree ver, *ahora mismo*, aquella misma mueca burlona en la cara de Farishta, el desdén de un Podsnap invertido, para el que todo lo inglés merece escarnio en lugar de elogio –¡Ay, Dios, qué crueldad que él, Saladin, cuyo propósito y cruzada fue hacer de ésta su ciudad, tenga que verla de rodillas ante su desdeñoso rival!–; o sea que, además, hay esto: que a Chamcha le gustaría calzarse los zapatos de Farishta, mientras que su propio calzado no tiene el menor interés para Gibreel.

¿Qué es lo imperdonable?

Chamcha, al mirar a la cara de Farishta por primera vez desde su accidentada separación en el recibidor de Rosa Diamond, al ver la extraña inexpresividad en los ojos del otro, recuerda con abrumadora intensidad aquella otra inexpresividad, Gibreel en la escalera, sin hacer nada, mientras él, Chamcha, astado y cautivo, era arrastrado hacia la noche; y siente renacer el odio, siente que su bilis verde fresca le anega de los pies a la cabeza; *nada de excusas*, exclama, *al diablo los atenuantes y los qué-podía-hacer-él; lo que no tiene perdón no lo tiene. No se puede juzgar una herida interna por el tamaño de la brecha.*

O sea: Gibreel Farishta, juzgado por Chamcha, recibe un veredicto más severo que el de Mimi y Billy en Nueva York, y es declarado culpable, a perpetuidad, de Lo Imperdonable. De lo cual se deriva lo que se deriva. Pero vamos a permitirnos especular un poco sobre la verdadera índole de esta Ofensa Inexpiable, de este Colmo. ¿Es realmente, puede ser realmente, sólo su silencio en la escalera de Rosa? ¿O hay resentimientos más profundos, quejas de las que esta llamémosla Causa Primaria no es, de hecho, sino un símbolo, una fachada? Porque ¿no son estos dos hombres, cada uno antítesis, sombra del otro? El uno que pretende ser transformado en lo extranjero que admira, y el otro que prefiere, desdeñosamente, transformar. Uno, un infeliz que continuamente parecer ser castigado por delitos no cometidos; el otro, calificado de angelical por todos, el tipo de hombre al que todo le es perdonado. De Chamcha podríamos decir que no da la talla normal; pero el turbulento y vulgar Gibreel la excede, sin duda, en mucho, disparidad que fácilmente podría inspirar a Chamcha el deseo de emular a Procrustes: crecer cortando a Farishta lo que le sobra.

¿Qué es lo imperdonable?

¿Qué, sino la escalofriante desnudez de ser conocido íntimamente por aquel en quien no confías? ¿Y no ha visto Gibreel a Saladin Chamcha en circunstancias –secuestro, caída, arresto– en las que sus secretos íntimos fueron plenamente expuestos?

Bien, entonces. ¿Nos aproximamos a la clave? ¿Diríamos siquiera que se trata de dos *tipos* de personalidad fundamentalmente diferentes? ¿Convendríamos en que Gibreel, a pesar de su nombre artístico y sus interpretaciones, y a pesar de sus lemas sobre el renacimiento, el nuevo comienzo, la metamorfosis, ha deseado permanecer, en gran medida, *coherente*, esto es, unido a su pasado y procedente de él; que él no eligió ni su casi fatal enfermedad ni la caída de transmutador efecto; que, en realidad, lo que él más teme son los estados de alteración en los que sus sueños se filtran y enseñorean de su vigilia, convirtiéndolo en aquel Gibreel angelical que él no quiere ser, de modo que la suya es todavía una personalidad que, para nuestros propósitos, podemos calificar de «verdadera»...,

mientras que Saladin Chamcha es una criatura de incoherencias seleccionadas, una reinvención deliberada; siendo su opción por la rebeldía contra la historia lo que le hace, en nuestros términos, «falso»? ¿Y no podríamos decir también que es esa falsedad de la personalidad lo que hace posible en Chamcha una falsedad peor y más profunda –llamémosla «maldad»–, y que ésta es, realmente, la puerta que se abrió en él por su caída? Mientras que Gibreel, siguiendo la lógica de nuestra terminología, ha de ser considerado «bueno» en virtud de *desear seguir siendo*, a pesar de todas sus vicisitudes, en el fondo, un hombre coherente consigo mismo.

Pero, y otra vez pero: esto suena, ¿verdad que sí?, peligrosamente a falacia. Puesto que tales distinciones se basan, como es de rigor, en la idea del yo como un ente (idealmente) homogéneo, sin hibridación, puro –¡idea francamente fantástica!–, no pueden, no deben bastar. ¡No! Al contrario, permítasenos decir algo aún más duro: que el mal puede no estar tan debajo de nuestra superficie como nos gusta suponer. Que, en realidad, nos inclinamos a él *naturalmente*, es decir, *no contra nuestra naturaleza*. Y que Saladin Chamcha se propuso destruir a Gibreel Farishta porque, al cabo, resultaba fácil; el verdadero atractivo del mal es la seductora facilidad con la que uno puede aventurarse por semejante camino. (Y, digamos en conclusión, la ulterior imposibilidad del regreso.)

Pero Saladin Chamcha insiste en atribuirle una causa más simple. «Fue su traición en casa de Rosa Diamond; su silencio, nada más.»

Pone el pie en el Puente de Londres de pega. Desde un teatro de títeres cercano, instalado en una caseta a rayas rojas y blancas, Mr. Punch –zurrando a Judy– le grita: *¡Esto es lo que hay que hacer!* Tras lo cual Gibreel saluda, desmintiendo con la incongruente languidez de la voz la vehemencia de las palabras: «Bobito, ¿pero eres tú? Jodido diablo. Hay que ver, en persona. Ven aquí, Salad baba, viejo amigo.»

Sucedió esto:

En el momento en que Saladin Chamcha se acercó a Allie Cone lo suficiente para quedar petrificado y helado por sus ojos, sintió que su renovada hostilidad hacia Gibreel se hacía extensiva a aquella mujer de mirada de cero-grados y vete-al-diablo, su aire de conocer un gran y misterioso secreto del universo, y también una expresión que luego él llamaría *salvaje*, un no sé qué ausente, insensible, asocial, independiente, una esencia. ¿Por qué le irritó tanto? ¿Por qué, cuando ella aún ni había abierto la boca él ya la consideraba parte del enemigo?

Quizá porque la deseaba; y deseaba, todavía más, lo que él consideraba aquella íntima seguridad; por carecer de ella, la envidiaba, y trataba de dañar lo que envidiaba. Si amor es el anhelo de parecerse a (incluso de ser) la persona amada, digamos que el odio, puede ser engendrado por la misma ambición cuando no puede ser satisfecha.

Sucedió esto: Chamcha inventó una Allie y se convirtió en antagonista de su invención..., pero no permitió que se notara. Sonrió, le estrechó la mano, estuvo encantado de conocerla; y abrazó a Gibreel. *Me uno a él para desquitarme*. Allie, sin sospechar nada, se excusó. Los dos debían de tener tantas cosas que contarse, dijo; y, prometiendo volver enseguida, se alejó; a explorar, como dijo ella. Él observó que cojeaba ligeramente durante los dos o tres primeros pasos, luego se detenía y se alejaba con paso firme. Una de las cosas que él ignoraba de ella era su dolor.

Sin saber que el Gibreel que ahora tenía delante, de mirada distante y saludo distraído, estaba bajo estrecha vigilancia médica; ni que tenía que tomar a diario ciertas drogas que le embotaban los sentidos, a causa de la muy real posibilidad de una recaída en su enfermedad que ya tenía nombre, a saber: esquizofrenia paranoica; ni que durante mucho tiempo, a instancias de Allie, había permanecido apartado de la gente del cine, de la que ella había llegado a desconfiar enérgicamente desde su último ataque; ni que su asistencia a la fiesta Battuta-Mamoulian era algo a lo que ella se había opuesto rotundamente, y no había accedido sino después de una escena terrible en la que Gibreel le había gritado que no quería permanecer prisionero y que estaba decidido a hacer otro esfuerzo para volver a su «vida real»; ni que el esfuerzo de cuidar a un amante desequilibrado que veía duendecitos pequeños como murciélagos colgados cabeza abajo del frigorífico había dejado a Allie más gastada que una camisa vieja, imponiéndole los papeles de enfermera, chivo expiatorio y muleta –exigiéndole, en suma, actuar en contra de su propia naturaleza compleja y atormentada–; sin saber nada de esto, sin comprender que el Gibreel al que ahora miraba y al que creía ver, Gibreel encarnación de toda la buena fortuna, que el desventurado Chamcha, perseguido por las furias, desconocía, era tan invención suya como la Allie de sus antipatías, la clásica rubia ahí-te-pudras o mujer fatal ideada por su imaginación envidiosa, atormentada y orestiana; no obstante, Saladin, en su ignorancia, descubrió por casualidad la rendija en la armadura (un tanto quijotesca, reconozcámoslo) de Gibreel y comprendió cómo podía destruir con la mayor rapidez a su aborrecido oponente.

Una pregunta trivial de Gibreel le ofreció una oportunidad. Limitado por los sedantes a la charla insustancial, preguntó vagamente: «Y, cuenta, ¿cómo está tu buena esposa?» A lo que Chamcha, con la lengua liberada por el alcohol, espetó: «¿Cómo? Preñada. *Enceinte*. Jodidamente embarazada.» El soporífero Gibreel no advirtió la violencia de la respuesta, sonrió distraídamente, rodeó con el brazo los hombros de Saladin. «*Shabash mubarak* –le felicitó–.¡Bobito! ¡Vaya celeridad!»

«Felicita a su amante –gruñó roncamente Saladin–. Mi viejo amigo Jumpy Joshi. Ése sí que es un hombre, lo reconozco. Parece ser que las mujeres se vuelven locas. Sabe Dios por qué. Todas quieren un hijo suyo y ni siquiera esperan a pedirle permiso.»

«¿Y se puede saber quiénes son todas? –gritó Gibreel, haciendo girar cabezas y a Chamcha retroceder sorprendido–. ¿Quiénes son quiénes quiénes?», vociferó, provocando risitas achispadas. Saladin Chamcha también se rió, pero sin alegría. «Se puede saber. Mi mujer, por ejemplo, ahí tienes quién. No es una señora, mister Farishta, Gibreel. Pamela, mi nada señora esposa.»

Quiso la suerte que en aquel preciso instante –mientras Saladin, al que las copas le impedían notar el efecto que sus palabras causaban en Gibreel, en cuya mente se habían combinado dos imágenes de envergadura explosiva, la primera el súbito recuerdo de Rekha Merchant en una alfombra voladora advirtiéndole del secreto deseo de Allie de tener un hijo sin decirle nada al padre, *quién pide permiso a la semilla para plantarla*, y la segunda, el cuerpo del instructor de artes marciales en pirueta carnal con la mencionada Miss Alleluia Cone–, la figura de Jumpy Joshi apareció cruzando el «Puente de Southwark» en un estado de cierta agitación, buscando a Pamela, por cierto, de la que se había visto separado por la misma avalancha de coros dickensianos que había empujado a Saladin hacia el metropolitano busto de la señorita en el Anticuario. «Hablando del diablo –señaló Saladin–, ahí va ese bastardo.» Se volvió hacia Gibreel, pero Gibreel había desaparecido.

Llegó Allie Cone, colérica y rabiosa. «¿Dónde está? ¡Hostia! ¿Es que no puedo dejarlo solo ni un *jodido* segundo? ¿No podía usted vigilarlo mejor?»

«¿Qué? ¿Se puede saber qué ocurre...?» Pero Allie había vuelto a perderse entre la gente, de manera que cuando Chamcha vio a Gibreel cruzar el «Puente de Southwark» ya no podía oírle. Y aquí estaba ahora Pamela preguntando: «¿Has visto a Jumpy?» Y él señaló: «Por ahí», y también ella se fue sin una palabra de cortesía; y entonces se vio a Jumpy cruzar el «Puente de Southwark» en sentido opuesto, con los rizos más revueltos que nunca y los estrechos hombros encogidos debajo del abrigo que no había querido quitarse, mirando a su alrededor, con el pulgar camino de la boca; y, poco después, Gibreel cruzaba el simulacro de puente en la misma dirección que Jumpy.

En suma, los hechos empezaban a tener aire de farsa; pero cuando, minutos después, el actor que interpretaba el papel de «Gaffer Hexam» que vigilaba aquel tramo del Támesis dickensiano en busca de cadáveres flotantes para sustraerles los objetos de valor antes de entregarlos a la policía, se acercó remando rápidamente por el río cinematográfico, con el revuelto pelo gris de su personaje de punta, la farsa acabó súbitamente; porque en su ominosa barca yacía el cuerpo exánime de Jumpy Joshi envuelto en un chorreante abrigo. «Con el golpe que le han dado –dijo el barquero, señalando un enorme chichón en la coronilla de Jumpy–, e inconsciente en el agua, es un milagro que no se haya ahogado.»

Una semana después, en respuesta a una vibrante llamada telefónica de Allie Cone, que le había localizado a través de Sisodia, Battuta y, finalmente Mimi, y que parecía haberse descongelado bastante, Saladin Chamcha se encontraba en un Citroën furgoneta de tres años gris metalizado que la futura Alicja Boniek había regalado a su hija antes de marcharse a pasar una larga temporada en California. Allie había ido a esperarle a la estación de Carlisle y repetido sus anteriores disculpas telefónicas: «Yo no debí hablarle de aquel modo, usted no sabía nada, me refiero a su, en fin, gracias a Dios que nadie vio la agresión, y parece que han echado tierra al asunto, pero ese pobre hombre, un golpe de remo en la cabeza, qué horror; en fin, hemos venido al Norte, a casa de unos amigos míos que están de viaje, porque parecía mejor alejarse de los seres humanos, y ahora pregunta por usted; creo que su compañía le sería beneficiosa y, sinceramente, a mí tampoco me vendrá mal que me eche una mano», lo que dejó a Saladin sabiendo un poco más pero consumido por la curiosidad. Y ahora Escocia desfilaba ante las ventanillas del Citroën a una velocidad alarmante: un borde de la Muralla de Adriano, Gretna Green, el antiguo refugio de las parejas que se fugaban y, luego, hacia el interior, camino de las Uplands meridionales; Ecclefechan, Lockerbie, Beattock, Elvanfoot. Para Chamcha todos los pueblos fuera del área metropolitana eran profundidades del espacio interestelar y los viajes por esas regiones estaban sembrados de peligros: una avería en semejante desierto equivalía a morir solo e ignorado. Observó alarmado que uno de los faros del Citroën estaba roto, que el indicador de combustible estaba en rojo (resultó que también estaba roto), que anochecía, y que Allie conducía como si la A74 fuera el circuito de Silverstone en una mañana de sol. «No puede llegar muy lejos sin transporte, pero nunca se sabe –explicó ella sombríamente–. Hace tres días robó las llaves del coche y lo encontraron circulando en dirección contraria por una salida de la M6 hablando a gritos de la Condenación. *Preparaos para la venganza del Señor*, dijo a los policías de la autopista, *porque pronto llamaré a mi ayudante Az-*

raeel. Lo escribieron todo en sus cuadernos.» Chamcha, con el corazón aún repleto de sus propias ansias de venganza, simuló pena y comprensión. «¿Y Jumpy?», preguntó. Allie soltó el volante y extendió las manos con las palmas hacia arriba en actitud de a-mí-que-me-registren, mientras el coche se desviaba de modo espeluznante en la sinuosa carretera. «Los médicos dicen que esos celos posesivos pueden formar parte de la misma historia; o, por lo menos, pueden ser el detonador de la locura.»

Ella estaba contenta de poder hablar con alguien; y Chamcha escuchaba de buen grado. Si ella se fiaba, era señal de que Gibreel se fiaba también: él no tenía intención de quebrar esa confianza. *Un día él traicionó mi confianza; dejemos ahora que él confíe en mí durante una temporada*. Él era un titiritero novato; había que estudiar los hilos para averiguar qué movía cada uno de ellos... «No puedo evitarlo –decía Allie–. No sé por qué, me siento culpable. Lo nuestro no funciona, y la culpa es mía. Mi madre se enfada cuando digo estas cosas.» Alicja, a punto de subir al avión del Oeste, asesoró a su hija en la Terminal Tres. «No sé de dónde sacas tales ideas –exclamó entre viajeros con mochila, carteras y llorosas mamás asiáticas–. Podríamos decir que tampoco la vida de tu padre se desarrolló según el plan. ¿Hay que hacerle responsable de los campos de concentración? Estudia la Historia, Alleluia. En este siglo la Historia ha abandonado la antigua orientación psicológica de la realidad. Quiero decir que en nuestros días el carácter ya no determina el destino. El destino lo determina la economía. Lo determina la ideología. Lo determinan las bombas. ¿Qué le importa al hambre, a la cámara de gas, a la granada, cómo has vivido? Llega la crisis, llega la muerte y tu patético yo individual nada puede hacer sino padecer las consecuencias. Este Gibreel tuyo... puede ser el modo en que debas vivir la Historia.» Alicja había vuelto sin previo aviso al estilo de vestir fastuoso que prefería Otto Cone y, al parecer, a una oratoria acorde con los grandes sombreros negros y los perifollos. «Que te diviertas en California, mamá», dijo Allie secamente. «Una de nosotras es feliz –dijo Alicja–. ¿Por qué no había de ser yo?» Y, antes de que su hija pudiera responder, cruzó garbosamente la barrera de sólo-viajeros mostrando pasaporte, tarjeta de embarque y pasaje, y se dirigió en línea recta hacia los frascos de *Opium* y las botellas de Gordon's Gin libres de impuestos que se vendían bajo un letrero luminoso en el que se leía: APROVECHE.

A la postrera luz del día, la carretera rodeaba una estribación de monte desarbolado y cubierto de brezo. Hacía mucho tiempo, en otra tierra y otro crepúsculo, Chamcha había rodeado una estribación como aquélla y avistado los restos de Persépolis. Pero ahora iba a ver una ruina humana; no a admirarla y tal vez, incluso (porque la decisión del mal nunca se toma definitivamente hasta el instante de la acción; siempre hay una última oportunidad de retroceder), a profanarla. A grabar su nombre en la carne de Gibreel: *Saladin eztubo aki.* «¿Por qué seguir a su lado? –preguntó a Allie y, sorprendido, vio que ella se ruborizaba–. ¿Por qué no ahorrarse tanto dolor?»

«En realidad, yo a usted no le conozco, no le conozco de nada –empezó ella, hizo una pausa y tomó una decisión–. No me enorgullezco de la respuesta, pero es la verdad –dijo–. Es por el sexo. Juntos somos algo increíble, perfecto, como nada que yo haya conocido. Unos amantes de ensueño. Él parece *saber*. Sabe como soy.» No dijo más; la noche le ocultaba la cara. La amargura de Chamcha se vio estimulada de nuevo. Por todas partes amantes de ensueño: y él, a mirar. Apretó los dientes y, sin querer, se mordió la lengua.

Gibreel y Allie se habían escondido en Durisdeer, un pueblo tan pequeño que ni taberna tenía, y vivían en una vieja iglesia sin culto, una *freekirk* transformada en vivienda –los términos cuasi-religiosos resultaban extraños a Chamcha– por un arquitecto amigo de Allie que había hecho fortuna en esas metamorfosis de lo sagrado en profano. A Saladin le pareció un lugar bastante sombrío, a pesar de sus paredes blancas, luces indirectas y mullidas alfombras de pared a pared. Había lápidas funerarias en el jardín. Chamcha se dijo que él no habría elegido semejante lugar como retiro de un hombre que sufría ilusiones paranoicas de ser el primer arcángel de Dios. La *freekirk* estaba un poco apartada de la docena, más o menos, de casas de piedra y teja que constituían la comunidad: aislado incluso en aquel aislamiento. Gibreel estaba en la puerta, una sombra contra el recibidor iluminado, cuando el coche se detuvo. «Ya estás aquí –gritó–. *Yaar*, me alegro. Bienvenido a la jodida cárcel.»

Los medicamentos hacían torpe a Gibreel. Mientras estaban los tres sentados a la mesa de pino de tea de la cocina, bajo la lámpara de sube y baja modelo clase media con mecanismo para la graduación de la luz, tiró dos veces la taza de café (estaba ostentosamente abstemio; pero Allie sirvió dos buenas dosis de whisky para hacer compañía a Chamcha) y, maldiciendo, revolvió la cocina en busca de servilletas de papel para enmendar el desaguisado. «Cuando me harto de esto, lo dejo sin decir nada –confesó–. Y entonces empieza otra vez la mierda . Te lo juro, Bobito, no me resigno a que esto no vaya a terminar nunca, que siempre haya de estar o con las píldoras o con bichos en la sesera. No lo aguanto. Te lo juro, *yaar*, si supiera que era esto, entonces, *bas*, no sé, yo haría, no sé lo que haría.»

«Cierra la boca», dijo Allie en voz baja. Pero él empezó a gritar: «Si hasta le pegué, Bobito ¿no lo sabías? ¡Hay que joderse! Un día la tomé por un demonio especie de *rakshasa* y la zurré. ¿Tú sabes lo que es el poder de la locura?»

«Pero, por fortuna para mí, yo había ido a... oooop, yiee... clases de defensa personal –sonrió Allie–. Él exagera para quedar bien. En realidad, él fue quien acabó de bruces en el suelo.» «Fue aquí mismo», corroboró Gibreel, manso como un cordero. El suelo de la cocina era de grandes losas. «Pues ya tuvo que dolerte», aventuró Chamcha. «Y que lo digas –rugió Gibreel, con extraña alegría–. Me quedé tieso.»

El interior de la *freekirk* había sido dividido en una gran sala cuya altura abarcaba los dos pisos (en lenguaje de los agentes de la propiedad, «doble volumen») de la antigua capilla y otra mitad más convencional, con cocina y comedor abajo y dormitorios y baño arriba. Chamcha, que, sin saber por qué, no podía dormir aquella noche, salió a la sala grande (y helada: la ola de calor persistía en el sur de Inglaterra, pero hasta allá arriba no llegaba ni un rescoldo, y el tiempo era otoñal y frío) y se puso a pasear entre las voces fantasmales de los predicadores extinguidos mientras Gibreel y Allie follaban a todo volumen. *Igual que Pamela.* Intentó pensar en Mishal, en Zeeny Vakil, pero no dio resultado. Se tapó los oídos con los dedos, luchando contra los efectos sonoros de la cópula entre Farishta y Alleluia Cone.

Aquéllas fueron desde el principio unas relaciones peligrosas, reflexionó Saladin: primero, el espectacular abandono de su carrera y el precipitado viaje de Gibreel a través de medio mundo, y, ahora, la inflexible determinación de Allie de *acabar con ello*, derrotar el ángel loco que él llevaba dentro y ayudarle a recuperar la condición humana que ella amaba. Ellos no estaban para pactos; iban a lo que iban. En tanto que él, Saladin, se había plegado a vivir bajo el mismo techo que su esposa y el amante de su esposa. ¿Cuál era la mejor actitud? El capitán Akab se ahogó, pensó, y fue Ishmael, el contemporizador, quien sobrevivió.

Por la mañana, Gibreel dispuso la ascensión al «Pico» local. Allie se excusó, aunque era evidente para Chamcha que la vida campestre la hacía resplandecer de júbilo. «Jodida Piesplanos –apostrofó Gibreel cariñosamente–. Vámonos, Salad. Nosotros, ratas de ciudad, enseñaremos a la conquistadora del Everest cómo se sube una montaña. Esto es el mundo al revés, *yaar*. Nosotros nos vamos a escalar montañas y ella se queda en casa haciendo llamadas de negocios.» Saladin pensaba deprisa: ahora comprendía por qué ella cojeaba en Shepperton, y comprendía también que aquel retiro tendría que ser temporal, que Allie, al irse allí, sacrificaba su propia vida, y no iba a ser capaz de sacrificarla indefinidamente. ¿Qué tenía que hacer él? ¿Algo? ¿Nada? Si había de vengarse, ¿cuándo y cómo? «Ponte esas botas –ordenó Gibreel–. ¿Crees que no va a llover en todo el jodido día?»

No fue así. Cuando llegaron a lo alto de la cima elegida por Gibreel para la excursión, la llovizna los envolvía. «Bonita vista –jadeó Gibreel–. Mírala, ahí está, ahí abajo, bien retrepada, como el Gran Panjandrum.» Señalaba la *freekirk*. Chamcha, con el corazón alborotado, se sentía ridículo. Tendría que empezar a comportarse como el hombre que tiene problemas cardíacos. ¿Qué gracia podía tener morirse de un ataque al corazón en lo alto de aquella montaña escuálida, bajo la lluvia? Gibreel sacó los prismáticos y empezó a examinar el valle. Apenas se veía cosa alguna: dos o tres hombres con perros, unos cuantos corderos, nada más. Gibreel siguió a los hombres con la mirada. «Ahora que estamos solos –dijo de pronto–, puedo decirte la verdad de por qué hemos venido a este agujero desierto. Es por ella. Sí, sí; no te dejes engañar por mi actuación. Es por su jodida belleza. Los hombres, Bobito, la persiguen como las moscas. ¡Te lo juro! Veo cómo se la comen con los ojos y cómo babean por meterle mano. No hay derecho. Ella es una persona muy reservada, la persona más reservada del mundo. Tenemos que protegerla de esos cerdos lujuriosos.»

Sus palabras pillaron desprevenido a Saladin. Pobre bastardo, pensó; desde luego, estás perdiendo el seso a chorros. Y, pisándole los talones a ese pensamiento, apareció otra frase en su cabeza como por arte de magia: *Pero no creas que voy a perdonarte por eso.*

Durante el trayecto de vuelta a la estación de Carlisle, Chamcha hizo un comentario sobre la despoblación del campo. «No hay trabajo –dijo Allie–. Por eso está vacío. Gibreel asegura no entender que todo este espacio vacío sea señal de pobreza; que, después de las aglomeraciones de la India, esto es un lujo.» «¿Y su propio trabajo? –preguntó Chamcha–. ¿Qué piensa usted hacer?» Ella le sonrió: la fachada de mujer de hielo había desaparecido hacía tiempo. «Es muy amable al interesarse. Yo pienso que un día mi vida estará en el centro y será lo primero. O, bueno, aunque me resulta difícil usar la primera persona del plural: nuestra vida. Así suena mejor, ¿verdad?»

«No se deje acaparar –aconsejó Saladin–. No le permita que la aparte de los demás, de Jumpy, de su propio mundo, de lo que sea.» Éste es el momento en el que puede decirse que empezó realmente su campaña, en que puso el pie en aquel camino placentero por que sólo se podía ir en un sentido. «Tiene razón –decía Allie–. Ay, Dios mío, si él supiera. Su precioso Sisodia, por ejemplo: ése no persigue sólo a las principiantes de metro noventa, que también le gustan, desde luego.» Se le ha insinuado, supuso Chamcha; y automáticamente archivó la información para su futuro uso. «No sabe lo que es la vergüenza –rió Allie–. En las mismas narices de Gibreel. Pero las negativas no le ofenden: baja la cabeza, murmura *no impo-po-porta* y aquí no ha pasado nada. ¿Se imagina si se lo contara a Gibreel?»

En la estación, Chamcha deseó suerte a Allie. «Tendremos que volver a Londres para un par de semanas –dijo ella por la ventanilla del coche–. Tengo reuniones. Usted y Gibreel podrían salir; su compañía le ha hecho bien.»

Que Allie Cone, el tercer punto de un triángulo de ficciones –pues ¿no se habían unido Gibreel y Allie en gran medida porque habían imaginado a una «Allie» y un «Gibreel» ideales de los que cada cual podía enamorarse; y no les imponía ahora Chamcha las ansias de su atribulado y chasqueado corazón?– hubiera de ser el inconsciente y cándido medio de la venganza de Chamcha se manifestó más claramente aún al que la tramaba, Saladin, cuando descubrió que Gibreel, con el que había salido a pasear una ecuatorial tarde londinense, nada deseaba tanto como describir con embarazosos detalles el éxtasis carnal que le deparaba compartir el lecho de Allie. ¿Qué clase de persona, se decía Saladin con desagrado, es la que se complace en describir sus intimidades a los extraños? Gibreel describía (con fruición) posturas, mordiscos amorosos y el vocabulario secreto del deseo mientras paseaban por Brickhall Fields entre colegialas y críos con patines y papás que lanzaban con incompetencia *boomerangs* y platillos volantes a niños desdeñosos, y sorteaban la carne horizontal de secretarias que se asaban lentamente; y Gibreel interrumpió su rapsodia erótica para comentar, furiosamente, que «A veces, cuando miro a esta gente color de rosa, en vez de piel, Bobito, lo que veo es carne putrefacta; la huelo aquí –se golpeó las fosas nasales con énfasis, como si revelara un misterio–, en la nariz.» Y volvió a la entrepierna de Allie, a sus ojos velados, al perfecto valle de la parte baja de su espalda, a los grititos que le gustaba dar. Aquel hombre estaba en inminente peligro de romperse por las costuras. La frenética energía, la exaltada minuciosidad de sus descripciones hicieron pensar a Chamcha que había vuelto a reducir las dosis, que avanzaba hacia la cúspide de un delirio, aquella febril excitación que se parecía a una borrachera en una cosa (según Allie), en que Gibreel, cuando, inevitablemente, regresaba a la tierra, no podía recordar nada de lo que había dicho o hecho. Las descripciones seguían y seguían: la extraordinaria longitud de sus pezones, su aversión a que se metieran con su ombligo, la sensibilidad de los dedos de los pies. Chamcha se dijo que, locura o no locura, lo que revelaba este coloquio sobre el sexo (porque también recordaba lo que Allie le dijera en el Citroën) era la debilidad de aquella llamada «gran pasión» –término que ella había utilizado sólo medio en broma– porque, en definitiva, no tenía nada más de bueno; sencillamente, sus relaciones no tenían ningún otro aspecto que ponderar. Sin embargo, y al mismo tiempo, empezaba a sentirse excitado. Se veía a sí mismo mirándola por la ventana, desnuda como una actriz en la pantalla, y unas manos de hombre la acariciaban de mil maneras llevándola hasta el éxtasis; llegó a pensar que él era aquellas manos, casi sentía su piel fresca, su estremecimiento, casi oía sus gritos. Se controló. Su deseo le asqueó. Ella era inalcanzable; esto era la perversión del mirón, y él no estaba dispuesto a sucumbir. Pero el deseo que habían despertado las revelaciones de Gibreel no desapareció.

En realidad, según recordó Chamcha, la obsesión sexual de Gibreel tenía que facilitarle las cosas. «Desde luego, es una mujer muy atractiva», aventuró, y recibió con satisfacción una larga y furibunda mirada. Después de lo cual Gibreel, haciendo un ostensible esfuerzo por dominarse, rodeó a Saladin con un brazo y tronó: «Perdona, Bobito, pero por lo que se refiere a ella, soy muy susceptible. ¡Pero tú y yo! ¡Nosotros somos *bhai-bhai*! Dos buenos camaradas que han arrostrado las peores pruebas y salido de ellas con una sonrisa; vamos, ya estoy cansado de este parque perdido. Vámonos a la ciudad.»

Está el momento de antes del mal; luego está el momento del, y está el momento de después, cuando ya se ha dado el paso y cada nuevo movimiento resulta progresivamente más fácil.

«Encantado –dijo Chamcha–. Me alegro de verte con tan buen aspecto.»

Por su lado pasó un niño de seis o siete años en una bicicleta BMX. Chamcha volvió la cabeza para seguirlo con la mirada y vio que el niño se alejaba suavemente por una avenida de árboles que formaban un túnel de hojas por entre las cuales se filtraba aquí y allí una gota de la candente luz del sol. La impresión de descubrir el escenario de su sueño desorientó momentáneamente a Chamcha y le dejó mal sabor de boca: el sabor agrio de lo que pudo haber sido y no fue. Gibreel paró un taxi e indicó Trafalgar Square.

Oh, sí, aquel día estaba eufórico, despotricando contra Londres y los ingleses con mucho de su antiguo brío. Allí donde Chamcha veía una grandeza atractivamente desvaída, Gibreel veía un naufragio, un Crusoe de ciudad, arrojado a la isla de su pasado, que, con la ayuda de su Viernes, es decir, las clases bajas, trataba de guardar las apariencias. Bajo la mirada de leones de piedra, Gibreel perseguía palomas gritando: «Bobito, en nuestra tierra estas gorditas no durarían ni un día; atrapemos una para la cena.» El alma inglesa de Chamcha se encogía de vergüenza. Después, en Covent Garden, describió a Gibreel el día en que el viejo mercado de frutas y verduras fue trasladado a Nine Elms. Para combatir a las ratas, las autoridades habían tapado las alcantarillas y matado a decenas de miles; pero unos cientos sobrevivieron. «Aquel día, las ratas hambrientas infestaban las aceras –recordó–. Iban por todo el Strand y el puente de Waterloo, entrando y saliendo de las tiendas, buscando comida desesperadamente. Gibreel resopló. «Ahora sí que veo que esto es un barco que se hunde –exclamó, y Chamcha se sintió furioso consigo mismo por haberle dado pie–. Hasta las jodidas ratas se van. –Y, después de una pausa–: Lo que necesitaban era un flautista, ¿no? Que las llevara a la perdición con música.»

Cuando no insultaba a los ingleses o describía el cuerpo de Allie desde la raíz del pelo hasta el suave triángulo de «el lugar del amor, el condenado *yoni*», parecía querer hacer listas: ¿cuáles eran sus diez libros favoritos, y sus diez películas, y actrices de cine, y platos? Chamcha daba respuestas cosmopolitas y convencionales. Su lista de películas incluía *Potemkin*, *Kane*, *Otto e Mezzo*, *Los siete samuráis*, *Alphaville*, *El ángel exterminador*. «Bien te han lavado el cerebro –rió burlonamente Gibreel–. Todo, pedante bazofia occidental.» Sus diez favoritos de todo eran «de nuestra tierra» y agresivamente populares. *Madre India*, *Mr. India*, *Shree Charsawbees*: ni Ray, ni Mrinal Sen, ni Aravindan, ni Ghatak. «Tienes la cabeza tan llena de porquería que has olvidado todo lo que merece la pena conocer.»

Su excitación creciente, su gárrula determinación de convertir el mundo en una serie de listas de éxitos, su vigoroso caminar –al final del paseo debían de haber recorrido, por lo menos, treinta kilómetros–, indicaban a Chamcha que ya no se necesitaría mucho para hacerle caer. *Parece ser que yo también me he convertido en un hombre de confianza, Mimi. El arte del asesino consiste en atraerse a la víctima; así es más fácil acuchillarla.* «Empiezo a tener hambre –anunció Gibreel imperiosamente–. Llévame a uno de tus diez restaurantes favoritos.»

En el taxi, Gibreel espoleaba a Chamcha, que no le había informado de su destino. «Algún rincón francés, ¿eh? O japonés, seguro, con pescados crudos o pulpos. Ay, Dios, ¿por qué me fío de tus gustos?»
Llegaron al Shaandaar Café.

Jumpy no estaba.
Por lo visto, Mishal Sufyan no se había reconciliado con su madre; Mishal y Hanif estaban ausentes, y ni Anahita ni su madre dedicaron a Chamcha un saludo que pudiera considerarse cálido. Sólo Haji Sufyan se mostró afable: «Pase, pase, siéntese, tiene usted muy buen aspecto.» El café estaba extrañamente vacío, y ni la presencia de Gibreel causó gran revuelo. Chamcha tardó unos segundos en darse cuenta de lo que ocurría; lo advirtió al reparar en el cuarteto de jóvenes blancos que ocupaban una mesa del rincón y que buscaban camorra.
El camarero bengalí (al que Hind había tenido que contratar después de la marcha de su hija mayor) que se acercó a tomar nota –berenjenas, *sikh kababs*, arroz– lanzaba furiosas miradas al problemático cuarteto que, al parecer, estaba muy bebido. Amin, el camarero, estaba tan furioso con Sufyan como con los borrachos. «No debió permitirles la entrada –murmuró dirigiéndose a Chamcha y Gibreel–. Ahora yo soy quien tiene que servirles. Claro, como él no está en primera línea.»
Los borrachos fueron servidos al mismo tiempo que Chamcha y Gibreel. Cuando empezaron a quejarse de la comida, el ambiente se cargó más aún. Finalmente, se levantaron. «Nosotros no comemos esta mierda, guarras –gritó el cabecilla, un tipo escuchimizado de pelo pajizo y cara blanca, chupada y con granos–. Esto es mierda. Os jodéis, guarras.» Sus tres compañeros salieron del café riendo y soltando palabrotas. El jefe no se

decidía a marchar. «¿Disfrutáis de la comida? –gritó a Chamcha y Gibreel–. Es una puta mierda. ¿Eso es lo que coméis en vuestra tierra? Guarras.» Gibreel tenía una expresión que decía, alto y claro: de manera que en esto se han convertido los ingleses, esa gran nación de conquistadores. No contestó. El enano cara de rata se acercó: «Os he hecho una pregunta. O sea: ¿disfrutáis de vuestra puta *mierda de cena*?» Y Saladin Chamcha, quizá porque le molestaba que Gibreel no hubiera tenido que verse cara a cara con el hombre al que había estado a punto de matar –y, además, por la espalda, a lo cobarde–, se encontró respondiendo: «Disfrutaríamos de no ser por usted.» Cara de rata, tambaleándose, asimiló la información, y entonces hizo algo sorprendente. Aspiró profundamente e irguió su metro sesenta de estatura; después se inclinó y escupió, violenta y copiosamente, sobre la comida.

«Baba, si eso está entre tus diez mejores –dijo Gibreel en el taxi de regreso–, no me lleves a los sitios que te gustan menos.»

«*Minnamin, Gut mag alkan, Pern dirstan* –respondió Chamcha–. Quiere decir: "Cariño, Dios te da el hambre y el diablo la sed", Nabokov.»

«Ya está otra vez –se lamentó Gibreel–. ¿Y qué jodida lengua es ésa?»

«Una lengua inventada por el autor. Eso se lo dice al pequeño Kinbote su niñera, que es de Zembla. En *Pálido fuego*.»

«*Perndirstan* –repitió Farishta–. Suena a nombre de país, o, quizá, de infierno. En fin, me rindo. ¿Cómo se puede leer a un hombre que escribe en una lengua inventada por él?»

Estaban llegando al piso de Allie en Brickhall Fields. «El comediógrafo Strindberg –dijo Chamcha abstraído, como sumido en profundos pensamientos–, después de dos matrimonios desgraciados, se casó con una famosa y encantadora actriz de veinte años llamada Harriet Bosse. Estaba deliciosa en el papel de "Puck" en *El sueño*. Además, él le escribió una obra: el papel de "Eleanora" en *Pascua*. Un "ángel de paz". Los jóvenes se volvían locos por ella, y Strindberg, bueno, se puso tan celoso que estuvo a punto de perder la razón. Quería tenerla encerrada en casa, donde los hombres no pudieran verla. Ella quería viajar y él le llevaba libros de viajes. Era como la vieja canción de Cliff Richard: *Gonna lock her up in a trunk / so no big hunk / can steal her away from me* (La encerraré en un baúl / para que no me la robe ningún pedazo de bruto).»

Farishta movió afirmativamente su espesa cabeza. Había caído en una especie de ensueño. «¿Y qué pasó?», preguntó cuando llegaban a su destino. «Ella lo abandonó –respondió Chamcha inocentemente–. Dijo que no podía identificarlo con la raza humana.»

Alleluia Cone, al salir del metro, camino de su casa, iba leyendo la carta que su madre le había enviado desde Stanford, Calif., y que rezumaba una felicidad delirante. «Si alguien te dice que la felicidad es inalcanzable –escribía Alicja con una caligrafía grande, retorcida, inclinada hacia atrás y zurda–, mándamelo y yo le explicaré. Yo la encontré dos veces, una con tu padre, como tú sabes, y otra con este hombre bueno y ancho que tiene la cara del color de las naranjas que aquí crecen por todas partes. Paz y sosiego, Allie. Es mucho mejor que la pasión. Pruébalo, te gustará.» Al levantar la mirada, Allie vio el fantasma de Maurice Wilson sentado en la copa de una gran haya con su habitual indumentaria de lana –boina escocesa, jersey a rombos y pantalón de golf–, demasiado abrigado para aquel calor. «Ahora no tengo tiempo para ti», le dijo ella, y él se encogió de hombros. *Puedo esperar*.

Volvían a dolerle los pies. Ella apretó los dientes y siguió andando.

Saladin Chamcha, escondido bajo la misma haya desde la que el fantasma de Maurice Wilson seguía el doloroso caminar de Allie, vio a Gibreel Farishta salir violentamente del edificio de pisos en el que esperaba con impaciencia el regreso de Allie; vio que tenía los ojos enrojecidos y estaba furioso. Los demonios de los celos estaban posados en sus hombros y él gritaba la vieja canción, dóndediablos sepuedesaber nocreasquemeladas quétehascreído perraperraperra. Al parecer, a falta de Jumpy, Strindberg había surtido efecto.

El observador de la copa del árbol se esfumó; el otro, moviendo la cabeza con satisfacción, se alejó por una avenida sombreada por frondosos árboles.

Las llamadas telefónicas que entonces empezaron a recibir, tanto Allie como Gibreel, primeramente en el piso de Londres y, después, en una remota dirección de Dumfries and Galloway, no eran muy frecuentes; pero tampoco puede decirse que fueran infrecuentes. No eran tantas voces como para no resultar plausibles; pero sí las suficientes. No eran llamadas breves, como las que hacen los del jadeo y otros parásitos de la red telefónica, pero, por otra parte, nunca duraban lo suficiente para que la policía, que estaba a la escucha, pudiera localizar la llamada. Tampoco duró mucho todo el desagradable episodio: un total de tres semanas y media, al cabo de las cuales quienes llamaban abandonaron definitivamente; pero hay que señalar que duró exactamente el tiempo necesario, es decir, hasta que Gibreel Farishta hizo a Allie Cone lo mismo que anteriormente hiciera a Saladin; a saber: Lo Imperdonable.

Hay que señalar que nadie, ni Allie, ni Gibreel, ni siquiera los escuchas profesionales que ellos introdujeron, sospecharon ni un momento que las llamadas fueran obra de un solo hombre; pero para Saladin Chamcha, en tiempos conocido (aunque sólo en los medios especializados) como el Hombre de las Mil Voces, esta simulación fue cosa fácil, sin esfuerzo y sin riesgo. En total, tuvo que seleccionar (de sus mil y una voces) no más de treinta y nueve.

Cuando contestaba Allie, oía voces de hombre que le murmuraban al oído secretos íntimos, voces de desconocidos que parecían conocer los más recónditos detalles de su cuerpo, seres sin rostro que demostraban conocer por experiencia sus preferencias entre las mil formas del amor; y, una vez empezaron los intentos de localizar las llamadas, se agravó la humillación, porque ahora Allie ya no podía colgar simplemente, sino que tenía que seguir escuchando, con la cara ardiendo y la espalda helada, procurando (sin conseguirlo) prolongar las llamadas.

También Gibreel recibía su ración de voces: soberbios aristócratas byronianos que se jactaban de haber «conquistado el Everest», guasones barriobajeros, voces empalagosas de «buen amigo» que mezclaban la advertencia y la irónica conmiseración, *a buen entendedor, no se puede ser tan confiado es que aún no te has enterado, cualquier cosa con pantalones, pobre imbécil, te lo dice un amigo*. Pero una voz se destacaba entre todas, la voz aterciopelada y vibrante de un poeta, una de las primeras que oyó Gibreel y la que le llegó más adentro; una voz que hablaba exclusivamente en verso, y recitaba unos refranes de aparente ingenuidad que contrastaban violentamente con la obscenidad de la mayoría de comunicantes, una voz que, para Gibreel, era la más insidiosa y amenazadora de todas.

Me gusta el pan, me gusta el vino,
Me gusta todo lo que haces conmigo.

Díselo a ella, musitó la voz, antes de colgar. Otro día, otro verso:

Me gusta la manteca, me gusta la tostada,
Pero más me gusta mi enamorada.

Dale el recado, haz el favor. Había algo diabólico, decidió Gibreel, algo profundamente inmoral en la idea de llevar a la lascivia esta envoltura de copla inocente.

Manzanita roja, tarta de limón,
Cómo se llama quien domina mi corazón.

A... Yo... Yo... Gibreel, indignado y atemorizado, colgó violentamente el aparato y empezó a temblar. Después de aquello, el de los versos dejó de llamar durante un tiempo; pero ésa era la voz que más esperaba y temía Gibreel, quizá porque ya presentía que esta maldad infernal e infantil sería lo que le destruiría definitivamente.

¡Y qué fácil resultó! ¡Qué cómodamente se instaló la maldad en esas cuerdas vocales de ductilidad infinita, esos hilos de titiritero! ¡Con qué seguridad se aventuraba por el hilo telefónico, serena y ágil como un volatinero; con qué confianza entraba en presencia de la víctima, tan segura de su efecto como un hombre apuesto con un traje bien cortado! ¡Y con qué cuidado aguardaba su momento, enviando todas las voces menos la voz que daría el tiro de gracia –porque también Saladin había comprendido el especial poder de las coplas–: voces graves y voces chillonas, lentas y rápidas, tristes y alegres, agresivas y tímidas! Una a una goteaban en los oídos de Gibreel, debilitando su noción del mundo real, atrayéndolo poco a poco a su malla de engaños, de manera que, poco a poco, sus obscenas mujeres imaginarias empezaron a envolver a la mujer real como una película viscosa y verde y, a pesar de las protestas de ella, él empezó a alejarse; y llegó el momento del regreso de los versos satánicos que le enloquecían.

La rosa es roja, la violeta, azul,
Pero la más dulce eres tú.

Díselo. Había vuelto, tan inocente como siempre, a poner un torbellino de mariposas en el agarrotado estómago de Gibreel. A partir de entonces los versos se hicieron más groseros y frecuentes. Algunos tenían malicia de patio de escuela:

Cuando viaja al Oriente
No mira a la gente,
Cuando viaja a Praga
No lleva braga.

y otros, ritmo de animación deportiva:

Medias de fuego, que me muero,
¡Halarí! ¡Halará!
¡Aleluya! ¡Aleluya!
¡Ra! ¡Ra! ¡Ra!

Y, finalmente, cuando regresaron a Londres, un día en que Allie salió para asistir a la ceremonia de inauguración de un supermercado de congelados en Hounslow, la última copla:

Azul es la violeta y amarilla la retama,
Ya la tengo en la cama.

Adiós, capullo.
Sonido telefónico.

Cuando Alleluia Cone regresó a casa, Gibreel ya no estaba y, en el silencio del devastado apartamento, ella juró que esta vez habían terminado para siempre, que no volvería a darle amparo, por muy lamentables que fueran las condiciones en que volviera suplicando perdón y amor; porque, antes de marcharse, Gibreel se había vengado del modo más cruel destruyendo su colección de Himalayas, reunida a lo largo de los años, derritiendo el Everest de hielo que guardaba en el congelador, descolgando y rasgando la seda de paracaídas que tenía sobre la cama simulando montañas y descuartizando (había usado el hacha que ella guardaba con el extintor en el armario de las escobas) el precioso e insustituible recuerdo de su conquista del Chomolungma tallado por Pemba, el sherpa, advertencia y conmemoración. *A Ali Bibi. Nosotros tener suerte. No probar otra vez.*

Allie abrió las ventanas de guillotina y gritó a los inocentes Brickhall Fields. «¡Muérete despacio! ¡Fríete en el infierno!»

Luego, llorando, llamó por teléfono a Saladin Chamcha para darle la mala noticia.

Mr. John Maslama, propietario del club nocturno Cera Caliente, la cadena de tiendas de discos del mismo nombre y de «El Buen Viento», el legendario establecimiento en el que podías conseguir las mejores trompas –clarinetes, saxofones, trombones– que se soplaban en todo Londres, era hombre ocupado, por lo que siempre atribuiría a la intervención de la Divina Providencia la feliz casualidad que le hizo estar presente en la tienda de las trompetas cuando el Arcángel de Dios entró en ella con el trueno y el rayo ciñendo su noble frente como laureles. Mr. Maslama, negociante avezado, hasta aquel momento había ocultado a sus empleados su colateral tarea de heraldo principal del Ser Celestial y Semidivino, y sólo ponía carteles en los escaparates cuando estaba seguro de que nadie le observaba, omitiendo firmar los anuncios que insertaba en periódicos y revistas con considerable dispendio personal, para proclamar la Gloria inminente del Advenimiento del Señor. Redactaba comunicados de prensa a través de una empresa de relaciones públicas subsidiaria de la agencia Valance, solicitando que se protegiera escrupulosamente su anonimato. «Nuestro cliente está en disposición de afirmar –anunciaban crípticamente esas entregas con las que, durante algún tiempo, se troncharon de risa los profesionales de Fleet Street– que sus ojos han visto la Gloria antes mencionada. Gibreel está entre nosotros en este momento, en algún lugar del centro de Londres, probablemente en Camden, Brickhall, Tower Hamlets o Hackney, y pronto se manifestará, quizá dentro de unos días o unas semanas.» Todo esto lo ignoraban los tres dependientes altos y lánguidos de «El Buen Viento» (Maslama no quería dependientas: «Yo estoy convencido –decía– de que, en materia de cornas, nadie se fía de una mujer»); por lo que ninguno de ellos dio crédito a sus ojos cuando su jefe, tan riguroso, experimentó un súbito cambio de personalidad y salió al encuentro de aquel desconocido de gesto salvaje y mejillas sin afeitar como si fuera Dios Todopoderoso. Con sus zapatos de charol de dos tonos, traje Armani y pelo planchado a lo Robert de Niro sobre hirsutas cejas, Maslama no era de los que reptan, pero ahora *reptaba* sobre su jodido vientre, haciendo a un lado al personal, *yo atenderé al señor*, con reverencias y andando para atrás, ¿habráse visto? De todos modos, el hombre llevaba debajo de la camisa un cinturón lleno de dinero del que empezó a sacar billetes de los grandes; señaló una trompeta que estaba en un estante alto, *ésa*, así, ni más ni menos, casi sin mirarla, y Mr. Maslama que, zas, se sube a la escalera. Yo la bajo, *yo la bajo*, y ahora viene lo mejor, y es que no quería cobrar, ¡Maslama! no, *señor*, le decía, no es nada, *señor*, pero el tipo pagó de todos modos, le metió los billetes en el bolsillo del pecho como a un *botones*, tenías que haber estado allí, y luego el cliente va y se vuelve hacia la tienda y grita: *Yo soy la mano derecha de Dios*. Así, sin más, como si anunciara el jodido Día del Juicio. Y, después, Maslama, que estaba fuera de quicio, hasta se puso de *rodillas*. Entonces, el tipo levantó la trompeta sobre su cabeza y gritó: *¡Y impongo a esta trompeta el nombre de Azraeel, la Trompeta Final, el Exterminador de Hombres!*, y nosotros allí, te lo juro, petrificados, porque alrededor de la cabeza de aquel tipo, que estaba lo que se dice *de atar*, apareció una *luz*, ¿sabes?, que parecía salir de un punto situado detrás de la coronilla.»

Una aureola.

Ustedes dirán lo que quieran, repetían los tres dependientes a todo el que quería escucharles, *ustedes dirán lo que quieran, pero nosotros vimos lo que vimos*.

3

La muerte del doctor Uhuru Simba, anteriormente Sylvester Roberts, mientras estaba bajo custodia a la espera de juicio, fue descrita por el oficial de comunicación de la prefectura de la comunidad de Brickhall, un tal inspector Stephen Kinch, como «un caso entre un millón». Al parecer, el doctor Simba sufría una pesadilla tan espantosa que le hizo gritar en sueños de un modo particularmente agudo, atrayendo la inmediata atención de los dos oficiales de servicio. Estos caballeros corrieron hacia la celda y llegaron a tiempo de ver la figura gigantesca del durmiente salir literalmente despedida del catre, bajo la perniciosa influencia del sueño, y caer al suelo. Ambos oficiales oyeron un fuerte crujido; era el sonido que hizo el cuello del doctor Uhuru Simba al romperse. La muerte fue instantánea.

La diminuta madre del muerto, Antoinette Roberts, de pie en la parte trasera del camión de su hijo menor, con un vestido y sombrero negros, baratos, el velo de luto echado hacia atrás en señal de desafío, no tardó en recoger las palabras del inspector Kinch y arrojárselas a su cara ancha, fláccida e impotente, cuya expresión azorada revelaba la humillación de oírse llamar por sus compañeros de cuerpo *el negrata* o, peor aún, el *champiñón*, porque se le tenía siempre a oscuras y, de vez en cuando –por ejemplo, en las actuales lamentables circunstancias–, el mundo le echaba toda su mierda encima. «Quiero que entendáis –declamaba Mrs. Roberts a la considerable multitud que se había congregado airadamente ante la comisaría de High Street– que esta gente juega con nuestra vida. Hacen apuestas sobre nuestras posibilidades de supervivencia. Quiero que todos penséis en lo que esto significa en cuanto al respeto que se nos debe como seres humanos.» Y Hanif Johnson, en su calidad de abogado de Uhuru Simba, añadió su propia explicación desde el camión de Walcott Roberts, señalando que la supuesta caída fatal de su cliente se había producido desde la litera de abajo de las dos que había en su celda; que, en una época de enorme hacinamiento en las cárceles del país, era, cuando menos, insólito que la otra litera estuviera libre, con lo cual se eliminaban los testigos de la muerte que no fueran funcionarios de prisiones; y que una pesadilla no era ni mucho menos la única explicación posible de los gritos de un negro en manos de las autoridades penitenciarias. En sus comentarios finales, que el inspector Kinch calificaría después de «inflamatorios y antiprofesionales», Hanif comparó las palabras del oficial de enlace a las del lamentable racista John Kingsley Read, que en cierta ocasión, ante la noticia de la muerte de un negro, respondió con el lema «Uno menos; quedan un millón». La multitud murmuraba y rebullía; era un día de calor y exaltación. «Mantened el fuego –gritó Walcott, el hermano de Simba, a los congregados–. Que nadie se enfríe. Mantened el furor.»

Puesto que Simba ya había sido juzgado y condenado en la que él mismo llamara «prensa arco iris: roja de rabia, amarilla de cobarde, azul de pena y verde como el cieno», a muchos blancos les pareció que con su muerte se había hecho justicia, que un monstruo asesino había recibido lo que se merecía. Pero en otro tribunal, silencioso y negro, recibió un veredicto mucho más favorable, y las diversas consideraciones sobre el difunto en la reacción provocada por su muerte, salieron a las calles de la ciudad y fermentaron en el inacabable calor tropical. La «prensa arco iris» pregonaba el apoyo de Simba a Qazhafi, Khomeini y Louis Farrakhan; mientras tanto, en las calles de Brickhall, hombres y mujeres jóvenes mantenían y atizaban la llama lenta de su cólera, una llama espectral, pero capaz de oscurecer la luz.

Dos noches después, detrás de la fábrica de cerveza Charrington, de Tower Hamlets, el «Destripador de Abuelas» volvió a actuar. Y, a la noche siguiente, una anciana fue asesinada cerca de las atracciones de Victoria Park, en Hackney; una vez más, el Destripador añadió al crimen su «firma» espeluznante, desplegando ritualmente los órganos internos de la víctima alrededor del cadáver según una disposición precisa que nunca se había hecho pública. Cuando el inspector Kinch, con aspecto un tanto deteriorado, apareció por televisión para proponer la extraordinaria teoría de que un «asesino imitador» había descubierto la marca de identificación, que se había mantenido oculta durante tanto tiempo, y recogido el estandarte que el difunto doctor Uhuru Simba dejara caer, el comisario de Policía consideró prudente, como medida de precaución, cuadruplicar los efectivos policiales en las calles de Brickhall y mantener acuartelados contingentes tan nutridos que se hizo necesario suspender los partidos de fútbol en la capital aquel fin de semana. Porque de hecho, en el que fuera territorio de Uhuru Simba los ánimos ardían; Hanif Johnson manifestó que la incrementada presencia policial era «provocativa e incendiaria», y grupos de jóvenes negros y asiáticos empezaron a congregarse en el Shaandaar y en el Pagal Khana, decididos a enfrentarse con los coches-patrulla. En el Cera Caliente, la efigie elegida para *derretir* no fue otra que la figura sudorosa y ya delicuescente del inspector comisionado para las comunidades. Y la temperatura, inexorablemente, siguió subiendo.

Menudeaban los incidentes violentos: ataques a familias negras en propiedades municipales, acoso a los colegiales negros camino de sus casas, peleas en tabernas. En el Pagal Khana, un chico con cara de rata y tres compinches escupieron en la comida de muchos clientes; a consecuencia de los ulteriores altercados, tres camareros bengalíes fueron acusados de agresión y daños personales; el cuarteto expectorante, sin embargo, no fue detenido. Por todas las comunidades circulaban relatos de brutalidad policial, de jóvenes negros que eran subidos a coches y furgonetas sin identificación pertenecientes a las brigadas especiales y luego eran arrojados, no menos discretamente, con cortes y magulladuras en todo el cuerpo. Se organizaron patrullas de autodefensa, formadas por sikhs, bengalíes y afrocaribeños –calificadas por sus oponentes políticos de grupos de vigilantes–, que, a pie y en viejos Ford Zodiacs y Cortinas, recorrían los barrios, decididos a no «soportar los atropellos mansamente». Hanif Johnson dijo a su compañera Mishal Sufyan que, en su opinión, un nuevo asesinato del Destripador encendería la mecha. «Ese criminal no sólo se ufana de estar libre sino que, además, se ríe de la muerte de Simba. Y eso es lo que revienta a la gente.»

Por estas calles alborotadas, una noche de un bochorno impropio de la estación, caminaba Gibreel Farishta tocando su trompeta dorada.

A las ocho de aquella noche, sábado, Pamela Chamcha estaba con Jumpy Joshi –que no había consentido en dejarla ir sola– al lado del Photomatón, en un rincón del vestíbulo de la estación de Euston, con la absurda sensación de formar parte de una conjura. A las ocho y cuarto se le acercó un joven flaco que le pareció más alto de lo que ella recordaba; Pamela y Joshi le siguieron sin decir palabra y subieron a su vieja camioneta azul, que los llevó a un apartamento diminuto situado encima de una licorería de Railton Road, Brixton, donde Walcott Roberts les presentó a Antoinette, su madre. Los tres hombres, a los que después Pamela consideraba haitianos por razones que admitió como estereotípicas, no fueron presentados. «Tome un vaso de vino de jengibre –ordenó Antoinette Roberts–. Tampoco le vendrá mal al niño.»

Cuando Walcott hubo hecho los honores, Mrs. Roberts, que parecía perdida en una voluminosa y raída butaca (sus piernas, sorprendentemente pálidas y delgadas como cerillas, que emergían por el borde de su vestido negro y se introducían en unos turbulentos calcetines rosa y zapatos cómodos abrochados con cordones, no llegaban al suelo ni por asomo, fue directamente al grano. «Estos caballeros eran colegas de mi hijo –dijo–. Parece ser que la razón por la que fue asesinado era su trabajo en un asunto que, según me dicen, también le interesa a usted. Creemos que ha llegado el momento de trabajar de un modo más formal a través de los canales que usted representa.» Entonces uno de los tres silenciosos «haitianos» entregó a Pamela una cartera de plástico rojo. «Contiene –explicó sin aspavientos Mrs. Roberts– numerosas pruebas de la existencia de cofradías de hechiceros en toda la policía metropolitana.»

Walcott se puso en pie. «Tenemos que marcharnos –dijo con firmeza–. Tengan la bondad.» Pamela y Jumpy se levantaron. Mrs. Roberts movió la cabeza vagamente, con la mirada ausente, haciendo rugir los nudillos de sus manos sarmentosas. «Adiós», dijo Pamela, con la intención de añadir unas palabras de condolencia. «No malgaste saliva, mujer –la atajó Mrs. Roberts–. Usted descubra a esos brujos. Y *trínquelos*.»

Walcott Roberts los dejó en Notting Hill a las diez. Jumpy tosía y se resentía otra vez de aquel dolor de cabeza que le aquejaba con frecuencia desde que fue atacado en Shepperton; pero cuando Pamela reconoció que la ponía nerviosa poseer el único ejemplar de los explosivos documentos que había en la cartera de plástico, Jumpy insistió de nuevo en acompañarla a las oficinas del consejo de relaciones con las comunidades de Brickhall, donde ella pensaba sacar fotocopias que distribuiría a varios amigos y colegas de confianza. Por ello, a las diez y cuarto cruzaban en el adorado MG de Pamela la ciudad hacia el Este, rumbo a la tormenta que se fraguaba. Una vieja furgoneta Mercedes azul los seguía, como había seguido al camión de Walcott; es decir, sin ser observada.

Quince minutos antes, una patrulla de siete sikhs corpulentos, apiñados en un Vauxhall Cavalier, circulaba por el puente del canal de Malaya Crescent, al sur de Brickhall. Al oír un grito en el muelle que discurría por debajo del puente acudieron corriendo y vieron a un hombre pálido de mediana estatura y complexión, flequillo rubio y ojos castaños, que se levantaba rápidamente con un escalpelo en la mano y se apartaba corriendo del cuerpo de una anciana cuya peluca azulada flotaba como una medusa en el canal. Los jóvenes sikhs salieron en persecución del que huía y lo atraparon.

A las once de la noche, la noticia de la captura del asesino de masas llegaba a todos los rincones del barrio, acompañada de cantidad de rumores: la policía se había mostrado reacia a acusar al maníaco, el grupo de sikhs había sido detenido para ser interrogado, se pretendía echar tierra al asunto. En las esquinas empezaron a formarse grupos, se vaciaron las tabernas y estallaron peleas. Hubo destrozos; se rompieron los cristales de tres coches, una tienda de televisores fue saqueada, se lanzaron unos cuantos ladrillos. Fue entonces, a las once de la noche de un sábado, cuando los clubs nocturnos y los bailes comienzan a verse abandonados por un público excitado y bastante intoxicado, el momento en que el superintendente de Policía, tras consultar con sus superiores, declaró que en la zona centro de Brickhall se estaban produciendo disturbios y desplegó toda la fuerza de la policía metropolitana contra los «revoltosos».

Fue también entonces cuando Saladin Chamcha, después de cenar en casa de Allie Cone, en Brickhall Fields, manteniendo las apariencias, doliéndose de su desgracia y murmurando falsas frases de ánimo, salió a la noche; vio una formación cerrada de hombres con casco, provistos de escudos de plástico, que se dirigían hacia él por el parque a un trote regular e inexorable; presenció la llegada de una plaga de helicópteros como langostas gigantes, de los que se derramaba luz como si fuera lluvia copiosa; vio el avance de los cañones de agua y, obedeciendo a un irresistible reflejo primario, dio media vuelta y echó a correr, sin saber que había tomado la dirección equivocada, que corría a toda velocidad hacia el Shaandaar.

Las cámaras de televisión llegan en el momento justo de la redada del club Cera Caliente.

Esto es lo que ve una cámara de televisión: menos sensible que el ojo humano, su visión nocturna se limita a lo que le muestran los focos. Un helicóptero se cierne sobre el club nocturno, orinando luz en largos chorros dorados; la cámara entiende esa imagen. La máquina del Estado suspendida sobre sus enemigos. Y ahora hay una cámara en el cielo; en algún lugar, un director de informativos ha autorizado el gasto de la toma aérea, y un equipo de reporteros está grabando desde otro helicóptero. No se intenta en modo alguno ahuyentar a este helicóptero. El zumbido de las alas del rotor ahoga el ruido de la gente. El equipo de grabación en vídeo también es menos sensible que el oído humano.

«Corte.» Un hombre iluminado por un cañón de luz habla rápidamente a un micrófono. Detrás de él se agita una masa de sombras. Pero entre el reportero y la tierra de las sombras revueltas hay una muralla: hombres con casco y escudo. El reportero habla con gravedad: cóctelesmolotov balasdeplástico policíasheridos cañóndeagua saqueos, limitándose, naturalmente, estrictamente a los hechos. Pero la cámara ve lo que él no dice. Una cámara es algo que se rompe o se roba fácilmente; su fragilidad la hace remilgada. Una cámara requiere ley, orden y cordón policial. Su instinto de conservación la mantiene detrás de la muralla de escudos, observando la tierra de las sombras desde lejos y, en efecto, desde arriba: o sea, que la cámara toma partido.

«Corte.» Los cañones de luz iluminan una cara nueva, sofocada, de agitadas mejillas. Esta cara tiene nombre: sobre la guerrera aparecen letras en subtítulo. *Inspector Stephen Kinch*. La cámara lo ve tal como es: un hombre bueno con un trabajo imposible. Un padre de familia, un hombre al que le gusta sentarse con los amigos a tomar una cerveza. Habla: no-pueden-tolerarse-zonas-de-riesgo los-policías-necesitan-más-protección escudos-antidisturbios-se-incendian. Se refiere al crimen organizado, a los agitadores políticos, a las fábricas de bombas, a las drogas. «Comprendemos que algunos de esos chicos supongan estar apoyando reivindicaciones justas, pero nosotros no podemos ni queremos ser cabeza de turco de la sociedad.» Animado por las luces y el paciente silencio del objetivo de la cámara, sigue hablando. Estos chicos no saben la suerte que tienen, apunta. Que pregunten a sus parientes y amigos. África, Asia, el Caribe: ahí sí que hay problemas de verdad. Ahí sí que la gente tiene reivindicaciones justas y respetables. Aquí las cosas no están tan mal ni mucho menos; aquí no hay matanzas, ni torturas, ni golpes militares. La gente debería valorar lo que tiene antes de ponerlo en peligro. Éste siempre fue un país pacífico, dice. La nuestra es una raza insular. Detrás de él, la cámara ve camillas, ambulancias, dolor. Ve extrañas formas humanoides que son extraídas de las bóvedas del club Cera Caliente, y reconoce efigies de poderosos. El inspector Kinch lo explica todo. Ahí abajo los meten en un horno, ellos lo llaman diversión, yo no lo llamaría así. La cámara observa las figuras de cera con aversión. ¿No hay en ello un aire de brujería, de canibalismo, de práctica tenebrosa? ¿Se practicaba ahí la *magia negra*? La cámara ve ventanas rotas. Ve arder algo a media distancia: un coche, una tienda. No puede entender, ni demostrar, lo que se consigue con esto. Esta gente está incendiando sus propias calles.

«Corte.» Una tienda de vídeo y televisión muy iluminada. En el escaparate hay siete televisores; la cámara, en su narcisismo delirante, mira la televisión y multiplica hasta el infinito durante un instante las imágenes, que disminuyen de tamaño hasta reducirse a un punto. «Corte.» Aquí hay una cara seria, bien iluminada: debate en el estudio. La cara habla de *delincuentes*. Billy el Niño, Ned Kelly: eran hombres que discriminaban las causas a favor y en contra. Los asesinos modernos carecen de esa dimensión heroica, no son más que unos enfermos, unos tarados desprovistos de personalidad, sus crímenes se distinguen por su atención al procedimiento, a la metodología –digamos, el *ritual*–, y surgen, quizá, del afán de notoriedad del insignificante, el deseo de salir del anonimato y convertirse por un momento en estrella. O por una especie de traslación del deseo de muerte: destruirse a sí mismo dando muerte al ser amado. *¿Y cuál de estos tipos es el Destripador de Abuelas?*, le preguntan. *¿Y cómo era Jack?* El verdadero criminal, insiste la cara, es la imagen del héroe en negativo.

¿Y estos revoltosos?, le desafían. *¿No estará usted arriesgándose a idealizar, a «legitimizar»?* La cara se mueve negativamente y lamenta el materialismo de la juventud moderna. La cara no hablaba del saqueo de las tiendas de aparatos de televisión. *¿Y los viejos criminales, entonces? Butch Cassidy, los hermanos James, el Capitán Moonlight, la banda de los Kelly. Todos robaban, ¿no? Bancos.* «Corte.» Más adelante, la cámara volverá al escaparate. Los televisores habrán desaparecido.

Desde el aire, la cámara observa la entrada del club Cera Caliente. Ahora la policía ha terminado con las figuras de cera y está sacando a personas de carne y hueso. La cámara se aproxima a los arrestados: un albino alto; un hombre con traje de Armani que parece el negativo de De Niro; una muchacha de... –¿cuántos años?, ¿catorce, quince?–, un chico adusto de unos veinte años. No se dan nombres; la cámara no conoce estas caras. Poco a poco, sin embargo, salen a la luz los *hechos*. El disc-jockey del club, Sewsunker Ram, alias «Pinkwalla», y el propietario, Mr. John Maslama, serán acusados de narcotráfico en gran escala –crack, heroína, hachís y cocaína–. El hombre arrestado con ellos, dependiente de la tienda de música «El Buen Viento», propiedad de Maslama, próxima al lugar de los hechos, posee una furgoneta en la que se ha descubierto una cantidad no especificada de «droga dura», así como cintas de vídeo porno. La jovencita se llama Anahita Sufyan, es menor de edad y, al parecer, había bebido copiosamente y, según se insinúa, copulaba con uno por lo menos de los tres arrestados. Tiene antecedentes de absentismo escolar y de asociación con conocidos criminales; evidentemente, se trata de una delincuente. Un periodista iluminado ofrecerá estos chismes muchas horas después de los hechos, pero la noticia ya corre por las calles: ¡Pinkwalla!, y el *Cera*: han destrozado el local, *arrasado*. Es la *guerra*.

No obstante, esto –como tantas otras cosas– ocurre en sitios que la cámara no puede ver.

Gibreel:

avanza como en sueños, porque después de recorrer la ciudad durante días sin comer ni dormir, con la trompeta llamada Azraeel a buen recaudo en un bolsillo del abrigo, ya no reconoce la diferencia entre la vigilia y el sueño; ahora tiene un atisbo de lo que debe de ser la ubicuidad, pues se mueve por varias historias a la vez; hay un Gibreel que sufre por la traición de Alleluia Cone, y un Gibreel suspendido sobre el lecho de muerte de un Profeta, y un Gibreel que observa en secreto el avance de una peregrinación al mar, aguardando el momento de revelarse, y un Gibreel que siente, cada día con más fuerza, la voluntad del adversario, que le atrae hacia sí, llevándolo hacia el lugar del abrazo final: el adversario astuto e hipócrita que ha adoptado la cara de su amigo, de Saladin, su mejor amigo, para hacer que se confíe y baje la guardia. Y hay un Gibreel que recorre las calles de Londres tratando de comprender la voluntad de Dios.

¿Tiene él que ser agente de la ira de Dios?

¿O de su amor?

¿Él es venganza o es perdón? ¿Debe conservar la trompeta fatal en el bolsillo, o sacarla y tocar?

(Yo no le doy instrucciones. También yo estoy intrigado por su elección, por el resultado de su combate. Personaje contra destino: lucha libre. Si caen los dos, combate nulo, o el fuera de combate decidirá.)

Gibreel, a través de sus muchas historias, sigue adelante.

Hay momentos en los que suspira por ella, Alleluia, su solo nombre le exalta; pero luego recuerda las diabólicas coplas, y ahuyenta su recuerdo. La trompeta que lleva en el bolsillo pide que la toquen; pero él se abstiene. No es el momento. Busca una clave –¿qué se debe hacer?–, por las calles de la ciudad.

Al otro lado de una ventana abierta a la noche ve un televisor. En la pantalla hay una cabeza de mujer, una famosa «presentadora», entrevistada por un no menos famoso y risueño «anfitrión» irlandés. «¿Qué es lo peor que puedes imaginar?» «Oh, creo, estoy segura, sería, oh, *sí*: encontrarme sola en Nochebuena. Tendrías que enfrentarte a ti misma, ¿verdad?, mirarte en un agrio espejo y preguntarte: *¿Esto es todo lo que hay?*» Gibreel, solo, sin saber en qué día vive, sigue andando. En el espejo, a su mismo paso, se acerca el adversario que le llama, abriéndole los brazos.

La ciudad le envía mensajes. Aquí, le dice, es donde el rey holandés decidió poner su casa cuando llegó a esta ciudad hace tres siglos. En aquella época esto era el campo, un pueblo situado en la verde campiña inglesa. Pero cuando el rey llegó a levantar su casa, en los campos surgieron plazas de Londres, edificios de ladrillo rojo con almenas holandesas recortándose en el cielo para que sus cortesanos tuvieran donde vivir. No todos los inmigrantes son gente sin poder, susurran los edificios que aún se mantienen en pie. Ellos imponen sus necesidades en la tierra nueva, traen su propia coherencia al país adoptado, lo imaginan de nuevo. Pero, cuidado, advierte la ciudad. También la incoherencia tiene su oportunidad. Cabalgando por los parques que había elegido como residencia –que él había *civilizado*–, Guillermo III fue derribado por su caballo, cayó pesadamente en el recalcitrante suelo y se partió su real cuello.

Algunos días se encuentra entre cadáveres que andan, grandes muchedumbres de muertos que se niegan a reconocer que están listos, cadáveres rebeldes que siguen comportándose como personas vivas, que hacen la compra, toman el autobús, flirtean, van a casa a hacer el amor, fuman cigarrillos. *Pero si estáis muertos*, les grita. *Zombies, a la tumba.* Ellos le ignoran, o se ríen, o se quedan cortados, o le amenazan con el puño. Él no dice más y se aleja rápidamente.

La ciudad se hace vaga, amorfa. Empieza a ser imposible describir el mundo. Peregrinación, profeta y adversario se funden, se diluyen en la niebla, reaparecen. Lo mismo que ella: Allie, Al-Lat. *Ella es el ave exaltada. La deseada.* Ahora lo recuerda: hace tiempo, ella le habló de los poemas de Jumpy. *Quiere reunirlos en un libro.* El artista que se chupa el dedo, con sus ideas infernales. Un libro es producto de un pacto con el diablo, un contrato de Fausto a la inversa, dijo a Allie. El doctor Fausto sacrificó la eternidad a cambio de dos docenas de años de poder; el escritor pacta la ruina de su vida y consigue (sólo si tiene suerte), puede que la eternidad, o al menos, la posteridad. En cualquier caso (en la opinión de Jumpy) es el diablo el que sale ganando.

¿Qué escribe un poeta? Versos. ¿Qué cantinela bulle en el cerebro de Gibreel? Versos. ¿Qué le ha destrozado el corazón? Versos y más versos.

La trompeta, Azraeel, clama desde el bolsillo del abrigo. *¡Cógeme!. Sisisí: la Trompeta. Al infierno con todo este penoso lío. Hincha los carrillos y tararí-tatí. Venga ya, es la hora de la fiesta.*

Qué calor: bochornoso, íntimo, intolerable. Esto no es el Mismísimo Londres: esta ciudad repugnante. Pista Uno, Mahagonny, Alphaville. Atraviesa una confusión de lenguas. Babel: contracción del asirio «babilu», «La puerta de Dios». Babilondres.

¿Dónde se encuentra?

Sí. Una noche vaga detrás de las catedrales de la Revolución Industrial, las terminales de ferrocarril de

Londres Norte. King's Cross, Cruce del Rey Anónimo, la torre de St. Pancras como un murciélago amenazador. Los depósitos de gas rojos y negros que se agitan como gigantescos pulmones de hierro. Donde la reina Boadicea cayó en la batalla, Gibreel Farishta lucha consigo mismo.

The Goodsway, camino de mercancías; y qué suculentas mercancías las que se ofrecen en los portales y bajo lámparas de tungsteno, qué delicias se ofrecen en el camino. Haciendo molinete con el bolso, reclamando la atención, con falditas plateadas y mallas ajustadas: mercancía no sólo tierna (edad promedio trece a quince), sino barata. Sus historias son breves e idénticas: todas tienen niños colocados en algún sitio, todas han sido expulsadas de casa por unos padres iracundos y puritanos, ninguna es blanca. Chulos con navaja se quedan con el noventa por ciento de lo que ganan. Al fin y al cabo, la mercancía no es más que mercancía, sobre todo si es de desecho.

Gibreel Farishta, en Goodsway, es llamado desde las sombras y desde las luces, y, al principio, aprieta el paso. *¿Qué tiene eso que ver conmigo? Malditas titis.* Pero luego aminora la marcha y se para, al oír que desde las farolas y las sombras llama algo más, una necesidad, una súplica muda, que se esconde bajo las voces chillonas de unas busconas de diez libras. Sus pisadas se hacen más lentas y al fin se detienen. Está prendido en sus deseos. *¿De qué?* Ahora se acercan, como peces arrastrados por anzuelos invisibles. Al acercarse, sus andares cambian, sus caderas pierden el contoneo, sus rostros empiezan a revelar su verdadera edad a pesar del maquillaje. Cuando llegan donde está él se arrodillan. *¿Quién decís que soy?*, pregunta, y quiere añadir: *Yo sé cómo os llamáis. Os conocí en otro tiempo y en otro lugar, detrás de una cortina. Érais doce, igual que ahora. Ayesha, Hafsah, Ramlah, Sawdah, Zainab, Maimunah, Safia,*

Juwairiyah, Umm Salamah la Makhzumita, Rehana la Judía, y la hermosa María la Copta. Ellas callan, arrodilladas. Sus deseos le son formulados sin palabras. *¿Qué es un arcángel sino un muñeco? Kathputli, marioneta. Los fieles nos doblegan a su antojo. Nosotros somos fuerzas de la naturaleza y ellos, nuestros amos. O nuestras amas*. Le pesan las extremidades, tiene calor y en los oídos un zumbido como de abejas en las tardes de verano. No le costaría nada desmayarse.

No se desmaya.

Se queda quieto entre las niñas arrodilladas, esperando a los chulos.

Y, cuando por fin llegan, saca y se lleva a los labios su inquieta trompeta: Azraeel, el exterminador.

Cuando el chorro de fuego ha salido de la boca de su trompeta dorada y consumido a los hombres que se acercaban, envolviéndolos en un capullo de fuego, sin dejar ni los zapatos chisporroteando en la acera, Gibreel comprende.

Echa a andar, dejando atrás la gratitud de las prostitutas, en dirección al barrio de Brickhall, con Azraeel de nuevo en su amplio bolsillo. Las cosas empiezan a verse claras.

Él es el arcángel Gibreel, el ángel de la Recitación, con el poder de la revelación en sus manos. Puede alcanzar el pecho de los hombres y las mujeres, extraer de sus corazones sus más íntimos deseos y hacerlos realidad. Él es quien otorga deseos, el que aplaca concupiscencias, el que realiza sueños. Él es el genio de la lámpara y su amo es el Roc.

¿Qué deseos, qué imperativos hay en el aire de la noche? Él los aspira. Y asiente, sí, sea. Que haya fuego. Ésta es una ciudad que se ha purificado en las llamas, que ha expiado sus culpas ardiendo hasta los cimientos.

Fuego, lluvia de fuego. «Tal es el juicio de Dios en su ira –proclama Gibreel Farishta a la noche tumultuosa–; que a los hombres se les concedan los deseos de su corazón y que sean consumidos por ellos.»

Casas altas y baratas le rodean. *Negro come mierda del blanco*, sugieren las paredes con nada de originalidad. Los edificios tienen nombre: «Isandhlwana», «Rorke's Drift». Pero se observa el efecto de una tendencia revisionista, porque dos de los cuatro rascacielos han sido rebautizados y ahora se llaman «Mandela» y «Toussaint l'Ouverture». Las casas están edificadas sobre pilares, y en los espacios muertos que deja el hormigón debajo y entre las casas el viento no deja de aullar y se amontonan los desperdicios: cocinas abandonadas, neumáticos de bicicleta deshinchados, puertas astilladas, piernas de muñeca, restos de verduras extraídos de bolsas de plástico por gatos y perros hambrientos, paquetes de comidas preparadas, latas que ruedan, perspectivas de empleo desportilladas, esperanzas abandonadas, ilusiones perdidas, iras desahogadas, rencores acumulados, miedo vomitado y una bañera oxidada. Él permanece inmóvil mientras pequeños grupos de residentes pasan por su lado en distintas direcciones. Algunos (no todos) llevan armas. Palos, botellas, navajas. En todos los grupos hay jóvenes blancos además de negros. Él se lleva la trompeta a los labios y empieza a tocar. Pequeños capullos de fuego saltan sobre el asfalto, y prenden en los enseres y sueños desechados. Hay un montoncito putrefacto de envidia que arde en la oscuridad con llama verde. Los fuegos tienen los colores del arco iris y no todos necesitan combustible. Él sopla con su trompeta las florecitas de fuego que bailan en el asfalto, sin necesidad de materiales combustibles ni de raíces. ¡Ahí va una color de rosa! ¿Qué quedaría bien ahora? Ya sé, una rosa de plata. Y ahora los capullos se agrupan en macizos y estallan, y trepan como enredaderas por los costados de los rascacielos y se extienden hacia los edificios vecinos, formando setos de llamas multicolores. Es como contemplar un jardín luminoso que crece a una velocidad miles de veces superior, un jardín que florece y que se hace selva impenetrable, un jardín de densas quimeras entrelazadas que, en su versión incandescente, rivalizan con el espino que, en otro cuento, hace mucho tiempo, envolvió el palacio de la Bella Durmiente.

Pero aquí no hay bella que duerma en su interior. Aquí está Gibreel Farishta, que camina por un mundo de fuego. En la High Street, ve casas construidas de llamas, con paredes de fuego y cortinas de llamas colgando de sus ventanas. Y hay hombres y mujeres de cara feroz que pasean, corren y dan vueltas alrededor de él, vestidos con trajes de fuego. La calle está al rojo vivo, se licua, es un río color de sangre. Todo, todo arde mientras él sopla su alegre trompeta, *dando a la gente lo que desea*: el pelo y los dientes de la ciudadanía están humeantes y rojos, el cristal arde y los pájaros vuelan con alas llameantes.

El adversario está muy cerca. El adversario es un imán, es el ojo de un tornado, el centro irresistible de un agujero negro; su fuerza de gravedad crea un horizonte eventual del que ni Gibreel ni la luz pueden escapar. *Por aquí*, dice el adversario. *Estoy aquí.*

No es un palacio, sino sólo un café. Y, en las habitaciones de arriba, una pensión para dormir y desayuno. No una princesa dormida, sino una mujer amargada, asfixiada por el humo, yace inconsciente, y a su lado, junto a la cama, en el suelo, también inconsciente, su marido, Sufyan, que ha estado en La Meca y fue maestro de escuela. Mientras, en otros puntos del incendiado Shaandaar, gentes sin rostro agitan los brazos por las ventanas pidiendo auxilio, ya que no pueden gritar (no tienen boca).

El adversario: ¡por ahí resopla!

Silueteado sobre las llamas del Shaandaar Café, ahí está el hombre.

Azraeel salta espontáneamente a la mano de Farishta.

Hasta un arcángel puede tener una revelación, y cuando, durante el más vertiginoso instante, Gibreel mira a los ojos a Saladin Chamcha, entonces, en aquel momento breve e infinito, el velo se rasga ante sus ojos: se ve a sí mismo caminando con Chamcha por Brickhall Fields, revelando, en su exaltación, los más íntimos secretos de sus noches con Alleluia Cone, los mismos secretos que, después, cuchichearían por teléfono multitud de voces aviesas bajo las que Gibreel descubre ahora el talento único del adversario, grave y agudo, insultante y lisonjero, impertinente y reservado, prosaico, ¡sí!, y poético. Y ahora, por fin, Gibreel Farishta advierte por vez primera que el adversario no simplemente ha adoptado las facciones de Chamcha como un disfraz; no se trata de un caso de posesión paranormal, del robo de un cuerpo por un invasor infernal; en suma, que la maldad no es ajena a Saladin, sino que brota de algún rincón de su propia y verdadera naturaleza, que ha estado extendiéndose por su cuerpo como un cáncer, borrando lo que tenía de bueno, asfixiando su espíritu con fintas y regates, bajo la ilusión de la remisión, escudándose en ella, por así decir, seguía extendiéndose perniciosamente; y ahora, sin duda, lo ha llenado; ahora no queda de Saladin nada más que esto: el negro fuego de la maldad en su alma, que le consume tan totalmente como el otro fuego, multicolor e imparable, devora la ciudad tumultuosa. Verdaderamente, éstas son *llamas horrendas, perversas, jodidas, no las buenas llamas de un fuego corriente.*

El fuego es un arco que cruza el cielo. Saladin Chamcha, que también es *Bobito, mi viejo Camarada*, ha desaparecido por la puerta del Shaandaar Café. Éste es el núcleo del agujero negro; el horizonte se cierra a su alrededor, todas las otras posibilidades se desvanecen, el universo se reduce a este punto solitario e irresistible. Con un fuerte trompetazo, Gibreel se precipita por la puerta abierta.

El edificio que ocupaba el Consejo para las Relaciones con las Comunidades en Brickhall era un monstruo de ladrillo púrpura de una sola planta con ventanas a prueba de balas, una especie de búnker, engendro de los años sesenta, época en la que semejante estilo se consideraba llevadero. No era fácil entrar en aquel edificio; la puerta contaba con un teléfono y sc abría a un estrecho corredor que recorría todo un costado del edificio para acabar en otra puerta, también con cerradura de seguridad. Había, además, alarma antirrobo.

Esta alarma, según se supo después, había sido desconectada, probablemente, por las dos personas, un hombre y una mujer, que habían entrado utilizando una llave. Oficialmente se sugirió que estas dos personas iban a realizar un acto de sabotaje, una operación «desde dentro», ya que una de ellas, la mujer muerta, trabajaba para la organización que tenía allí su sede. Los móviles del crimen eran oscuros y, puesto que los malhechores habían muerto en el incendio, era difícil que llegaran a saberse. Un «fin en sí mismo» era, no obstante, la explicación más probable.

Un caso trágico; la mujer estaba en avanzado estado de gestación.

El inspector Stephen Kinch, al hacer estas declaraciones, estableció una «relación» entre el incendio del CRC de Brickhall y el del Shaandaar Café, donde la otra víctima, el hombre, se hospedaba con carácter semipermanente. Era posible que el hombre fuera el verdadero incendiario y la mujer, que era su amante, aunque todavía casada y cohabitando con otro hombre, fuera embaucada. No se descartaban los móviles políticos, ya que ambos eran conocidos por sus opiniones radicales, si bien eran tan turbias las aguas de los grupúsculos de extrema izquierda que frecuentaban, que resultaba difícil hacerse una idea clara de cuáles pudieran ser tales móviles. También cabía dentro de lo posible que los dos crímenes, aunque cometidos por el mismo hombre, tuvieran diferente motivación. Probablemente, el hombre no era sino el ejecutor contratado que incendió el Shaandaar para cobrar el seguro, a instancias de los difuntos propietarios, y que había pegado fuego al CRC a instancias de su amante, quizá por alguna venganza de carácter intestino.

Que el incendio del CRC había sido provocado era evidente. Se había vertido gasolina sobre las mesas, papeles y cortinas. «Muchas personas ignoran la rapidez con que se propaga un incendio con gasolina –dijo el inspector Kinch a los periodistas que tomaban nota. Los cuerpos, que estaban tan calcinados que fue preciso recurrir a las radiografías dentales para su identificación, se encontraron en el cuarto de la fotocopiadora–. Es todo lo que tenemos.» Fin.

Yo tengo algo más.

En cualquier caso, tengo preguntas. Por ejemplo, sobre una furgoneta Mercedes azul sin identificación que siguió al camión de Walcott Roberts y, después, al MG de Pamela Chamcha. Sobre los hombres que bajaron de esa furgoneta con la cara cubierta por máscaras de Halloween e irrumpieron en las oficinas de la CRC en el momento en que Pamela abría la puerta exterior. Sobre lo que ocurrió realmente dentro de las oficinas, porque el ladrillo púrpura y el cristal a prueba de balas no pueden ser atravesados fácilmente por el ojo humano. Y, finalmente, sobre el paradero de una carpeta de plástico rojo y los documentos que contenía.

¿Inspector Kinch? ¿Está usted ahí?

No. Se fue. No tiene respuestas para mí.

Aquí está Mr. Saladin Chamcha, con su abrigo de piel de camello con cuello de seda, corriendo por High Street como un pobre maleante. El mismo terrible Mr. Chamcha que acaba de pasar la velada en compañía de una desesperada Alleluia Cone, sin un ápice de remordimiento. «Yo bajo la mirada a sus pies –dijo Otelo refiriéndose a Yago–, pero eso es una fábula.» Tampoco Chamcha es ya fabuloso; su humanidad es explicación suficiente de su acto. Ha destruido lo que él no es ni puede ser; se ha vengado, devolviendo traición con traición; y lo ha hecho explotando la debilidad de su enemigo, machacando su talón desprotegido. Hay satisfacción en esto. Sin embargo, aquí tenemos a Mr. Chamcha corriendo. El mundo está lleno de cólera y de acción. Las cosas están en el fiel. Un edificio arde.

Pumba, hace el corazón. *Pumba, pumba, patoom.*

Ahora ve el Shaandaar ardiendo; y se para patinando un poco. Tiene una opresión en el pecho –¡patoomba!– y le duele el brazo izquierdo. No se da cuenta; está mirando el edificio en llamas.

Y ve a Gibreel Farishta.

Y da media vuelta; y entra corriendo.

«¡Mishal! ¡Sufyan! ¡Hind!», grita el malvado Mr. Chamcha. La planta baja no arde todavía. Abre la puerta de la escalera y un aire escaldante y pestilente le hace retroceder. *El aliento del dragón*, piensa. El rellano está ardiendo; las láminas de fuego llegan hasta el techo. Imposible avanzar.

«¿Hay alguien? –grita Saladin Chamcha–. ¿Hay alguien ahí?» Pero el dragón ruge más de lo que él puede gritar.

Algo invisible le golpea en el pecho y le tira de espaldas, al suelo del café, entre la mesas vacías. *Boom*, retumba el corazón. *Toma esto. Y esto.*

Encima de su cabeza suena un ruido como el remolino de un billón de ratas, roedores espectrales tras de un flautista fantasmal. Levanta la mirada. El techo está ardiendo. Entonces se da cuenta de que no puede levantarse. Ve que una parte del techo se desprende y ve el trozo de viga que cae hacia él. Cruza los brazos en débil autodefensa.

La viga lo aprisiona contra el suelo rompiéndole los dos brazos. Su pecho es un dolor. El mundo se aleja. Le cuesta respirar. No puede hablar. Es el Hombre de las Mil Voces y no le queda ni una sola.

Gibreel Farishta, con Azraeel en la mano, entra en el Shaandaar Café.

¿Qué pasa cuando ganas?

Cuando tus enemigos están a tu merced, ¿qué harás entonces? El pacto es la tentación de los débiles; ésta es la prueba de los fuertes. «Bobito –Gibreel mira al caído moviendo la cabeza–. Bien me engañaste, míster; en serio, eres todo un tipo.» Y Chamcha, al ver lo que hay en los ojos de Gibreel, no puede negar el conocimiento que observa en ellos. «¿Qu...?» empieza, pero desiste. *¿Qué piensas hacer ahora?* Empieza a caer fuego a su alrededor: una lluvia dorada que sisea. «¿Qué harías tú? –pregunta Gibreel, y luego rechaza la pregunta con un ademán–. Una pregunta idiota. También podrías preguntar ¿qué te ha hecho entrar aquí? Menuda chorrada. La gente, ¿eh, Bobito? Unos bastardos, eso es todo.»

Les rodean charcos de fuego. Muy pronto estarán asediados, encallados en una isla provisional entre ese mar mortífero. Chamcha siente un segundo golpe en el pecho y sufre una violenta sacudida. Amenazado por tres muertes –el fuego, «causas naturales» y Gibreel–, hace desesperados esfuerzos por hablar, pero sólo consigue gruñir. «Pr.Na.Mm.» *Perdóname*. «Tn. Pda.» *Ten piedad*. Las mesas están ardiendo. Caen más vigas. Gibreel parece haber entrado en trance. Vagamente, repite: «Menudas chorradas.»

¿Es posible que la maldad nunca sea total, que su triunfo, por arrollador que parezca, nunca sea absoluto?

Consideremos el caso del caído. Este hombre se propuso fríamente hacer perder la razón a un semejante; y, para conseguirlo, explotó a una mujer intachable, parcialmente impulsado, por lo menos, por un deseo imposible de mirón degenerado. Sin embargo, ese mismo hombre, sin apenas vacilar, se ha jugado la vida en una temeraria tentativa de salvamento.

¿Qué significa esto?

El fuego ha cerrado el cerco en torno a los dos hombres, y todo está lleno de humo. En cuestión de segundos habrán perdido el conocimiento. Hay preguntas más urgentes que las que se refieren a las *chorradas*.

¿Qué elección hará Farishta?

¿Tiene elección?

Gibreel deja caer la trompeta: se inclina; libera a Saladin de la viga que lo aprisiona, y lo levanta en brazos. Chamcha, con varias costillas rotas, además de los brazos, gime débilmente, emitiendo el mismo sonido que el creacionista Dumsday antes de que le arreglaran la lengua con la mejor tajada del cuarto rasero. «Yae. Ta.» *Ya es tarde*. Una lengua de fuego le lame el dobladillo del abrigo. Un humo negro y acre llena todo el espacio, penetrando hasta detrás de sus ojos, dejándole los oídos sordos, taponándole la nariz y los pulmones. Pero ahora Gibreel Farishta empieza a soplar suavemente: es una exhalación continua de extraordinaria duración, y su aliento, dirigido hacia la puerta, corta el fuego y el humo como un cuchillo; y Saladin Chamcha, que jadea y desfallece con una mula en el pecho, cree ver –pero después nunca podrá estar seguro de que lo vio realmente–, cómo el fuego se retira ante ellos como el mar rojo en que se ha convertido, y el humo se retira también, como una cortina o como un velo; hasta que ante ellos se abre un camino diáfano hasta la puerta; y entonces Gibreel Farishta empieza a andar rápidamente, cargando a Saladin por el camino del perdón hacia el aire cálido de la noche; de manera que, en una noche en la que la ciudad está en guerra, una noche cargada de hostilidad y de rabia, se produce esta pequeña victoria redentora del amor.

Conclusiones.

Cuando ellos salen, Mishal Sufyan está delante del Shaandaar llorando por sus padres, consolada por Hanif. Ahora el que se desmaya es Gibreel; y, con Saladin todavía en brazos, pierde el conocimiento y cae a los pies de Mishal.

Ahora Mishal y Hanif están en una ambulancia con los dos hombres desmayados. A Chamcha le han puesto una mascarilla de oxígeno sobre la nariz y la boca. Gibreel, que no sufre más que de agotamiento, habla dormido: es una verborrea delirante sobre una trompeta mágica y el fuego que él extraía como si fuese música. Y Mishal, que recuerda a Chamcha de demonio y ahora acepta la posibilidad de muchas cosas, pregunta: «¿Tú crees...?» Pero Hanif es tajante, categórico. «Ni hablar. Es Gibreel Farishta, el actor. ¿Es que no lo has reconocido? El pobre estará soñando con alguna escena de película.» Mishal insiste. «Pero, Hanif...», y él responde, recalcando las sílabas con énfasis, pero cariñosamente, porque, al fin y al cabo, ella acaba de quedar huérfana: «Lo que esta noche ha ocurrido en Brickhall es un fenómeno sociopolítico. No debemos dejarnos arrastrar por un misticismo trasnochado. Estamos hablando de Historia: un hecho de la Historia de Inglaterra. Del proceso de cambio.»

De repente, la voz de Gibreel cambia, y el tema también. Habla de *peregrinos*, y de un *niño muerto*, y dice: *igual* que en *Los Diez Mandamientos*, y de una mansión que se desmorona, y de un árbol; porque ahora, después del fuego purificador, tiene el último de sus sueños por entregas; y Hanif dice: «Escucha, Mishu, querida. Todo es fantasía, nada más.» La rodea con el brazo y le da un beso en la mejilla, sujetándola con fuerza. *Quédate conmigo. El mundo es real. Tenemos que vivir en él; tenemos que vivir aquí, tenemos que vivir.*

Y entonces Gibreel Farishta, dormido todavía, grita con todas sus fuerzas:

«¡Mishal! ¡Vuelve! ¡No ocurre nada! Mishal, por Dios; da media vuelta, vuelve, vuelve.»

VIII

LA RETIRADA
DEL MAR DE ARABIA

Srinivas, el comerciante en juguetes, amenazaba de vez en cuando a su esposa e hijos diciendo que un día, cuando se cansara del mundo material, lo abandonaría todo, incluido su nombre, y se haría *sanyasi* e iría de pueblo en pueblo pidiendo limosna con una escudilla y un cayado. La señora Srinivas toleraba estas amenazas, porque sabía que su orondo y jovial marido quería ser considerado un hombre devoto y también un poquito aventurero (¿no se había empeñado en hacer aquel absurdo y espeluznante vuelo por el Gran Cañón cuando estuvieron en Amrika años atrás?), y la idea de convertirse en un santón mendicante satisfacía ambas aspiraciones. Y cuando ella veía el vasto trasero de su esposo bien encajado en un sillón en el porche delantero, contemplando el mundo a través de una robusta tela metálica; o cuando le veía jugar con Minoo, la menor de sus hijas, que tenía cinco años; o cuando observaba que su apetito, lejos de disminuir a proporciones de escudilla, aumentaba apaciblemente a medida que pasaban los años, la señora Srinivas fruncía los labios, adoptaba el aire despreocupado de una belleza cinematográfica (aunque poseía unas carnes tan abundantes y temblonas como las de su marido) y entraba en casa silbando. Por ello, cuando encontró el sillón vacío y el vaso de zumo de lima sin terminar en uno de sus brazos, se quedó absolutamente sorprendida.

A decir verdad, ni el mismo Srinivas podría explicar qué le hizo abandonar la comodidad de su porche aquella mañana y acercarse a ver la llegada de los vecinos de Titlipur. Los chiquillos de la calle, que lo sabían todo una hora antes de que ocurriera, anunciaban la llegada de una extraña procesión que venía con bultos y carretas por el camino de las patatas en dirección a la carretera principal, conducida por una muchacha de pelo plateado y con grandes nubes de mariposas volando sobre sus cabezas, y seguida de Mirza Saeed Akhtar en un «combi» Mercedes-Benz verde aceituna, con una cara como si se le hubiera atragantado un hueso de mango.

Chatnapatna, a pesar de sus silos de patatas y sus famosas fábricas de juguetes, no era tan grande como para que la llegada de ciento cincuenta personas pasara inadvertida. Poco antes de la llegada de la procesión, Srinivas había recibido a una delegación de trabajadores que pedían permiso para parar un par de horas y poder ir a ver el acontecimiento. Él, pensando que irían de todos modos, accedió. Pero personalmente permaneció algún tiempo tercamente plantado en su porche, intentando fingir que las mariposas de la excitación no habían empezado a revolotear en su amplio abdomen. Más tarde le confesaría a Mishal Akhtar: «Fue un presentimiento. ¿Qué puedo decir? Sabía que no veníais tan sólo de excursión. Ella venía a buscarme.»

Titlipur llegó a Chatnapatna entre una algarabía de llantos y gritos de niños, quejas de ancianos y chistes amargos de Osman, el del toro bum-bum, por el que Srinivas no sentía la menor simpatía. Luego, los chiquillos de la calle informaron al rey de los juguetes que entre los viajeros estaban la esposa y la suegra de Mirza Saeed, *zamindar* de Titlipur, y que venían andando, como los campesinos, vestidas con pijama de algodón, sin alhajas. Fue entonces cuando Srinivas, caminando pesadamente, se acercó al mesón del camino en torno al que se apiñaban los peregrinos de Titlipur, entre los que se repartía *parathas* y *bhurta* de patata. Srinivas llegó al mismo tiempo que el jeep de la policía de Chatnapatna. El inspector estaba de pie sobre el asiento al lado del conductor y gritaba por un megáfono que pensaba tomar medidas severas contra esta marcha «comunal» si no se dispersaba inmediatamente. Cuestión de hindúes y musulmanes, pensó Srinivas; malo, malo.

La policía trataba la peregrinación como una especie de manifestación sectaria, pero cuando Mirza Saeed Akhtar se adelantó y expuso el caso al inspector, éste se sintió desconcertado. A Sri Srinivas, un brahmán, no se le habría pasado por la imaginación hacer una peregrinación a La Meca, pero quedó impresionado. Se abrió paso entre la multitud para oír lo que decía el *zamindar*: «Y es propósito de esta buena gente llegar hasta el mar de Arabia, creyendo como creen que las aguas se retirarán para que ellos puedan cruzar.» La voz de Mirza Saeed era débil y el inspector, jefe del puesto de Chatnapatna, no quedó muy convencido. «¿Lo cree realmente, *ji*?» Mirza Saeed dijo: «Yo no. Pero *ellos* lo creen ciegamente. Yo trataré de disuadirles antes de que ocurra algo grave.» El jefe de Policía, todo correajes, bigotes y autosuficiencia, agitó la cabeza. «Pero ¿cómo quiere que permita que se congreguen en la calle tantos individuos? Pueden inflamarse los ánimos y producirse incidentes.» En aquel momento la muchedumbre se abrió y Srinivas vio por primera vez la figura fantástica de la muchacha vestida por completo de mariposas con una melena como la nieve que le llegaba hasta los tobillos. «Arré deo –exclamó–. ¿Eres tú, Ayesha? –Y agregó, estúpidamente–: ¿Dónde están mis muñecas para la Planificación Familiar?»

Sus palabras cayeron en el vacío; todos miraban a Ayesha, que se acercaba al arrogante jefe de Policía. Ella no dijo nada, sólo sonrió moviendo afirmativamente la cabeza, y él pareció quedarse con veinte años menos y, con el acento de un niño de diez u once años, dijo: «Está bien, está bien, *mausi*. Perdona, ma. No quise ofender. Discúlpame, te lo ruego.» Y ése fue el fin de los problemas con la policía. Después, por la tarde, a la hora de más calor, un grupo de jóvenes hindúes de la ciudad empezaron a arrojar piedras desde los tejados de edificios próximos, y el jefe de Policía los mandó al calabozo sin que pasaran dos minutos.

«Ayesha, hija –dijo Srinivas, hablando al vacío–, ¿qué demonios te ha pasado?»

Durante las horas de calor los peregrinos descansaban aprovechando las sombras que buenamente encontraban. Srinivas deambulaba entre ellos como en sueños, profundamente conmovido, seguro de que, inexplicablemente, su vida había alcanzado una encrucijada. Constantemente buscaba con la mirada la figura transformada de Ayesha, la vidente, que descansaba a la sombra de un *pipal* en compañía de Mishal Akhtar, de su madre, Mrs. Qureishi y del enamorado Osman con su toro. Al fin, Srinivas se tropezó con el *zamindar* Mirza Saeed, que estaba tendido en el asiento trasero de su Mercedes-Benz, despierto y atormentado. Srinivas se dirigió a él hablándole con humilde perplejidad. «Sethji, ¿tú no crees en la muchacha?»

«Srinivas –respondió Mirza Saeed incorporándose–, nosotros somos hombres modernos. Nosotros sabemos, por ejemplo, que los viejos se mueren en los viajes largos, que Dios no cura el cáncer y que los mares no se abren. Nosotros tenemos que poner fin a esta necedad. Ven conmigo, en el coche hay sitio de sobra. Quizá puedas ayudarme a disuadir a esta gente; Ayesha te está agradecida, quizá a ti te escuche.»

«¿Ir en el coche? –Srinivas se sentía indefenso, como si unas fuertes manos le agarraran de las extremidades–. Pero tengo que atender mi negocio.»

«Para muchos de los nuestros, ésta es una misión suicida –insistió Mirza Saeed–. Necesito ayuda. Naturalmente, podría pagarte.»

«El dinero no importa. –Srinivas retrocedió, ofendido–. Perdona, Sethji, pero tengo que pensarlo.»

«¿Pero no te das cuenta? –gritó Mirza Saeed mientras Srinivas se alejaba–. Tú y yo no somos gente corriente. ¡El bhai-bhai hindú-musulmán! Nosotros podemos abrir un frente secular contra esta farsa.»

Srinivas se dio la vuelta. «Es que yo soy creyente –protestó–. Tengo en la pared el cuadro de la diosa Lakshmi.»

«La riqueza es una diosa excelente para un negociante», dijo Mirza Saeed.

«Y también la tengo en el corazón», agregó Srinivas. Mirza Saeed se impacientó. «Las diosas, por mi vida. Hasta vuestros filósofos reconocen que no son más que conceptos abstractos. Encarnaciones del *Shakti* que, en sí, es una idea abstracta: la fuerza dinámica de los dioses.»

El comerciante en juguetes miraba a Ayesha dormida bajo su colcha de mariposas. «Yo no soy filósofo, Sethji», dijo. No dijo que el corazón le había dado un vuelco al darse cuenta de que la muchacha dormida y la diosa del calendario de la pared de su fábrica tenían el mismo, idéntico rostro.

Cuando la peregrinación abandonó la ciudad, Srinivas se fue con ella, haciendo oídos sordos a las súplicas de su esposa que, con el pelo revuelto, blandía a la pequeña Minoo en la cara de su marido. Srinivas dijo a Ayesha que, si bien él no deseaba ir a La Meca, sentía el deseo de acompañarla un trecho, quizá hasta la orilla del mar.

Cuando Srinivas se unió a los vecinos de Titlipur y acomodó el paso al del hombre que iba a su lado, observó, perplejo e intimidado, la inmensa nube de mariposas que, como una sombrilla gigantesca, protegía del sol a los peregrinos. Era como si las mariposas de Titlipur hubieran asumido las funciones del gran árbol. Después profirió un grito de temor, asombro y placer, porque unas cuantas docenas de aquellas criaturas con alas de camaleón se habían posado en sus hombros y, al instante, habían adquirido el exacto tono escarlata de su camisa. Entonces reconoció al hombre que iba a su lado: era el *sarpanch* Muhammad Din, que prefería no caminar en cabeza. Él y Khadija, su esposa, caminaban con alegría a pesar de su avanzada edad, y cuando Muhammad Din vio la bendición lepidóptera que se posaba sobre el comerciante de juguetes, le tomó de la mano.

Estaba claro que las lluvias no llegarían. Hileras de reses flacas emigraban por los campos en busca de agua. *El amor es agua*, había escrito alguien con cal en la pared de ladrillo de una fábrica de motocicletas. Por el camino se encontraron con otras familias que se dirigían al Sur con la vida en un hato cargado sobre el lomo de un asno moribundo, y también ellas iban en busca del agua. «Pero no maldita agua salada –gritó Mirza Saeed a los peregrinos de Titlipur–. ¡Ellos no buscan un mar que se divida en dos! Ellos quieren vivir, y vosotros, locos, queréis morir.» Los buitres se agrupaban junto a la carretera para ver desfilar a los peregrinos.

Mirza Saeed pasó las primeras semanas de la peregrinación al mar de Arabia en un estado de permanente agitación histérica. Se viajaba por la mañana y al atardecer, y entonces Saeed saltaba de su coche para suplicar a su esposa moribunda. «Recupera el juicio, Mishu. Eres una enferma. Por lo menos, échate en el coche, deja que te friccione los pies.» Pero ella se negaba, y su madre le ahuyentaba. «Mira, Saeed, con tu actitud negativa deprimes a cualquiera. Vete a beber tu coca-cola en tu vehículo refrigerado y déjanos en paz a las *yatris.*» Después de la primera semana, el vehículo refrigerado se quedó sin chófer. El mecánico de Mirza Saeed presentó la dimisión y se unió a los caminantes, por lo que el *zamindar* se vio obligado a sentarse al volante. Después de aquello, cada vez que le acometía la ansiedad, tenía que parar el coche, aparcar y correr alocadamente adelante y atrás entre los peregrinos, amenazando, suplicando y ofreciendo sobornos. Por lo menos una vez al día maldecía a Ayesha en su propia cara por haber destrozado su vida, pero nunca podía seguir apostrofándola mucho rato, porque cada vez que la miraba la deseaba tanto que se sentía avergonzado. El cáncer había empezado a volver gris la piel de Mishal, y también Mrs. Qureishi empezaba a desmoronarse; sus aires mundanos se habían volatilizado y padecía enormes ampollas en los pies. Pero rechazaba rotundamente los ofrecimientos de Saeed de llevarla en el coche. El hechizo que Ayesha había lanzado sobre los peregrinos conservaba toda su fuerza. Y al final de aquellas incursiones al centro de la peregrinación, Mirza Saeed, sudoroso y marcado por el calor y la creciente desesperación, advertía que los caminantes habían dejado atrás el coche, y él tenía que trotar hasta él solo y contrariado. Un día, al volver al coche, vio que la cáscara de un coco arrojada desde un autobús le había roto el parabrisas, dejándolo como una telaraña cuajada de moscas plateadas. Tuvo que limpiar a golpes el desastre y los diamantes del cristal parecían reírse de él al caer en la carretera y dentro del coche, como si le hablaran de la fugacidad y futilidad de las posesiones materiales; pero el hombre secular vive en el mundo material, y Mirza Saeed no estaba dispuesto a quebrarse tan fácilmente como un parabrisas. Por la noche se acostaba en una esterilla al lado de su esposa, bajo las estrellas, al borde de la carretera. Cuando le contó lo del accidente, ella le ofreció flaco consuelo. «Es una señal –le dijo–. Abandona el coche y únete a nosotros.»

«¿Abandonar un Mercedes-Benz?», aulló Saeed con verdadero horror.

«¿Por qué no? –repuso Mishal con su exhausta voz gris–. No haces más que hablar de la ruina. ¿Qué importa, entonces, un Mercedes más o menos?»

«No lo entiendes –sollozó Saeed–. Nadie me entiende.»

Gibreel soñó con una sequía:

La tierra se tostaba bajo los cielos sin lluvia. Cadáveres de autobuses y antiguos monumentos se pudrían en los campos con las cosechas. Mirza, desde el coche, por el hueco del parabrisas devastado, veía la embestida de la calamidad: asnos silvestres que jodían fatigosamente hasta caer muertos, unidos, en medio de la carretera; árboles que, por efecto de la erosión, mostraban unas raíces que parecían garras de madera que escarbaran la tierra en busca de agua; los campesinos, obligados a trabajar para el Estado como peones, construían un aljibe junto a la carretera, un depósito vacío para un agua que no caía. Míseras vidas que se agotaban al borde del camino: una mujer con un hato que se dirigía hacia una tienda de palo y andrajos, una muchacha condenada a restregar, día tras día, este puchero, esta sartén, en una parcela de polvo inmundo. «¿Estas vidas valen tanto como las nuestras? –se preguntaba Mirza Saeed Akhtar–. ¿Tanto como la mía? ¿Como la de Mishal? Qué poco han experimentado, qué poco tienen para alimentar el alma.» Un hombre con *dhoti* y un *pugri* amarillo suelto estaba encaramado a un mojón, como un pájaro, con un pie en una rodilla y una mano bajo un codo, fumando un *biri*. Cuando Mirza Saeed Akhtar pasaba ante él, el hombre escupió y alcanzó en la cara al *zamindar*.

La peregrinación avanzaba despacio, tres horas de caminata por la mañana, tres más después del calor, al paso del más lento de los peregrinos, sujeta a infinitos retrasos, enfermedades de los niños, acoso de las autoridades, una rueda que se desprendía de una de las carretas; tres kilómetros al día, en el mejor de los casos, doscientos veinte kilómetros hasta el mar, unas once semanas de viaje. La primera muerte se produjo al decimoctavo día. Khadija, la vieja atolondrada que durante medio siglo fuera la esposa satisfecha del satisfecho *sarpanch* Muhammad Din, vio en sueños a un arcángel. «Gibreel –susurró–, ¿eres tú?»

«No –respondió la aparición–. Yo soy Azraeel, el del trabajo sucio. Lamento desilusionarte.»

A la mañana siguiente ella reanudó la peregrinación, sin decir nada a su marido de la visión. Al cabo de dos horas llegaron a las ruinas de uno de los albergues para viajeros que los mogoles erigieron en tiempos remotos a intervalos de cinco millas junto a la carretera. Cuando Khadija vio la ruina ignoraba todo lo ocurrido en ella, cómo robaban a los viajeros mientras dormían, etcétera, pero comprendió muy bien su utilidad actual. «Tengo que entrar a descansar», dijo al *sarpanch*, que protestaba: «¡Pero la marcha...!» «No te aflijas dijo ella suavemente–. Ya los alcanzarás.»

Se tumbó entre las ruinas, apoyando la cabeza en una piedra lisa que le había encontrado el *sarpanch*. El anciano lloraba, pero no sirvió de nada, porque antes de un minuto había fallecido. Él corrió hacia los caminantes y se encaró con Ayesha, furioso: «Nunca debí escucharte –le dijo–. Y ahora has matado a mi esposa.»

La marcha se detuvo. Mirza Saeed Akhtar, creyendo advertir una oportunidad, insistió con vehemencia en que había que llevar a Khadija a un cementerio musulmán. Pero Ayesha se opuso. «El arcángel nos ordenó que fuéramos directamente al mar, sin desviaciones ni rodeos.» Mirza Saeed apeló a los peregrinos. «Es la amada esposa de vuestro *sarpanch* –gritó–. ¿Vais a dejarla en un hoyo junto al camino?»

Cuando los vecinos de Titlipur decidieron enterrar a Khadija inmediatamente, Saeed no podía dar crédito a sus oídos. Entonces comprendió que la fuerza que los movía era más grande de lo que él sospechara: incluso el afligido *sarpanch* accedió. Khadija fue enterrada en el rincón de un campo yermo, bajo las ruinas del antiguo albergue.

Sin embargo, al día siguiente, Mirza Saeed advirtió que el *sarpanch* remoloneaba desconsolado a poca distancia del resto de los peregrinos sorbiéndose los mocos entre las ramas de las buganvillas. Saeed saltó del Mercedes y corrió hacia Ayesha para montarle otra escena. «¡Monstrua! –le gritó–. ¡Monstrua sin corazón! ¿Por qué trajiste a la anciana a morir aquí?» Ella hizo como si no le oyera, pero cuando Saeed volvía al coche, el *sarpanch* se le acercó y le dijo: «Nosotros éramos pobres. Sabíamos que nunca podríamos ir a Mecca Sharif hasta que ella nos persuadió. Ella nos persuadió, y ahora mira el resultado de su acción.»

Ayesha, la *kahin*, llamó al *sarpanch*, pero no le ofreció ni una palabra de consuelo. «Fortalece tu fe –le reprendió–. Quien muere durante la gran peregrinación tiene segura la entrada en el Paraíso. Tu esposa se encuentra entre los ángeles y las flores. ¿De qué te lamentas?»

Aquella noche, el *sarpanch* Muhammad Din se acercó a Mirza Saeed, que estaba sentado junto a una pequeña fogata. «Perdona, Sethji –dijo–. ¿Podría ir en tu coche, tal como me ofreciste un día?»

Reacio a abandonar del todo el proyecto por el que su esposa había muerto, incapaz de mantener la fe absoluta que la empresa requería, Muhammad Din se subió al vehículo del escepticismo. «Mi primer converso», se felicitó Mirza Saeed.

A la cuarta semana, la deserción del *sarpanch* Muhammad Din empezó a surtir efecto. Viajaba en la parte trasera del Mercedes como si él fuera el *zamindar* y Mirza Saeed el chófer, y poco a poco la tapicería de piel y el acondicionador de aire y el mueble-bar y los cristales de espejo accionados eléctricamente empezaron a infundirle un gesto altivo; su nariz se ladeaba y su rostro adoptaba la expresión altanera del que puede ver sin ser visto. Mirza Saeed, al volante, sentía cómo los ojos y la nariz se le llenaban del polvo que entraba por el hueco donde estaba el parabrisas, pero, a pesar de la incomodidad, se sentía más animado que antes. Ahora, al cabo de cada día, un grupo de peregrinos se congregaban alrededor del Mercedes-Benz con su estrella rutilante, y Mirza Saeed trataba de ganarlos para el sentido común mientras ellos observaban cómo el *sarpanch* Muhammad Din subía y bajaba los cristales de espejo de manera que veían, alternativamente, la cara de él y las suyas propias. La presencia del *sarpanch* en el Mercedes prestaba una nueva autoridad a las palabras de Mirza Saeed.

Ayesha no intentó apartar de allí a los peregrinos, y nada hubo que mermara la justificación de su confianza, pues nadie se añadió a aquella facción infiel. Pero Saeed vio que le miraba con insistencia, y, tanto si era una visionaria como si no, Mirza Saeed hubiera apostado un buen dinero a que aquéllas eran las miradas irritadas de una muchacha que ya no estaba tan segura de poder conseguir lo que se proponía.

Entonces Ayesha desapareció.

Se fue durante la hora de la siesta y no reapareció hasta un día y medio después, cuando entre los peregrinos ya reinaba el pandemonium –ella siempre supo cautivar los sentimientos del público, reconoció Saeed–, caminando por los campos cubiertos de polvo, y esta vez en su pelo plateado había vetas de oro, y sus cejas también eran doradas. Reunió a los peregrinos y les dijo que el arcángel estaba descontento porque los vecinos de Titlipur habían caído en la duda precisamente por la subida de un mártir al Paraíso. Les advirtió que el arcángel estaba pensando seriamente en retirar su ofrecimiento de dividir las aguas, «de manera que al llegar al mar de Arabia sólo conseguiréis un baño de agua salada, antes de regresar a los campos de patatas abandonados en los que jamás volverá a caer la lluvia». Los aldeanos se quedaron consternados. «No; no puede ser –suplicaban–. Bibiji, perdónanos.» Era la primera vez que utilizaban el nombre de la santa para dirigirse a la muchacha que los guiaba con un absolutismo que empezaba a asustarles tanto como les impresionaba. Después de aquello, el *sarpanch* y Mirza Saeed se quedaron solos en el Mercedes. «Segundo asalto para el arcángel». pensó Mirza Saeed.

A la quinta semana la salud de la mayoría de los peregrinos más viejos se deterioró considerablemente, las provisiones escasearon, se hizo difícil encontrar agua y a los niños se les secaron los lagrimales. Las bandadas de buitres no dejaban de rondar.

A medida que los peregrinos dejaban atrás las zonas rurales y avanzaban hacia zonas más pobladas, el acoso aumentaba. Los autobuses y camiones comenzaron a no ceder el paso, y los peregrinos tenían que apartarse de su camino, gritando y atropellándose. Los ciclistas, las familias de seis personas que viajaban en motos

Rajdoot y los pequeños tenderos los insultaban. «¡Locos! ¡Palurdos! ¡Musulmanes!» En varias ocasiones tuvieron que viajar durante toda la noche porque las autoridades de tal o cual pueblo no querían que semejante chusma durmiera en sus calles. Se hizo inevitable que aumentaran los muertos.

Y un día el toro de Osman el converso, se arrodilló entre las bicicletas y el estiércol de camello de un pueblo sin nombre. «¡Levántate, idiota! –le gritaba Osman, impotente–. ¿Qué te has creído? ¿Es que te vas a morir delante de los puestos de fruta de unos desconocidos?» El toro movió un par de veces la cabeza para decir que sí y expiró.

Las mariposas cubrieron el cadáver adoptando el color gris de su piel, sus cucuruchos y sus cascabeles. El inconsolable Osman se fue corriendo a ver a Ayesha (que se había puesto un sucio sari como concesión a la gazmoñería urbana, a pesar de que las mariposas aún la envolvían en una nube de gloria). «¿Los toros van al cielo?», preguntó con voz lastimera; ella se encogió de hombros. «Los toros no tienen alma –dijo fríamente–. Y lo que nosotros queremos salvar con nuestra marcha son las almas.» Osman la miró fijamente y comprendió que ya no la amaba. «Te has convertido en un demonio», le dijo con aversión.

«Yo no soy nada –dijo Ayesha–. Soy una mensajera.»

«Entonces dime por qué tu Dios tiene tantas ganas de destruir a los inocentes –exigió Osman furiosamente–. ¿De qué tiene miedo? ¿Tan poco se fía que ha de obligarnos a morir para demostrar nuestro amor?»

En respuesta a semejante blasfemia Ayesha impuso medidas disciplinarias aún más estrictas, insistiendo en que todos los peregrinos rezaran las cinco oraciones y decretando que el viernes sería día de ayuno. Al final de la sexta semana había conseguido que los caminantes abandonaran otros cuatro cadáveres en el lugar en el que cayeron: dos ancianos, una anciana y una niña de seis años. Los peregrinos siguieron andando, volviendo la espalda a los muertos; pero Mirza Saeed Akhtar recogió los cadáveres y se aseguró de que recibieran un entierro decente. En esto le ayudaban el *sarpanch* Muhammad Din y Osman, el ex intocable. Esta labor les obligaba a quedarse bastante rezagados, pero un Mercedes «combi» no tarda mucho en dar alcance a más de ciento cuarenta hombres, mujeres y niños que caminan con fatiga hacia el mar.

El número de los muertos crecía, y los grupos de peregrinos desorientados que acudían al Mercedes aumentaba cada noche. Mirza Saeed empezó a contarles historias. Les habló de los *lemmings* y de la hechicera Circe, que transformaba a los hombres en cerdos; también les contó la historia del flautista que se llevó a todos los niños de una ciudad a una cueva de las montañas. Después de contarles este cuento en su propia lengua, les recitó versos en inglés para que escucharan la música de la poesía aunque no entendieran las palabras. «La ciudad de Hamelin está en Brunsvick –empezó–. Cerca de la famosa Hannover. El río Weser, ancho y profundo lame sus murallas por el sur...»

Entonces tuvo la satisfacción de ver a la joven Ayesha avanzar hacia él con expresión furiosa, mientras las mariposas relucían como la hoguera que tenía a su espalda, haciendo que pareciera que las llamas salían de su cuerpo.

«Los que presten oído a los versos del diablo, recitados en la lengua del diablo, se irán con el diablo», exclamó.

«Entonces –respondió Mirza Saeed–, la elección está entre el diablo y el fondo del mar azul.»

Habían transcurrido ocho semanas, y las relaciones entre Mirza Saeed y Mishal, su esposa, se habían deteriorado hasta el extremo de que ya no se dirigían la palabra. Ahora, y a pesar del cáncer que la había vuelto gris como la ceniza funeraria, Mishal se había convertido en el brazo derecho y la más devota discípula de Ayesha. Su fe se robustecía con las dudas de los otros, cuya responsabilidad hacía recaer en su marido.

«Además –le reprochó en su última conversación–, no hay calor en ti. Tengo miedo de que te acerques a mí.»

«¿No hay calor? –gritó él–. ¿Cómo puedes decir semejante cosa? ¿Que no hay calor? ¿Por quién me ando en esta enloquecida peregrinación? ¿Para cuidar de quién? ¿Porque quiero a quién? ¿Quién me preocupa, quién me apena, quién me llena de aflicción? ¿Que dónde está el calor? ¿Es que no me conoces? ¿Cómo puedes decir eso?»

«No hay más que oírte –dijo ella con una voz que empezaba a sonar turbia y sorda–. Siempre colérico. Una cólera fría, helada, como una fortaleza.»

«No es cólera –vociferó él–. Es angustia, es pena, es dolor, es aflicción. ¿Dónde está la cólera?»

«La oigo –dijo ella–. Cualquiera puede oírla en kilómetros a la redonda.»

«Ven conmigo –suplicó él–. Te llevaré a las mejores clínicas de Europa, Canadá, Estados Unidos. Confía en la tecnología de Occidente. Hacen maravillas. A ti siempre te gustaron las tecnologías.»

«Yo voy en peregrinación a La Meca», dijo ella, dando media vuelta.

«Maldita zorra estúpida –rugió él–. Porque tú tengas que morir no has de arrastrar contigo a toda esta gente.» Pero ella se alejó por el campamento instalado al lado de la carretera, sin mirar atrás; y ahora que él le había dado la razón al perder todo control y decir lo indecible, cayó de rodillas, sollozando. Después de aquella pelea Mishal se negó a dormir con él. Ella y su madre extendían las esterillas junto a la profetisa cubierta de mariposas que los llevaba a La Meca.

Durante el día Mishal trabajaba incesantemente infundiendo confianza y tranquilidad a los peregrinos bajo el ala de su benevolencia. Ayesha se hundió en el mutismo, y Mishal Akhtar se convirtió en la jefa de los peregrinos. Pero había una peregrina que eludía su influencia: Mrs. Qureishi, su madre, esposa del director del Banco del Estado.

La llegada de Mr. Qureishi, padre de Mishal, fue todo un acontecimiento. Los peregrinos se habían detenido a la sombra de una hilera de plátanos, y estaban atareados recogiendo leña y limpiando las ollas cuando apareció el desfile motorizado. Mrs. Qureishi, que pesaba doce kilos menos que al comienzo de la caminata, se puso en pie de un salto, sacudiéndose el polvo de la ropa y arreglándose el pelo con movimientos frenéticos. Mishal, al ver a su madre manejar con dedos torpes una barra de labios semiderretida, dijo: «¿Qué te pasa, ma? Relájate.»

Su madre señaló con un débil movimiento de mano los coches que se acercaban. Poco después, la figura alta y severa del gran banquero se alzaba ante ellas. «Si no lo veo, no lo creo –dijo–. Cuando me lo contaron dije bah, bah, no puede ser. Por eso he tardado tanto en hacerme una idea. Mira que marcharse de Peristan sin una palabra… ¿Qué significa todo esto?»

Mrs. Qureishi temblaba, indefensa, ante la mirada de su marido y empezó a llorar, sintiendo los callos de los pies y la fatiga hundida en cada poro de su cuerpo. «Ay, Dios mío, no lo sé, lo siento –dijo–. Sabe Dios lo que ha pasado.»

«¿Es que no te das cuenta de lo delicado de mi trabajo? –gritó Mr. Qureishi–. La confianza del público es esencial. ¿Qué pensará la gente si mi esposa se va de pingo con unos *bhangis*?»

Mishal abrazó a su madre y dijo a su padre que dejara de regañarla. Mr. Qureishi advirtió entonces que su hija llevaba la marca de la muerte en la frente, y se desinfló de súbito como la cámara de un neumático. Mishal le habló del cáncer y de la promesa de la vidente Ayesha de que en La Meca tendría lugar un milagro que la curaría por completo.

«Entonces deja que te lleve en avión a La Meca hoy mismo –suplicó el padre–. ¿Por qué caminar pudiendo ir en Airbus?»

Pero Mishal permaneció inflexible. «Tú debes marcharte –dijo a su padre–. Sólo los creyentes pueden lograr lo que ha de ocurrir. Mamá me cuidará.»

Mr. Qureishi, en su *limousine*, se unió a Mirza Saeed a la cola de la procesión, enviando constantemente a uno de los dos criados que le escoltaban en *scooters*, para preguntar a Mishal si quería comida, medicinas, refrescos, cualquier cosa. Mishal rehusaba todas las ofertas, y al cabo de tres días –porque la banca es la banca– Mr. Qureishi partió hacia la ciudad, dejando a uno de los *chaprassis* de la *scooter* como sirviente de las mujeres. «Está a vuestro servicio –les dijo–. No seais tontas. Haced el viaje lo más cómodo posible.»

Al día siguiente de la marcha de Mr. Qureishi, el *chaprassi* Gul Muhammad abandonó la *scooter* y se unió a los caminantes, anudándose un pañuelo a la cabeza para demostrar su devoción. Ayesha no dijo nada, pero al ver al *scooter-wallah* unirse a la peregrinación, sonrió con un aire travieso que recordó a Mirza Saeed que, a la postre, ella no sólo era el personaje de un sueño, sino también una muchacha de carne y hueso.

Mrs. Qureishi empezó a quejarse. El breve contacto con su antigua vida había quebrado su resolución y ahora, cuando ya era tarde, no hacía más que pensar en fiestas, almohadones y vasos de lima con soda helada. De pronto, le parecía una absoluta locura que una persona de su categoría se viera obligada a ir descalza como un vulgar barrendero. Así que se fue a vez a Mirza Saeed con una expresión sumisa en la cara.

«Saeed, hijo, ¿me odias?», preguntó zalamera mientras que sus facciones hinchadas organizaban una parodia de coquetería.

Saeed quedó horrorizado por aquel espectáculo. «De ninguna manera», consiguió decir.

«Sí, sí, tú me odias, y si me odias, la mía es una causa perdida», insistió ella, sin abandonar la coquetería.

«*Ammaji* –Saeed tragó saliva–, pero ¿qué dices?»

«Es que yo a veces te he hablado con dureza.»

«Olvídalo, te lo ruego», dijo Saeed, intrigado por aquella actitud; pero ella no estaba dispuesta a olvidar: «Quiero que sepas que todo lo hice por amor –dijo–. El amor es algo maravilloso.»

«El amor que mueve el mundo», aceptó Mirza Saeed, tratando de ponerse a su altura.

«El amor todo lo vence –confirmó Mrs. Qureishi–. Ha vencido mi enojo. Y para que veas que es así quiero viajar contigo en tu coche.»

Mirza Saeed se inclinó. «Es tuyo, *ammaji*.»

«Entonces di a esos dos aldeanos que se sienten delante contigo. Hay que proteger a las señoras, ¿no te parece?

«Me parece», respondió él.

La historia del pueblo que caminaba hacia el mar era comentada en todo el país y, a la novena semana, los peregrinos se vieron acosados por periodistas, políticos locales a la caza de votos, comerciantes que se ofrecían a patrocinar la marcha si los *yatris* aceptaban llevar carteles sándwich anunciando diversos artículos y servicios, turistas extranjeros en busca de los misterios de Oriente, nostálgicos de Gandhi, y la clase de buitres humanos que va a las carreras de coches para ver los accidentes. Cuando veían la nube de mariposas-camaleón que vestían a la joven Ayesha y le proporcionaban su único alimento sólido, los visitantes quedaban atónitos y se retiraban confusos, es decir, con un agujero en su concepción del mundo que jamás sabrían resolver. En todos los periódicos aparecían fotos de Ayesha, y a veces los peregrinos incluso pasaban ante carteles publicitarios en los que la beldad de los lepidópteros había sido pintada a tamaño triple del natural junto a lemas que decían: *También nuestros tejidos son tan suaves como alas de mariposa* y cosas por el estilo. Hasta que les llegó una noticia alarmante. Ciertos grupos religiosos extremistas habían emitido comunicados en los que se denunciaba la «Ayesha Haj» como un intento de «secuestrar» la atención pública y una «incitación al sentimiento comunal». Se repartieron folletos –Mishal recogió varios en la carretera– en los que se puntualizaba que «Padyatra o peregrinación a pie es una antigua tradición de la cultura nacional preislámica, no algo importado por los inmigrantes mogoles.» Y también: «El hurto de esa tradición por la llamada Ayesha Bibiji constituye una flagrante y deliberada tentativa de agravar una situación ya de por sí delicada.»

«No habrá problemas», anunció la *kahin* rompiendo su silencio.

Gibreel soñó con un suburbio:

Cuando la «Ayesha Haj» se acercaba a Sarang, el suburbio más alejado de la gran metrópoli a orillas del mar de Arabia hacia la que la muchacha visionaria los conducía, periodistas, políticos y oficiales de policía redoblaron sus visitas. En un principio, los policías amenazaron con dispersar la marcha por la fuerza; los políticos, sin embargo, advirtieron que eso sería considerado como un acto de sectarismo y podía provocar brotes de violencia religiosa en todo el país. Eventualmente, la autoridad policial accedió a permitir la marcha, pero dejando clara la amenaza del límite de sus fuerzas, lamentando «no poder garantizar la segura circulación» de los peregrinos. Mishal Akhtar dijo: «Seguiremos adelante.»

El suburbio de Sarang debía su relativa riqueza a la presencia de grandes yacimientos de carbón en sus cercanías. Y resultó que a los mineros de Sarang, hombres que pasaban la vida taladrando las entrañas de la tierra –«abriéndola» como si dijéramos–, les estomagaba la idea de que una muchachita pudiera hacer lo mismo en el mar con sólo mover la mano. Los jefes de ciertos grupos comunales hicieron su trabajo con los mineros incitándolos a la violencia y, a consecuencia de las actividades de estos *agents provocateurs*, se congregó una muchedumbre con pancartas en las que se exigía: ¡NO A LA PADYATRA ISLÁMICA! BRUJA DE LAS MARIPOSAS, VUELVE A TU PUEBLO.

La noche anterior a la entrada en Sarang, Mirza Saeed hizo otro inútil llamamiento a los peregrinos. «Abandonad –les imploró inútilmente–. Mañana nos matarán a todos.» Ayesha dijo unas palabras al oído de Mishal y ésta respondió por ella: «Mejor mártir que cobarde. ¿Hay aquí algún cobarde?»

Había uno. Sri Srinivas, explorador del Gran Cañón, propietario de Juguetes Univas, cuyo lema era creatividad y sinceridad, se alineó con Mirza Saeed. Por su condición de devoto de la diosa Lakshmi, cuyo rostro se parecía al de Ayesha de modo asombroso, se sentía incapaz de participar en las inminentes hostilidades tomando partido por cualquiera de los bandos. «Yo soy débil –confesó a Saeed–. He amado a Miss Ayesha, y un hombre debe luchar por aquello que ama; pero, qué se le va a hacer, exijo un *status* neutral.» Srinivas era el quinto miembro de la facción renegada que viajaba en el Mercedes-Benz, y Mrs. Qureishi no tuvo otra opción que compartir el asiento de atrás con aquel plebeyo. Srinivas la saludó tristemente y, al observar que ella se apartaba gruñona, rebotando en el asiento, trató de apaciguarla. «Le ruego que acepte esta pequeña muestra de mi estima.» Y de un bolsillo interior sacó una muñeca de Planificación Familiar.

Aquella noche los desertores permanecieron en el «combi» mientras los fieles rezaban al aire libre. Se les había autorizado a acampar en un viejo patio de expedición de mercancías en desuso, guardado por la policía militar. Mirza Saeed no podía dormir. Pensaba en algo que le había dicho Srinivas acerca de que, en su corazón, era un seguidor de Gandhi, «pero soy muy débil para poner en práctica tales ideas. Lo siento, de verdad. Pero soy incapaz de soportar el sufrimiento, Sethji. Yo debería haberme quedado con mi mujer y mis hijos y olvidarme de este síndrome aventurero que me ha traído hasta aquí.»

«También en mi familia hemos sufrido una especie de síndrome –respondió Mirza Saeed, el insomne, al mercader de juguetes dormido–. Un síndrome de desapego, una incapacidad para conectar con las cosas, los hechos, los sentimientos. La mayoría de las personas se definen por su trabajo, o por su procedencia, o por algo así; nosotros hemos vivido de un modo demasiado introvertido. Por eso se nos hace muy difícil relacionarnos con la realidad.»

Lo que equivalía a decir que era muy duro creer que todo aquello estuviera ocurriendo realmente; pero así era.

A la mañana siguiente, cuando los Peregrinos de Ayesha se disponían a partir, las grandes nubes de mariposas que habían viajado con ellos desde Titlipur se disiparon súbitamente y desaparecieron de la vista, revelando un cielo en el que se acumulaban rápidamente otras nubes más prosaicas. Hasta las criaturas que vestían a Ayesha –el cuerpo de *elite*, como si dijéramos– se dispersaron y ella tuvo que presidir el cortejo vestida con la frivolidad de un viejo sari de algodón con orla de hojas estampada. La desaparición del milagro que parecía dar sentido a la peregrinación entristeció a los caminantes; y todos los esfuerzos de Mishal Akhtar por hacerles cantar, según avanzaban hacia su destino, resultaron inútiles al verse privados de la gracia de las mariposas.

La muchedumbre de No a la Padyatra Islámica había preparado un recibimiento a Ayesha en una calle bordeada a ambos lados de chamizos para la reparación de bicicletas. Habían bloqueado la ruta de los peregrinos con bicicletas inútiles y esperaban apostados detrás de esa barricada de ruedas rotas, manillares torcidos y timbres mudos la entrada de la Ayesha Haj en el sector norte de la ciudad. Ayesha avanzó hacia la multitud como si no existiera, y cuando llegó al último cruce, tras el que le esperaban los palos y los cuchillos del enemigo, retumbó un trueno como la trompeta del Juicio Final y del cielo cayó un océano. La sequía había terminado muy tarde para que se salvaran las cosechas; después, muchos de los peregrinos creerían que Dios había guardado el agua para tal fin, acumulándola en el cielo, hasta que fue tan grande como el mar, y sacrificando las cosechas del año para salvar a su profetisa y a su pueblo.

La fuerza del diluvio acobardó tanto a los peregrinos como a sus agresores. En medio de la confusión creada por las aguas se oyó otra trompeta. Se trataba, en realidad, del claxon del Mercedes-Benz «combi» de

Mirza Saeed, que condujo a toda velocidad por las inundadas calles laterales del suburbio, derribando tenderetes de camisas colgadas de un rail, carretillas cargadas de calabazas y puestos de baratijas de plástico, hasta llegar a la calle de los cesteros, que daba a la calle de los reparadores de bicicletas, un poco al norte de la barricada. Allí pisó todo lo que pudo el acelerador y embistió hacia el cruce, diseminando en todas direcciones viandantes y taburetes de mimbre. Llegó al cruce inmediatamente después de que el mar cayera del cielo, y frenó violentamente. Sri Srinivas y Osman saltaron a tierra, agarraron a Mishal y a la profetisa y las metieron en el Mercedes, entre abundancia de pataleo, griterío e insultos. Saeed salió disparado del lugar antes de que alguien tuviera tiempo de secarse de los ojos el agua que los cegaba.

Dentro del coche cuerpos amontonados en feroz revoltijo. Mishal Akhtar, desde el fondo del montón, lanzaba insultos a su marido: «¡Saboteador! ¡Traidor! ¡Escoria de nadie! ¡Mula!» A lo que Saeed replicó sarcásticamente: «El martirio es muy fácil, Mishal. ¿Es que no quieres ver cómo se abre el océano cual una flor?»

Y Mrs. Qureishi, asomando la cabeza por entre las piernas invertidas de Osman, agregó, jadeando y colorada: «Basta, Mishu. Lo hicimos con la mejor intención.»

Gibreel soñó con una inundación.

Cuando llegaron las lluvias los mineros de Sarang esperaban a los peregrinos con el pico en la mano; pero cuando la barricada de bicicletas fue arrastrada por las aguas, no pudieron pensar sino que Dios había tomado partido por Ayesha. El sistema de desagües de la ciudad se rindió instantáneamente al diluvio arrollador, y muy pronto los mineros estaban hundidos hasta el pecho en un agua llena de barro. Algunos trataron de avanzar hacia los peregrinos, que también se esforzaban en caminar. Pero la lluvia redobló su fuerza, y luego volvió a redoblarla, cayendo del cielo en unas masas espesas que dificultaban la respiración, como si la tierra fuera a sumergirse y el firmamento superior fuera a unirse con el firmamento inferior.

Gibreel, mientras soñaba, notó que el agua le nublaba la visión.

Cesó la lluvia y un sol acuoso brilló sobre una escena de devastación veneciana. Las calles de Sarang eran canales por los que viajaban todo tipo de pecios. Por donde hasta hacía poco sólo circulaban *scooter-rickshaws*, carros de camellos y bicicletas reparados, ahora flotaban periódicos, flores, ajorcas, sandías, paraguas, babuchas, gafas de sol, cestos, excrementos, frascos de medicinas, naipes, *dupattas*, buñuelos, lámparas. El agua tenía un extraño tinte rojizo que hacía imaginar al empapado populacho que lo que corría por las calles era sangre. No había rastro de los pendencieros mineros ni de los peregrinos de Ayesha. Un perro cruzó nadando la intersección junto a la derrumbada barricada de bicicletas, y en todas partes reinaba el húmedo silencio de la inundación cuyas aguas lamían autobuses atascados, mientras los niños miraban desde los tejados que bordeaban delicuescentes torrenteras, demasiado asustados como para salir a jugar.

Entonces volvieron las mariposas.

No se supo de dónde, como si hubieran estado escondidas detrás del sol; y, para celebrar el fin de la lluvia, todas habían tomado el color del sol. La aparición en el cielo de aquella inmensa alfombra de luz desconcertó vivamente a los habitantes de Sarang, impresionados por la tormenta; temiendo la llegada del apocalipsis, se ocultaron en sus casas y cerraron los postigos. En una colina cercana, sin embargo, Mirza Saeed Akhtar y sus pasajeros observaban el regreso del milagro y todos, incluido el *zamindar*, se sentían sobrecogidos por una respetuosa zozobra.

Mirza Saeed Akhtar había conducido a toda prisa, sin preocuparse por la lluvia que entraba por el hueco del parabrisas que le cegaba, hasta una carretera que subía por una montaña y se detenía a las puertas del Yacimiento de Carbón N.º 1 de Sarang. A través de la lluvia se distinguían débilmente las entradas de los pozos. «Estúpido –le insultó sin fuerza Mishal–. Nos has traído a ver a los camaradas de los que nos esperaban ahí abajo. Una idca brillantc, Saeed. Extraordinaria.»

Pero los mineros ya no les causaron más problemas. Aquel día tuvo lugar la catástrofe que dejó a mil quinientos mineros enterrados vivos bajo el monte Sarangi. Saeed, Mishal, el *sarpanch*, Osman, Mrs. Qureishi, Srinivas y Ayesha, exhaustos y empapados, miraban desde el borde de la carretera las ambulancias, los coches de bomberos, los equipos de salvamento y los jefes de pozos que llegaban en gran cantidad y, mucho después, se marchaban moviendo la cabeza. El *sarpanch* se cogió los lóbulos de las orejas entre el índice y el pulgar. «La vida es dolor –dijo–. La vida es dolor y es pérdida; es una moneda que no vale nada, menos que un *kauri* o un *dam*.»

Osman, el del toro muerto, que, al igual que el *sarpanch*, había perdido a un ser querido durante la peregrinación, también lloraba. Mrs. Qureishi trató de ver el lado bueno: «Lo que importa es que a nosotros no nos ha pasado nada.» Pero no obtuvo respuesta. Entonces, Ayesha cerró los ojos y declamó con la cantilena de la profecía: «Es un castigo por el mal que querían hacer.»

Mirza Saeed se indignó. «Esa gente no estaba en la

maldita barricada –gritó–. Éstos estaban trabajando bajo la maldita tierra.»

«Cavaron sus propias tumbas», respondió Ayesha.

Entonces avistaron las mariposas que regresaban. Saeed contemplaba la nube dorada con incredulidad, viendo cómo se congregaba y luego enviaba alada luz dorada en todas las direcciones. Ayesha quería volver al cruce de caminos. Saeed argüía: «Aquello está inundado. No tenemos más remedio que bajar por el otro lado de esta montaña sin pasar por la ciudad.» Pero Ayesha y Mishal ya volvían atrás; la profetisa sostenía por la cintura a la mujer de la cara cenicienta.

«Mishal, por Dios –gritó Mirza Saeed a su mujer–. Por el amor de Dios. ¿Qué hago con el coche?»

Pero ella siguió bajando la cuesta, hacia la inundación, apoyándose pesadamente en Ayesha, la vidente, sin mirar atrás.

Así fue cómo Mirza Saeed Akhtar abandonó su adorado Mercedes-Benz combinable cerca de la entrada de las inundadas minas de Sarang, y se unió a los caminantes que se dirigían al mar de Arabia.

Los siete viajeros estaban con el agua hasta los muslos, en el cruce de la calle de los reparadores de bicicletas y el callejón de los cesteros. Lenta, lentamente, el agua había empezado a bajar. «Admítelo –argumentó Mirza Saeed–. La peregrinación ha terminado. Los vecinos del pueblo están Dios sabe dónde, quizá ahogados, quizá asesinados y, desde luego, perdidos. Sólo quedamos nosotros. –Se encaró con Ayesha–. De manera que olvídalo, hermana; estás acabada.»

«Mira», dijo Mishal.

De todos los pequeños talleres de los alrededores

salían los vecinos de Titlipur, volviendo al punto en el que se habían dispersado. Desde el cuello hasta los pies estaban cubiertos de mariposas doradas, y largas hileras de las pequeñas criaturas los precedían, como cuerdas para sacarlos de un pozo y dejarlos en lugar seguro. Los habitantes de Sarang miraban desde sus ventanas atemorizados, y mientras las aguas del castigo se retiraban, en medio de la calle volvía a formarse la Ayesha Haj.

«No puedo creerlo», dijo Mirza Saeed.

Pero era verdad. Hasta el último peregrino había sido localizado por las mariposas y conducido a la calle principal. Y después se hacían afirmaciones aún más extrañas: que cuando las criaturas se posaron en un tobillo roto, la lesión había curado, o que una herida se había cerrado como por arte de magia. Muchos caminantes dijeron que cuando volvieron en sí del desmayo sintieron que las mariposas aleteaban en sus labios. Algunos incluso creían que habían muerto, ahogados, y que habían sido resucitados por las mariposas.

«No seáis necios –exclamó Mirza Saeed–. Os ha salvado la tormenta; arrastró a vuestros enemigos, por lo que no es de extrañar que pocos de vosotros estéis heridos. Seamos científicos, por favor.»

«Usa los ojos, Saeed –le dijo Mishal, señalando al centenar de hombres, mujeres y niños envueltos en resplandecientes mariposas–. ¿Qué dice tu ciencia a esto?»

Durante los últimos días de la peregrinación, la ciudad se extendió a su alrededor. Funcionarios de la Corporación Municipal se reunieron con Mishal y Ayesha para trazar el itinerario a través de la metrópoli. En el recorrido había mezquitas en las que los peregrinos podrían dormir sin obstruir las calles. En la ciudad reinaba gran excitación: todos los días, cuando los peregrinos emprendían la marcha hacia el siguiente punto de reposo, enormes multitudes los contemplaban. Algunos se mostraban desdeñosos y hostiles, pero muchos les regalaban dulces, medicinas y comida.

Mirza Saeed, agotado y sucio, se sentía profundamente frustrado por su incapacidad para convencer más que a un puñado de peregrinos de que era mejor confiar en la razón que en los milagros. Los milagros no les habían ido mal, le respondían los vecinos de Titlipur bastante razonablemente. «Las malditas mariposas –murmuró Saeed al *sarpanch*–. De no ser por ellas, habríamos tenido una posibilidad.»

«Pero han estado con nosotros desde el principio», respondió el *sarpanch* encogiéndose de hombros.

Mishal Akhtar estaba a punto de morir; empezaba a oler a eso, y se había vuelto de un blanco de tiza que asustaba a Saeed. Pero Mishal no le dejaba acercarse. También se había apartado de su madre, y cuando, la primera noche que los peregrinos durmieron en una mezquita de la ciudad, su padre suspendió sus tareas bancarias para hacerle una visita, ella le dijo que se fuera. «Las cosas han llegado a un punto en el que sólo los puros pueden estar con los puros», anunció. Cuando Mirza Saeed oyó la entonación de la profetisa Ayesha en boca de su mujer, perdió casi el último vestigio de esperanza.

Llegó el viernes, y Ayesha accedió a que la peregrinación se detuviera durante un día para participar en las oraciones del viernes. Mirza Saeed había olvidado casi todos los versos árabes que un día le hicieran aprender de memoria, y apenas recordaba cuándo tenía que estar de pie con las manos extendidas y abiertas como si fueran un libro, o arrodillarse, o tocar el suelo con la frente, y durante toda la ceremonia no hizo más que equivocarse, cada vez más irritado consigo mismo. Pero al concluir las oraciones ocurrió algo que paralizó a la Ayesha Haj.

Mientras los peregrinos observaban cómo la congregación salía del patio de la mezquita, delante de la puerta principal se desató un revuelo. Mirza Saeed quiso saber qué pasaba. «¿A qué viene este griterío?», preguntó, mientras luchaba por abrirse paso entre la multitud que se apiñaba en la escalinata de la mezquita; y entonces vio el cesto que descansaba en el último escalón. Y oyó el llanto de un recién nacido, que salía del cesto.

El niño tendría unas dos semanas y resultaba obvio que era ilegítimo. No era menos obvio que sus opciones de vida eran limitadas. La gente estaba confusa y vacilante. Entonces, en lo alto de la escalinata apareció el imán de la mezquita con Ayesha, la vidente, cuya fama se había extendido por la ciudad, a su lado.

La multitud se dividió como el mar, y Ayesha y el imán descendieron hasta el cesto. El imán examinó al niño rápidamente, se puso en pie y se volvió hacia el gentío.

«Esta criatura nació del pecado –dijo–. Es hijo del diablo.» El imán era un hombre joven.

Los ánimos de la multitud se encendieron de ira. Mirza Saeed Akhtar gritó: «Tú, Ayesha, *kahin*. ¿Qué dices tú?»

«De todo habremos de rendir cuentas», respondió ella.

La multitud no necesitó más para lapidar al niño.

Después de esto, los peregrinos de Ayesha se negaron a seguir adelante. La muerte del niño abandonado creó un ambiente de rebeldía entre los cansados caminantes, ninguno de los cuales había cogido ni arrojado una sola piedra. Mishal, ahora ya más blanca que la nieve, estaba demasiado debilitada por su enfermedad para animarlos a continuar; Ayesha, como siempre, se negaba a todo diálogo. «Si volvéis la espalda a Dios –previno a los antiguos vecinos de Titlipur–, no os sorprenda que Él haga otro tanto con vosotros.»

Los peregrinos se hallaban reunidos, en cuclillas, en un rincón de la gran mezquita, que estaba pintada verde limo por fuera y azul eléctrico por dentro, e iluminada, cuando era necesario, por tubos de neón multicolores. Después de la advertencia de Ayesha, le volvieron la espalda y se acurrucaron más juntos todavía, aunque el tiempo era bastante caluroso y húmedo. Mirza Saeed no desperdició la ocasión de volver a desafiar abiertamente a Ayesha. «Dime –preguntó suavemente–, con exactitud, ¿cómo te da el ángel toda esa información? Tú nunca nos transmites literalmente sus palabras sino sólo tu interpretación. ¿Por qué esa mediación? ¿Por qué no te limitas a citarle?»

«Él me habla en forma clara y memorable», respondió Ayesha.

Mirza Saeed, lleno de la amarga energía del deseo carnal, el dolor de la ruptura con su esposa moribunda y el recuerdo de las penalidades de la marcha, adivinó en la reticencia de Ayesha la debilidad que buscaba. «Ten la amabilidad de ser algo más específica –insistió–. Si no, ¿cómo van a creerte? ¿A qué forma te refieres?»

«El arcángel me canta –reconoció ella–, con música de canciones célebres.»

Mirza Saeed Akhtar dio una palmada de júbilo y soltó la fuerte carcajada de la venganza, y Osman, el chico del toro, se sumó a su regocijo, batiendo el *dholki* y bailando alrededor de los peregrinos, mientras cantaba las últimas *filmi ganas* guiñando los ojos con picardía «¡Ho ji! –cantaba–. ¡Así habla Gibreel, ho ji! ¡Ho ji!»

Y, uno a uno, peregrino tras peregrino, todos fueron levantándose y entrando en el baile del tamborilero, expresando así su frustración y disgusto en el patio de la mezquita, hasta que el imán salió corriendo y les regañó a gritos por lo impropio de su conducta.

Cayó la noche. Los antiguos vecinos de Titlipur se agruparon alrededor de Muhammad Din, su *sarpanch*, hablando seriamente de regresar a Titlipur. Quizá aún pudiera salvarse algo de la cosecha. Mishal Akhtar agonizaba con la cabeza en el regazo de su madre, atormentada por el dolor y con una única lágrima en su ojo izquierdo. Y, sentados en un rincón apartado del patio de la mezquita verdiazul iluminada con tubos en tecnicolor, la visionaria y el *zamindar* hablaban a solas. Una hoz de luna fría brillaba en lo alto.

«Eres listo –decía Ayesha–. Sabes aprovechar la oportunidad.»

Entonces fue cuando Mirza Saeed ofreció un pacto. «Mi esposa se muere –dijo–. Y ella desea fervientemente ir a Mecca Sharif. De manera que tú y yo tenemos intereses en común.»

Ayesha escuchaba. Saeed prosiguió: «Ayesha, yo no soy un malvado. Déjame decirte que muchas de las cosas que han sucedido durante la marcha me han causado una maldita impresión; una *maldita* impresión. Has proporcionado a esta gente una profunda experiencia espiritual, eso es innegable. No creas que nosotros, los modernos, no tenemos dimensión espiritual.»

«La gente me ha abandonado», dijo Ayesha.

«La gente está confusa –respondió Saeed–. La cuestión es verdaderamente que si los llevas al mar y allí no ocurre nada, Dios mío, entonces sí que podrían volverse contra ti. He aquí lo que te propongo. Ya he hablado con el padre de Mishal y él está dispuesto a correr con la mitad de los gastos. Proponemos llevaros a ti, a Mishal y, digamos, a diez, ¡doce!, aldeanos a La Meca antes de cuarenta y ocho horas. Hay pasajes disponibles.

Tú elegirás a las personas idóneas para el viaje. Entonces habrás hecho de verdad un milagro para algunos, en lugar de no hacerlo para nadie. Y, a mi modo de ver, la peregrinación en sí, en cierto modo, ha sido un milagro. De modo que habrás conseguido mucho.»

Contuvo la respiración.

«Tengo que pensarlo», dijo Ayesha.

«Piénsalo, piénsalo –la alentó Saeed, satisfecho–. Consulta con tu arcángel. Si él accede, es que está bien.»

Mirza Saeed Akhtar sabía que cuando Ayesha anunciara que el arcángel Gibreel había aceptado su oferta, su poder quedaría destruido para siempre, pues los aldeanos advertirían su mentira y también su desesperación. Pero, ¿acaso podía rechazar lo que le estaba ofreciendo? ¿Qué alternativa tenía en realidad? «La venganza es dulce», se decía. En cuanto aquella mujer se viera desacreditada, él llevaría a Mishal a La Meca, si tal cosa era aún su deseo.

Las mariposas de Titlipur no habían entrado en la mezquita. Perfilaban sus muros exteriores y su cúpula de cebolla, brillando en la oscuridad con una verde incandescencia.

Ayesha paseaba por la noche en las sombras, se echaba en el suelo, se levantaba y volvía a su ronda. Iba envuelta en un aire de incertidumbre; se quedaba quieta y pareció disolverse en las sombras de la mezquita. Regresó al amanecer.

Después de la oración de la mañana, Ayesha preguntó a los peregrinos si podía dirigirles la palabra; ellos, dudando, accedieron.

«Anoche el ángel no cantó –dijo–. Pero me habló de la duda y de cómo el diablo se sirve de ella. Yo le dije:

es que ellos dudan de mí, ¿qué puedo hacer? Él respondió: sólo la evidencia puede acallar la duda.»

Ellos la escuchaban con toda atención. Después les dijo lo que Mirza Saeed le había propuesto la noche antes. «Él me dijo que lo consultara con mi ángel, pero yo no necesito consultarlo –exclamó–. ¿Cómo podría yo elegir entre vosotros? O vamos todos, o ninguno.»

«¿Por qué habíamos de seguirte? –preguntó el *sarpanch*–. Después de tantos muertos, y el recién nacido, y todo.»

«Porque cuando las aguas se retiren, estaréis salvados. Entraréis en la Gloria del Altísimo.»

«¿Qué aguas? –gritó Mirza Saeed–. ¿Cómo van a retirarse?»

«Seguidme –dijo Ayesha, terminante–, y, cuando se retiren, juzgadme.»

Su oferta implicaba una vieja pregunta: *¿Qué clase de idea eres tú?* Y ella, a su vez, le había dado una vieja respuesta: *Yo fui tentada, pero he sido renovada: soy inflexible; absoluta; pura.*

La marea estaba alta cuando la Peregrinación Ayesha bajó por una avenida contigua al Holiday Inn, cuyas ventanas estaban llenas de amantes de estrellas de cine que manejaban sus nuevas cámaras Polaroid, cuando los peregrinos sintieron que el asfalto de la ciudad crepitaba y se convertía en arena; cuando empezaron a pisar una gruesa alfombra de cocos podridos paquetes de cigarrillos caca de caballo botellas no degradables pieles de fruta medusas y papeles, sobre una arena color tostado que se extendía al pie de altos cocoteros inclinados y de las terrazas de lujosos apartamentos con vistas al mar; entre grupos de jóvenes de músculos tan repulidos que parecían deformes, que realizaban contorsiones gimnásticas de todo tipo, al unísono, como un ejército homicida de bailarines de ballet, y playeros ociosos, socios y familias que querían tomar el fresco, hacer negocio o buscarse la vida en la arena; entonces, por primera vez en su vida, contemplaron el mar de Arabia.

Mirza Saeed vio a Mishal, que se apoyaba en dos aldeanos porque ya no tenía fuerzas para sostenerse sola. Ayesha estaba a su lado, y Saeed pensó que la profetisa se impregnaba, en cierto modo, de la moribunda, que toda la gracia de Mishal había abandonado su cuerpo y adoptado aquella forma mitológica, dejando atrás el pellejo que había de morir. Después se enfadó consigo mismo por dejarse contagiar de lo que Ayesha tenía de sobrenatural.

Los vecinos de Titlipur, tras una larga discusión en la que le pidieron que no interviniera, acordaron seguir a Ayesha. Su sentido común les decía que sería una locura volverse atrás después de haber llegado tan lejos, cuando ya tenían a la vista su primer objetivo; pero las dudas recientes minaban sus fuerzas. Era como si emergieran de una especie de Shangri-La creado por Ayesha, pues ahora que, en lugar de seguirla, caminaban meramente tras ella, parecían envejecer y debilitarse a cada paso que daban. Cuando avistaron el mar eran un grupo de individuos renqueantes, reumáticos y febriles, de ojos enrojecidos, y Mirza Saeed se preguntó cuántos conseguirían recorrer los pocos metros que los separaban de la orilla.

Las mariposas estaban con ellos, a gran altura sobre sus cabezas.

«¿Y ahora qué, Ayesha? –le gritó Saeed, consternado por la horrible idea de que su adorada esposa pudiera morir allí, bajo los cascos de los caballos de alquiler y a los ojos de los vendedores de zumo de caña de azúcar–. Nos has puesto a todos al borde del agotamiento, pero aquí tenemos un hecho incuestionable: el mar. ¿Dónde está ahora tu ángel?»

Ayudada por los aldeanos, Ayesha se encaramó a un *thela* abandonado junto a un puesto de refrescos, y no contestó a Saeed hasta que pudo dirigirle la mirada desde su nueva altura. «Gibreel dice que el mar es como nuestras almas. Al abrirlas podemos alcanzar la sabiduría. Si podemos abrir el corazón, podemos abrir el mar.»

«Aquí, en tierra, la partición fue un desastre –dijo él sarcásticamente–. Murieron bastantes, como recordarás. ¿Crees que en el agua será diferente?»

«Shh –hizo Ayesha de súbito–. Ahí llega el ángel.»

Resultaba, en efecto, sorprendente que, después de toda la atención que había recibido la marcha, la multitud congregada en la playa no pasara de discreta; pero las autoridades habían tomado muchas precauciones, cerrando calles y desviando el tráfico; así que los curiosos reunidos en la playa no pasarían de los doscientos. Nada inquietante.

Lo curioso, realmente, era que los espectadores no veían las mariposas ni lo que iban a hacer. Pero Mirza Saeed observó claramente cómo la gran nube luminosa volaba mar adentro, se detenía, cernida en el aire, y tomaba la forma de un ser colosal, un gigante resplandeciente construido enteramente de alitas temblorosas que se extendía de horizonte a horizonte y saciaba el firmamento.

«¡El ángel! –gritó Ayesha a los peregrinos–. ¡Ahí lo tenéis! Estuvo con nosotros durante todo el viaje. ¿Me creéis ahora?» Mirza Saeed vio que la fe ciega volvía a los peregrinos. «Sí –sollozaban, pidiendo perdón–. ¡Gibreel! ¡Gibreel! *Ya Allah*.»

Mirza Saeed hizo su último esfuerzo. «Las nubes adoptan cualquier forma –gritó–. Elefantes, estrellas de cine, cualquier cosa. Mirad, ya está cambiando.» Pero nadie le escuchaba; todos miraban, asombrados, cómo las mariposas se zambullían en el mar.

Los aldeanos gritaban y bailaban de alegría. «¡La división de las aguas! ¡La división de las aguas!», cantaban. Los mirones preguntaban a Mirza Saeed: «¡Eh, míster, ¿qué le pasa a esa gente? Nosotros no vemos nada raro.»

Ayesha había comenzado a caminar hacia el agua, y Mishal era arrastrada por sus dos compañeros. Saeed corrió hacia ella y empezó a forcejear con los dos hombres. «Soltad a mi esposa. ¡Ahora mismo! ¡Malditos! Yo soy vuestro *zamindar*. Soltadla. ¡Apartad vuestras sucias manos!» Pero Mishal susurró: «No lo harán. Vete, Saeed. Tú estás cerrado. El mar sólo se abre para los que se abren.»

«¡Mishal!», gritó él, pero ella ya se mojaba los pies.

Cuando Ayesha entró en el agua los aldeanos empezaron a correr. Los que no podían correr saltaban sobre la espalda de los más fuertes. Las madres de Titlipur entraban rápidamente en el agua, con sus hijos en brazos; los nietos llevaban en hombros a sus abuelas y se precipitaban hacia las olas. En pocos minutos toda la aldea estuvo en el agua, chapoteando, cayendo, levantándose, avanzando hacia el horizonte, sin detenerse ni volver la cabeza hacia la playa. Mirza Saeed también estaba en el agua. «Vuelve –suplicaba a su esposa–. No ocurre nada, vuelve.»

En la orilla estaban Mrs. Qureishi, Osman, el *sarpanch* y Sri Srinivas. La madre de Mishal sollozaba teatralmente: «Ay, mi niña, mi niña. ¿Qué será de ti?» Osman dijo: «Cuando vean que no hay milagro que valga, volverán.» «¿Y las mariposas? –le preguntó Srinivas en tono quejumbroso–. ¿Qué eran las mariposas? ¿Una ilusión?»

Entonces comprendieron que los aldeanos no volverían. «Deben de estar a punto de perder pie», dijo el *sarpanch*. «¿Cuántos saben nadar?», preguntó la llorosa Mrs. Qureishi. «¿Nadar? –gritó Srinivas–. ¿Desde cuándo sabe nadar la gente del campo?» Se gritaban como si estuvieran a kilómetros de distancia, saltando de un pie al otro, porque el cuerpo les pedía entrar en el agua, hacer algo. Parecían bailar sobre ascuas. La unidad de policía enviada al lugar para prevenir disturbios llegó en el momento en que Saeed salía corriendo del agua.

«¿Qué sucede? –preguntó el oficial–. ¿A qué viene toda esta agitación?»

«Deténganlos», jadeó Mirza Saeed señalando al mar.

«¿Son malhechores?», preguntó el policía.

«Van a morir», respondió Saeed.

Ya era tarde. Los aldeanos, cuyas cabezas se agitaban a lo lejos, habían llegado al borde del escalón litoral. Casi todos a la vez, sin hacer esfuerzos visibles para salvarse, se hundieron bajo la superficie del agua. En pocos momentos, todos los peregrinos de Ayesha habían desaparecido.

Ninguno reapareció. No se vio ni una cabeza en busca de aire que respirar, ni un brazo que se agitara.

Saeed, Osman, Srinivas, el *sarpanch* y hasta la gorda Mrs. Qureishi se metieron en el agua gritando: «Dios, ten piedad; ayúdennos, socorro.»

Los seres humanos en peligro de ahogarse luchan contra el agua. Va contra la naturaleza humana caminar mansamente hasta que el mar se te traga. Pero Ayesha, Mishal Akhtar y los aldeanos de Titlipur se hundieron bajo las aguas y jamás volvieron a ser vistos.

Mrs. Qureishi fue sacada del agua por los policías, con la cara morada y los pulmones llenos de agua, y hubo que hacerle el boca a boca. Osman, Srinivas y el *sarpanch* fueron rescatados poco después. Sólo Mirza Saeed Akhtar siguió buceando, más y más lejos de la costa y durante más y más tiempo, hasta que también él fue sacado del mar de Arabia, exhausto y desfallecido. La peregrinación había concluido.

Mirza Saeed despertó en una sala de hospital con un funcionario del departamento del Interior al lado de la cama. Las autoridades estudiaban la posibilidad de acusar a los supervivientes de la expedición Ayesha de intento de emigración ilegal, y se habían dado órdenes a los detectives de que se les tomara declaración antes de que tuvieran ocasión de ponerse de acuerdo.

Ésta fue la declaración de Muhammad Din, *sarpanch* de Titlipur: «En el momento en que me abandonaban las fuerzas, cuando creí que iba a morir en el agua, lo vi con mis propios ojos: vi que el mar se dividía como el pelo bajo el peine, y todos estaban allí, a mucha distancia, y se alejaban de mí. Con ellos estaba Khadija, mi esposa, a la que amé.»

Esto es lo que Osman, el chico del toro, dijo a los detectives, sumamente impresionados por la declaración del *sarpanch*: «Al principio tenía mucho miedo de ahogarme. Pero buscaba y buscaba, la buscaba sobre todo a ella, Ayesha, a la que conocía antes de que se transformara. Y en el último momento lo vi, vi aquella maravilla. Las aguas se abrieron y los vi avanzar por el fondo del océano, entre los peces agonizantes.»

Sri Srinivas juró por la diosa Lakshmi que él había visto retirarse las aguas del mar de Arabia; y cuando los detectives fueron a hablar con Mrs. Qureishi estaban desalentados, porque sabían que era imposible que los hombres se hubiesen puesto de acuerdo en amañar la historia. La madre de Mishal, esposa del gran banquero, contó lo mismo a su manera. «Créanlo o no –concluyó con énfasis–, pero lo que dice mi lengua es lo que vieron mis ojos.»

Los funcionarios del departamento del Interior, con la piel de gallina, trataron de aplicar el tercer grado: «Mira, *sarpanch*, déjate de mierdas. Con tanta gente como había allí, nadie vio esas cosas. Los cadáveres de los ahogados, hinchados como globos, y con un olor a todos los demonios, están flotando hacia la playa. Como sigas mintiendo, te restregaremos la verdad por la nariz.»

«Podéis enseñarme todo lo que queráis –dijo el *sarpanch* Muhammad Din a sus interrogadores–. Pero yo vi lo que vi.»

«¿Y usted? –los funcionarios se reunieron para interrogar a Mirza Saeed Akhtar en cuanto despertó–. ¿Qué vio en la playa?»

«¿Cómo pueden preguntar siquiera? –protestó él–. Mi mujer se ha ahogado. No me molesten con sus preguntas.»

Cuando descubrió que él era el único superviviente de la Ayesha Haj que no había visto abrirse las aguas –Sri Srinivas le dijo lo que habían visto los demás, agregando lúgubremente: «Es una vergüenza para nosotros que no se nos considerara dignos de acompañarles. Sobre nosotros, Sethji, las aguas se cerraron, nos dieron en las narices como las puertas del Paraíso»–, Mirza Saeed se vino abajo y lloró durante una semana y un día, y los sollozos secos siguieron sacudiendo su cuerpo mucho después de que sus lagrimales se quedaran sin sal.

Y entonces regresó a casa.

Las polillas habían devorado las *punkahs* de Peristan y la biblioteca había sido consumida por un billón de hambrientos gusanos. Cuando abría un grifo, en lugar de agua salían serpientes, y la hiedra se había enredado en la cama de columnas donde antaño durmieron virreyes. Era como si, en su ausencia, el tiempo se hubiera acelerado y en lugar de meses hubieran pasado siglos, de manera que cuando tocó la gigantesca alfombra persa enrollada en el salón de baile, se desintegró bajo su mano, y los baños estaban llenos de ranas de ojos escarlata. Por la noche los chacales aullaban al viento. El gran árbol estaba muerto, o casi, y los campos, áridos como el desierto; los jardines de Peristan, en los que un día, hacía mucho tiempo, él viera por vez primera a una hermosa muchacha, estaban secos y amarillos. Los buitres eran las únicas aves del cielo.

Saeed sacó una mecedora al porche, se sentó y estuvo meciéndose hasta dormirse.

Una vez, sólo una vez, visitó el árbol. El pueblo estaba pulverizado; campesinos sin tierra y saqueadores habían intentado incautarse de la tierra abandonada, pero la sequía los había ahuyentado. Aquí no había llovido. Mirza Saeed regresó a Peristan y cerró con candado las oxidadas verjas. No le interesaba la suerte de los que habían sobrevivido con él. Fue al teléfono y lo arrancó de la pared.

Pasados unos días cuyo número no contó, Mirza Saeed comprendió que estaba muriéndose de hambre, porque notaba que el cuerpo le olía a quitaesmalte de las uñas; pero como no tenía hambre ni sed, se dijo que no merecía la pena molestarse en buscar comida. ¿Para qué? Era preferible seguir sentado en la mecedora, sin pensar, sin pensar, sin pensar.

La última noche de su vida, Mirza Saeed oyó un ruido que sonaba como si un gigante aplastara una selva bajo sus pies, y olió un hedor como el pedo del gigante, y comprendió que el árbol estaba ardiendo. Se levantó de la mecedora y, tambaleándose, cruzó el jardín para ir a ver el fuego cuyas llamas consumían historias, recuerdos y genealogías, purificando la tierra y acercándose a él para liberarle; porque el viento llevaba el fuego hacia las tierras de la mansión, así que pronto, pronto llegaría su hora. Vio cómo el árbol estallaba en mil fragmentos y el tronco se reventaba como un corazón; luego dio media vuelta y renqueó hasta el lugar del jardín en el que viera a Ayesha por vez primera; y entonces le invadió una languidez, un gran sopor, y se tendió en el polvo. Antes de cerrar los ojos sintió un roce en los labios y vio que un puñado de mariposas trataba de metérsele en la boca. Después, el mar se echó sobre él y se vio en el agua, al lado de Ayesha, que, milagrosamente, había salido del cuerpo de su esposa... «Ábrete –le gritaba–. ¡Ábrete bien!» Unos tentáculos de luz le brotaban del ombligo, que él trataba de cortar con el canto de la mano. «Ábrete –gritaba ella–. Si has llegado tan lejos, haz lo que te falta.» ¿Cómo era posible que él oyera su voz? Estaban bajo el agua, perdidos en el rugido del mar, pero la oía claramente, todos podían oír aquella voz que era como una campana. «Ábrete», decía. Él se cerraba.

Él era una fortaleza cuyas puertas empezaban a rechinar. Ahora se ahogaba. Ella se ahogaba también. Él vio que el agua le entraba en la boca y le gorgoteaba en los pulmones. Algo, entonces, se resistió en su interior, tomó otra opción y, en el instante en que se rompió su corazón, él se abrió.

Su cuerpo se rajó desde la nuez a la ingle, de modo que ella pudo penetrar profundamente en él, para abrirse ella también, todos estaban allí y, cuando todos se abrieron, las aguas se dividieron y todos caminaron hacia La Meca por el fondo del mar de Arabia.

IX

UNA LÁMPARA MARAVILLOSA

1

Dieciocho meses después de haber sufrido el ataque al corazón, Saladin Chamcha volvió a levantar el vuelo, gracias a la noticia telegráfica de que su padre se encontraba en fase terminal de mieloma múltiple, cáncer de médula generalizado que era «cien por cien» fatal, tal como le comunicó fríamente su doctora, a la que Chamcha consultó por teléfono. Entre padre e hijo no había habido contacto alguno desde que Changez Chamchawala enviara a Saladin el protocolo del caído nogal, hacía una eternidad. Saladin envió una nota breve para informar de que había sobrevivido a la catástrofe del *Bostan*, y recibió en respuesta una misiva aún más lacónica: «Rec. tu comunicación. Ya lo sabía.» Pero cuando llegó el telegrama de la mala noticia –lo firmaba la desconocida segunda esposa, Nasreen II, y la redacción era bastante rústica: TU PADRE GRAVÍSIMO + SI QUIERES VERLO DATE PRISA + N CHAMCHAWALA (MRS.)–, Saladin descubrió con sorpresa que tras una vida de enrevesadas relaciones con su padre, al cabo de largos años de enojos y «separaciones definitivas», aún era capaz de reaccionar de un modo espontáneo. Sencillamente, abrumadoramente, era indispensable que estuviera en Bombay antes de que Changez lo abandonara para siempre.

Pasó la mayor parte de un día haciendo cola en la sección consular de India House para solicitar el visado y tratando de convencer a un petrificado funcionario de lo urgente de su caso. Como un estúpido, había olvidado el telegrama en casa y el funcionario le dijo: «Eso hay que demostrarlo. Comprenda que cualquiera puede venir diciendo que su padre se está muriendo, ¿no? Para estimular el trámite.» Chamcha hizo un esfuerzo por dominar la indignación, pero al final estalló: «¿Es que tengo cara de estar ansioso de volver a Khalistan?» El funcionario se encogió de hombros. «Yo le diré quién soy –gritó Chamcha, pues el gesto le hizo montar en cólera–. Yo soy el pobre bastardo dinamitado por los terroristas, que cayó desde una altura de diez mil metros por culpa de los terroristas, y que ahora, gracias a aquellos mismos terroristas, tiene que dejarse insultar por un chupatintas como usted.» Su solicitud de visado, decididamente colocada por su adversario en la base de un gran montón, no fue atendida hasta tres días después. El primer avión disponible no despegó hasta al cabo de otras treinta y seis horas: era un 747 de Air India y se llamaba *Gulistan*.

Gulistan y Bostan, los jardines gemelos del Paraíso: uno estalló en el aire y sólo quedó uno... Chamcha avanzaba por una de las tuberías por las que la Terminal Tres conducía a los pasajeros hasta el avión, cuando vio el nombre pintado junto a la puerta abierta del 747, y se puso dos tonos más pálido. Luego oyó a la azafata vestida con sari que le saludaba con un inconfundible acento canadiense y perdió los nervios, negándose a entrar en el avión, poseído por el terror. Comprendía lo ridículo de su actitud, con la bolsa de cuero marrón en una mano y los dos sacos con cremallera para trajes en la otra, y los ojos desorbitados, de cara a la cola de irascibles pasajeros que esperaban para embarcar; pero le era imposible moverse. La gente se impacientaba: *si esto es una arteria*, pensó, *yo soy el maldito coágulo*. «Yo también me aga-ga-gallinaba –dijo una voz jovial–. Pero ahora tengo un tru-truco. Durante el despe-pe-pegue, agito las manos y el avión siempre as-as-asciende al cie-cie-cielo.»

«Hoy en día, la diosa pri-pri-principal es Lakshmi, sin duda», confió Sisodia mientras bebía whisky después del adecuado despegue. (Efectivamente, mientras *Gulistan* corría por la pista, el hombre agitó los brazos frenéticamente y luego se repantigó en su asiento, con una modesta sonrisa. «Siempre fu-fu-funciona.» Los dos iban en la cubierta superior del 747, reservada para la clase Business no fumadores, y Sisodia se había instalado en el asiento situado al lado de Chamcha sin pensarlo dos veces. «Llámeme Whisky –insistía–. ¿A qué se de-de-dedica? ¿Cua-cuánto gana? ¿Hace mu-mu-mucho que se fue? ¿Conoce a mujeres o necesita ayu-yu-da?») Chamcha cerró los ojos y concentró sus pensamientos en su padre. Advertía que lo más triste era no poder recordar ni un solo día de felicidad junto a Changez en toda su vida de hombre. Y, lo más esperanzador, el descubrimiento de que incluso el crimen imperdonable de ser el padre de uno podía ser perdonado. *Resiste*, rogaba en silencio. *Voy lo más rápido que puedo*. «En estos ti-tiempos tan materialistas –proseguía Sisodia–, ¿quién ma-manda sino la diosa de la ri-riqueza? En Bombay, los jóvenes empresarios celebran fiestas de *poo-poo-pooja* que duran toda la noche, presididas por la estatua de Lakshmi, con las pa-palmas de las manos hacia arriba, y bombillas en los de-de-dedos que se encienden sucesivamente, ¿comprende?, como si la riqueza co-co-corriera por sus manos.» En la pantalla de la cabina una azafata mostraba los distintos procedimientos de seguridad. En un ángulo de la pantalla una figura masculina traducía al lenguaje de los sordomudos. Esto era un adelanto, reconoció Chamcha. Película en lugar de personas de carne y hueso: un pequeño aumento de sofisticación (las señas) y un gran aumento de coste; cuando, en realidad, el viaje aéreo se hacía cada vez más peligroso, las flotas de todas las compañías del mundo envejecían y nadie podía permitirse renovarlas. Todos los días se caía algo de algún avión, o tal era la impresión, y las colisiones y los descuidos también aumentaban. De manera que la película era una especie de mentira, porque venía a decir: *Vean hasta dónde llegamos para aumentar su seguridad. Incluso les hemos hecho una película*. Estilo en lugar de sustancia, una imagen en lugar de la realidad... «Tengo en proyecto una superpro-producción sobre ella. Esto es una estricta co-coconfidencia. Quizá con la Sridevi, oja-jalá. Ahora que Gibreel está en de-de-decadencia, ella es la número uno, la suprema.»

Chamcha estaba al tanto de que Gibreel Farishta había pinchado en su vuelta a la pantalla. Su primera película, *La retirada del mar de Arabia*, fue un fracaso; los efectos especiales parecían caseros; la muchacha que hacía el papel de «Ayesha», la protagonista, una tal Pimple Billimoria, estaba lamentablemente desafortunada, y la interpretación que el propio Gibreel hacía del arcángel había merecido de los críticos los calificativos de narcisista y megalomaníaca. Los días en los que todo se le perdonaba habían pasado; su segunda película, *Mahound*, había naufragado sin dejar rastro, después de estrellarse con todos los escollos religiosos. «Eso le pa-pa-pasa por andar con otros productores –se lamentó Sisodia–. La co-codicia de la estre-tre-trella. En mis películas, los ef-ef-efectos siempre salen bien y el buen gu-gusto también puedes darlo por desco-co-descontado.» Saladin Chamcha cerró los ojos y se acomodó en su asiento. El miedo le había hecho beber el whisky demasiado deprisa, y empezaba a darle vueltas la cabeza. Sisodia parecía no recordar su relación con Farishta, y eso estaba muy bien. Aquello pertenecía al pasado y ahí debía estar. «Shhh-shh-Sridevi, en el papel de Lakshmi –anunció Sisodia, no muy convencido–. Oro pu-puro. Usted es ac-actor. Usted debería trabajar en su ti-tierra. Llámeme. Tal vez hagamos algo. Esta película: puro *pla-pla-platino*.»

Chamcha sentía vértigo. Qué extraño significado adquirían las palabras. Sólo unos días atrás, lo de *su tierra* le hubiera sonado a falso. Pero ahora su padre estaba muriéndose y viejas emociones alargaban tentáculos hacia él. Quizá su lengua había vuelto a rebelarse y enviaba su pronunciación al Este con el resto de su persona. Apenas se atrevía a abrir la boca.

Casi veinte años atrás, cuando el joven y recién rebautizado Saladin se buscaba la vida con papeles de poca monta en el teatro londinense, para mantenerse a una distancia segura de su padre, y cuando Changez se retiraba a su vez, haciéndose a un tiempo retraído y religioso; en aquel entonces, un día, inopinadamente, el padre escribió al hijo para ofrecerle una casa. La propiedad era una mansión sin ninguna importancia en las montañas de Solan. «La primera propiedad que poseí –escribía Changez–, y la primera que te entrego.» La inmediata reacción de Saladin fue ver en el ofrecimiento una trampa para hacerle volver a *casa*, a las redes de su padre; y cuando se enteró de que la propiedad de Solan había sido requisada hacía tiempo por el Gobierno indio a cambio de un alquiler nominal y que en ella se había instalado un colegio para niños, el regalo resultó, además, una ilusión. ¿Qué importaba a Chamcha que, si alguna vez le daba por visitar la escuela, se le tributaran honores de jefe de Estado, con desfiles y exhibiciones gimnásticas? Ese tipo de cosas halagaban la enorme vanidad de Changez, pero a Chamcha le dejaban indiferente. La realidad era que la escuela no se movería de allí y que el regalo carecía de valor y únicamente podría reportarle quebraderos de cabeza. Saladin escribió a su padre rehusando el ofrecimiento. Fue la última vez que Changez Chamchawala trató de darle algo. El *hogar* se distanciaba del hijo pródigo.

«Yo nunca olvido una ca-cara –decía Sisodia–. Usted es el amigo de Mi-Mi-Mimi. El superviviente del *Bostan*. Lo reconocí en cuanto le vi pa-pa-paralizado de miedo en la pu-pu-puerta de embarque. Espero que no se sienta muy m-mal.» Saladin, que tenía el estómago en los pies, movió la cabeza. «No, estoy bien, de verdad.» Sisodia, radiante, hizo un guiño repulsivo a una azafata y pidió más whisky. «Qué la-lástima lo de Gibreel y su amiga –prosiguió Sisodia–. Y con un nombre tan bonito, Alle-Alle-Alleluia. ¡Qué mal carácter el de ese chico, y menudos celos! Es muy duro para una mu-muchacha mo-mo-moderna. Co-co-cortaron.» Saladin, una vez más, se refugió en la simulación del sueño. *Acabo de reponerme del pasado. Déjeme en paz.*

Se había declarado formalmente curado hacía sólo cinco semanas, en la boda de Mishal Sufyan y Hanif Johnson. Después de la muerte de sus padres en el incendio del Shaandaar, Mishal fue asaltada por un remordimiento terrible e infundado que hacía que su madre se le apareciera en sueños y le reprochara: «Si me hubieras dado el extintor cuando te lo pedí. Si hubieras soplado con más fuerza. Pero tú nunca escuchas lo que yo digo, y tienes los pulmones tan estropeados por los cigarrillos que no podrías apagar ni una vela, y no digamos una casa en llamas.» Bajo la severa mirada del fantasma de su madre, Mishal se mudó del apartamento de Hanif a una habitación con otras tres mujeres, solicitó y obtuvo el puesto de Jumpy Joshi en el centro deportivo y peleó con las Compañías de Seguros hasta que le pagaron. Al fin, cuando el Shaandaar estaba a punto de volver a abrir sus puertas bajo la dirección de Mishal, el fantasma de Hind Sufyan comprendió que ya era hora de irse al otro mundo, y entonces Mishal llamó por teléfono a Hanif y le pidió que se casara con ella. Él enmudeció de la sorpresa, y tuvo que pasar el teléfono a un colega que explicó que a Mr. Johnson se le había comido la lengua el gato y aceptó la oferta de Mishal en nombre del abogado silente. Así pues, todo el mundo iba reponiéndose de la tragedia; hasta la misma Anahita, que había sido obligada a ir a vivir con una tía muy pesada y anticuada, parecía contenta el día de la boda, quizá porque Mishal le había prometido que tendría sus propias habitaciones en el renovado Shaandaar Hotel. Mishal pidió a Saladin que fuera su padrino de boda, en agradecimiento por su intento de salvar la vida de sus padres, y, cuando iban camino de la oficina del Registro en la furgoneta de Pinkwalla (todos los cargos contra el disc-jockey y su jefe, John Maslama, habían sido retirados por falta de pruebas), Chamcha dijo a la novia: «Me parece que hoy también para mí empieza una nueva vida; quizá para todos nosotros.» Él había tenido que sufrir una operación a corazón abierto: el disgusto de tantas muertes, y pesadillas en las que volvía a convertirse en una especie de demonio sulfuroso de pezuña hendida. Durante una temporada quedó también incapacitado profesionalmente por efecto de una profunda vergüenza, ya que, cuando los clientes empezaron por fin a llamarle otra vez para pedirle alguna de sus voces, por ejemplo, la de un guisante congelado o la de un paquete de salchichas en forma de muñeco de polichinela, el recuerdo de sus crímenes telefónicos le atenazaba la garganta estrangulando la imitación en el momento de iniciarla. Pero en la boda de Mishal se sintió súbitamente liberado. Fue una ceremonia extraordinaria, gracias, sobre todo, a que la joven pareja no dejó de besarse, y la secretaria del Registro

Civil (una mujer joven y agradable que también recomendó a los invitados que no bebieran mucho aquel día si tenían que conducir) tuvo que instarles a responder rápidamente a las preguntas antes de que llegara la boda siguiente. Después, en el Shaandaar, los besos continuaron, haciéndose cada vez más largos y elocuentes, hasta que los invitados empezaron a tener la impresión de que sobraban y se marcharon sosegadamente, dejando a Hanif y Mishal tan absortos en su arrolladora pasión, que ni siquiera se dieron cuenta de la marcha de sus amigos, ni de la presencia del puñado de niños que se había congregado delante de las ventanas del Shaandaar Café para observarlos. Chamcha, el último invitado en salir, hizo el favor de bajarles las persianas a los recién casados, con disgusto de la chiquillería, y se alejó por la reconstruida High Street sintiéndose tan eufórico que hasta dio un tímido brinco.

Nada dura siempre, pensó con los ojos cerrados, sobre algún lugar de Asia Menor. Tal vez la desdicha sea el *continuum* a través del cual discurre la vida humana, y la alegría sólo una serie de destellos, islas en la corriente. O, si no la desdicha, al menos, la melancolía... Tales cavilaciones fueron interrumpidas por un sonoro ronquido que brotó a su lado. Mr. Sisodia, con su vaso de whisky en la mano, se había quedado dormido.

Evidentemente, el productor era el niño mimado de las azafatas, que se multiplicaban para atender al durmiente, quitándole el vaso de la mano y poniéndolo en lugar seguro, extendiendo una manta sobre la parte inferior de su cuerpo, y lanzando exclamaciones de ternura ante aquella cara que roncaba: «¿No es una monada? ¡Qué ricura!» Inesperadamente, Chamcha recordó a las señoras de Bombay que le acariciaban el pelo en las fiestas de su madre, y reprimió unas lágrimas de sorpresa. En realidad, Sisodia tenía un aspecto ligeramente obsceno; antes de quedarse dormido se había quitado las gafas y su cara aparecía extrañamente desnuda. A Chamcha le recordaba un enorme *Shiva lingam*. Quizá ello explicara su popularidad entre las damas.

Hojeando las revistas y periódicos que le habían dado las azafatas, Saladin encontró a un viejo conocido que estaba en apuros. El depurado *Show de los Aliens* de Hal Valance había sido un fracaso en Estados Unidos y dejaba de emitirse. Peor aún, su agencia de publicidad y sus subsidiarias habían sido engullidas por un leviatán americano, y era probable que Hal tuviera que marcharse, conquistado por el dragón transatlántico que quiso domesticar. Costaba trabajo sentir compasión por Valance, sin empleo y con apenas unos millones, abandonado por su adorada Mrs. Torture y compañeros, relegado al limbo reservado a los favoritos caídos en desgracia, empresarios fraudulentos, financieros especuladores y ex ministros renegados; pero Chamcha, mientras volaba hacia el lecho de muerte de su padre, se encontraba en un estado de ánimo tan exaltado que hasta dedicó una enternecida despedida al malvado Hal. *¿En la mesa de quién jugará Baby ahora?*, se preguntó distraídamente.

En India, la guerra entre hombres y mujeres no daba señales de remitir. En el *Indian Express* leyó la crónica de la última «novia suicida». *El marido, Prajapati, se encuentra en paradero desconocido.* En la página siguiente, en la sección semanal de anuncios matrimoniales por palabras, los padres del novio todavía exigían, y los padres de la novia ofrecían con orgullo, muchachas de piel «trigueña». Chamcha recordó el apasionamiento y la amargura con que Bhupen Gandhi, el poeta amigo de Zeeny, hablaba de esas cosas. «¿Cómo acusar a otros de tener prejuicios cuando nuestras propias manos están tan sucias? –preguntó–. Muchos de vosotros, en Inglaterra, os consideráis víctimas. Bien. Yo no he estado allí, no conozco vuestra situación, pero en mi experiencia personal nunca he podido sentirme cómodo cuando se me ha calificado de víctima. En términos de clase, desde luego, no lo soy. Incluso desde el punto de vista cultural, aquí encontrarás toda la intolerancia y el fanatismo asociado con la opresión. De manera que mientras, indudablemente, muchos indios están oprimidos, no creo que ninguno de *nosotros* pueda reivindicar condición tan atractiva.»

«Lo malo de las críticas radicales de Bhupen es que los reaccionarios como aquí Salad baba las recogen de mil amores», observó Zeeny.

Había estallado un escándalo de tráfico de armas. ¿El Gobierno indio había pagado comisiones a intermediarios y luego ayudado a echar tierra sobre el asunto? Estaban en juego grandes sumas de dinero, y la credibilidad del Primer Ministro se había visto dañada; pero estas cosas no interesaban a Chamcha. Estaba mirando una fotografía borrosa de una página interior, en la que aparecían numerosos bultos flotando en un río. En una población del Norte de la India había habido una matanza de musulmanes, y sus cadáveres habían sido arrojados al agua, donde recibirían las atenciones de un Gaffer Hexam del siglo XX. Eran centenares de cadáveres hinchados y putrefactos; el hedor parecía desprenderse de la página del periódico. Y en Cachemira, durante las oraciones del Eid, un grupo de airados fundamentalistas islámicos había arrojado zapatos contra un ministro, antes muy popular, que había hecho una «componenda» con el partido del Congreso de la India. El comunalismo y las tensiones sectarias eran omnipresentes: como si los dioses fueran a la guerra. En la eterna lucha entre la belleza del mundo y su crueldad, la crueldad ganaba terreno. La voz de Sisodia irrumpió en estas tristes reflexiones. El productor, al despertarse, había visto la foto de Meerut en la mesita plegable de Chamcha. «Lo cierto es –dijo sin asomo de su jovialidad habitual– que la fe religiosa, que es compendio de las más altas as-as-aspiraciones de la raza humana, ahora, en nuestro pa-país, es instrumento de los más bajos instintos y Di-Di-Dios, la criatura del mal.»

CONOCIDOS FALSEADORES DE LA HISTORIA RESPONSABLES DE MATANZAS, alegaba un portavoz del Gobierno, pero los «elementos progresistas» rechazaban ese análisis. LA POLICÍA DE LA CIUDAD INFILTRADA POR AGITADORES COMUNALES, apuntaba la réplica. LOS NACIONALISTAS HINDÚES SE ENTREGAN A LA MATANZA. Una revista política quincenal publicaba fotografías de unos carteles instalados delante de la Juma Masjid de la Vieja Delhi. El imán, un hombre de fofa barriga y ojos cínicos, al que la mayoría de las mañanas podía verse en su «jardín» –un trozo de roja tierra baldía y cascotes a la sombra de la mezquita– contando las rupias donadas por los fieles y enrollando cada billete de manera que parecía sostener en la mano un puñado de cigarrillos delgados como *beedis*, y que no era ajeno a la política comunalista, al parecer estaba decidido a sacar partido del horror de Meerut. *Sofoquemos el fuego en nuestro Pecho*, gritaban los carteles. *Saludemos con Reverencia a los que hallaron el Martirio en las Balas de los Polis.* Y también: *¡Ay! ¡Ay! ¡Ay! ¡Despierta Primer Ministro!* Y, por último, un llamamiento a la acción: *Habrá bandh*, y la fecha de la huelga.

«Malos tiempos –prosiguió Sisodia–. Para las pe-películas, la televisión y la economía, efectos per-per-perniciosos. –Entonces, al ver acercarse a las azafatas, se animó–. Confieso que soy mi-mi-miembro de uno de los más selectos clu-clu-clubs –dijo alegremente, asegurándose de que ellas lo oían–. ¿Quiere una reco-comendación?

Ah, los saltos que es capaz de dar el pensamiento humano, se admiró sombríamente Saladin. Ah, cuántas personalidades diferentes y contradictorias se entremezclaban y revolvían dentro de aquellos sacos de piel. No es raro que seamos incapaces de mantenernos concentrados en una cosa durante mucho tiempo; no es que inventemos mandos a distancia para ir de canal en canal. Si volviéramos estos instrumentos hacia nosotros mismos, descubriríamos más canales de los que podría soñar un magnate de la televisión por cable o por satélite... Sus propios pensamientos que intentaba concentrar en su padre, se le escapaban una y otra vez hacia Miss Zeenat Vakil. Le había puesto un cable informándole de su llegada. ¿Estaría esperándole? ¿Qué pasaría o dejaría de pasar entre ellos? ¿Al dejarla, al no volver, al perder el contacto durante un tiempo, habría hecho él Lo Imperdonable? ¿Estaría –pensó, sobrecogido por la idea de que no se le hubiera ocurrido hasta entonces– casada?¿Enamorada? ¿Comprometida? En cuanto a él mismo, ¿qué quería en realidad? *Lo sabré cuando la vea*, pensó. El futuro, a pesar de que no era más que un tenue resplandor envuelto en un interrogante, no se dejaba eclipsar por el pasado; incluso cuando la muerte avanza hacia el centro del escenario, la vida sigue luchando por la igualdad de derechos.

El vuelo terminó sin incidentes.

Zeenat Vakil no le esperaba en el aeropuerto.

«Venga conmigo –dijo Sisodia agitando una mano–. El coche ha venido a reco-cogerme, así que yo lo lle-llevo.

Treinta y cinco minutos después, Saladin Chamcha estaba en Scandal Point, ante las puertas de su infancia, con la bolsa en una mano y los sacos de los trajes en la otra, mirando el portero electrónico de importación controlado por vídeo. Había lemas antidroga pintados en la tapia: LOS PARAÍSOS ARTIFICIALES ACABAN EN INFIERNOS NATURALES y EL POLVO BLANCO CONDUCE A UN FUTURO NEGRO. Valor, viejo, se animó; y, siguiendo las instrucciones, tocó el timbre a fondo, una vez.

En el frondoso jardín, su inquieta mirada tropezó con el tocón del nogal caído. Probablemente ahora lo usan de mesa para picnics, caviló amargamente. Su padre siempre tuvo talento para el gesto melodramático y autocompasivo, y almorzar sobre una superficie impregnada de tanta carga emocional –con grandes suspiros, sin duda, entre bocado y bocado– era muy propio de él. ¿Haría también un drama de su muerte?, se preguntaba Saladin. ¡Qué fantástico melodrama podría escenificar el viejo bastardo para conquistar las simpatías del público! Todo el que está cerca de un moribundo se halla totalmente a su merced. Los golpes que se dan desde un lecho de muerte te dejan cardenales para siempre.

Su madrastra salió de la mansión de mármol del moribundo y recibió a Chamcha sin asomo de rencor. «Salahuddin, qué bien que hayas venido. Le levantará el ánimo, y ahora es ánimo lo que necesita para luchar, porque su cuerpo está más o menos acabado.» Tendría unos seis o siete años menos de los que hubiera tenido ahora la madre de Saladin, y la misma envergadura de pajarito. Por lo menos en esa cuestión, su padre, hombre corpulento y expansivo, se había mostrado consecuente. «¿Cuánto tiempo le queda?», preguntó Saladin. Nasreen, tal como indicaba el telegrama, no se hacía ilusiones. «Podría ocurrir en cualquier momento.» El mieloma se extendía por todos los «huesos largos» de Changez –el cáncer había traído a la casa su propio léxico; ya no se decía *brazos y piernas*– y por el cráneo. Se habían detectado células cancerosas incluso en la sangre contigua a los huesos. «Debimos sospecharlo –dijo Nasreen, y Saladin empezó a percibir la fortaleza de la anciana, la fuerza de voluntad con la que reprimía sus sentimientos–. Su acusada pérdida de peso durante los dos últimos años. También se quejaba de dolor, por ejemplo, en las rodillas. Pero ya sabes lo que ocurre.

Cuando se trata de una persona anciana, echas la culpa a la edad, no sospechas que una enfermedad maligna y asquerosa...» Se interrumpió, por la necesidad de controlarse la voz. Kasturba, la ex *ayah*, se reunió con ellos en el jardín. Resultó que Vallabh, su marido, había muerto de vejez hacía casi un año, mientras dormía: una muerte más clemente que la que ahora devoraba el cuerpo de su señor, el seductor de su esposa. Kasturba todavía usaba los viejos saris chillones de Nasreen I: hoy había elegido uno blanco y negro; con un mareante dibujo Op-Art. También ella saludó cariñosamente a Saladin: abrazos besos lágrimas. «Yo no dejaré de pedir un milagro mientras haya un soplo de vida en sus pobres pulmones.»

Nasreen II abrazó a Kasturba; cada una apoyaba la cabeza en el hombro de la otra. La intimidad entre las dos mujeres era espontánea y sin brizna de resentimiento; como si la cercanía de la muerte hubiera arrastrado las riñas y los celos de la vida. Las dos ancianas se consolaban la una a la otra en el jardín de la pérdida inminente de lo más precioso del mundo: el amor. O, mejor dicho: el amado. «Entra –dijo finalmente Nasreen a Saladin–. Debe verte cuanto antes.»

«¿Lo sabe él?», preguntó Saladin. Nasreen respondió evasivamente: «Es un hombre inteligente. No hace más que preguntar: ¿adónde ha ido toda la sangre? Dice que sólo hay dos enfermedades que devoren la sangre de ese modo. Una es la tuberculosis.» Pero Saladin insistió: ¿nunca ha pronunciado la palabra? Nasreen bajó la cabeza. La palabra no había sido pronunciada ni por Changez ni por nadie en su presencia. «¿Y no debería saberlo? –preguntó Chamcha–. ¿No tiene derecho un hombre a prepararse para su muerte?» Vio que los ojos de Nasreen llameaban un instante. *¿Qué te has creído? ¿Vienes a decirnos lo que tenemos que hacer? Tú abdicaste de todos tus derechos.* Luego se apagaron, y, cuando habló, su voz era neutra, serena, grave. «Quizá tengas razón.» Pero Kasturba gimió: «¡No! ¿Pero cómo vamos a decírselo, pobre hombre? Le destrozaría el corazón.»

El cáncer había espesado la sangre de Changez de tal manera que el corazón la bombeaba con gran dificultad. También el sistema circulatorio estaba contaminado de cuerpos extraños, plaquetas que atacaban toda la sangre que se le transfundía, aunque fuera de su propio tipo. *De manera que ni siquiera con esto podría ayudarle*, comprendió Saladin. Changez podía morir de esos efectos colaterales antes de que el cáncer lo matara. Si moría de cáncer, el fin llegaría como pulmonía o fallo del riñón; los médicos, sabiendo que nada podían hacer por él, lo habían enviado a casa, a esperar el fin. «El mieloma afecta a todo el organismo, por lo que ni la quimioterapia ni la radioterapia resultan adecuadas –explicó Nasreen–. El único medicamento es el Melphalan, que, en algunos casos, puede prolongar la vida, incluso durante años. Pero nos han dicho que su caso es de los que no responden al Melphalan.» *Pero no se lo habéis dicho*, insistían las voces interiores de Saladin. *Y eso está mal, muy mal.* «De todos modos, un milagro ya ha ocurrido –exclamó Kasturba–. Los médicos dijeron que normalmente éste es uno de los tipos de cáncer más dolorosos; y tu padre no tiene dolor. Si rezas, a veces se te concede un favor.» Fue por esta extraña ausencia de dolor por lo que resultó tan difícil diagnosticar el cáncer; llevaba por lo menos dos años extendiéndose por el cuerpo de Changez. «Quiero verle», pidió suavemente Saladin. Un criado había trasladado su equipaje mientras hablaban; ahora, por fin, él siguió a sus trajes al interior.

Por dentro la casa estaba igual –la generosidad de la segunda Nasreen para con la memoria de la primera parecía infinita, por lo menos durante esos días, los últimos que su común esposo pasaba en la tierra–, salvo por la colección de pájaros disecados (abubillas y raras cotorras bajo campanas de cristal, un pingüino rey de gran tamaño, con el pico infestado de diminutas hormigas rojas en el vestíbulo de mármol y mosaico) y las vitrinas de mariposas atravesadas por alfileres, que Nasreen II había traído a la casa. Saladin avanzó por aquella variopinta galería de alas muertas hacia el estudio de su padre –Changez había mandado que lo sacaran de su dormitorio y le instalaran una cama en la planta baja, en aquel refugio con las paredes cubiertas de libros apolillados, para que la gente no tuviera que estar todo el día subiendo y bajando escaleras para cuidarlo– y llegó, finalmente, a la puerta de la muerte.

De joven, Changez Chamchawala había adquirido la desconcertante habilidad de dormir con los ojos abiertos para «mantenerse alerta», como solía decir. Ahora, cuando Saladin entró suavemente en la habitación, el efecto de aquellos ojos grises que miraban ciegamente al techo resultó francamente sobrecogedor. Saladin pensó por un instante que había llegado tarde, que Changez había muerto mientras él charlaba en el jardín. Entonces, el hombre de la cama tosió débilmente, volvió la cara y alargó un brazo vacilante. Saladin Chamcha fue hacia su padre e inclinó la cabeza bajo la palma de la mano del anciano.

Enamorarte de tu padre al cabo de largas décadas de discordia es un sentimiento hermoso y sereno; una renovación, un nuevo impulso vital, quería decir Saladin, pero no lo dijo, porque le sonaba a vampirismo; como si, al absorber de su padre esa vida nueva, abriera lugar a la muerte en el cuerpo de Changez. Pero aunque no lo decía, Saladin se sentía cada vez más cercano a muchos viejos y descartados yos, muchos Saladines alternativos –o, mejor dicho, Salahuddines– de que se había desprendido cada vez que había tomado una elección en su vida, pero que, al parecer, habían seguido existiendo, quizá en los universos paralelos de la teoría de los *quanta*. El cáncer había dejado a Changez Chamchawala literalmente en los huesos; las mejillas se le habían hundido en los huecos del cráneo y tenía que colocar una almohada de gomaespuma debajo de sus posaderas a causa de la atrofia de sus carnes. Pero también le había despojado de sus defectos, de todo lo que hubo en él de dominante, tiránico y cruel, y, así, el hombre irónico, cariñoso y brillante que había debajo estaba otra vez de manifiesto, a la vista de todos. *Si hubiera sido así toda su vida*, pensó Saladin (que, por primera vez en veinte años, empezaba a encontrar atractivo el sonido no inglés de su nombre completo). Qué duro es encontrar a tu padre cuando ya no puedes decirle nada más que adiós.

La mañana de su regreso, el padre pidió a Salahuddin Chamchawala que le afeitase. «Estas mujeres mías no saben ni por dónde hay que coger la Philishave.» La piel de la cara de Changez colgaba en pliegues suaves y correosos y su barba (cuando Salahuddin vació la máquina) parecía ceniza. Salahuddin no recordaba cuánto hacía que no tocaba la cara de su padre de aquel modo, alisando la piel antes de pasar la máquina de pilas y luego acariciándola para cerciorarse de que quedaba bien rasurada. Cuando terminó, siguió durante un momento pasando los dedos por las mejillas de Changez. «Mira al viejo –dijo Nasreen a Kasturba al entrar en la habitación–; no puede apartar los ojos de su hijo.» Changez Chamchawala sonrió ampliamente con fatiga, enseñando una boca llena de dientes deteriorados, manchados y con restos de alimentos.

Cuando su padre volvió a dormirse después de beber, obligado por Kasturba y Nasreen, una pequeña cantidad de agua y se quedó mirando –¿qué?– con sus ojos abiertos y soñadores que podían ver tres mundos a la vez: el real de su estudio, el mundo fantástico de los sueños y la otra vida que se acercaba (o así lo pensó Salahuddin, en un momento en que dejó vagar la imaginación), entonces el hijo subió al antiguo dormitorio de Changez a descansar. Grotescas figuras de terracota le miraban ceñudas desde las paredes: un demonio con cuernos; un árabe de sonrisa lasciva que llevaba un halcón en el hombro, y un hombre calvo que ponía los ojos en blanco y sacaba la lengua con gesto de pánico cuando una enorme mosca negra se le posaba en la ceja. Incapaz de dormir bajo aquellas figuras que había visto, y también odiado, durante su vida, porque veía en ellas el retrato de Changez, acabó por irse a otra habitación más neutra.

Despertó a última hora de la tarde, y al bajar encontró a las dos mujeres delante de la habitación de Changez, tratando de ordenar el horario de la medicación. Aparte de la diaria tableta de Melphalan, se le habían recetado una serie de específicos, para intentar combatir perniciosas complicaciones del cáncer: anemia, insuficiencia cardíaca, etcétera. Isosorbide, dinitrato, dos tabletas, cuatro veces al día; Furosemida, una tableta, tres veces; Prednisolona, seis tabletas, dos veces… «Yo me encargo de eso –dijo a las mujeres, que le miraron con alivio–. Es lo menos que puedo hacer.» Agarol para el estreñimiento, Spironolactona para Dios sabe qué y Allopurinol, un zilórico; de pronto recordó, disparatadamente, una vieja reseña teatral en la que Kenneth Tynan, el crítico inglés, imaginó a los personajes de *Tamerlán el Grande*, de Marlowe, de nombres largos y altisonantes, como una «horda de píldoras y drogas mágicas empeñadas en aniquilarse mutuamente»:

¿Me desafías, insolente Barbitúrico?
Sire, su abuelo ha muerto, el viejo Nembutal.

Las estrellas llorarán por Nembutal...
¿No son dignos de un rey
la Aureomicina y el Formaldehído,
No es digno de un rey
Cabalgar triunfante por Anfetamina?

¡Las cosas que nos trae la memoria! Pero quizá aquel *Tamerlán* farmacéutico no estuviera fuera de lugar en este estudio lleno de libros apolillados, en el que otro monarca caído esperaba el final con los ojos abiertos a tres mundos. «Vamos, vamos, *abba* –dijo entrando alegremente–. Es hora de salvarte la vida.»

Todavía en su lugar, en una repisa del estudio de Changez: cierta lámpara de cobre y latón cuya fama de maravillosa estaba (nunca la habían frotado) por demostrar. Algo deslustrada, parecía contemplar a su dueño moribundo; y era contemplada, a su vez, por su único hijo, que sintió por un momento la tentación de cogerla, frotarla tres veces y pedir una fórmula mágica al *djinni* del turbante..., pero Salahuddin la dejó donde estaba. Aquél no era lugar para *djinns, afreets* ni diablos; aquí no se admitían trasgos ni delirios. Ni fórmulas mágicas; sólo la inoperancia de las píldoras. «Aquí está el brujo», canturreó Salahuddin, haciendo tintinear los frasquitos para despertar a su padre. «Medicinas –dijo Changez con una mueca infantil–. Eek, buaak, tch.»

Aquella noche, Salahuddin obligó a Nasreen y Kasturba a acostarse cómodamente en sus propias camas mientras él se instalaba junto a Changez en un colchón puesto en el suelo, para vigilarlo. Después de sus dosis de medianoche de Isosorbide, el moribundo durmió tres horas y luego tuvo necesidad de ir al baño. Salahuddin lo levantó prácticamente en vilo y quedó impresionado por lo poco que pesaba. Changez siempre fue un hombre pesado, pero ahora no era más que un almuerzo viviente para las células cancerosas... En el baño, Changez rehusó su ayuda. «No consiente que nadie le haga nada –se lamentaba Kasturba cariñosamente–. Es un hombre muy pudoroso.» Al volver a la cama, Changez se apoyó ligeramente en el brazo de Salahuddin y anduvo arrastrando sus pies planos en unas viejas chanclas. Los pocos pelos que le quedaban se erguían en ángulos grotescos, la cabeza avanzaba sobre un cuello frágil y arrugado. Salahuddin sintió de pronto el deseo de levantar al anciano en brazos y acunarlo con canciones dulces de consuelo. Pero lo que hizo fue plantear, en aquél, el menos indicado de los momentos, una reconciliación. «*Abba*, he venido porque no quería que entre nosotros se prolongaran las desavenencias...» *Jodido idiota. Que el diablo te lleve, cretino. ¡Y en plena puta noche! Es decir, que si no sospechaba que se estaba muriendo, esa frasecita de despedida se lo ha de dejar bien claro*. Changez siguió arrastrando los pies; oprimió suavemente el brazo de su hijo. «Eso ya no importa –dijo–. Lo que fuera, está olvidado.»

Por la mañana, Nasreen y Kasturba llegaron con saris limpios, la cara descansada y protestando: «Fue tan terrible dormir lejos de él, que no pegamos ojo.» Cayeron sobre Changez con unas caricias tan tiernas que Salahuddin volvió a experimentar la sensación de espiar la intimidad ajena que tuvo en la boda de Mishal Sufyan. Salió discretamente de la habitación mientras los tres amantes se abrazaban, se besaban y lloraban.

La muerte, el hecho trascendental, envolvía con su hechizo la casa de Scandal Point. Salahuddin se rindió a él como todos los demás, incluso Changez, que aquel segundo día hasta llegó a esbozar su sonrisa torcida de antaño, la que quería decir: sé muy bien lo que pasa; disimulo, pero no pienses que me engañas. Kasturba y Nasreen se desvivían por atenderle, cepillándole el pelo, convenciéndole para que comiera o bebiera. Se le había hinchado la lengua, por lo que tenía dificultad para articular las palabras y tragar los alimentos; no quería nada fibroso, ni siquiera las pechugas de pollo que tanto le habían gustado toda su vida. Una cucharada de sopa o de puré de patata, un bocado de flan. Comida infantil. Cuando se incorporaba en la cama, Salahuddin se sentaba detrás de él para que Changez pudiera apoyarse en el cuerpo de su hijo mientras comía.

«Abrid la casa –ordenó Changez aquella mañana–. Quiero ver caras alegres y no sólo las vuestras, tan largas.» De modo que, al cabo de tanto tiempo, apareció la gente: jóvenes y viejos; tíos, tías y primos casi olvidados; unos cuantos camaradas de los viejos tiempos del movimiento nacionalista, caballeros de espalda recta, pelo plateado, chaqueta *achkan* y monóculo; empleados de las distintas fundaciones y sociedades filantrópicas constituidas por Changez años atrás; fabricantes competidores de productos agroquímicos. Gentes de la más diversa especie, pensó Salahuddin; pero se admiraba de lo bien que todos se comportaban en presencia del moribundo: los jóvenes le hablaban con toda confianza de su vida, como para darle a entender que la vida en sí era invencible, ofreciéndole el rico consuelo de sentirse miembro de la gran procesión de la raza humana, mientras que los viejos evocaban el pasado, de manera que él advertía que nada se olvidaba, nada se perdía; que, a pesar de los años de aislamiento voluntario, él seguía unido al mundo. La muerte hace aflorar lo mejor de las personas; era bueno comprobar –advirtió Salahuddin– que los seres humanos también podían ser así: considerados, cariñosos, incluso nobles. Todavía podemos ser elevados, pensó con satisfacción; a pesar de todo, aún podemos ser trascendentes. Una joven muy bonita –Salahuddin pensó que probablemente era su sobrina, y se sintió avergonzado de no saber su nombre– retrataba con una Polaroid a Changez en sus visitas, y el anciano se lo pasaba en grande, haciendo muecas y besando las muchas mejillas que se le ofrecían, con una luz en los ojos que Salahuddin consideró nostalgia. Es como una fiesta de cumpleaños, pensó. O como el despertar de Finnegan. El muerto se niega a yacer y dejar que los vivos se diviertan solos.

«Hay que decírselo», insistió Salahuddin cuando las visitas se fueron. Nasreen bajó la cabeza y asintió. Kasturba prorrumpió en llanto.

Se lo dijeron a la mañana siguiente. Llamaron al especialista para que estuviera a mano por si Changez quería preguntarle algo. El especialista, Panikkar (un nombre que los ingleses pronunciarían mal y con guasa, pensó Salahuddin, como el musulmán «Fakhar»), llegó a las diez irradiando autosuficiencia. «Debería decírselo yo –manifestó, asumiendo el mando–. La mayoría de los enfermos se avergüenzan de que sus seres queridos sean testigos de su miedo.» «De ninguna manera», respondió Salahuddin con una vehemencia que le asombró a sí mismo. «Bueno, en tal caso...», dijo Panikkar encogiéndose de hombros, como disponiéndose a marchar; lo que le hizo ganar la discusión, pues Nasreen y Kasturba suplicaron a Salahuddin: «Por favor, no peleemos.» Salahuddin, derrotado, introdujo al médico en presencia de su padre y cerró la puerta del estudio.

«Tengo cáncer –dijo Changez Chamchawala a Nasreen, Kasturba y Salahuddin después de la marcha de Panikkar. Hablaba despacio, pronunciando la palabra con un esmero exagerado y desafiante–. Está muy avanzado. No me sorprende. A Panikkar le he dicho: "Se lo dije el primer día. ¿Adónde podía haber ido si no toda la sangre?"» Cuando salieron del estudio, Kasturba dijo a Salahuddin: «Tu llegada puso una luz en sus ojos.

Ayer, con toda la gente aquí, ¡qué contento estuvo! Pero ahora sus ojos están apagados. Ahora ya no luchará.»

Aquella tarde Salahuddin se encontró a solas con su padre mientras las dos mujeres descansaban. Entonces advirtió que él, que tanto deseaba claridad y franqueza, ahora estaba violento, con un nudo en la lengua. Pero Changez tenía algo que decir.

«Quiero que sepas que no tengo ningún problema en aceptar esto –dijo a su hijo–. De algo hay que morir. Y tampoco muero joven. No me hago ilusiones; yo sé que después de esto no voy a ninguna parte. Es el fin. Y está bien. A lo único que temo es al dolor, porque con el dolor la persona pierde la dignidad. Y no quiero que me ocurra eso.» Salahuddin estaba impresionado. *Primero te encariñas con tu padre y después aprendes a respetarlo.* «Dicen los médicos que el tuyo es un caso entre un millón –respondió verazmente–. Al parecer, a ti se te ha ahorrado el dolor.» Al oír esto, Changez pareció relajarse, y Salahuddin comprendió entonces lo asustado que estaba el anciano y lo mucho que deseaba saber la verdad... «Bas –dijo Changez Chamchawala con voz ronca–. Entonces estoy dispuesto. Y, a propósito, al fin vas a lograr la lámpara.»

Una hora después empezó la diarrea: un chorro fino y negro. Las angustiadas llamadas de Nasreen al Breach Candy Hospital sirvieron para averiguar que Panikkar estaba ocupado. «Retiren el Agarol inmediatamente», ordenó el médico de guardia, que recetó Imodium en su lugar. No le hizo efecto. A las siete de la tarde el riesgo de deshidratación se hizo mayor, y Changez estaba tan débil que no podía incorporarse para tomar el alimento. No tenía apetito, pero Kasturba consiguió darle unas cucharadas de semolina con pulpa de albaricoque. «Ñam, ñam», ironizó él con su sonrisa torcida.

Se quedó dormido, pero a la una había tenido que levantarse tres veces. «Por el amor de Dios –gritaba Salahuddin por teléfono–, déme el teléfono particular de Panikkar.» Pero lo prohibían las normas del hospital. «Juzgue usted mismo si ha llegado el momento de ingresarlo», dijo la doctora de guardia. Tía puta, murmuró para sus adentros Salahuddin Chamchawala. «Muchas gracias.»

A las tres Changez estaba tan débil que Salahuddin lo llevó al baño casi en vilo. «Sacad el coche –gritó a Nasreen y Kasturba–. Nos vamos al hospital. Ahora mismo.» La prueba de que Changez estaba peor era que esta última vez consintió que su hijo le ayudara. «La mierda negra es mala», dijo, respirando con fatiga. Los pulmones se le habían congestionado de un modo horrible; su respiración era como burbujas de aire que se abrieran camino en el engrudo. «Hay cánceres lentos, pero me parece que éste es muy rápido. Terminará pronto.» Y Salahuddin, el apóstol de la verdad, decía mentiras piadosas: *Abba, no te apures. Ya verás cómo te pones bien.* Changez Chamchawala movió negativamente la cabeza. «Me voy, hijo», dijo. Tuvo una convulsión, y Salahuddin le puso debajo de la boca un recipiente de plástico. El moribundo vomitó más de medio litro de mucosidades sanguinolentas; después quedó tan exhausto que no podía hablar. Salahuddin lo llevó en brazos al asiento trasero del Mercedes, y Nasreen y Kasturba se sentaron una a cada lado. Salahuddin conducía a toda velocidad hacia el Breach Candy Hospital, que estaba a menos de un kilómetro calle abajo. «¿Abro la ventana, *abba*?», preguntó, y Changez movió la cabeza y murmuró roncamente: «No.» Mucho después, Salahuddin cayó en la cuenta de que ésta había sido la última palabra de su padre.

Urgencias. Pies que corren, enfermeros, una silla de ruedas, Changez en una cama, unas cortinas. Un médico joven haciendo lo que había que hacer, muy deprisa, pero sin dar sensación de apresuramiento. *Me gusta*, pensó Salahuddin. Entonces el médico le miró a los ojos y dijo: «Me parece que no saldrá de ésta.» Fue como recibir un puñetazo en el estómago. Salahuddin comprendió que aún se aferraba a una vana esperanza: *le ayudarán a vencer la crisis y nos lo llevaremos a casa; aún no ha llegado «el momento»*, y su primera reacción a las palabras del médico fue de rabia. *Usted es el mecánico. No me diga que el coche no arranca, arréglelo.* Changez estaba echado de espaldas, ahogándose. «La *kurta* nos impide llegar al pecho. ¿Se puede...?» *Córtenla. Hagan lo que tengan que hacer.* Gota a gota, la señal en una pantalla del latido que se debilita, impotencia. El joven médico que murmura: «Ya no puede durar, así que...» Entonces Salahuddin Chamchawala hizo algo brutal. Se volvió hacia Nasreen y Kasturba y dijo: «Venid, deprisa. Venid a decir adiós.» «¡Por el amor de Dios!», estalló el médico... Las mujeres, sin llorar, se acercaron a Changez y le tomaron una mano cada una. Salahuddin enrojeció de vergüenza. Nunca sabría si su padre había oído la sentencia de muerte en boca de su hijo.

Pero entonces Salahuddin encontró mejores palabras, ahora, tras largos años de ausencia, volvía a él el urdu. «Todos estamos contigo, abba. Todos te queremos mucho.» Changez no podía hablar, pero hizo –¿verdad que sí?–, sí, desde luego, lo hizo, un movimiento afirmativo con la cabeza. *Me oyó.* Entonces, bruscamente, Changez Chamchawala abandonó su cara; aún vivía, pero se había ido a otro sitio, se había vuelto hacia dentro, a mirar lo que hubiera que ver allí. *Está enseñándome a morir*, pensó Salahuddin. *No desvía la mirada, sino que mira a la muerte cara a cara.* En ningún momento de su agonía pronunció Changez Chamchawala el nombre de Dios.

«Por favor –dijo el médico–, vayan al otro lado del biombo y déjennos hacer todo lo que se pueda.» Salahuddin llevó a las dos mujeres a unos pasos de distancia; y ahora, cuando un biombo les ocultaba a Changez, lloraban. «Juró que nunca me dejaría –sollozaba Nasreen, que al fin había perdido su férreo control–, y ahora se ha marchado.» Salahuddin se acercó a mirar por una rendija, y vio cómo aplicaban corriente al cuerpo de su padre; vio el brusco zigzag verde del pulso en la pantalla del monitor; vio al médico y a las enfermeras golpear el pecho de su padre; vio la derrota.

Lo último que había visto en la cara de su padre, antes del último e inútil esfuerzo del personal médico, fue la aparición de un terror tan profundo que le heló hasta la médula. ¿Qué había visto? ¿qué era lo que le aguardaba, lo que nos aguarda a todos, que puso aquel miedo en los ojos de un hombre valiente? Ahora, cuando todo había terminado, volvió junto al lecho de Changez, y vio que su padre tenía los labios doblados hacia arriba en una sonrisa.

Acarició aquellas queridas mejillas. Hoy no le afeité. Ha muerto con barba. Qué fría tenía ya la cara; pero el cerebro, el cerebro conservaba un poco de calor. Le habían metido algodón en la nariz. *¿Y si ha habido un error? ¿Y si quiere respirar?* Nasreen Chamchawala estaba a su lado. «Llevémosle a casa», dijo.

Changez Chamchawala volvió a casa en ambulancia, en una camilla de aluminio colocada en el suelo entre las dos mujeres que le habían amado. Salahuddin seguía a la ambulancia en el coche. Los camilleros lo colocaron en el estudio; Nasreen puso el aire acondicionado al máximo. Al fin y al cabo, era un clima tropical y no tardaría en salir el sol.

¿Qué vería?, se preguntaba Salahuddin una y otra

vez. *¿Por qué aquel horror? ¿Y por qué aquella sonrisa final?*

La gente apareció de nuevo. Tíos, primos, amigos que ayudaban y se hacían cargo de las cosas. Nasreen y Kasturba estaban sentadas en lienzos blancos en el suelo de la habitación en la que, allá en tiempos, Saladin y Zeeny visitaron al ogro Changez; con ellas se sentaron otras mujeres acompañándolas en el duelo; algunas recitaban la *qalmah* una y otra vez, pasando las cuentas. Esto irritó a Salahuddin, pero no tuvo ánimos para oponerse. Luego llegó el *mullah*, que cosió el sudario de Changez. Ya era el momento de lavar el cadáver; aunque había muchos hombres y no era necesaria su ayuda, Salahuddin insistió. *Si él fue capaz de mirar a la cara a su muerte, yo también lo soy.* Y, mientras lavaban a su padre, volviendo el cuerpo hacia uno y otro lado según las órdenes del *mullah*, aquella carne magullada y flácida, la cicatriz del apéndice larga y oscura, Salahuddin recordó la única vez en su vida que había visto desnudo a su padre, que siempre fue muy recatado: él tenía nueve años y entró en tromba en un cuarto de baño en el que Changez estaba duchándose, y la visión del pene de su padre le causó una impresión imborrable. Un órgano grueso y macizo como una porra. Oh, qué fuerza demostraba, y qué insignificante el suyo... «No se le cierran los ojos –se lamentó el *mullah*–. Tendrían que habérselos cerrado antes.» Era un hombre fornido y práctico aquel *mullah*, con su barba y sin bigote. Trataba el cadáver como un objeto cualquiera que necesitara un lavado, como un coche, una ventana o un plato. «¿Es usted del mismo Londres? Yo estuve allí muchos años. Era portero del Claridge's Hotel.» *¿Ah, sí? ¡Qué interesante!* ¡Pues no quería charlar el hombre! Salahuddin estaba estupefacto. *Ése es mi padre, ¿no se da cuenta?* «Esas ropas –dijo el *mullah* señalando el último pijama *kurta* de Changez, descosido por el personal del hospital para descubrirle el pecho–, ¿las necesitan?» «No, no. Puede llevárselas. Por favor.» «Es usted muy amable. –En la boca y bajo los párpados de Changez pusieron unas piezas de tela negra–. Esta tela ha estado en La Meca», dijo el *mullah.* «¡Quíteselas!» «No entiendo. Es tela bendita.» «Ya me ha oído: Fuera, fuera.» «Que Dios se apiade de su alma.»

Y:

El féretro sembrado de flores, como un moisés grande.

El cadáver amortajado de blanco, con virutas de sándalo para perfumarlo esparcidas por encima.

Más flores y un paño de seda verde con versos coránicos bordados en oro.

La ambulancia con el féretro, esperando el permiso de la viuda para arrancar.

Los últimos adioses de las mujeres.

El cementerio. Los hombres que se adelantan para llevar el féretro dan un pisotón a Salahuddin, arrancándole un trozo de uña del dedo gordo.

Entre los asistentes, un viejo amigo de Changez al que hacía tiempo que no veía, y que ha venido a pesar de sufrir una bronconeumonía; y otro anciano que llora copiosamente y que morirá al día siguiente; y toda clase de gente, archivo viviente de la vida de un difunto.

La tumba. Salahuddin baja y se sitúa a la cabecera, y el enterrador a los pies. Changez Chamchawala es descendido. *El peso de la cabeza de mi padre descansa en mi mano. Yo la deposité en tierra para que descansara.*

El mundo, escribió alguien, es un lugar cuya realidad demostramos muriendo en él.

Esperándole a su regreso del cementerio, una lámpara de cobre y latón, su legado recobrado. Entró en el estudio de Changez y cerró la puerta. Allí estaban las viejas zapatillas, al lado de la cama; tal como él mismo predijera, se habían convertido en «un par de zapatos vacíos». Las sábanas aún guardaban el hueco del cuerpo de su padre; la habitación olía a sándalo, alcanfor, clavo. Cogió la lámpara del estante y se sentó al escritorio de Changez. Sacó un pañuelo del bolsillo y frotó enérgicamente: una, dos, tres veces.

Todas las luces se encendieron al mismo tiempo.

Zeenat Vakil entró en la habitación.

«Oh, Dios mío, a lo mejor las querías apagadas, pero con las persianas cerradas esto se pone tan triste... –Agitando los brazos, hablando con su voz hermosa, fuerte y áspera, el pelo recogido por una vez en una cola de caballo trenzada que le llega hasta la cintura, allí estaba su *djinn* personal–. Siento mucho no haber venido antes, pero quería hacerte sufrir, y qué momento fui a elegir, tan jodidamente autoindulgente, *yaar*, me alegro de verte, pobre ganso huérfano.»

Era la misma de siempre, inmersa en la vida hasta el cuello, combinando las conferencias de arte en la universidad con la práctica de la medicina y las actividades políticas. «Yo estaba en el hospital cuando llegasteis, ¿sabes? Allí estaba, pero no supe lo de tu padre hasta que todo había terminado, y ni siquiera entonces fui a darte un abrazo. Qué puta soy; si me echas de tu casa no te lo reprocharé.» Una mujer generosa, la más generosa de cuantas había conocido. *Cuando la veas lo sabrás*, se había prometido a sí mismo, y resultaba verdad. «Te quiero», se oyó decir, dejándola cortada. «Bueno, no pienso aprovecharme de la situación –dijo al fin, enormemente complacida–. Es evidente que estás desquiciado. Tienes suerte de que no estemos en uno de nuestros grandes hospitales públicos, porque allí ponen a los lunáticos junto a los drogadictos, y en las salas hay tanto tráfico que los pobres esquizos adquieren malas costumbres. De todos modos, si vuelves a decírmelo dentro de cuarenta días, mucho cuidado, porque quizá entonces lo tome en serio. Esto de ahora podría ser una enfermedad.»

Zeeny, tan avasalladora como siempre (y, al parecer, sin compromiso), volvió a entrar en su vida completando el proceso de renovación, de regeneración, que había sido el efecto más sorprendente y paradójico de la fatal enfermedad de su padre. Su vieja vida inglesa, sus extravagancias, sus perversiones, parecían ahora cosas muy lejanas, incluso incongruentes, como su abreviado nombre artístico. «Ya era hora –aprobó Zeeny cuando le dijo que había recuperado a Salahuddin–. Ahora por fin podrás dejar de fingir.» Sí, parecía el comienzo de una nueva fase en la que el mundo sería sólido y real y en la que ya no existiría la amplia figura de un padre entre él y la inevitabilidad de la tumba. Una vida huérfana, como la de Mahoma, como la de todo el mundo. Una vida iluminada por una muerte extrañamente radiante, que seguía brillando, en su pensamiento, como una especie de lámpara maravillosa.

De ahora en adelante, debo pensar como el que vive perpetuamente en el primer instante del futuro, se propuso, días después, en la cama del departamento de Zeeny en Sophia College Lane, mientras se reponía de las entusiastas caricias dentales recibidas. (Ella le había invitado tímidamente a su casa, como si retirara un velo tras un largo retiro.) Pero no es tan fácil desprenderse de una vida; al fin y al cabo, él vivía también *el momento presente del pasado*; su vieja vida iba a envolverle una vez más para completar su último acto.

Descubrió que era rico. Según las condiciones del testamento de Changez, la gran fortuna del fallecido magnate y su miríada de participaciones en empresas sería supervisada por un grupo de distinguidos fideicomisarios y las rentas serían divididas en tres partes iguales entre: Nasreen, la segunda esposa de Changez, Kasturba, a la que él llamaba en el documento «mi tercera, en el verdadero sentido», y Salahuddin, su hijo. Ahora bien, una vez fallecidas las dos mujeres, el fideicomiso podría disolverse cuando Salahuddin quisiera: es decir, que él lo heredaba todo. «Con la condición –estipulaba maliciosamente Changez Chamchawala– de que el granuja acepte el regalo que antes despreció, es decir, el edificio de la escuela de Solan, Himachal Pradesh.» Changez podía haber talado un nogal, pero nunca trató de desheredar a Salahuddin. No obstante, las casas de Pali Hill y Scandal Point quedaban excluidas de estas estipulaciones. La primera pasaba directamente a ser propiedad de Nasreen Chamchawala; la segunda, con efectos inmediatos, sería de la exclusiva propiedad de Kasturbabai, quien no tardó en anunciar su intención de vender la vieja casa a una inmobiliaria. El terreno valía mucho, y Kasturba, en cuestión de bienes inmuebles, no mostraba el menor sentimentalismo. Salahuddin protestó con vehemencia y fue atajado con firmeza. «Yo he pasado aquí toda mi vida –manifestó ella–. Por lo tanto, sólo yo puedo decidir.» Nasreen Chamchawala se mostró totalmente indiferente al destino de la vieja casa. «Un rascacielos más, un trozo del viejo Bombay menos –dijo, encogiéndose de hombros–, ¿qué puede importar? Las ciudades cambian.» Ella ya estaba haciendo sus preparativos para mudarse a Pali Hill, descolgando de las paredes las vitrinas de mariposas y reuniendo a los pájaros disecados en el vestíbulo. «Deja que la venda –dijo Zeenat Vakil–. De todos modos, tú no ibas a poder vivir en ese museo.»

Tenía razón, desde luego; apenas él había decidido volver la cara hacia el futuro, ya empezaba a suspirar y lamentar el fin de la niñez. «Voy a ver a George y Bhupen, ¿te acuerdas? –dijo ella–. ¿Por qué no vienes? Necesitas empezar a relacionarte.» George Miranda acababa de rodar un documental sobre el comunalismo, entrevistando a hindúes y musulmanes de todas las tendencias. Los fundamentalistas de una y otra religión trataron inmediatamente de conseguir que se prohibiera la proyección de la película, y si bien los tribunales de Bombay rechazaron las peticiones, el caso había pasado al Tribunal Supremo. George, con la cara aún más sombreada por la barba, el pelo más lacio y el estómago más desparramado de lo que Salahuddin recordaba, bebía ron en una taberna de Dhobi Talao y golpeaba la mesa con puños pesimistas. «Es el Tribunal Supremo que falló el caso de Shah Bano», exclamó, aludiendo al tristemente célebre caso en el que, presionado por extremistas islámicos, el tribunal dictaminó que el pago de pensión alimenticia era contrario a la voluntad de Alá, con lo que hizo que las leyes de la India resultaran más reaccionarias que las de Pakistán, por ejemplo. «No tengo grandes esperanzas.» Se retorcía desconsoladamente las enceradas guías de su bigote. Su nueva compañera, una bengalí alta y delgada de pelo corto que a Salahuddin le recordaba un poco a Mishal Sufyan, eligió aquel momento para atacar a Bhupen Gandhi por haber publicado un tomo de poesía sobre su visita a la «pequeña ciudad templo» de Gagari, en los Ghats Occidentales. Los poemas habían sido criticados por la derecha hindú; un eminente profesor del Sur de la India anunció que Bhupen había «perdido el derecho a ser llamado poeta indio», pero, en opinión de la joven Swatilekha, Bhupen se había dejado seducir por la religión hacia una ambigüedad peligrosa. Bhupen, agitando su reluciente cara de luna y su melena gris, se defendía con firmeza. «Yo digo que la única cosecha de Gagari es la de los dioses de piedra que se extraen de sus canteras. Yo hablo de rebaños de leyendas que hacen sonar sagrados cencerros mientras pacen en las verdes laderas. No son imágenes ambiguas.» Swatilekha no estaba convencida. «En estos tiempos –insistió–, tenemos que expresar nuestras opiniones con claridad meridiana. Todas las metáforas pueden ser mal interpretadas.» Expuso su teoría. La sociedad estaba orquestada por lo que ella llamaba las *grandes narrativas*: historia, economía, ética. En India el desarrollo de un aparato estatal cerrado y corrupto había «excluido del proyecto ético a las masas del pueblo». En consecuencia, el pueblo buscaba satisfacer su necesidad de ética en la más vieja de todas las grandes narrativas, a saber: la fe religiosa. «Pero estas narrativas son manipuladas por la teocracia y por varios elementos políticos de una manera totalmente retrógrada.» Bhupen dijo: «No podemos negar la ubicuidad de la fe. Si escribimos de tal manera que se prejuzgue esta creencia como una ilusión o una falsedad, ¿no incurrimos en el pecado de elitismo, al tratar de imponer a las masas nuestra visión del mundo?» Swatilekha dijo con desdén: «Hoy mismo, en India se están estableciendo líneas de combate –exclamó–. Secularismo contra racionalismo, la luz contra la oscuridad. Vale más que decidas de qué lado estás.»

Bhupen se levantó enfadado para marcharse. Zeeny le sosegó: «No podemos permitirnos las escisiones. Hay planes que trazar.» Él volvió a sentarse y Swatilekha le dio un beso en la mejilla. «Perdona –dijo–. Demasiada universidad, como dice George. En realidad, las poesías me gustaron. Sólo quería plantear una teoría.» Bhupen, satisfecho, simuló que le daba un puñetazo en la nariz; crisis superada.

Se habían reunido, según dedujo ahora Salahuddin, para hablar de su participación en una curiosa manifestación política: la formación de una cadena humana que se extendería desde la Gateway of India hasta el extrarradio norte de la ciudad, en apoyo de la «integración nacional». El Partido Comunista de la India (Marxista) había organizado recientemente una cadena en Kerala, con gran éxito. «Pero –argumentó George Miranda– aquí, en Bombay, será diferente. En Kerala, el PCI(M) está en el poder. Aquí, con esos bastardos del Shiv Sena en el control, podemos esperar todo tipo de hostigamiento, desde obstrucción de la policía hasta ataques de las masas en algunos segmentos de la cadena, especialmente cuando pase, como tendrá que pasar, por las fortalezas del Sena en Mazagaon, etcétera.» A pesar de tales peligros, explicó Zeeny a Salahuddin, estas manifestaciones resultaban esenciales. A medida que aumentaba la violencia entre las comunidades –de la que Meerut no era sino el último de una larga serie de criminales incidentes– se hacía más necesario que las fuerzas de la desintegración no se salieran con la suya. «Tenemos que demostrar que existen fuerzas de signo contrario.» Salahuddin estaba aturdido por la rapidez con que, una vez más, su vida empezaba a cambiar. *Yo, tomando parte en un acto del PCI(M). Los prodigios no acaban; desde luego, tengo que estar enamorado.*

Una vez tomadas las decisiones pertinentes –cuántos amigos podría traer cada uno, dónde se reunirían y qué había que llevar de comida, bebida y equipo de primeros auxilios– el ambiente se distendió, y apuraron sus copas de ron barato y charlaron de cosas intrascendentes, y entonces fue cuando Salahuddin oyó por vez primera los rumores sobre el extraño comportamiento del astro cinematográfico Gibreel Farishta que empezaban a circular por la ciudad, y sintió que su vieja vida le pinchaba como una espina oculta; oyó el pasado, como una trompeta lejana, resonar en sus oídos.

El Gibreel Farishta que regresó de Londres a Bombay a retomar los hilos de su carrera cinematográfica no era, según la opinión general, el irresistible Gibreel de antaño. «El tío parece totalmente abocado a una carrera suicida –declaró George Miranda, que estaba al corriente de todos los chismes del mundo del cine–. ¿Quién sabe por qué? Dicen que tuvo un desengaño amoroso que le dejó desequilibrado.» Salahuddin mantuvo la boca cerrada, pero notó que se le encendía la cara. Allie Cone no quiso reconciliarse con Gibreel después de los incendios de Brickhall. En la cuestión del perdón, reflexionó Salahuddin, nadie pensó en consultar a Alleluia, totalmente inocente y muy perjudicada; *una vez más, relegamos su vida a la periferia de la nuestra. No es de extrañar que siga indignada.* Gibreel dijo a Salahuddin, en una conversación telefónica final y bastante violenta, que regresaba a Bombay «con la esperanza de no volver a verla, ni a ella, ni a ti, ni a esta maldita ciudad tan fría, en toda mi vida.» Pero, al parecer, volvía a hundirse, y ahora en su tierra natal. «Hace unas películas rarísimas –prosiguió George–. La última, con su dinero. Después de dos fracasos los productores no quieren saber de él. Así que si ésta también fracasa estará arruinado, aviado, *funtoosh*.» Gibreel se había lanzado a rodar una nueva versión del Ramayana trasladada a la época actual, en la que los héroes y heroínas, en lugar de puros e inocentes, eran degenerados y malvados. Había un Rama lascivo y borracho y una «Sita» ligera de cascos; Ravana, el rey-demonio, por el contrario, era presentado como un hombre honesto y virtuoso. «Gibreel interpreta a Ravana –explicó George con expresión de fascinado horror–. Da la impresión de que busca deliberadamente la confrontación definitiva con las facciones religiosas, a sabiendas de que no puede ganar, de que será triturado.» Varios miembros del reparto ya habían abandonado la producción y concedido sabrosas entrevistas a la prensa, en las que acusaban a Gibreel de «blasfemia», «satanismo» y otros delitos.

Su última amante, Pimple Billimoria, aparecía en la cubierta de *Cine-Blitz* con esta afirmación: «Era como besar al diablo.» Evidentemente, la halitosis sulfurosa, aquel viejo problema de Gibreel, volvía a aquejarle, y con más fuerza que nunca.

Su comportamiento errático había dado que hablar más todavía que la elección de los temas de sus películas. «Unos días es todo simpatía y bondad –dijo George–. Pero otros llega al trabajo como si fuera dios todopoderoso y hasta se empeña en que la gente se arrodille. Personalmente, no creo que esa película llegue a terminarse, a menos que él recupere la salud mental, que tiene muy quebrantada. Primero, la enfermedad; después, la catástrofe del avión, y, por último, los desastres sentimentales: es fácil comprender los problemas de ese hombre.» Y se rumoreaban cosas peores: sus asuntos fiscales estaban siendo investigados; los funcionarios de policía le habían hecho una visita para interrogarle sobre la muerte de Rekha Merchant, y el marido de ésta, el rey de los rodamientos, había amenazado con «romperle todos los huesos del cuerpo a ese bastardo», por lo que, durante varios días, Gibreel tuvo que hacerse acompañar por guardaespaldas cada vez que usaba los ascensores de Everest Vilas; y lo peor de todo eran las visitas nocturnas al barrio de los prostíbulos, en el que, al parecer, frecuentó ciertos establecimientos de Foras Road hasta que los *dadas* lo echaron porque hacía daño a las mujeres. «Dicen que algunas quedaron gravemente lesionadas –dijo George–. Y que tuvo que soltar mucho dinero para tapar bocas. No sé. La gente habla mucho. La tal Pimple, desde luego, cuando de atacar se trata no se queda atrás. *El Hombre que odia a las Mujeres*. Gracias a todo esto, ella está convirtiéndose en una estrella con fama de mujer fatal. Pero Farishta está francamente perturbado. Tengo entendido que tú lo conoces», terminó George mirando a Salahuddin, y éste se ruborizó.

«No mucho. Sólo por la catástrofe del avión y demás.» Estaba impresionado. Al parecer, Gibreel no había conseguido escapar de sus demonios interiores. Él, Salahuddin, creyó –ingenuamente, según se demostraba ahora– que los sucesos del fuego de Brickhall, cuando Gibreel le salvó la vida, en cierta manera los habían purificado a ambos; que habían expulsado los demonios lanzándolos a las llamas voraces; que, realmente, el amor podía desarrollar una fuerza humanizadora tan grande como la del odio; que la virtud podía transformar a los hombres tanto como el vicio. Pero nada era para siempre; ni, por lo visto, había cura que fuera completa.

«El mundo del cine está lleno de gente estrambótica –decía Swatilekha a George afectuosamente–. No hay más que verle a usted, míster.» Pero Bhupen se había puesto serio: «Yo siempre consideré a Gibreel una fuerza positiva –dijo–. Un actor de una minoría que interpretaba personajes de muchas religiones y que era aceptado. Si ha perdido el favor del público, mala señal.»

Dos días después, Salahuddin Chamchawala leía en los periódicos dominicales que un equipo internacional de montañeros había llegado a Bombay con intención de intentar la subida al Pico Escondido; y cuando vio que con la expedición venía Miss Alleluia Cone, la célebre «Reina del Everest», tuvo la extraña sensación de estar perseguido por un hechizo, de que una parte de su imaginación se proyectaba hacia el mundo real, de que el destino adquiría la lógica implacable de un sueño. «Ahora ya sé lo que es un fantasma –pensó–. Un asunto no concluido, eso es.»

Durante los dos días siguientes, la presencia de Allie en Bombay llegó a obsesionarle. Su pensamiento insistía en establecer extraños vínculos entre, por ejemplo, la evidente curación de los pies de la mujer y el fin de sus relaciones con Gibreel: como si él la hubiera lisiado con sus celos. Él sabía que, en realidad, ella ya sufría aquella afección de los pies antes de conocer a Gibreel, pero se encontraba en un extraño estado de ánimo, disociado de la lógica. ¿Qué hacía ella aquí? ¿Por qué había venido? Llegó a convencerse de que se avecinaba un terrible desenlace.

Zeeny, que entre las operaciones en el hospital, las conferencias en la universidad y los preparativos para la cadena humana apenas tenía tiempo para Salahuddin y sus estados de ánimo, se equivocó al ver en su reserva y sus silencios la expresión de dudas sobre su regreso a Bombay, sobre la forzada intervención en actividades políticas de una naturaleza que siempre aborreció, sobre ella misma. Para disimular sus temores, le hizo una especie de conferencia: «Si estás decidido a desprenderte de tus tendencias extranjerizantes, Salad baba, no te dejes caer ahora en una especie de limbo desligado de todo. ¿De acuerdo? Aquí estamos nosotros. Estamos delante de ti. Esta vez deberías tratar de establecer con esta tierra vínculos de persona mayor. Trata de abrazar a esta ciudad como es, no como un recuerdo de la infancia que te causa nostalgia y dolor. Acércate a ella. Tal como es. Haz tuyos sus defectos. Conviértete en criatura suya. Asúmela.» Él asintió distraídamente, y ella, pensando que se preparaba para marcharse otra vez, salió de la habitación con una indignación que lo dejó completamente desconcertado.

¿Debía llamar por teléfono a Allie? ¿Le habría contado Gibreel lo de las voces?

¿Debía tratar de ver a Gibreel?

Va a ocurrir algo, le advertía su voz interior. *Va a ocurrir y tú no sabes qué es, y nada puedes hacer para evitarlo. Oh, sí, es algo malo.*

Ocurrió el día de la manifestación, que por cierto, contra todos los pronósticos, tuvo un éxito bastante satisfactorio. Se registraron, sí, algunas escaramuzas en el distrito de Mazagaon, pero, en conjunto, el acto fue pacífico. Los observadores del PCI(M) informaron que se había tendido una cadena de hombres y mujeres tomados de la mano que atravesaba de arriba abajo la ciudad, y Salahuddin, que se encontraba en Muhammad Ali Road, entre Zeeny y Bhupen, tuvo que reconocer la fuerza de aquella imagen. Muchos de los que estaban en la cadena lloraban. La orden de unir las manos fue dada por los organizadores –entre los que Swatilekha desempeñaba un papel importante, circulando en la parte trasera de un jeep, megáfono en mano– a las ocho en punto de la mañana; una hora después, cuando el tráfico de la ciudad alcanzaba su punto culminante, la multitud empezó a dispersarse. Sin embargo, a pesar de los miles de personas que intervinieron en el acto, a pesar de su carácter pacífico y de su mensaje positivo, la formación de la cadena humana no fue recogida por los servicios informativos de la televisión de Doordarshan. Tampoco All-India Radio se refirió a ella. La mayoría de la prensa progubernamental omitió también toda mención. Sólo un diario en lengua inglesa y un dominical dieron la noticia; nada más. Zeeny, recordando el tratamiento que se había dado a la cadena de Kerala, había predicho este silencio ensordecedor cuando ella y Salahuddin volvían a casa. «Es un acto comunista –explicó–. Por lo tanto, inexistente.»

¿Qué acaparaba los titulares de los periódicos de la tarde?

¿Qué chillaban a los lectores en caracteres de tres centímetros mientras no se dedicaba a la cadena humana ni un susurro de tipografía pequeña?

LA REINA DEL EVEREST Y PRODUCTOR CINEMATOGRÁFICO, MUERTOS
DOBLE TRAGEDIA EN MALABAR HILL
GIBREEL FARISHTA DESAPARECIDO
LA MALDICIÓN DE EVEREST VILAS SE COBRA NUEVAS VÍCTIMAS

El cadáver del prestigioso productor cinematográfico S. S. Sisodia había sido descubierto por el servicio doméstico en el centro de la alfombra del salón del apartamento del célebre actor Mr. Gibreel Farishta, con una herida de bala en el corazón. Miss Alleluia Cone, en un accidente que se creía «relacionado con el hecho», había perdido la vida al caer desde la azotea del rascacielos, la misma desde la cual, unos dos años atrás, Mrs. Rekha Merchant había arrojado a sus hijos y a sí misma al asfalto de la calle.

Los periódicos de la mañana mostraban menos ambigüedad al referirse a la última actuación de Farishta. FARISHTA, SOSPECHOSO, SE ESCONDE.

«Vuelvo a Scandal Point», dijo Salahuddin a Zeeny, que, malinterpretando esta retirada a una esfera más íntima del espíritu, montó en cólera: «Mister, vale más que te decidas de una vez.» Al marcharse, no supo qué decirle para tranquilizarla; ¿cómo explicarle su abrumadora sensación de culpabilidad, de *responsabilidad*; cómo decirle que aquellas muertes eran las oscuras flores de unas semillas que él plantara hacía tiempo? «Necesito pensar –dijo en voz baja, con lo que confirmó las sospechas de ella–. Sólo un día o dos.» «Salad baba –dijo Zeeny secamente–, tengo que reconocer que tu sentido de la oportunidad es realmente fabuloso.»

La noche después de su participación en la cadena humana, Salahuddin Chamchawala contemplaba por la ventana del dormitorio de su infancia las formas nocturnas del mar de Arabia cuando Kasturba dio unos rápidos golpes en la puerta con los nudillos. «Un hombre pregunta por ti», dijo casi en un siseo, evidentemente asustada. Salahuddin no había visto a nadie entrar por la puerta. «Ha llamado a la puerta de servicio –dijo Kasturba en respuesta a su pregunta–. Y, escucha, baba, es ese Gibreel. Gibreel Farishta, del que los periódicos dicen...» Su voz se apagó y ella se mordió nerviosamente las uñas de la mano izquierda.

«¿Dónde está?»

«No sabía qué hacer. Tuve miedo –dijo Kasturba–. Lo hice pasar al estudio de tu padre. Te espera allí. Pero será mejor que no vayas. ¿Llamo a la policía? *Baapu ré*, qué cosas.»

No. No llames. Iré a ver qué quiere.

Gibreel estaba sentado en la cama de Changez, con la vieja lámpara en las manos. Llevaba un pijama *kurta* blanco sucio y ofrecía el aspecto del hombre que ha dormido mal. Tenía los ojos extraviados, sin brillo, muertos. «Bobito –dijo con cansancio, señalando una butaca con un movimiento de la lámpara–. Hazte un sitio.»

«Tienes un aspecto espantoso», aventuró Salahuddin, recibiendo del otro una sonrisa distante, cínica, desconocida. «Siéntate y calla, Bobito –dijo Gibreel Farishta–. He venido a contarte un cuento.»

Entonces fuiste tú, comprendió Salahuddin. *Tú lo hiciste: tú asesinaste a los dos.* Pero Gibreel había cerrado los ojos, unido las yemas de los dedos y empezado a contar su historia, que era también el final de muchas historias, de esta manera:

Kan ma kan
Fi qadim azzaman...

Tal vez sí tal vez no hace mucho mucho tiempo

Bueno algo por el estilo

No estoy seguro porque cuando vinieron a verme yo no era yo no *yaar* no era yo en absoluto hay días muy duros cómo decirte lo que es la enfermedad algo así pero no puedo estar seguro

Siempre hay una parte de mí que está fuera gritando no por favor no lo hagas pero no sirve de nada ves venir el mal

Yo soy el ángel el maldito ángel bueno de dios y estos días es el ángel vengador Gibreel el vengador siempre la venganza por qué

No puedo estar seguro algo así por el delito de ser humano

especialmente femenino pero no exclusivamente la gente debe pagar

Algo así

Él me la trajo con buena intención ahora lo sé él sólo quería que hiciéramos las paces es que-que-que no ves me dijo que ella no te ooo-olvida ni mucho menos y tú dijo estás lo-lo-loco por ella todos lo saben él sólo quería que fuéramos que fuéramos que fuéramos

Pero yo oí versos

Tú me entiendes Bobito

Versos

Manzana colorada tarta de limón sin sin son

Me gusta el café me gusta el té

Azul la violeta multicolor el huerto acuérdate de mí cuando haya muerto muerto muerto

Ese tipo de cosas

No podía sacármelos de la cabeza y ella se transformó delante de mis ojos yo la insulté puta y cosas así y a él yo lo conocía bien

Sisodia degenerado de cualquiera sabe dónde yo sabía lo que ellos pretendían

reírse de mí en mi propia casa algo así

Me gusta la manteca me gusta la tostada
Versos Bobito quién se inventará esas cosas
Y entonces invoqué la ira de Dios le apunté con el dedo le disparé al corazón pero ella puta pensaba yo puta fría como el hielo
allí quieta esperando esperando nada más y entonces no sé no estoy seguro no estábamos solos
Algo así
Rekha estaba allí flotando en su alfombra tú la recordarás Bobito
tienes que acordarte de Rekha en su alfombra cuando caíamos y alguien más un tipo raro vestido de escocés a lo *gora*
no entendí el nombre
Ella no sé si los veía o no los veía no estoy seguro estaba quieta
Fue idea de Rekha llévala arriba la cumbre del Everest cuando llegas a lo alto ya sólo puedes ir hacia abajo
la apunté con el dedo subimos
yo no la empujé
Rekha la empujó
Yo no la habría empujado
Bobito
Compréndeme Bobito
Maldita sea
yo quería a esa chica

Salahuddin pensaba cómo Sisodia, con su extraño don para el encuentro fortuito (con Gibreel al casi atropellarlo en Londres, con el propio Salahuddin al volverse éste, despavorido, delante de la puerta de una avión y ahora, al parecer, con Alleluia Cone en el vestíbulo del hotel), finalmente había ido a tropezarse con la muerte; y pensaba también en Allie, menos afortunada que él en su caída, que (en vez de su anhelada ascensión solitaria al Everest) había hecho este fatal e ignominioso descenso, y en que ahora él iba a morir por sus versos, y no podía decir que la sentencia de muerte fuera injusta.

Sonó un golpe en la puerta. *Abran, por favor. Policía.* Después de todo, Kasturba los había llamado.

Gibreel levantó la tapa de la lámpara maravillosa de Changez Chamchawala, que cayó al suelo tintineando.

Tiene escondida una pistola en la lámpara, advirtió Salahuddin. «Cuidado –gritó–. Aquí dentro hay un hombre armado.» Los golpes cesaron, y entonces Gibreel pasó la mano por el costado de la lámpara maravillosa: una, dos, tres veces.

El revolver saltó a su otra mano.

Apareció un temible jinnee de monstruosa estatura, recordó Salahuddin. *«¿Cuáles son tus deseos? Yo soy el esclavo del que posee la lámpara.»* Que cosa tan limitada es un arma, pensó Salahuddin, sintiéndose extrañamente distante de los hechos. Lo mismo que Gibreel cuando se puso enfermo. Sí, realmente limitada. Porque qué pocas eran las opciones, ahora que Gibreel era el *armado* y él, Salahuddin, el *desarmado*; ¡cómo se había reducido el universo! Los verdaderos *djinns* de antaño tenían el poder de abrir las puertas del Infinito, de hacer posibles todas las cosas, de hacer que tuvieran lugar todos los prodigios; qué banal, en comparación, era este trasgo moderno, este descendiente degenerado de antepasados poderosos, este débil esclavo de una lámpara del siglo veinte.

«Hace mucho tiempo –dijo Gibreel Farishta suavemente–, te dije que si un día me convencía de que la enfermedad nunca iba a dejarme, que seguiría acometiéndome, no podría soportarlo.» Entonces, muy deprisa, antes de que Salahuddin pudiera mover un solo dedo, Gibreel se puso el cañón de la pistola en la boca; y apretó el gatillo; y quedó liberado.

Salahuddin estaba en la ventana de su niñez, contemplando el mar de Arabia. La luna era casi llena; su reflejo, que se extendía desde las rocas de Scandal Point hasta el horizonte, creaba la ilusión de un camino plateado, como una raya en el pelo brillante del agua, como un camino hacia tierras milagrosas. Sacudió la cabeza; ya no podía creer en cuentos de hadas. La niñez había terminado, y lo que veía desde aquella ventana no era más que un viejo eco sentimental. ¡Al diablo con todo ello! Que vinieran los bulldozers. Si lo viejo se resistía a morir, lo nuevo no podría nacer.

«Ven», dijo a su lado la voz de Zeeny Vakil. Al parecer, a pesar de sus tropiezos, su debilidad, sus culpas –a pesar de su humanidad–, iba a tener otra oportunidad. A veces la suerte de uno era increíble, desde luego. Aquí estaba, tomándole por el codo. «A mi casa –propuso Zeeny–. Vámonos de una puñetera vez.»

«Vamos», respondió él, y volvió la espalda al panorama.